A MARCA HUMANA

Lista de obras do autor publicadas pela Companhia das Letras

Adeus, Columbus
O animal agonizante
O avesso da vida
Casei com um comunista
O complexo de Portnoy
Complô contra a América
Entre nós
Fantasma sai de cena
Os fatos
Homem comum
A humilhação
Indignação
A marca humana
Nêmesis
Operação Shylock
Pastoral americana
Patrimônio
O professor do desejo
Quando ela era boa
O teatro de Sabbath
Zuckerman acorrentado

PHILIP ROTH

A marca humana

Tradução
Paulo Henriques Britto

6ª reimpressão

COMPANHIA DAS LETRAS

Copyright © 2000 by Philip Roth
Todos os direitos reservados

Grafia atualizada segundo o Acordo Ortográfico da Língua Portuguesa de 1990, que entrou em vigor no Brasil em 2009.

Título original
The Human Stain

Capa
João Baptista da Costa Aguiar

Preparação
Eliane de Abreu Santoro

Revisão
Cláudia Cantarin
Danielle M. Sales
Carmen S. da Costa

Atualização Ortográfica
Marina Nogueira

Dados Internacionais de Catalogação na Publicação (CIP)
Câmara Brasileira do Livro, SP, Brasil

Roth, Philip, 1933-2018.
  A marca humana / Philip Roth ; tradução Paulo Henriques Britto. — 1ª ed. — São Paulo : Companhia das Letras, 2002.

  Título original: The Human Stain.
  ISBN 978-85-359-0198-6

  1. Romance norte-americano I. Título.

01-5654   CDD-813.5

Índices para catálogo sistemático:
1. Romances : Século 20 : Literatura
    norte-americana   813.5
2. Século 20 : Romances : Literatura
    norte-americana   813.5

[2021]
Todos os direitos desta edição reservados à
EDITORA SCHWARCZ S.A.
Rua Bandeira Paulista, 702, cj. 32
04532-002 — São Paulo — SP
Telefone: (11) 3707-3500
www.companhiadasletras.com.br
www.blogdacompanhia.com.br
facebook.com/companhiadasletras
instagram.com/companhiadasletras
twitter.com/cialetras

Para R. M.

ÉDIPO:
Qual o rito da purificação? De que modo há de ser feito?

CREONTE:
Pelo desterro, ou pela expiação do sangue pelo sangue...

Sófocles, *Édipo Rei*

1. Todo mundo sabe

Foi no verão de 1998 que meu vizinho Coleman Silk — que até se aposentar, dois anos antes, fora professor de letras clássicas na Faculdade Athena por vinte e tantos anos, além de atuar por mais dezesseis anos como decano — confidenciou-me que, aos setenta e um anos de idade, estava tendo um caso com uma faxineira de trinta e quatro que trabalhava na faculdade. Duas vezes por semana ela fazia a limpeza da agência local dos correios, uma pequena construção cinzenta de madeira que parecia ter servido de abrigo a uma das famílias de migrantes que fugiram da grande seca do Oklahoma nos anos 30, e que, isolada e melancólica, em frente ao posto de gasolina e à mercearia, exibe a bandeira nacional no cruzamento das duas estradas que assinalam o centro comercial desta cidadezinha serrana.

Coleman viu a mulher pela primeira vez, passando o esfregão no assoalho dos correios, quando foi lá num final de tarde, não muito antes da hora de fechar, para pegar sua correspondência — uma mulher magra, alta, angulosa, com cabelos louros já um pouco grisalhos presos num rabo de cavalo e aquelas feições duras e severas que costumamos associar às matronas carolas e trabalhadeiras que levavam vidas sofridas nos primórdios da Nova Inglaterra, mulheres sérias dos tempos coloniais, confinadas pela obediência à moralidade dominante. Chamava-se Faunia Farley e mantinha todo e qualquer sofrimento que padecesse oculto por trás de um desses rostos ossudos e inexpressivos que não escondem nada e traem uma solidão imensa. Faunia morava num quarto numa fazenda ali perto, onde ajudava a ordenhar as vacas como parte do pagamento do aluguel. Tinha completado dois anos do colegial.

Aquele verão em que Coleman me falou a respeito de Faunia Farley e seu caso secreto foi, apropriadamente, o mesmo em que o segredo de Bill Clinton veio à tona, com todos os detalhes constrangedores — todos aqueles detalhes realistas, a sensação de realidade, tal como o constrangimento, sendo um efeito da força dos dados específicos. Havia anos que não tínhamos um verão como aquele, desde a vez em que alguém encontrou fotos da nova Miss América nua num número antigo da *Penthouse*, em que ela aparecia posando, elegante, de joelhos e em decúbito dorsal, fotos que obrigaram a jovem envergonhada a abrir mão de sua coroa para se tornar uma estrela *pop* de grande sucesso. Na Nova Inglaterra, o verão de 1998 foi marcado por muito sol e calor; no beisebol, por uma batalha entre um deus branco e outro deus negro; e, nos Estados Unidos, por uma imensa febre de religiosidade, de puritanismo, quando o terrorismo — que se seguiu ao comunismo como a principal ameaça à segurança do país — foi sucedido pela felação, quando um presidente viril, de meia-idade mas de aparência jovem, e uma estagiária ousada e apaixonada, com vinte e um anos de idade, aprontaram no Salão Oval como se fossem dois adolescentes num estacionamento, resgatando a mais antiga paixão nacional americana, historicamente talvez o seu prazer mais traiçoeiro e subversivo: o êxtase da santimônia. No Congresso, na imprensa, na televisão, os moralistas espalhafatosos de plantão, loucos para acusar, deplorar e punir, eram onipresentes, cada um querendo ser mais indignado que o outro: todos eles num frenesi calculado, possuídos por aquilo que foi identificado por Hawthorne (o qual morava, na década de 1860, não muito longe da minha casa), no país ainda incipiente de tantos anos atrás, como "o espírito de perseguição"; todos ansiosos para executar os rituais austeros de purificação que expurgariam a ereção do poder executivo, para que tudo ficasse tão puro e inofensivo que a filha de dez anos do senador Lieberman pudesse voltar a assistir televisão com seu papai constrangido. Não, se você não viveu 1998, você não sabe o que é santimônia. O colunista conservador William F. Buckley escreveu: "Quando Abelardo agiu assim, foi possível impedir que o ato se repetisse", insinuando que a transgressão presidencial — a que em outra coluna Buckley se referiu como "a carnalidade incontinente" de Clinton — devia ser punida não com um impeachment incruento, mas, de preferência, com o castigo que, no século XII, os asseclas carniceiros do confrade eclesiástico de Abelardo, o cônego Fulberto, aplicaram ao cônego Abelardo por ter secretamente seduzido e desposado a sobrinha virgem de Fulberto, Heloísa. Ao contrário da *fatwa* proclamada por Khomeini, que condenou à morte Salman Rushdie, a castração corretiva sonhada por Buckley não vinha acompanhada de nenhum incentivo financeiro para possíveis executores. No entanto, foi ditada por um espírito tão exigente quanto o do aiatolá, e em nome de ideais tão elevados quanto os dele.

Nos Estados Unidos, foi o verão em que a náusea voltou, em que as piadas não paravam, em que as especulações e teorizações e hipérboles não cessavam, em que a obrigação moral de explicar aos filhos como é a vida adulta foi ab-rogada em nome da necessidade de conservar-lhes todas as ilusões a respeito do assunto, em que a pequenez das pessoas tornou-se esmagadora, em que uma espécie de demônio andava à solta por toda a nação e em que as pessoas, tanto as pró como as contra, se perguntavam: "Por que somos tão malucos?"; em que homens e mulheres, quando acordavam de manhã, constatavam que, durante a noite, num estado de sono que os levara além do alcance da inveja e da repulsa, haviam sonhado com a desfaçatez de Bill Clinton. Eu, em particular, sonhei com uma faixa gigantesca, envolvendo dadaisticamente, como numa instalação de Christo, a Casa Branca, cobrindo-a por completo, com a legenda: AQUI MORA UM SER HUMANO. Foi o verão em que — pela bilionésima vez — o caos, a brutalidade, a bagunça se revelaram mais sutis do que a ideologia ou a moralidade. Foi o verão em que o pênis de um presidente esteve na cabeça de todos, e a vida, com toda a sua impureza desavergonhada, mais uma vez confundiu todo o país.

Aos sábados, Coleman Silk às vezes telefonava e me convidava a atravessar a serra e ir à casa dele depois do jantar para ouvir música, ou jogar buraco, valendo moedas, ou passar umas duas horas na sala de visitas tomando conhaque ou ajudando-o a suportar o que para ele era sempre a pior noite da semana. No verão de 1998, Coleman já estava sozinho ali — sozinho naquela casa de madeira branca, grande e velha, em que havia criado quatro filhos com a mulher, Iris — havia quase dois anos, desde o dia em que Iris sofrera um derrame, morrendo de repente enquanto ele brigava com a faculdade por causa de uma acusação de racismo que lhe faziam dois alunos de uma de suas turmas.

Coleman passara quase toda a sua carreira acadêmica na Athena; homem extrovertido, arguto, urbano, terrivelmente sedutor, com um toque de guerreiro e charlatão, em nada se parecia com a figura pedante do típico professor de latim e grego (assim, por exemplo, quando ainda era um jovem instrutor, cometeu a heresia de criar um clube de conversação em grego e latim). Seu venerável curso introdutório de literatura grega clássica em tradução — conhecido pela sigla DHM, ou seja, deuses, heróis e mitos — era popular entre os alunos precisamente por tudo o que havia nele de direto, franco, enfático e pouco acadêmico. "Vocês sabem como começa a literatura europeia?", perguntava ele, após fazer a chamada na primeira aula. "Com uma briga. Toda a literatura europeia nasce de uma briga." Então pegava sua *Ilíada* e lia para os alunos os primeiros versos. "'Musa divina, canta a cólera desastrosa de Aquiles... Começa com o motivo do conflito entre os dois, Agamenon, rei dos homens, e o grande Aquiles.' E por que é que eles estão brigando, esses dois grandes espíritos violentos e poderosos? Por um motivo tão simples quanto qualquer briga de botequim. Estão brigando por causa de uma mulher. Uma menina, na verdade. Uma menina roubada do pai. Capturada numa guerra. Ora, Agamenon gosta muito mais dessa menina do que de sua esposa, Clitemnestra. 'Clitemnestra não é tão boa quanto ela', diz ele, 'nem de rosto nem de corpo.' É uma explicação bastante direta do motivo pelo qual ele não quer abrir mão da tal moça, não é? Quando Aquiles exige que Agamenon a devolva ao pai a fim de apaziguar Apolo, o deus cuja ira assassina foi despertada pelas circunstâncias em que a moça fora raptada, Agamenon se recusa: diz que só abre mão da namorada se Aquiles lhe der a dele em troca. Com isso, Aquiles fica ainda mais enfurecido. Aquiles, o adrenalina: o sujeito mais inflamável e explosivo de todos os que já foram imaginados pelos escritores; especialmente quando seu prestígio e seu apetite estão em jogo, ele é a máquina de matar mais hipersensível da história da guerra. Aquiles, o célebre: apartado e alijado por causa de uma ofensa à sua honra. Aquiles, o grande herói, tão enraivecido por um insulto — o insulto de não poder ficar com a garota — acaba se isolando e se excluindo, numa atitude desafiadora, da sociedade que precisa muitíssimo dele, pois ele é justamente seu glorioso protetor. Assim, uma briga, uma briga brutal por causa de uma menina, de seu corpo jovem e das delícias da rapacidade sexual: é assim, nessa ofensa ao direito fálico, à *dignidade* fálica, de um poderosíssimo príncipe guerreiro, que tem início, bem ou mal, a grande literatura de ficção europeia, e é por isso que, quase três mil anos depois, vamos começar nosso estudo aqui..."

Logo que foi contratado, Coleman era um dos poucos judeus que lecionavam na Athena, e foi talvez um dos primeiros judeus a ter permissão de trabalhar no departamento de letras clássicas de uma faculdade americana; poucos anos antes, o único judeu da Athena era E. I. Lonoff, um contista hoje praticamente esquecido, que eu, na época ainda um escritor aprendiz, recém-publicado, em dificuldades e precisando muito da legitimação de um mestre, procurei certa vez numa visita memorável ao campus. Durante os anos 80 e 90, Coleman foi também o primeiro e único judeu a atuar como decano da Athena; então, em 1995, abrindo mão do decanato a fim de encerrar sua carreira acadêmica na sala de aula, voltou a dar dois de seus cursos no programa de letras que havia absorvido o antigo departamento de letras clássicas e que tinha como diretora a professora Delphine Roux. Como decano, e com o total apoio de um ambicioso presidente recém-empossado, Coleman tomou aquela pequena e antiquada faculdade interiorana, uma espécie de fazenda para cavalheiros, e, não sem recorrer à pressão, transformou-a por completo, incentivando de modo agressivo a aposentadoria precoce dos pesos mortos da velha guarda do corpo docente, recrutando jovens professores assistentes cheios de ambição, revolucionando o currículo. É quase certo que, tivesse ele se aposentado, sem nenhum incidente, quando chegasse a hora, teria havido um *festschrift*, teria sido criada uma série de conferências Coleman Silk e instituída uma cátedra de letras clássicas com seu nome, e talvez — dada sua importância para a revitalização da faculdade no século xx — o prédio de ciências humanas ou mesmo o Prédio Norte, o edifício mais venerando da Athena, recebesse o nome do homenageado após sua morte. No pequeno mundo acadêmico em que ele passara a maior parte da vida, quaisquer ressentimentos, controvérsias e até mesmo temores associados a ele seriam esquecidos, e sua memória seria oficialmente reverenciada para sempre.

Foi mais ou menos no meio do segundo semestre após sua volta às salas de aula que Coleman pronunciou a palavra autoincriminatória que o faria desvincular-se, voluntária e completamente, da faculdade — a única palavra autoincriminatória dos muitos milhões de outras palavras que ele pronunciara durante tantos anos de atuação na Athena como professor e administrador, e a palavra que, julgava ele, levara diretamente à morte de sua mulher.

Havia catorze alunos na turma. Coleman fizera a chamada nas primeiras aulas, para aprender seus nomes. Como ainda houvesse, na quinta semana de aula, dois nomes que jamais correspondiam a nenhum dos presentes, Coleman, na sexta semana, começou sua aula com a pergunta: "Alguém conhece essas pessoas? Elas existem mesmo ou será que são *spooks*?".

Naquele mesmo dia, Coleman foi chamado por seu sucessor, o novo decano, e ficou sabendo, atônito, que tinha de responder à acusação de racismo levantada contra ele pelos dois alunos ausentes, que eram negros e que, embora ausentes, logo ficaram sabendo da expressão que ele utilizara para indagar a respeito de sua existência. "Eu me referia à possível natureza ectoplasmática deles. Isso não é óbvio? Esses dois alunos não assistiram a nenhuma aula. Eu estava usando a palavra no sentido de espectro, fantasma. Eu não tinha a menor ideia da cor desses dois alunos. Talvez até soubesse, há cinquenta anos, só que já esquecera completamente, que *spook* é um termo pejorativo, usado para se referir aos negros. Caso contrário, como sou extremamente meticuloso com respeito à sensibilidade dos meus alunos, jamais teria usado essa palavra. Levemos em consideração o contexto: eles existem *ou* são *spooks*? A acusação de racismo é espúria. É absurda. Meus colegas sabem que é absurda e meus alunos sabem que é absurda. A questão, a única questão, é o fato de que esses dois alunos não vão à aula, se negam a cumprir seus deveres da maneira mais flagrante e indesculpável. E o irritante é que a acusação não é apenas falsa — ela é espetacularmente falsa." Tendo dito o suficiente em sua própria defesa, julgando que o assunto estava encerrado, Coleman foi para casa.

Ora, até mesmo os decanos comuns, segundo me dizem, por atuarem numa terra de ninguém entre o corpo docente e os escalões mais altos da administração, invariavelmente fazem inimigos. Nem sempre concedem os aumentos salariais solicitados, nem as vagas de estacionamento mais cobiçadas, nem as salas mais espaçosas a que os professores mais graduados julgam ter direito. Candidatos a cargos e promoções, especialmente nos departamentos mais fracos, são com frequência rejeitados. Os pedidos de contratação de mais professores e secretárias para os departamentos são quase sempre negados, assim como as solicitações dos professores que desejam cargas horárias menores e não querem ser obrigados a dar aulas de manhã cedo. Negam-se pedidos de financiamentos para viagens a congressos acadêmicos etc. etc. Mas Coleman não fora um decano comum; e as pessoas de quem se livrara, e o modo como se livrara delas, e o que ele tinha abolido e instituído, e a audácia com que fizera o que tinha de ser feito, enfrentando uma resistência tremenda, tudo isso tivera um efeito muito maior do que meramente pisar nos calos de uns poucos ingratos e ressentidos. Sob a proteção de Pierce Roberts, o presidente da faculdade, jovem, bonitão e bem-sucedido, ainda com todo o cabelo na cabeça, que assumiu o poder e o nomeou decano — e que lhe disse: "Vai ser necessário mudar muita coisa, quem não gostar que pule fora ou se aposente mais cedo" —, Coleman virou a faculdade de pernas para o ar. Quando, oito anos depois, na metade do mandato de Coleman, Roberts aceitou a presidência de uma das dez mais prestigiosas universidades do país, foi graças à reputação que conquistara com a revitalização da Athena em tempo recorde — mas que fora obra não do presidente glamouroso, cujo papel era basicamente o de levantar fundos, que jamais tivera de aguentar as reações e que foi embora de Athena coberto de glória e sem nenhum arranhão, mas sim de seu decano decidido.

Menos de um mês após ser nomeado decano, Coleman convidou todos os membros do corpo docente para conversar com ele, inclusive vários professores mais antigos, membros das tradicionais famílias do condado que haviam fundado e financiado a faculdade, que recebiam salários embora na verdade não precisassem daquele dinheiro. Pediu que cada docente levasse seu currículo, e se um ou outro não o levou, por se achar importante demais, não fez diferença, porque Coleman tinha, de todo modo, uma cópia de cada currículo em sua mesa. E o novo decano os manteve ali por uma hora, às vezes mais, até que, tendo deixado bem claro que as coisas na Athena haviam finalmente começado a mudar, o professor em questão começasse a suar. Coleman não tinha pudor de iniciar a entrevista folheando o currículo e perguntando:

"Afinal, o que você tem *feito* nos últimos onze anos?". E quando ouviu pela enésima vez um professor responder que vinha publicando regularmente no periódico da faculdade, *Apontamentos de Athena* — ou seja, colhendo uma pérola filológica, bibliográfica ou arqueológica anualmente na sua amarelecida tese de doutorado e "publicando-a" no periódico trimestral de Athena, que era editado em mimeógrafo e encadernado em papelão cinzento, e só catalogado na própria biblioteca da faculdade —, Coleman, segundo se dizia, ousou violar o código de civilidade da faculdade, replicando: "Em outras palavras, vocês reciclam seu próprio lixo". Em seguida, ele não apenas fechou os *Apontamentos de Athena*, devolvendo a minúscula verba ao doador original — que vinha a ser o sogro do editor —, como também, para estimular a aposentadoria precoce, obrigou os mais pesados dos pesos mortos a trocar os cursos que vinham lecionando em piloto automático nos últimos vinte ou trinta anos por cursos introdutórios de inglês e história ou pelo novo programa de orientação de calouros, que era marcado para os quentíssimos dias finais do verão. Eliminou o prêmio Acadêmico do Ano, cujo nome não correspondia à realidade, e realocou os mil dólares destinados ao vencedor. Pela primeira vez na história da instituição, exigia-se que os pedidos de ano sabático viessem acompanhados por um plano detalhado especificando o que seria feito durante o período, e na maioria dos casos o pedido era negado. Coleman aboliu o refeitório dos docentes, uma espécie de clube fechado, com as almofadas de madeira trabalhada mais bonitas de todo o campus, transformou-o em sala de reuniões — aliás, fora essa a utilização original da sala — e obrigou os professores a comer no bandejão, junto com os alunos. Insistia na realização de reuniões gerais — o decano que ocupara o cargo antes de Coleman tornara-se popularíssimo por jamais marcar reuniões. A secretária do decanato sempre verificava quem estava presente, de modo que até mesmo os figurões que só trabalhavam três vezes por semana eram obrigados a comparecer. Coleman encontrou uma cláusula na constituição da faculdade segundo a qual não deveria haver comissões executivas, e, argumentando que essas barreiras conservadoras às reformas eram frutos apenas da convenção e da tradição, extinguiu-as e passou a exercer controle absoluto sobre as reuniões do corpo docente, usando-as para anunciar as próximas medidas que iria tomar, as quais provocavam ainda mais ressentimentos. Com Coleman no poder, as promoções tornaram-se difíceis — e foi isso, talvez, o que mais chocou os professores: ninguém mais era promovido automaticamente com base na popularidade entre os alunos, e ninguém recebia aumento senão por mérito. Em suma, Coleman introduziu a competição, tornou a Athena um ambiente competitivo — "como os judeus sempre fazem", observou um de seus primeiros inimigos. E toda vez que uma comissão *ad hoc* de professores indignados ia se queixar a Pierce Roberts, o presidente invariavelmente dava razão ao decano.

No período Roberts, Coleman era adorado por todos os professores mais jovens e brilhantes que havia recrutado, porque o decano lhes abrira espaço e começara a trazer gente boa recém-saída dos programas de pós-graduação de Johns Hopkins, Yale e Cornell — "a revolução da qualidade", como eles próprios diziam. Admiravam Coleman porque expulsara a elite daquele clube exclusivo e ameaçara a autoimagem de seus membros, o que sempre enlouquece um professor presunçoso. Todos os docentes mais velhos, que eram os mais fracos da instituição, sobreviviam com base na sua autoavaliação — a maior autoridade sobre o ano 100 a.C. etc.; uma vez contestados por alguém que tinha poder sobre eles, sua autoconfiança ficava abalada e em poucos anos quase todos haviam desaparecido. Tempos emocionantes! Porém Pierce Roberts arranjou emprego numa grande universidade em Michigan, e Haines, o novo presidente que o substituiu, não tinha nenhuma relação especial com Coleman — e, ao contrário de seu antecessor, não tinha muita tolerância com a vaidade demolidora, o ego autocrático que havia promovido uma limpa na faculdade em uns poucos anos; e à medida que os jovens que Coleman havia mantido em seus cargos, juntamente com os que contratara, foram se tornando os veteranos do corpo docente, uma reação contra o decano começou a se articular. Ele só se deu conta do quanto essa reação era forte quando contou todas as pessoas, em cada departamento, que não pareciam nem um pouco incomodadas com o fato de que a palavra com a qual o antigo decano caracterizara os dois alunos aparentemente inexistentes era definida no dicionário não apenas do modo mais comum, que ele sustentava ser sem dúvida o que tinha em mente, mas também com a acepção racial pejorativa que levara seus dois alunos negros a registrar uma queixa.

Lembro-me muito bem daquele dia de abril, há dois anos, em que Iris Silk morreu e Coleman enlouqueceu. Até então minhas relações com o casal se limitavam a um aceno com a cabeça quando nos cruzávamos na venda ou no correio; eu não os conhecia nem sabia muita coisa a seu respeito. Não sabia que Coleman fora criado na cidadezinha de East Orange, Nova Jersey, no condado de Essex, a menos de dez quilômetros do lugar onde eu morava na época, nem que concluíra o secundário na Escola Secundária de East Orange em 1944, apenas seis anos antes de eu me formar numa escola próxima, em Newark. Coleman nunca fez o menor esforço para se aproximar de mim, e, se eu havia me mudado de Nova York para uma cabana de quarto e sala no campo a que se tinha acesso por uma estrada rural no alto da serra de Berkshire, certamente não era por querer conhecer gente nova ou me integrar a uma comunidade diferente. Quando me convidavam, nos primeiros meses após minha mudança, em 1993, para ir a um jantar, a um chá, a um coquetel, para descer até a faculdade, no fundo do vale, e dar uma conferência pública ou, se eu preferisse, conversar em caráter informal com uma turma de literatura, eu sempre recusava os convites educadamente, e a partir daí tanto os vizinhos como a faculdade me deixaram em paz, sozinho com o meu trabalho.

Mas então, naquela tarde há dois anos, depois de tratar do enterro de Iris, Coleman veio diretamente até minha casa, bateu com toda a força à porta e pediu para entrar. Embora tivesse um pedido urgente a me fazer, não conseguia ficar sentado mais de trinta segundos para explicar direito o que queria. Levantava-se, voltava a se sentar, levantava outra vez, dava voltas e mais voltas na minha sala de trabalho, falando alto e depressa, até mesmo sacudindo o punho cerrado de modo ameaçador quando julgava — equivocadamente — que era necessário dar ênfase a suas palavras. Eu tinha de escrever uma coisa para ele — foi o que me disse, praticamente me dando uma ordem. Se ele próprio escrevesse a história, com tudo o que nela havia de absurdo, sem alterar nada, ninguém acreditaria, ninguém o levaria a sério, diriam que era uma mentira ridícula, que ele exagerava para se defender, ele não poderia ter caído em desgraça apenas por pronunciar a palavra *"spooks"* numa sala de aula. Mas se *eu* escrevesse a história, se um escritor profissional a escrevesse...

Todas as barreiras que o continham haviam desabado dentro dele; assim, vê-lo e ouvi-lo — ele, um homem que eu não conhecia, mas que era sem dúvida um homem sério e importante, agora completamente destrambelhado — era como assistir a um grave acidente de carro, ou um incêndio, ou uma explosão assustadora, alguma catástrofe pública que fascina por ser tão improvável quanto grotesca. Ele rodava às tontas pela sala como uma galinha que continua a se debater mesmo depois de decapitada. A cabeça de Coleman tinha sido cortada fora, a cabeça que continha o cérebro cultivado do outrora todo-poderoso decano e professor de letras clássicas, e o que eu via a minha frente era o que restava dele, a parte amputada, rodando em círculos, fora de controle.

Eu — embora ele jamais tivesse entrado na minha casa antes, praticamente nunca tivesse ouvido minha voz — deveria pôr de lado qualquer coisa que estivesse fazendo para escrever sobre o que havia acontecido com ele: seus inimigos na faculdade, ao atacá-lo, tinham acabado por matar sua mulher. Ao criar uma imagem falsa sua, ao tachá-lo de coisas que ele nunca fora nem jamais poderia ser, eles não apenas haviam caluniado um profissional cuja carreira fora marcada pela maior seriedade e dedicação como também mataram a mulher com quem ele vivera por mais de quarenta anos. Como se houvessem apontado uma arma para ela e puxado o gatilho. Eu teria de escrever sobre este "absurdo", aquele "absurdo" — eu, que nada sabia na época a respeito dos problemas dele na faculdade nem conseguia entender a cronologia dos horrores que desde havia cinco meses o atormentavam e também a falecida Iris Silk: a sucessão interminável de reuniões, audiências e depoimentos, os documentos e as cartas entregues a funcionários da faculdade, às comissões de docentes, ao advogado negro que se oferecera para defender gratuitamente os dois alunos... as acusações, as negações, as contra-acusações, a obtusidade, a ignorância, o cinismo, as distorções grosseiras e deliberadas, as explicações cansativas e repetitivas, as perguntas persecutórias — e sempre, constantemente, a sensação opressiva de irrealidade. "Assassinato!", gritava Coleman, debruçado sobre minha mesa e socando-a com o punho cerrado. "Essas pessoas *assassinaram* Iris!"

O rosto que ele me exibia, o rosto que colocava a apenas trinta centímetros do meu, agora estava marcado, torto e — levando-se em conta que era o rosto de um homem maduro mas bonitão, elegante e conservado — curiosamente repugnante, muito provavelmente distorcido pelo efeito tóxico de todas as emoções que lhe percorriam o organismo. Visto assim de perto, estava amassado, estragado, como uma fruta caída de uma barraca na feira e que é chutada de um lado para o outro pelos fregueses que passam.

Há algo de fascinante no efeito do sofrimento moral sobre uma pessoa que não parece fraca nem frágil. É ainda mais insidioso do que o efeito de uma doença física, porque não há morfina, nem raquidiana, nem cirurgia radical que possa trazer alívio. Quem sofre seu impacto tem a sensação de que só ficará livre se morrer. O realismo cru desse sofrimento é uma coisa incomparável.

Assassinato. Para Coleman, não havia outra explicação para a morte, sem mais nem menos, de uma mulher de sessenta e quatro anos de idade, cheia de energia, dona de uma personalidade forte, gozando da mais perfeita saúde, uma pintora abstracionista cujas telas dominavam as exposições locais e que administrava a associação de artistas da localidade, uma poeta que publicava no jornal do condado, uma pessoa que, em seus tempos de estudante, fora a principal militante contra os abrigos antinucleares, o estrôncio 90 e depois a guerra do Vietnã, dogmática, inflexível, briguenta, um verdadeiro furacão em forma de mulher, reconhecível a mais de cem metros de distância pela vasta auréola de cabelos brancos duros e emaranhados;

uma pessoa tão forte que ele próprio, o decano durão, que tinha fama de passar por cima de qualquer um, que conseguira realizar uma reforma impossível na Faculdade Athena, só conseguia derrotar no tênis.

Uma vez iniciada a campanha contra Coleman, porém — depois que a acusação de racismo deu origem a uma investigação realizada não apenas pelo novo decano mas também pela pequena organização de alunos negros da faculdade e por um grupo de militantes negros de Pittsfield —, a loucura gritante daquela situação apagou as mil e uma dificuldades matrimoniais dos Silk, e aquele mesmo autoritarismo que havia quatro décadas entrava em choque com a autonomia obstinada de Coleman, causando um atrito incessante em suas vidas, Iris colocou a serviço da causa do marido. Embora não dormissem na mesma cama fazia anos, embora não aguentassem conversar um com o outro por muito tempo, embora um não suportasse os amigos do outro, os Silk agora estavam outra vez lado a lado, brandindo o punho na cara de pessoas que odiavam mais profundamente do que, nos piores momentos, um odiava o outro. Tudo aquilo que tinham em comum no tempo em que eram namorados e camaradas, quarenta anos antes, em Greenwich Village — quando ele terminava seu doutorado na Universidade de Nova York e ela, recém-fugida de seus pais, dois anarquistas malucos de Passaic, trabalhava como modelo para alunos de desenho na Associação de Estudantes de Arte, já ostentando seu impressionante matagal de cabelos, suas feições imponentes e sua voluptuosidade, já na época uma suma sacerdotisa coberta de joias étnicas, a autêntica suma sacerdotisa bíblica, dos tempos anteriores à sinagoga —, tudo o que tinham em comum naqueles tempos do Village (menos a paixão erótica) mais uma vez voltou à tona, com toda a força... até que um dia ela acordou com uma dor de cabeça atroz e sem sentir um dos braços. Coleman levou-a correndo para o hospital, mas no dia seguinte Iris morreu.

"Eles queriam me matar, mas quem acabou morrendo foi ela." Foi o que Coleman me disse mais de uma vez naquela visita inesperada, e foi o que fez questão de dizer a todas as pessoas que compareceram ao enterro na tarde seguinte. E era no que continuava a acreditar. Não aceitava nenhuma outra explicação. Depois da morte de Iris — e depois que se deu conta de que eu não estava interessado em utilizar seu calvário como tema de romance, motivo pelo qual lhe devolvi toda a documentação que tinha me empurrado naquele dia —, ele começou a escrever um livro a respeito dos motivos que o levaram a pedir demissão da Athena, um livro-depoimento que intitulara *Spooks*.

Há uma pequena estação de FM em Springfield que aos sábados, das seis à meia-noite, interrompe sua programação normal de obras clássicas e toca música de *big-band* por algumas horas e depois jazz. Do lado da serra em que moro, quem sintoniza a rádio naquela frequência só ouve zumbidos, mas do lado em que Coleman mora o sinal chega muito bem; assim, nas noites de sábado em que ele me convidava para beber com ele, logo ao saltar do carro eu já escutava, vindo da casa de Coleman, aquelas músicas adocicadas que as pessoas da minha geração ouviam sem parar quando crianças, no rádio e nas *jukeboxes*, nos anos 40. Ele ligava a todo volume não apenas o rádio do aparelho de som na sala, como também o rádio de cabeceira, o rádio do banheiro e mais um outro na cozinha. Independentemente do que estivesse fazendo, nas noites de sábado, até a estação sair do ar à meia-noite — depois de meia hora ritual hebdomadária dedicada a Benny Goodman —, ele ouvia jazz o tempo todo.

Curiosamente, disse-me Coleman, as músicas sérias que ouvia depois de adulto jamais tiveram sobre ele o impacto emocional que sentia ao ouvir *swing* agora: "Todo o meu estoicismo vai embora, e a vontade de não morrer, de não morrer nunca, aumenta quase a ponto de ficar insuportável. E tudo isso", explicava ele, "por causa da música de Vaughn Monroe". Havia noites em que cada verso de cada canção ganhava uma importância imensa e esdrúxula, tanto que ele acabava dançando sozinho, com aquele seu passo arrastado, repetitivo, nem um pouco inspirado, mas que dava perfeitamente para o gasto, tal como dançava o foxtrote com as garotas do colegial, apertando contra elas, através das calças, suas primeiras ereções importantes; e, enquanto dançava, nada que ele sentia, dizia Coleman, era simulado, nem o terror (da morte) nem o maravilhamento (causado pelos versos "Você suspira, tem início um hino. Você fala, eu ouço um violino"). As lágrimas que chorava eram espontâneas, por mais que ele se surpreendesse com sua própria fragilidade diante das vozes de Helen O'Connell e Bob Eberly cantando, alternadamente, as diferentes estrofes de "Green eyes", por mais que se espantasse ao constatar que Jimmy e Tommy Dorsey conseguiam transformá-lo num velhinho vulnerável, coisa que jamais acreditara que viria a ser. "Agora, quero ver uma pessoa que nasceu em 1926", dizia, "tentar ficar sozinha em casa numa noite de sábado em 1998 e ouvir Dick Haymes cantando 'Those little white lies' — só isso, e depois vir me dizer que não conseguiu por fim compreender a célebre doutrina da catarse por meio da tragédia."

Coleman estava lavando os pratos do jantar quando entrei por uma porta lateral que dava na cozinha. Como a torneira estava aberta e o rádio tocava a todo volume, ele cantando, junto com o jovem Frank Sinatra, "Everything happens to me", Coleman não me ouviu entrar. Era uma noite quente; ele estava só com uma bermuda de jeans e tênis. Visto de costas, aquele homem de setenta e um anos de idade não parecia ter mais de quarenta — um quarentão esguio e em forma. Coleman devia ter no máximo um metro e setenta e três de altura, se tanto, e não era musculoso, porém havia muita força nele, e ainda lhe restava boa parte da agilidade do atleta que fora no tempo de estudante, a rapidez, o ímpeto que outrora levava as pessoas a dizer "sossega, leão!". Seu cabelo bem crespo, cortado rente, tinha agora a cor de farinha de aveia, de modo que, visto de frente, e apesar do nariz achatado que lhe emprestava um ar juvenil, ele não dava a impressão de ser tão jovem quanto aparentaria se o cabelo ainda fosse escuro. Além disso, havia rugas profundas nos dois lados da boca, e os olhos castanhos esverdeados exprimiam, desde que Iris morrera e ele pedira demissão da faculdade, muito cansaço e esgotamento espiritual. Havia em Coleman aquela beleza incongruente, quase artificial, que vemos nos rostos envelhecidos de artistas de cinema que foram famosos quando crianças e em quem a estrela da juventude está marcada indelevelmente.

O fato é que ele continuava a ser um sujeito bastante atraente mesmo com a idade que tinha, o tipo de judeu de nariz pequeno e queixo pesado, um desses judeus de cabelo encarapinhado e tez amarelada, com aura ambígua dos mulatos claros que às vezes passam por brancos. Quando servia na base naval de Norfolk, Virgínia, no final da Segunda Guerra Mundial, como seu nome não evidenciava que ele era judeu — podia perfeitamente ser nome de negro —, uma vez, num bordel, foi identificado como negro e expulso. "Expulso de um puteiro em Norfolk por ser negro, e expulso da Faculdade Athena por ser branco." Ouvi-o dizer coisas assim com frequência naqueles últimos dois anos, tiradas coléricas sobre o antissemitismo negro e sobre os colegas traiçoeiros e covardes que nitidamente estavam sendo incluídas, sem nenhuma alteração, em seu livro.

"Expulso da Athena", dizia-me ele, "por ser um judeu branco do tipo que aqueles filhos da puta ignorantes consideram o inimigo. Fomos nós os culpados pelo sofrimento dos negros nos Estados Unidos. Fomos nós que expulsamos os negros do paraíso. E é por nossa culpa que eles se dão mal até hoje. Qual é a principal fonte do sofrimento dos negros neste mundo? Eles já sabem a resposta antes mesmo de assistir às aulas. Eles já sabem sem ter nem que abrir um livro. Sem ter que ler — sem ter que *pensar*. Quem é responsável? Os mesmos monstros maus do Velho Testamento que causaram tantos sofrimentos aos alemães."

"Foram eles que mataram Iris, Nathan. Quem poderia imaginar que ela não ia aguentar? Mas por mais forte que fosse, forte e *espalhafatosa*, ela não aguentou. Foi um tipo de estupidez que nem mesmo uma força da natureza como a minha mulher pôde enfrentar. '*Spooks.*' E quem é que veio me defender? O Herb Keble? Quando eu era decano, fui eu que trouxe o Herb pra faculdade. Poucos meses depois de eu ser empossado. Ele não foi apenas o primeiro negro do departamento de ciências sociais, não; foi o primeiro negro a ser contratado como professor e não como zelador. Mas também o Herb foi radicalizado pelo racismo de judeus como eu. 'Não posso ficar do seu lado nesse caso, Coleman. Vou ter que ficar do lado deles.' Foi isso que ele me disse quando fui lhe pedir apoio. Disse isso na minha cara. *Vou ter que ficar do lado deles*. Deles!"

"Você devia ter visto o Herb no enterro da Iris. Arrasado. Completamente arrasado. Então uma pessoa morreu? O Herbert não queria que ninguém *morresse*. Essa história toda era só uma briga pelo poder. Coisa de mandar mais na faculdade. Eles estavam só aproveitando uma boa oportunidade. Era uma maneira de obrigar o Haines e a administração a fazer o que não fariam em outras circunstâncias. Mais negros no campus. Mais alunos negros, mais professores negros. Representação — era essa a questão. A única questão. Meu Deus, não era pra ninguém *morrer*. Nem pedir demissão. Isso também deixou o Herbert surpreso. Mas por que foi que o Coleman pediu demissão? Ninguém ia demiti-lo. Ninguém teria coragem de demiti-lo. Estavam fazendo aquilo só porque podiam. A intenção deles era apenas me deixar na frigideira mais um pouquinho — por que foi que eu não tive paciência e esperei? No semestre seguinte, ninguém ia se lembrar mais de nada daquilo. O incidente — *o incidente!* — serviu como 'causa aglutinadora', uma coisa que precisava acontecer numa instituição racialmente retardatária como a Athena. Mas por que é que eu fui pedir demissão? Quando eu pedi demissão a coisa já estava praticamente terminada. Por que cargas-d'água eu fui pedir demissão?"

Na minha visita anterior, Coleman havia começado a brandir alguma coisa na minha cara assim que entrei, mais um documento entre as centenas de papéis arquivados nas caixas rotuladas de *"Spooks"*. "Olhe aqui. Uma das minhas brilhantes colegas. Escrevendo sobre um dos alunos que me acusaram — uma aluna que jamais assistiu às minhas aulas, que levou bomba em todos os outros cursos que fez, menos um, e que, aliás, também não assistiu a quase nenhuma aula deles. Eu achei que essa aluna tinha sido reprovada porque não conseguia nem entender o que era a matéria, muito menos se aprofundar nela; mas não, ela foi reprovada porque se sentia tão intimidada com o racismo que emanava dos professores brancos que não tinha nem coragem de ir à aula. Exatamente o tipo de racismo que eu manifestei. Numa dessas reuniões, audiências, sei lá, me perguntaram: 'Que fatores, na sua opinião, levaram à reprovação desta aluna?'. 'Que *fatores*?', respondi. 'Desinteresse. Arrogância. Apatia. Problemas pessoais. E eu lá sei?' 'Mas, levando em conta esses fatores', eles me perguntaram, 'que recomendações pessoais você deu a essa aluna?' 'Nenhuma. Eu nem cheguei a ver essa aluna. Se eu tivesse tido a oportunidade, eu recomendaria que ela largasse a faculdade.' 'Por quê?', me perguntaram. 'Porque o lugar dela não era a faculdade.'"

"Deixa eu ler um trecho deste documento. Escuta só. Redigido por uma colega minha, defendendo Tracy Cummings como uma pessoa que a gente não deve julgar de maneira impensada, nem com muita rigidez, e que de modo algum devemos expulsar ou rejeitar. Pelo contrário, é uma aluna que deve ser estimulada e compreendida — temos que levar em conta, diz essa professora, 'qual a origem de Tracy'. Deixa eu ler só as últimas frases. 'Tracy teve problemas muito sérios, pois quando estava na décima série se separou da família e foi morar com parentes. Como resultado, nunca conseguiu enfrentar a realidade de uma situação. Que ela tem esse defeito, eu reconheço. Mas ela está disposta e preparada para mudar seu modo de enfrentar a vida. O que eu tenho observado durante as últimas semanas é a conscientização da seriedade da sua dificuldade de aceitar a realidade.' Essas frases foram escritas por Delphine Roux, catedrática de letras, responsável, entre outras coisas, por um curso sobre o classicismo francês. *A conscientização da seriedade da sua dificuldade de aceitar a realidade.* Ah, chega. Chega. Isso dá nojo, chega a dar nojo."

Era isso que eu testemunhava, na maioria das vezes, nas noites de sábado que passava com Coleman: uma vergonha humilhante que continuava a consumir uma pessoa ainda cheia de vida. O grande homem que fora humilhado e que ainda sofria a vergonha do fracasso. Mais ou menos o que deve ter sido presenciado por quem foi visitar Nixon em San Clemente, ou Jimmy Carter na Geórgia, antes de começar a pagar penitência por sua derrota trabalhando como carpinteiro. Uma coisa muito triste. E no entanto, apesar da solidariedade que me inspirava o sofrimento de Coleman, e tudo aquilo que ele havia perdido injustamente, e sua quase impossibilidade de livrar-se daquele ressentimento, havia noites em que, após tomar apenas um gole do conhaque que ele me servia, era só com um esforço sobre-humano que eu conseguia permanecer acordado.

Mas na noite em questão, depois que fomos para a varanda fresca, telada, que ele usava como escritório no verão, Coleman estava tão apaixonado pela vida quanto é possível alguém estar. Pegou duas garrafas de cerveja na geladeira ao sair da cozinha e nos instalamos um em frente ao outro numa mesa comprida que ele usava como escrivaninha; numa das extremidades da mesa havia um monte de cadernos, vinte ou trinta, divididos em três pilhas.

"Está pronto", disse Coleman, transformado agora numa pessoa calma, relaxada, inteiramente nova. "É isso aí. *Spooks*. Terminei o primeiro rascunho ontem; hoje passei o dia inteiro relendo, e cada página que eu lia me dava nojo. A violência da letra é tamanha que me faz desprezar o autor. Imagina, perder quinze minutos com isso, quanto mais dois anos... Iris morreu por causa *deles*? Quem vai acreditar? Eu mesmo quase não consigo mais acreditar. Pra transformar essa diatribe num livro, atenuar o desespero, transformar o desespero num sentimento humano saudável, eu precisaria de mais dois anos, no mínimo. E, se fizesse isso, o que ganharia, além de mais dois anos pensando 'neles'? Não que eu esteja começando a perdoar. Não me leve a mal: odeio aqueles filhos da puta. Tanto quanto o Gulliver odeia toda a espécie humana depois de passar um tempo entre os cavalos. Odeio aqueles filhos da puta com uma aversão biológica. Se bem que sempre achei aqueles cavalos meio ridículos. Não é? Para mim, eles eram aquela elite branca e protestante que mandava na faculdade quando cheguei aqui."

"Você está em boa forma, Coleman — aquela sua loucura de antes praticamente passou. Três semanas atrás, um mês atrás, não sei quando foi que nos vimos pela última vez, você ainda estava chafurdando no seu próprio sangue."

"Por causa *disso*. Mas eu reli e achei uma merda, e peço arrego. Eu não sou profissional nisso. Quando escrevo sobre mim mesmo, não consigo ter nenhum distanciamento criativo. Tudo o que escrevi está em carne viva. É uma paródia do tipo de livro de memórias em que o autor tenta se defender. É inútil tentar explicar." Sorrindo, disse: "O Kissinger consegue desovar mil e quatrocentas páginas desse tipo de coisa a cada dois anos, mas eu não consigo. Por mais que eu pareça muito confiante dentro da minha bolha narcisista, não sou como ele. Desisto".

Ora, a maioria dos escritores que entram em crise depois de reler um trabalho a que se dedicaram durante dois anos — ou um ano, ou até mesmo seis meses — e acham que está tudo errado, e condenam tudo o que foi escrito à guilhotina crítica, entram num estado de desespero suicida do qual levam meses para conseguir se recuperar. No entanto, Coleman, ao abandonar o rascunho de um livro que saíra péssimo, havia conseguido, de algum modo, livrar-se não apenas das ruínas do livro como também das ruínas de sua vida. Sem o livro, ele agora parecia não sentir mais o menor impulso de se defender; parecia livre da compulsão de limpar seu nome e acusar de assassinato seus adversários; não estava mais embalsamado na injustiça. Tirando a vez em que vi Nelson Mandela na televisão perdoando seus carcereiros no exato momento em que saía da cadeia, ainda digerindo a última refeição miserável que lá havia feito, eu nunca tinha visto uma mudança de ânimo transformar tão rapidamente uma criatura martirizada. Não conseguia entender aquilo, e de início também não conseguia acreditar.

"Quer dizer que você vai abandonar a coisa toda, dizendo que desiste, abandonar todo esse trabalho, todo esse ódio. Pois bem, como é que você vai encher o vazio deixado pela indignação?"

"Não vou." Pegou o baralho e um bloco para anotar os pontos, e arrastamos nossas cadeiras para uma parte da mesa que não estava cheia de papéis. Ele embaralhou, eu cortei, ele deu as cartas. Então, naquele estranho estado de contentamento e serenidade que se instaurara nele no momento em que pareceu se livrar do desprezo que sentia por todos aqueles na Athena que, calculadamente, movidos pela má-fé, o haviam injustiçado, caluniado e prejudicado, mergulhando-o por dois anos num abismo de misantropia digno de Swift, Coleman começou a evocar com amor os dias passados em que tudo corria bem para ele, em que sua meticulosidade considerável era aplicada à arte de dar e receber prazer.

Agora que não estava mais atrelado a seu ódio, íamos falar sobre mulheres. De fato, quem estava à minha frente era um Coleman novo. Ou talvez um Coleman antigo, o mais antigo de sua vida adulta, o mais satisfeito de todos. Não o Coleman anterior aos *spooks* e à acusação de racismo, mas o Coleman contaminado apenas pelo desejo.

"Saí da Marinha, fui morar em Greenwich Village", começou ele a me contar enquanto juntava as cartas, "e era só eu ir até o metrô. Era como fazer uma pescaria. Eu ia ao metrô e voltava com uma garota. Então" — parou para comprar as cartas que eu jogava fora — "de uma hora pra outra me formei, casei, comecei a trabalhar, tive filhos, e as pescarias terminaram."

"Nunca mais voltou a pescar."

"Muito raramente. É verdade. Praticamente nunca. Quase nunca. Está ouvindo essas músicas?" Os quatro rádios da casa estavam ligados, e ainda que eu estivesse na estrada seria impossível não os ouvir. "Depois da guerra, era isso que tocava", disse ele. "Quatro, cinco anos ouvindo essas músicas, e mais as garotas — foi a realização de todos os meus ideais. Hoje encontrei uma carta. Arrumando o material de *Spooks*, encontrei uma carta de uma das garotas. A garota. Quando consegui trabalho numa faculdade pela primeira vez, lá na Adelphi, em Long Island, e a Iris estava grávida do Jeff, chegou essa carta. Uma garota com mais de um metro e oitenta de altura. A Iris também era grande. Mas não como a Steena. A Iris tinha substância. A Steena tinha algo mais. Ela me mandou essa carta em 1954 e a carta apareceu hoje, quando eu estava jogando os arquivos fora."

Do bolso de trás da bermuda Coleman tirou o envelope original que continha a carta de Steena. Ele ainda estava sem camisa, coisa que me chamou a atenção agora que estávamos não mais na cozinha, e sim na varanda — era uma noite quente de julho, mas não tão quente assim. Eu nunca havia pensado que a vaidade considerável de Coleman também se estendesse a seu físico. Mas agora eu começava a achar que não era só por estar à vontade em casa que ele exibia o corpo queimado de sol. O que eu via eram ombros, braços e peito de um homem mais para baixo, ainda inteiro e atraente, um ventre que não estava tão completamente plano, sem dúvida, mas que não era de modo algum um caso perdido — no todo, o físico de uma pessoa que teria sido no esporte, como adversário, mais esperto e hábil do que avassalador. E nada disso me fora revelado antes, porque ele estava sempre de camisa e ainda porque o ódio o consumia o tempo todo.

Também nunca me fora revelada a pequena tatuagem azul, como a de Popeye, no alto do braço direito, quase na altura do ombro — as palavras "Marinha dos EUA" entre os braços em gancho de uma pequena âncora —, percorrendo a hipotenusa do deltoide. Um pequeno símbolo, se fosse necessário, de todas as milhões de circunstâncias da vida daquele outro indivíduo, daquela enxurrada de detalhes que constituem a confusão de uma biografia humana — um pequenino símbolo que chamava a minha atenção para o motivo pelo qual nossa compreensão das pessoas é sempre, na melhor das hipóteses, ligeiramente equivocada.

"Você guardou? A carta? Até hoje?", exclamei. "Deve ser uma carta e tanto."

"Uma carta devastadora. Havia acontecido uma coisa comigo que só fui compreender quando li aquela carta. Eu estava casado, tinha um bom emprego, íamos ter um filho, e eu ainda não havia compreendido que o tempo das Steenas havia passado. Recebi essa carta e foi aí que me dei conta de que as coisas sérias haviam mesmo começado, a vida séria dedicada a coisas sérias. Meu pai era dono de um botequim perto da Grove Street, em East Orange. Você é de Weequahic, não conhece East Orange. Era o bairro pobre da cidade. Ele era um desses judeus donos de botequim, naquele tempo havia muitos em Nova Jersey, e é claro que todos eles tinham ligações com a Reinfelds e com a máfia — tinham que ter, senão não sobreviviam. Meu pai não era nenhum brutamontes mas também sabia ser bruto, e queria coisa melhor pra mim. Ele morreu de repente quando eu estava no último ano do colegial. Eu era filho único. O queridinho. Ele não quis mais que eu trabalhasse no bar dele quando comecei a achar interessantes os tipos que frequentavam o lugar. Tudo na vida, inclusive o bar — aliás, *a começar* pelo bar —, me incentivava a ser bom aluno, o que na época incluía estudar latim no colegial, continuar estudando latim, depois pegar grego, que naquele tempo ainda fazia parte do currículo; o filho do dono do botequim era o aluno *mais* sério que você pode imaginar."

O jogo se intensificou por alguns instantes, e Coleman baixou as cartas e bateu. Enquanto eu dava as cartas, ele retomou sua narrativa. Eu nunca tinha ouvido aquela história. Ele nunca me falara sobre outra coisa que não seu ódio pela faculdade.

"Pois bem", disse ele, "depois que realizei o sonho do meu pai e me tornei um professor universitário super-respeitável, pensei, tal como meu pai, que a vida séria não terminaria nunca mais. Que não era *possível* ela terminar, depois que a gente estava credenciado. Mas terminou, Nathan. 'Ou será que são *spooks*?', e pronto, me ferrei. No tempo em que o Roberts estava aqui, ele dizia sempre que eu tinha sucesso como decano porque havia aprendido boas maneiras no botequim. O presidente Roberts, com todo o *pedigree* aristocrático dele, gostava de trabalhar em frente à sala de um sujeito que aprendeu a bater boca num botequim. Principalmente quando alguém da velha guarda estava presente, o Roberts fingia gostar das minhas origens, se bem que a gente sabe que no fundo os góis detestam essas histórias de judeu que nasceu no gueto e subiu na vida. É, o Pierce Roberts no fundo estava me gozando já naquela época, sim, pensando bem, desde aquele tempo..." Porém nesse ponto Coleman se conteve. Não quis insistir no assunto. Tinha deixado para trás aquele atordoamento de rei deposto. O ressentimento que jamais há de morrer é oficialmente declarado morto.

Voltando a Steena. Relembrar Steena ajuda muitíssimo.

"A gente se conheceu em 48", disse ele. "Eu tinha vinte e dois anos, estava estudando na Universidade de Nova York com uma bolsa da Marinha, depois de dar baixa, e ela estava com dezoito anos, morava em Nova York fazia poucos meses. Tinha um emprego qualquer e fazia faculdade também, mas estudava à noite. Uma moça independente de Minnesota. Muito segura de si, ou pelo menos parecia. De origem dinamarquesa de um dos lados, islandesa do outro. Esperta. Inteligente. Bonita. Alta. Altíssima. Aquela horizontalidade escultural. Nunca me esqueci. Fiquei dois anos com ela. Dei-lhe o apelido de Voluptas. A filha de Psique. A personificação do prazer sensual para os romanos."

Nesse ponto Coleman largou as cartas, pegou o envelope que havia deixado na mesa, junto à pilha de cartas jogadas fora, e tirou a carta de Steena. Datilografada, duas páginas. "A gente tinha acabado de se encontrar por acaso. Eu tinha voltado da Adelphi, pra passar o dia na cidade, e lá estava a Steena, com seus vinte e quatro, vinte e cinco anos na época. A gente parou e conversou, e eu disse que a minha mulher estava grávida, e ela me falou o que estava fazendo, nos beijamos na despedida e nada mais. Mais ou menos uma semana depois a carta chegou, enviada lá pra faculdade. Está datada. Ela pôs a data. Olhe aqui: '18 de agosto de 1954'. 'Querido Coleman', diz ela, 'foi um grande prazer ver você em Nova York. Apesar de nosso encontro ter sido tão rápido, depois senti uma tristeza outonal, talvez porque os seis anos que se passaram desde que nos conhecemos deixaram terrivelmente claro para mim quantos dias de minha vida já ficaram 'para trás'. Você está muito bem, e adorei saber que está feliz. Além disso, você agiu como um perfeito cavalheiro. Você não avançou. Como você fez (pelo menos foi o que pareceu) a primeira vez que nos vimos, quando você morava no apartamento de subsolo alugado na Sullivan Street. Lembra como você era? Você era muito bom, mesmo, em matéria de avançar, feito uma ave que está sobrevoando a terra ou o mar e vê alguma coisa se mexendo, alguma coisa cheia de vida, e aí desce em voo rasante e agarra a presa. Fiquei espantada, quando nos conhecemos, com a sua energia animal. Lembro de quando fui ao seu apartamento pela primeira vez, quando cheguei me sentei numa cadeira, você andava de um lado para o outro, de vez em quando pousando por um instante num banco ou no sofá. Você tinha um sofá caindo aos pedaços, comprado no Exército da Salvação, era nele que você dormia até que nós dois rachamos O Colchão. Você me ofereceu uma bebida e me entregou o copo olhando para mim com uma expressão de deslumbramento e curiosidade, como se fosse um verdadeiro milagre eu ter mãos e poder segurar um copo, ou ter boca e poder beber, ou ter me materializado no seu apartamento, um dia depois de a gente se conhecer no metrô. Você falava, perguntava, às vezes respondia, com um jeito muito sério mas ao mesmo tempo engraçadíssimo, e eu estava fazendo o maior esforço para conversar, mas para mim não estava sendo fácil. Então eu ficava olhando para você, absorvendo e compreendendo muito mais do que eu esperava entender. Mas eu não conseguia encontrar palavras para preencher o espaço criado pelo fato de que você parecia se sentir atraído por mim e que eu me sentia atraída por você. Eu pensava o tempo todo: 'Não estou pronta. Acabei de chegar a esta cidade. Agora não. Mas depois eu vou estar pronta, depois que passar um pouco mais de tempo, que a gente conversar mais um pouco, se eu conseguir dizer o que quero dizer'. ('Pronta' não sei para quê. Não apenas para fazer amor. Pronta para *ser*.) Mas aí você 'avançou', Coleman, quase do outro lado da sala; veio até mim e avançou, e eu fiquei boquiaberta mas adorei. Era cedo demais, mas não era, não.'"

Ele parou de ler quando ouviu, vindo do rádio, os primeiros acordes de "Bewitched, bothered and bewildered", na interpretação de Sinatra. "Preciso dançar", disse Coleman. "Quer dançar?"

Eu ri. Não, aquele não era o vingador feroz, ressentido e aguerrido de *Spooks*, distanciado da vida, enlouquecido de raiva — não era nem mesmo outro homem. Era outra *alma*. Uma alma de menino, ainda por cima. Tive então uma visão nítida, com base tanto na carta de Steena como no próprio Coleman, sem camisa, lendo-a, do que Coleman Silk fora outrora. Antes de se tornar um decano revolucionário, antes de ser um professor respeitado de letras clássicas — e muito antes de se tornar o pária da Athena —, ele fora não apenas um rapaz estudioso, mas também um rapaz encantador e sedutor. Animado. Travesso. Um pouco diabólico, mesmo, uma espécie de Pã de nariz achatado e pés de bode. Era uma vez um rapaz assim, antes de ser completamente dominado pela seriedade.

"Depois que eu ouvir o resto da carta", respondi quando ele me convidou para dançar. "Leia o resto da carta de Steena."

"Ela havia chegado de Minnesota três meses antes de a gente se conhecer. Eu fui até o metrô e pesquei a Steena. Pois é", disse ele, "era assim que as coisas eram em 1948", e retornou à carta. "'Fiquei encantada com você'", prosseguiu, "'mas temia que você me achasse jovem demais, uma interiorana meio sem graça, e além disso você já estava namorando uma garota 'inteligente, simpática e linda', se bem que você acrescentou, com um sorriso malandro: 'Acho que a gente não vai se casar, não'. 'Por que não?', perguntei. 'Acho que estou enjoando dela', você respondeu, o que me fez decidir que eu faria qualquer coisa imaginável para não enjoar você, até mesmo desaparecer da sua vida, se necessário, tudo para não correr o risco de enjoá-lo. Pois é isso. Chega. Eu não devia nem incomodar você. Prometo que nunca mais faço isso. Cuide-se bem. Cuide-se bem. Cuide-se bem. Com muito carinho, Steena.'"

"É", observei, "era assim que as coisas eram em 1948."

"Vem. Vamos dançar."

"Mas não quero você cantando no meu ouvido."

"Vem. Vamos lá."

O que é que tem, pensei, daqui a não muito tempo nós dois vamos morrer; e ali mesmo na varanda eu e Coleman Silk começamos a dançar o foxtrote. Ele conduzia, e eu, na medida do possível, o seguia. Lembrei-me do dia em que ele entrou no meu escritório abruptamente, depois de acertar o enterro de Iris, e enlouquecido de ódio e dor me disse que eu teria de escrever para ele o livro que contaria todos os absurdos inacreditáveis de seu caso, culminando com o assassinato de sua mulher. Quem o visse então jamais imaginaria que um dia ele haveria de recuperar o gosto pela insensatez da existência, que tudo o que nele havia de lúdico e leve não fora destruído e perdido juntamente com sua carreira, sua reputação e sua mulher fortíssima. E se nem me ocorreu a possibilidade de rir e deixá-lo dançar sozinho na varanda, já que era isso o que ele queria, de ficar rindo e me divertindo vendo-o dançar — se lhe dei a mão e deixei que ele me arrastasse por aquela varanda com chão de pedra, foi talvez por tê-lo visto no dia em que o cadáver de Iris ainda estava quente, porque vira como ele estava naquele dia.

"Espero que não passe nenhum carro do corpo de bombeiros", comentei.

"É", ele concordou. "Não vai ter graça se aparecer um cara e der um tapinha no meu ombro, pedindo pra dançar com você."

E dançamos. Não havia nada de explicitamente carnal naquela dança, mas porque Coleman estava só de bermuda e minha mão repousava à vontade em suas costas mornas como se num cachorro ou num cavalo, a coisa não era só uma brincadeira. Ele me guiava com um jeito meio sério, e também com o prazer visceral de estar vivo, por acidente, por gozação, sem razão nenhuma — o tipo de prazer que a gente sente, na infância, quando aprende a tocar uma música com um pente enrolado em papel higiênico.

Foi depois que nos sentamos que Coleman me falou sobre a mulher. "Estou tendo um caso, Nathan. Estou tendo um caso com uma mulher de trinta e quatro anos. Você não imagina como isso mexeu comigo."

"A gente acabou de dançar — imagino, sim."

"Achei que não aguentava mais nada nesta vida. Mas quando essa coisa volta, numa idade tão avançada, saindo do nada, totalmente inesperada, até sem a gente querer, quando a coisa volta e não há mais no que diluir, quando você não está mais combatendo em vinte e duas frentes de batalha diferentes, quando não está mais mergulhado no caos do cotidiano... quando é só *isso*..."

"E quando ela tem trinta e quatro anos."

"E pega fogo. É uma mulher que pega fogo. Ela transformou o sexo num vício outra vez."

"'Amor é fogo que arde sem se ver'."

"É o que parece. Eu pergunto: 'Como você se sente com um homem de setenta e um anos?'. E ela responde: 'Um homem de setenta e um anos é perfeito. Ele já tem seu jeito de ser e não vai mudar mais. A gente sabe o que ele é. Não corre o risco de ter nenhuma surpresa'."

"Como foi que ela se tornou tão sensata?"

"Graças às surpresas da vida. Depois de trinta e quatro anos de surpresas ferozes ela ficou sensata. Mais é uma sensatez muito estreita, antissocial. É feroz também. É a sensatez de quem não espera mais nada da vida. É assim a sensatez dela, e a dignidade dela, mas é uma sensatez negativa, não é o tipo de coisa que mantém você no rumo certo no dia a dia. É uma mulher que a vida está tentando derrubar quase desde o começo. Tudo o que ela aprendeu saiu daí."

Pensei: ele encontrou uma pessoa com quem pode conversar... e depois pensei: eu também. Sempre que um homem começa a falar com você sobre sexo, ele está lhe dizendo uma coisa a respeito de vocês dois. Noventa por cento das vezes isso não acontece, o que talvez seja até bom, se bem que, quando a gente não chega ao nível da franqueza sobre a sexualidade e em vez disso age como se jamais pensasse no assunto, a amizade entre dois homens é incompleta. A maioria dos homens nunca encontra um amigo assim. Não é comum. Mas quando acontece, quando dois homens constatam que estão de acordo a respeito dessa parte essencial da condição masculina, sem medo de ser julgados, de ter vergonha, de despertar inveja ou de constatar sua inferioridade, quando podem estar certos de que sua confiança não será traída, a conexão humana entre eles se torna muito forte, e o resultado é uma intimidade inesperada. Provavelmente isso não é comum para ele, eu estava pensando, mas como me procurou no seu pior momento, tomado pelo ódio que eu vira envenená-lo durante meses, ele sente a liberdade de estar com uma pessoa que, sentada à sua cabeceira, o viu recuperar-se de uma doença terrível. O que o motiva não é tanto a vontade de contar vantagem, e sim o imenso alívio de não ter de manter segredo a respeito daquele seu renascimento tão novo e tão perturbador.

"Onde você conheceu essa mulher?", perguntei.

"Fui pegar a correspondência no final da tarde e lá estava ela, passando o esfregão no chão. É aquela loura magricela que às vezes faz a limpeza do correio. Ela é empregada da Athena. Trabalha como zeladora do lugar onde antes eu era decano. Ela não tem nada. Faunia Farley. É o nome dela. A Faunia não tem absolutamente nada."

"Por que ela não tem nada?"

"Ela já foi casada. O marido lhe deu tamanha surra que ela entrou em coma. Eles tinham uma fazenda, de gado de leite. Ele era tão ruim como administrador que a fazenda foi à falência. A Faunia tinha dois filhos. O aquecedor virou, pegou fogo, e as duas crianças morreram asfixiadas. Tirando as cinzas das duas crianças, que ela guarda numa lata debaixo da cama, a única coisa de valor que ela tem é um Chevrolet 83. Eu só vi uma vez a Faunia quase chorar, foi quando ela me disse: 'Não sei o que fazer com as cinzas'. As catástrofes rurais fizeram com que ela perdesse tudo, até as lágrimas. E olha que ela foi uma criança rica, privilegiada. Criada num casarão enorme perto de Boston. Lareiras nos cinco quartos, antiguidades finas, porcelanas dos antepassados — tudo coisa antiga da melhor qualidade, inclusive a família. Quando quer, ela sabe falar muito bem. Mas ela caiu tanto na escala social que agora, quando fala, acaba misturando várias falas diferentes. A Faunia foi exilada da posição social a que tinha direito. Rebaixada. O sofrimento dela foi uma verdadeira democratização."

"Qual a causa dessa queda?"

"A causa foi o padrasto. Foi a maldade da alta burguesia. Ela tinha cinco anos quando os pais se divorciaram. O pai rico descobriu que a mãe linda estava tendo um caso. A mãe gostava de dinheiro, casou de novo com um homem rico, e o padrasto rico não deixava a Faunia em paz. Vivia pegando nela, desde o dia em que ela chegou. Não conseguia desgrudar dela. Aquela criança loura angelical, e ele sempre pegando, sempre alisando... quando tentou comer a Faunia, ela fugiu. Estava com catorze anos. A mãe se recusou a acreditar nela. Levaram a menina a um psiquiatra. A Faunia contou o que havia acontecido, e depois de dez sessões o psiquiatra também ficou do lado do padrasto. 'Ficou do lado de quem pagava', diz a Faunia. 'Igualzinho a todo mundo.' Depois a mãe teve um caso com o psiquiatra. Foi assim, segundo a própria Faunia, que ela acabou tendo que levar uma vida dura, se virar sozinha. Fugiu de casa, fugiu da escola, foi pro sul, trabalhou lá, veio parar aqui, arranjou emprego onde pôde, e aos vinte anos casou com o tal fazendeiro, mais velho que ela, dono de uma fazenda de gado leiteiro, ex-combatente da guerra do Vietnã, achando que se os dois trabalhassem duro e criassem os filhos e dessem um jeito na fazenda ela ia conseguir ter uma vida estável, normal, apesar de o marido ser meio burrão. Especialmente pelo fato de ele ser meio burrão. Ela achava que talvez fosse até melhor ser ela a inteligente do casal. Achava que isso lhe dava uma vantagem. Engano dela. Juntos, os dois só tiveram problemas. A fazenda faliu. 'Foi de tanto trator que o idiota comprou', diz ela. E vivia batendo nela. A Faunia vivia cheia de manchas roxas. Sabe o que, segundo ela, foi o ponto alto do casamento? O acontecimento que ela chama de 'a grande guerra de bosta'. Uma tarde os dois estão no celeiro, acabaram de ordenhar as vacas, e começam a discutir por algum motivo. Uma vaca ao lado da Faunia caga de repente, ela pega um bocado de bosta e joga na cara do Lester. Ele enche a mão e joga nela também. Foi assim que começou. Segundo a Faunia, 'a guerra de bosta foi talvez a coisa mais legal que aconteceu com a gente'. No fim, os dois estavam cobertos de bosta e morrendo de rir, e depois de se lavarem com a mangueira do estábulo foram pra casa pra trepar. Mas aí a coisa perdeu a graça. A briga tinha sido muito, mas muito melhor. Trepar com o Lester não tinha graça — diz a Faunia que ele não sabia. 'Era tão burro que não sabia nem trepar direito.' Quando ela me diz que eu sou o homem perfeito, respondo que essa é a impressão que ela tem por ter me conhecido depois dele."

"E depois de passar a vida toda desde os catorze anos jogando merda na cara dos Lesters da vida", perguntei, "ela se tornou o quê, aos trinta e quatro anos, além de feroz e sensata? Durona? Esperta? Raivosa? Maluca?"

"Essa vida de brigas fez com que ela ficasse durona, certamente no plano sexual, mas não maluca. Pelo menos acho que ainda não. Raivosa? Se ela tem raiva — e por que não haveria de ter? — é uma raiva furtiva. Raiva sem raiva. E, para uma pessoa que parece ter tido azar a vida inteira, ela não tem nenhuma queixa — pelo menos comigo ela nunca se queixa. Agora, esperta ela não é, não. Às vezes diz coisas que parecem espertas. Por exemplo, ela fala: 'Acho que você devia me encarar como uma companheira da sua idade, que só é mais moça na aparência. Acho que essa é a minha idade verdadeira'. Uma vez perguntei: 'O que é que você quer de mim?'. E ela respondeu: 'Um pouco de companheirismo. Talvez um pouco de conhecimento. Sexo. Prazer. Não se preocupe. É isso'. Quando uma vez eu lhe disse que sua sabedoria de vida era precoce, ela respondeu: 'Eu tenho é uma burrice precoce'. Certamente ela é mais inteligente que o Lester, mas esperta? Não. A Faunia tem uma coisa permanentemente adolescente, de catorze anos de idade, que é a coisa menos esperta possível. Ela teve um caso com o patrão dela, o sujeito que a contratou. O Smoky Hollenbeck. Fui *eu* que contratei o Smoky, o encarregado das instalações físicas da faculdade. Ele foi aluno da Athena e era craque de futebol americano. Nos anos 70, quando nos conhecemos, ele era aluno. Agora é engenheiro civil. Ele contrata a Faunia pra equipe de limpeza, e no momento exato em que está sendo contratada ela já percebe que ele está a fim dela. Que aquele sujeito sente atração por ela. Ele está preso num casamento insosso, mas não sente raiva da Faunia, não — não fica olhando pra ela com desdém, pensando: por que é que você nunca casou também, por que continua solta por aí, dando pra todo mundo? O Smoky não tem essa postura de superioridade burguesa. Ele faz tudo direitinho, e faz tudo muito bem: tem mulher, filhos, *cinco* filhos, é casadíssimo, ainda tem fama de craque do futebol na faculdade, é popular e admirado na cidade — mas ele tem um dom: ele sabe sair fora disso tudo. Quem vê não acredita. Ele, o próprio caretão da Athena, fazendo tudo o que se espera dele. Parece que engoliu tudo o que as pessoas veem nele. Você imagina que ele pensa: essa vadia idiota, que levou uma vida desgraçada? Cai fora da minha sala. Mas não. Ao contrário de todo mundo na faculdade, ele não leva tão a sério a lenda do Smoky a ponto de não poder pensar: taí uma mulher de verdade que eu gostaria de comer. Ou de não poder agir. Ele vai e transa com ela, Nathan. Leva pra cama a Faunia e mais uma outra mulher da equipe de limpeza. Trepa com as duas ao mesmo tempo. A coisa dura seis meses. Aí uma corretora de imóveis, recém-divorciada, que acaba de chegar à cidade, entra na história *também*. No circo do Smoky. Mas depois de seis meses ele se livra dela — expulsa a Faunia do circo. Só fiquei sabendo dessa história quando ela me contou, e ela só me contou porque uma noite, na cama, ela revira os olhos e me chama pelo nome dele. Cochicha pra mim: 'Smoky'. Pra você ver. Quando eu soube dela com ele naquele *ménage à trois*, tive uma ideia melhor do tipo de mulher com que estava lidando. Isso fez subir o cacife. Levei um susto até — essa mulher não é nenhuma amadora. Quando perguntei como era que o Smoky atraía aquele batalhão de mulheres, ela respondeu: 'Com a força da pica dele'. 'Me explica', eu pedi, e ela me saiu com esta: 'Quando uma mulher de verdade entra numa sala, o homem percebe, não é? Pois o contrário é a mesma coisa. Tem homem que, por mais que disfarce, a gente percebe qual é a dele'. É só na cama que a Faunia é esperta de verdade, Nathan. Uma esperteza física espontânea assume o papel principal na cama — e o coadjuvante é uma coragem transgressora. Na cama, nada escapa da atenção da Faunia. A carne dela tem olhos. A carne dela vê tudo. Na cama ela é um ser poderoso, coerente, unificado, que tem prazer em ultrapassar as barreiras. Na cama ela é um verdadeiro fenômeno. Talvez seja o lado bom de ter sido molestada. Quando a gente desce pra cozinha, quando eu preparo uns ovos mexidos e depois comemos juntos, ela é uma criança. Talvez isso também seja o lado bom de ter sido molestada. Eu vejo que estou acompanhado de uma criança apatetada, confusa, incoerente. Isso não acontece em nenhum outro lugar. Mas sempre que a gente come é a mesma coisa: eu e uma criança. É tudo o que resta da criança que ela foi. Não consegue sentar direito na cadeira, não consegue juntar duas frases que façam sentido. Toda aquela atitude aparentemente adulta em relação ao sexo e à tragédia, tudo isso desaparece, e sinto vontade de dizer: 'Senta direito, tira a manga do meu roupão de dentro do seu prato, tenta escutar o que eu estou dizendo e olha pra mim, porra, quando você fala'."

"Mas você *diz* isso?"

"Fico achando que não devo. Não, não digo, não — nem vou dizer enquanto eu preferir preservar a intensidade do que ela tem. Penso naquela lata debaixo da cama dela, as cinzas, ela não sabe o que fazer com elas, e tenho vontade de dizer: 'Já faz dois anos. Você devia enterrar. Se você não consegue enfiar as cinzas num buraco na terra, então o jeito é ir até o rio e soltar do alto da ponte. Deixa a água levar as cinzas. Deixa ir embora. Eu faço isso com você. Nós fazemos juntos'. Mas não sou o pai dessa filha — não é esse o meu papel aqui. Eu não sou o professor dela. Não sou professor de ninguém. Essa coisa de ensinar, corrigir, aconselhar, testar, abrir a cabeça — disso eu já me aposentei. Sou um homem de setenta e um anos de idade com uma namorada de trinta e quatro; isso, no estado de Massachusetts, me torna uma pessoa desqualificada pra abrir a cabeça dos outros. Estou tomando Viagra, Nathan. Está aí o tal 'fogo que arde sem se ver'. Devo toda essa turbulência e felicidade ao Viagra. Sem Viagra nada disso estaria acontecendo. Sem Viagra eu teria uma visão do mundo apropriada à minha idade, e objetivos totalmente diferentes. Sem Viagra eu teria a dignidade de um senhor idoso, livre do desejo, bem-comportado. Eu não estaria fazendo uma coisa sem sentido. Não estaria fazendo uma coisa indigna, imprudente, impensada e potencialmente desastrosa pra todas as partes envolvidas. Sem Viagra eu poderia continuar, nos meus últimos anos de vida, a desenvolver a visão ampla e impessoal de um homem aposentado, honrado, cheio de experiência e saber, que há muitos anos abriu mão dos prazeres sensuais da vida. Eu poderia continuar a tirar conclusões filosóficas profundas e exercer uma influência moral positiva sobre os jovens, em vez de embarcar no perpétuo estado de emergência que é a paixão sexual. Graças ao Viagra, passei a compreender as transformações amorosas de Zeus. Era esse o nome que deviam ter dado ao Viagra: Zeus."

Será que ele está espantado por estar me dizendo tudo isso? É possível. Mas está empolgado demais para parar. É o mesmo impulso que o fez dançar comigo. É, pensei, a definitiva volta por cima depois da humilhação não é mais escrever *Spooks*; é estar trepando com a Faunia. Mas não é só isso que o está impelindo. É também o desejo de soltar aquela força bruta — por meia hora, por duas horas, que seja, ficar solto no lance natural. Ele foi casado muitos anos. Teve filhos. Foi decano de uma faculdade. Passou quarenta anos fazendo o que tinha de ser feito. Estava ocupado, e o lance natural, ou seja, a força bruta, ficou fechada dentro de uma caixa. E agora a caixa foi aberta. Trabalhar como decano, atuar como pai, como marido, como acadêmico, como professor, ler livros, dar aulas, corrigir trabalhos, dar notas, tudo isso terminou. Aos setenta e um anos não se tem mais aquela força bruta, cheia de intensidade e tesão, que se tinha aos vinte e seis, é claro. Porém o que resta da força bruta, do lance natural — ele agora está em contato com esses vestígios. Por isso está feliz, está agradecido por estar em contato com os vestígios. Está mais do que feliz — está empolgado, e já está unido, profundamente unido a Faunia por isso, por causa da empolgação. Não é a família que o está impelindo — a biologia não precisa mais dele. Não é a família, não é a responsabilidade, não é o dever, não é o dinheiro, não é por eles dois terem em comum uma filosofia de vida, nem um amor pela literatura, nem o prazer de discutir sobre as grandes questões. Não, o que une Coleman a ela é a empolgação. Amanhã ele tem um câncer, e pronto. Mas hoje ele está empolgado.

Por que Coleman está me contando essas coisas? Porque, para ele poder se entregar com tanta liberdade, alguém tem de ficar sabendo. Ele se sente livre para se entregar, pensei, porque nada está em jogo. Porque não há futuro. Porque ele tem setenta e um anos, e ela, trinta e quatro. Ele não está nessa para aprender, para planejar, e sim para ter uma aventura; ele está nessa pelo mesmo motivo que ela: para curtir. Esses trinta e sete anos de diferença lhe dão muita liberdade. Ele está velho, e pela última vez está possuído de sexualidade. O que poderia ser mais empolgante do que isso?

"É claro que eu tenho que perguntar", disse Coleman, "o que é que *ela* está fazendo comigo. O que será que se passa dentro da cabeça dela — uma experiência nova, transar com um homem que podia ser avô dela?"

"Acho que existe um tipo de mulher", disse eu, "para quem isso é mesmo uma experiência excitante. Tem mulher de todo tipo, por que não teria desse tipo também? Olhe, Coleman, deve ter algum departamento, um órgão federal qualquer, que lida com velhos, e é lá que ela trabalha."

"Quando eu era moço", disse-me Coleman, "nunca me envolvia com mulher feia. Mas na Marinha eu tinha um amigo, o Farriello, que era especializado em mulher feia. Lá em Norfolk, quando a gente ia a uma festa organizada por uma igreja, ou pela Marinha mesmo, o Farriello partia direto pra cima do maior canhão que visse. Quando eu ria dele, o Farriello me dizia que eu não sabia o que estava perdendo. Elas são frustradas, ele dizia. Elas não são bonitas como essas deusas que você escolhe, e por isso elas fazem o que você quiser. Os homens são burros, dizia ele, porque a maioria não sabe disso. Os homens não entendem que, se só você for atrás da mulher mais feia, ela é que é a mais extraordinária. Claro que tem que conseguir fazer com que ela se abra. Mas, se conseguir, bem, aí você nem sabe por onde começar, de tanto que ela vibra. E tudo isso porque ela é feia. Porque ela nunca é escolhida. Porque ela toma chá de cadeira no canto enquanto as outras todas dançam. E é assim que é ser velho. Ser que nem aquela moça feia. Tomar chá de cadeira a festa toda."

"Quer dizer que a Faunia é o seu Farriello."

Ele sorriu. "Mais ou menos."

"Mas o fato é que, independentemente das outras coisas que estão acontecendo", disse eu, "graças ao Viagra você não está mais sofrendo a tortura de escrever aquele livro."

"Acho que você tem razão", concordou Coleman. "Acho que é isso, sim. Aquele livro idiota. E eu lhe contei que a Faunia não sabe ler? Descobri isso quando a gente foi até Vermont de carro uma vez pra jantar. Não sabia ler o menu. Jogou pro lado. Ela tem um jeito, sabe, quando quer fazer uma cara de desprezo, de levantar só metade do lábio superior, levantar uma coisinha de nada, e depois dizer o que está na cabeça dela. Com o maior desprezo, ela diz à garçonete: 'O que ele quiser, eu quero'."

"Ela estudou na escola até os catorze anos. Como é que ela não sabe ler?"

"Pelo visto, a capacidade de ler morreu junto com a infância, assim que ela descobriu como é que se fazia. Perguntei à Faunia como que uma coisa dessas podia acontecer, mas a única coisa que ela fez foi rir. 'É fácil', diz ela. Aqueles liberais bem-intencionados lá da Athena estão tentando convencê-la a fazer um curso de alfabetização, mas ela não quer nem saber. 'E não vá você tentar me ensinar. Você pode fazer o que quiser comigo', ela disse naquela noite, 'mas não me venha com essa. Já não chega ter que ouvir as pessoas falando? É só você começar a querer me ensinar a ler, forçar a barra, me impor essa história, e aí por sua culpa eu piro de vez.' Na volta, fiquei mudo, e ela também, a viagem toda. Foi só quando a gente chegou em casa que um falou com o outro. 'Você não consegue trepar com uma mulher que não sabe ler', ela disse. 'Você vai me largar porque eu não sou uma pessoa digna, de respeito, que *sabe ler*. Você vai me dizer: aprende a ler, senão, tchau.' 'Não', eu respondi. 'Vou foder você mais ainda porque você não sabe ler.' 'Bom', ela disse, 'a gente se entende. Eu não trepo como essas garotas que leem, e não quero ser comida como elas.' 'Eu vou comer você', eu disse, 'só pelo que você é.' 'É por aí', diz ela. A essa altura nós dois já estávamos rindo. A Faunia ri como uma garçonete de botequim que tem sempre um porrete à mão pra qualquer eventualidade, e ela estava rindo esse riso dela, esse riso agressivo de quem já viu tudo neste mundo — você sabe, o riso grosseiro e fácil de uma mulher que o passado condena — e a essa altura já estava abrindo a minha braguilha. Mas ela acertou na mosca quando disse que eu tinha resolvido terminar com ela. Durante toda a viagem, eu estava pensando exatamente o que ela disse que eu estava pensando. Mas não vou fazer isso. Não vou impor a ela a minha virtude maravilhosa. Nem a mim mesmo. Isso acabou. Sei que essas coisas todas têm seu preço. Sei que é impossível pôr isso no seguro. Sei que a coisa que nos dá uma vida nova pode acabar nos matando. Sei que todos os erros que a gente comete quase sempre têm um estopim sexual. Mas no momento isso não me importa. Eu acordo de manhã, tem uma toalha no chão, tem óleo Johnson na mesa de cabeceira. Como que isso veio parar aqui? Então eu me lembro. Porque eu estou vivo outra vez. Porque estou dentro do furacão outra vez. Porque isso é que é ser, com S maiúsculo. Eu não vou abrir mão dela, não, Nathan. Já comecei a chamar a Faunia de Voluptas."

Por conta de uma operação que fiz há alguns anos para retirar minha próstata cancerosa — uma intervenção que, embora bem-sucedida, deixou algumas sequelas adversas, como é quase inevitável, pois a operação danifica nervos e depois se formam cicatrizes internas —, fiquei incontinente; assim, tão logo cheguei em casa, depois da visita a Coleman, a primeira coisa que fiz foi jogar fora o absorvente que uso dia e noite, dentro da cueca, disposto como uma salsicha num cachorro-quente. Como fazia calor e como eu não estava indo a um lugar público nem a uma reunião social, tinha vestido uma cueca normal por cima do absorvente, em vez de uma especial, de plástico, e por isso a urina havia chegado até minhas calças cáqui. Ao entrar em casa, descobri que as calças estavam manchadas na frente e que eu estava fedendo um pouco — o absorvente é especial, deveria evitar odores, mas na ocasião a coisa não funcionou direito. Eu estava tão absorto na narrativa de Coleman que não prestei atenção nesses detalhes. Enquanto estava lá, tomando cerveja, dançando com ele, atento à clareza — a racionalidade e a clareza previsíveis — com que ele tentava tornar a reviravolta em sua vida menos perturbadora, eu não havia ido ao banheiro de vez em quando para dar uma olhada, como costumo fazer ao longo do dia, e o resultado foi que a coisa que ocasionalmente acontece comigo aconteceu naquela noite.

Não, um incidente como esse não me deixa tão arrasado como ocorria quando, nos primeiros meses após a operação, eu ainda estava tentando aprender a lidar com o problema — pois naquele tempo estava acostumado a ser um adulto livre e independente, enxuto e sem nenhum cheiro estranho, que tinha completo domínio sobre as funções elementares do corpo, que fazia cerca de sessenta anos vivia o cotidiano sem ficar o tempo todo se preocupando com o estado da cueca. No entanto, ainda sofro ao menos uma pontada de amargura quando tenho de enfrentar uma sujeira um pouco maior do que o incômodo constante que agora faz parte da minha vida, e ainda entro em desespero quando penso que essa contingência que é praticamente definidora da condição infantil jamais será alterada.

Além disso, a cirurgia me deixou impotente. A droga que era praticamente uma novidade no verão de 1998 e já se tornara — apesar de estar no mercado havia tão pouco tempo — um verdadeiro elixir milagroso, restaurando a potência funcional de tantos homens mais velhos e saudáveis como Coleman, não funcionava comigo, porque meus nervos tinham sido muito danificados pela operação. Para casos como o meu, o Viagra era inútil, e, mesmo que tivesse alguma utilidade, acho pouco provável que eu resolvesse experimentá-lo.

Quero deixar claro que não foi a impotência que me levou a me tornar um recluso. Pelo contrário. Eu já vivia escrevendo na minha cabana de quarto e sala na serra de Berkshire havia cerca de um ano e meio quando, após um *check-up* rotineiro, recebi um diagnóstico preliminar de câncer de próstata e, um mês depois, tendo realizado mais exames, fui a Boston para ser operado. O que estou dizendo é que, ao vir para cá, eu havia deliberadamente mudado minha relação com a ciranda sexual, não porque os estímulos ou minhas ereções tivessem sido muito enfraquecidos pelo efeito do tempo, mas porque eu não conseguia mais suportar as exigências que ela me fazia, não tinha mais a astúcia, a força, a paciência, a ilusão, a ironia, o ardor, o egoísmo, a resistência — nem a dureza, nem a esperteza, nem a falsidade, nem a dissimulação, nem a duplicidade, nem o *profissio-*

nalismo erótico — necessários para enfrentar a multiplicidade de significados enganadores e contraditórios da sexualidade. Assim, pude atenuar um pouco o choque do pós-operatório, quando me dei conta de minha impotência irreversível, dizendo a mim mesmo que tudo o que a operação fizera fora me obrigar a levar a cabo a renúncia que eu já havia assumido voluntariamente. A cirurgia não fizera mais do que tornar definitiva uma decisão a que eu havia chegado por conta própria, sob a pressão de toda uma existência marcada por envolvimentos, quando porém gozava de uma potência integral, vigorosa e inquieta, quando a compulsão masculina de repetir o ato — repetir, repetir, repetir — ainda não fora atenuada por problemas fisiológicos.

Foi só quando Coleman me falou sobre sua vida e sua Voluptas que todas as ilusões confortadoras a respeito da serenidade obtida pela renúncia consciente se dissiparam, e perdi meu equilíbrio por completo. Passei a noite em claro até bem depois de o dia nascer, incapaz de controlar meus pensamentos, como se fosse um louco, hipnotizado pelo outro casal, comparando aqueles dois com o meu próprio estado de anulação. Nessa noite de insônia, nem sequer tentei me impedir de reconstruir em minha mente a "audácia transgressora" da qual Coleman se recusava a abrir mão. E agora eu encarava o episódio da dança, em que eu fora conduzido, como um eunuco inofensivo, por aquele homem ainda potente e cheio de vida, ainda participando da loucura, como algo muito diferente de uma autogozação bem-humorada.

Como dizer "não, isso não faz parte da vida" sabendo que não é verdade? A sexualidade, essa contaminação redentora que desidealiza a espécie humana e nos lembra constantemente de que não passamos de matéria.

No meio da semana seguinte, Coleman recebeu a carta anônima, apenas uma frase, sujeito, predicado e modificadores candentes, traçada com uma letra esparramada numa única folha de papel branco sem pauta, uma mensagem de dezenove palavras, com intenção acusatória, cobrindo a folha de cima a baixo:

> Todo mundo sabe que você
> está explorando sexualmente
> uma mulher maltratada e
> analfabeta com a metade da sua
> idade.

Tanto na carta como no envelope fora utilizada uma caneta esferográfica vermelha. Embora o carimbo fosse de Nova York, Coleman reconheceu a letra na mesma hora: era da jovem francesa diretora do departamento quando ele voltou a lecionar após largar o decanato, e que fora uma das pessoas que mais se empenharam em acusá-lo de racismo e puni-lo por ter insultado seus alunos negros ausentes.

Em seus arquivos, encontrou amostras de textos escritos à mão que confirmavam a identificação: a autora da carta anônima era mesmo a professora Delphine Roux, do departamento de letras. Tirando o fato de que escrevera as três primeiras palavras em letra de imprensa, ela aparentemente não fizera nenhuma tentativa de disfarçar a letra. Talvez tivesse começado com essa intenção, porém desistira ou se esquecera dela após escrever "todo mundo". No envelope, a professora, nascida na França, nem sequer se dera ao trabalho de evitar os setes traçados à moda europeia no endereço e no código postal de Coleman. Esse descaso, essa falta de empenho em ocultar as marcas de identidade, era muito estranha numa carta anônima; talvez

55

pudesse ser atribuída a algum estado emocional extremo que impedira a autora de agir com cautela antes de, num ímpeto, despachar a carta, não fosse o fato de que a carta não tinha sido postada às pressas na agência dos correios da localidade, e sim, como indicava o carimbo, fora transportada cerca de duzentos e vinte quilômetros. Talvez Delphine Roux achasse que não havia em sua letra nada de muito pessoal ou excêntrico, e que por isso Coleman não a reconheceria com base no tempo em que fora decano; talvez não se lembrasse dos documentos ligados ao caso, das anotações referentes às suas duas entrevistas com Tracy Cummings que entregara à comissão investigadora com o relatório final, assinado por ela. Talvez não soubesse que, a pedido de Coleman, a comissão lhe passara fotocópias de suas anotações e de todos os outros documentos relacionados ao caso. Ou talvez não se importasse com a possibilidade de seu segredo ser descoberto: talvez quisesse incomodá-lo com a agressividade ameaçadora de uma acusação anônima e, ao mesmo tempo, deixar claro que a acusação partira de uma pessoa bastante poderosa.

Na tarde em que Coleman me telefonou, chamando-me para ir ver a carta anônima, todas as amostras da letra de Delphine Roux que constavam de seus arquivos estavam cuidadosamente dispostas sobre a mesa da cozinha, tanto os originais como as cópias que ele já havia tirado, e nas quais traçara com tinta vermelha um círculo em torno de todos os detalhes que lhe pareciam replicar características da letra com que fora escrita a carta anônima. Os elementos destacados eram em sua maioria letras isoladas — um *y*, um *s*, um *x*, aqui um *e* em posição final, bem aberto, ali um *e* que lembrava um pouco um *i* quando colado num *d*, porém tinha uma forma mais convencional quando seguido por um *r* — e, embora as semelhanças entre a letra da carta e os documentos dos arquivos fossem notáveis, foi só quando ele me mostrou seu próprio nome escrito no envelope e o comparou com uma ocorrência do nome nas anotações da entrevista com Tracy Cummings que me pareceu inquestionável sua identificação da pessoa que o ameaçava.

> Todo mundo sabe que você
> está explorando sexualmente
> uma mulher maltratada e
> analfabeta com a metade da sua
> idade.

Enquanto eu segurava a carta e examinava com todo o cuidado — tal como queria Coleman — a escolha de palavras e sua colocação na linha, como se elas tivessem sido escritas não por Delphine Roux, mas por Emily Dickinson, ele me explicava que fora Faunia, movida por aquela sensatez feroz dela, e não ele, que havia decidido que o relacionamento entre eles deveria permanecer em segredo, um segredo que Delphine Roux havia de algum modo conseguido penetrar e agora parecia estar ameaçando trazer a público. "Não quero ninguém se metendo na minha vida. Só quero uma trepada tranquila por semana, escondida, com um cara que já passou por tudo e que já está com a cabeça fria. Agora, isso não é da conta de ninguém, porra."

O ninguém que Faunia tinha em mente era, como logo ficou claro, Lester Farley, seu ex-marido. Não que ele fosse o único homem que a prejudicara na vida — "Claro que não; então não estou solta no mundo desde os catorze anos?". Aos dezessete, por exemplo, quando trabalhava como garçonete na Flórida, seu namorado daquela época não apenas lhe dera uma surra e quebrara todo o seu apartamento como também roubara seu vibrador. "Aquilo doeu", disse Faunia. E, como sempre, o motivo fora o ciúme. Ela havia olhado para outro homem da maneira errada, tinha convidado o outro homem a olhar para *ela* da maneira errada, não conseguira dar uma explicação convincente a respeito de onde estivera durante a meia hora anterior, pronunciara a palavra errada, usara a entoação errada, dera a entender — uma acusação infundada, na opinião de Faunia — que era uma puta mentirosa e trapaceira; qualquer que fosse o motivo, o homem em questão, fosse ele quem fosse, partira para cima dela com socos e pontapés, e Faunia gritara por socorro.

Por causa de Lester Farley, ela baixara ao hospital duas vezes no último ano do casamento; como ele ainda estava morando na região, trabalhando na equipe de manutenção de estradas desde que sua fazenda fora à falência, e como não havia dúvida de que continuava maluco, Faunia temia tanto por Coleman como por si própria, dizia ela, caso Lester descobrisse o que estava acontecendo. Desconfiava que o motivo que levara Smoky a despachá-la de modo tão ab-rupto fora algum encontro ou entrevero que ele tivera com Les Farley — porque Les, constantemente vigiando a ex-mulher, ficara sabendo que ela estava tendo um caso com o patrão, muito embora Hollenbeck escolhesse para seus encontros amorosos lugares muito bem escondidos, em cantos remotos de prédios velhos que só mesmo ele, o responsável pelas instalações físicas da faculdade, sabia que existiam e a que só ele tinha acesso. Por mais imprudente que Smoky parecesse, ao arranjar namoradas na equipe de limpeza do campus e encontrar-se com elas ali mesmo, ele era tão meticuloso em sua vida amorosa como em seu trabalho. Com a mesma eficiência e o mesmo profissionalismo com que em poucas horas retirava a neve das vias do campus após uma nevasca, livrava-se de uma de suas namoradas, quando se fazia necessário, de uma hora para a outra.

"Então, o que é que eu faço?", perguntou-me Coleman. "Não fui contra manter essa história toda em segredo, mesmo antes de saber que a Faunia tinha um ex-marido violento. Eu sabia que alguma coisa assim ia acontecer. Isso de eu ser ex-decano e ela faxineira não importa. O que importa é que eu tenho setenta e um anos e ela tem trinta e quatro. Pra mim, bastava isso, eu não tinha dúvida, e quando ela me disse que não era da conta de ninguém, eu pensei: bom, ela já resolveu o problema por mim. Nem preciso tocar no assunto. Vamos fazer de conta que é adultério? Por mim, tudo bem. Foi por isso que fomos até Vermont pra jantar. É por isso que quando a gente se cruza no correio a gente nem se cumprimenta."

"Pode ser que alguém tenha visto vocês dois em Vermont. Ou então juntos no seu carro."

"É verdade — provavelmente foi isso que aconteceu. É a *única* coisa que pode ter acontecido. Vai ver que foi o próprio Farley que nos viu. Meu Deus, Nathan, eu não saía com uma namorada fazia quase cinquenta anos — achei que o restaurante... Sou um idiota."

"Não, você não é um idiota, não — foi só porque você estava sentindo claustrofobia", disse eu. "Quanto a Delphine Roux, não faço a menor ideia por que ela está tão preocupada por você estar transando com uma mulher agora que está aposentado, mas, como sabemos que tem gente no mundo que não engole as pessoas que não são convencionais, vamos supor que ela seja alguém assim. Só que *você* não é. Você é um homem livre. Livre e independente. Um *velho* livre e independente. Você perdeu muita coisa quando largou aquele emprego, mas e o que você ganhou? Você não tem mais a obrigação de cuidar da cabeça de ninguém — foi você mesmo que disse isso. Também não está testando até que ponto é capaz de se livrar de todas as suas inibições. Agora você está

59

aposentado, mas passou quase a vida inteira no mundo acadêmico — se eu entendo você, o que está acontecendo agora é absolutamente insólito. Talvez você nem quisesse que essa história com a Faunia tivesse acontecido. Talvez até acredite que não queria. Mas mesmo as defesas mais fortes estão cheias de pontos fracos, e é por aí que acaba acontecendo aquilo que menos se espera. Aos setenta e um anos, acontece a Faunia; em 1998, acontece o Viagra; e mais uma vez começa aquela coisa que você já tinha quase esquecido. Aquela satisfação imensa. Aquele poder visceral. Aquela intensidade desconcertante. De repente, saindo do nada, a última grande paixão de Coleman Silk. Que pode até ser uma coisa dos seus últimos momentos de vida. Pois bem, a história de vida da Faunia Farley não tem nada a ver com a sua. Não é decente uma mulher como ela estar na cama com um homem da sua idade e da sua condição social — aliás, você nem era para estar na cama com ninguém. E por acaso foi decente o que aconteceu com você por ter pronunciado a palavra 'spooks'? Foi decente o que fez Iris morrer de derrame? Esqueça essa carta idiota. Não vejo por que se preocupar com ela."

"Uma carta idiota e *anônima*", disse ele. "Nunca ninguém tinha me mandado uma carta anônima. Como é que uma pessoa racional pode mandar uma carta anônima?"

"Quem sabe é uma coisa francesa", especulei. "Tem um monte de carta anônima em Balzac, não tem? E em Stendhal? Não tem uma carta anônima em O *vermelho e o negro*?"

"Não me lembro."

"Olha, pelo visto tudo o que você faz tem que ter uma explicação terrível, e tudo o que a Delphine Roux faz é motivado pela virtude. A mitologia não é cheia de gigantes, monstros e serpentes? Ao definir você como um monstro, ela se define como heroína. É assim que ela está matando o monstro. É assim que ela se vinga de você por explorar os oprimidos. Ela está dando proporções mitológicas a essa história toda."

Com base no sorriso indulgente que me foi oferecido, constatei que não estava conseguindo ser muito convincente ao apresentar, mesmo que de brincadeira, uma interpretação pré--homérica do incidente da carta anônima. Ele respondeu: "Não vai ser na mitologia que você vai encontrar uma explicação dos processos mentais dela. Ela não tem imaginação bastante para isso. O interesse dela são as histórias que os camponeses contam para explicar a miséria deles. O mau-olhado. Os feitiços. Eu enfeiticei a Faunia. O interesse dela é por narrativas folclóricas cheias de bruxas e feiticeiros".

Agora estávamos nos divertindo, e me dei conta de que, na minha tentativa de dissipar sua irritação feroz defendendo a primazia de seu prazer, eu lhe dera margem para manifestar seu apreço por mim — ao mesmo tempo que revelava melhor meu apreço por ele. Eu estava efusivo, e percebia isso. Fiquei espantado com minha própria disposição de agradar, senti que estava dizendo coisas excessivas, explicando demais, demasiadamente envolvido e excitado, tal como a gente fica quando, no tempo de menino, acha que encontrou uma alma gêmea no garoto que acabou de se mudar para o bairro e sente o ímpeto de fazer a corte, de agir de modo inusitado, escancarando coisas que a gente nem quer expor. Mas desde o momento em que ele bateu à minha porta um dia após a morte de Iris e propôs que eu escrevesse *Spooks* para ele, eu havia embarcado, sem querer ou planejar, numa amizade séria com Coleman Silk. Eu não estava dando atenção aos problemas dele apenas como um exercício mental. As dificuldades por que ele passava eram importantes para mim, muito embora estivesse decidido a só me envolver, no pouco tempo de que *eu* ainda disponho, com as exigências cotidianas do trabalho, a me dedicar somente ao trabalho, a não procurar aventuras em nenhuma outra parte — não ter nem mesmo uma vida própria que me preocupasse, muito menos me preocupar com a vida alheia.

E me dei conta de tudo isso um pouco decepcionado. Para abrir mão da sociedade, abster-se de toda e qualquer distração, renunciar a qualquer ambição profissional, às ilusões da vida social, aos venenos culturais e ao fascínio da intimidade, para praticar uma reclusão rigorosa, como a dos religiosos que se isolam em cavernas ou celas ou cabanas no meio do mato, é preciso ser feito de uma matéria mais dura do que a minha. Eu havia conseguido ficar sozinho apenas cinco anos — cinco anos lendo e escrevendo na encosta do monte Madamaska, numa agradável cabana de dois cômodos localizada entre uma lagoa, nos fundos, e, do outro lado da estrada de terra, um pântano de quatro hectares onde gansos-do-canadá em migração repousam todas as noites, e uma garça-azul paciente passa o verão inteiro pescando sozinha. Para viver na confusão do mundo com um mínimo de sofrimento, o segredo é conseguir fazer com que o maior número de pessoas possível embarque nas suas ilusões; para viver sozinho aqui na montanha, longe de todos os envolvimentos, todas as atrações e expectativas que nos perturbam a paz, longe, sobretudo, de nossa própria intensidade, o segredo é organizar o silêncio, pensar na plenitude da montanha como capital, encarar o silêncio como uma riqueza que está se multiplicando constantemente. O silêncio que nos cerca é a vantagem que escolhemos, e é só com ele que temos intimidade. O segredo é encontrar sustento nas (Hawthorne mais uma vez) "comunicações de uma mente solidária consigo mesma". O segredo é encontrar sustento em *pessoas* como Hawthorne, na sabedoria dos mortos geniais.

Eu precisava de tempo para enfrentar as dificuldades impostas por essa opção, tempo e uma paciência de garça para conter os anseios por tudo aquilo que desaparecera, mas depois de cinco anos eu já havia me tornado perito em recortar cirurgicamente meus dias de tal modo que cada hora daquela minha existência em que nada acontecia tivesse sua importância para mim. Sua necessidade. Até mesmo sua animação. Eu não me permitia mais o hábito pernicioso de desejar *uma coisa*, e a última coisa que eu queria voltar a ter, pensava eu, era a companhia constante de *uma pessoa*. A música que ouço após o jantar não tem o propósito de me aliviar do silêncio, porém representa uma espécie de concretização do próprio silêncio: ouvir música durante uma ou duas horas todas as noites não me priva do silêncio — a música é a própria realização do silêncio. No verão, nado por meia hora na minha lagoa assim que me levanto, e no resto do ano, depois de passar a manhã escrevendo — a menos que a neve inviabilize minha caminhada —, percorro as trilhas da serra durante umas duas horas quase todos os dias. O câncer que levou minha próstata não voltou. Tenho sessenta e cinco anos e estou fisicamente bem, trabalhando bastante — e estou sabendo das coisas. *Tenho* de estar sabendo.

 Assim, por que motivo, tendo transformado minha experiência de isolamento radical numa vida solitária de grande riqueza — por que motivo, sem aviso prévio, comecei a sentir solidão? O que me estaria fazendo falta? O que passou, passou. Não há como relaxar o rigor, voltar atrás nas renúncias. De que, afinal, eu sentia falta? Muito simples: daquilo que havia passado a me inspirar aversão. Daquilo que eu havia abandonado. Da vida. Do envolvimento com a vida.

 Foi assim que Coleman se tornou meu amigo e que abandonei a austeridade da vida solitária na minha cabana isolada, enfrentando as sequelas do câncer. Ao me chamar para dançar, Coleman Silk me trouxe de volta à vida. Primeiro a Faculdade Athena, depois eu — ele era um homem que fazia as coisas acontecerem. Na verdade, foi a dança que selou nossa amizade e também o que fez com que a sua desgraça se tornasse meu tema. E que fez seu disfarce se tornar meu tema. E que fez com que o modo de apresentar corretamente seu segredo se tornasse um problema que eu tinha de resolver. Foi assim que não consegui mais viver longe da turbulência e da intensidade de que eu havia fugido. Bastou que eu ganhasse um amigo para que toda a maldade do mundo voltasse com sua força.

Naquela mesma tarde Coleman me levou para conhecer Faunia, numa pequena fazenda de gado leiteiro a uns dez quilômetros de sua casa, onde ela morava de graça, responsabilizando-se pela ordenha de vez em quando. A fazenda, que funcionava havia alguns anos, fora criada por duas mulheres divorciadas, ambientalistas com formação universitária, ambas filhas de fazendeiros da Nova Inglaterra, que juntaram seus capitais — e os filhos também, seis crianças ao todo, as quais, como as proprietárias diziam aos fregueses com orgulho, não aprendiam de onde vinha o leite vendo *Vila Sésamo* — para dedicar-se à tarefa quase impossível de ganhar a vida vendendo leite cru. Era uma empresa *sui generis*, muito diferente das grandes fazendas, sem nada de impessoal e industrial, uma fazenda de gado leiteiro que nem sequer seria reconhecida como tal pela maioria das pessoas hoje em dia. Chamava-se Gado Orgânico; produzia e engarrafava leite cru e o enviava para as lojas da localidade e a alguns supermercados da região; vendia também diretamente a consumidores que comprassem no mínimo dez litros por semana.

Eram só onze vacas jérsei, cada uma identificada não por um número gravado no brinco e sim por um nome de vaca bem tradicional. Como o leite por elas produzido não vinha misturado com o de grandes rebanhos que levam várias injeções de substâncias químicas, e como o leite, que não era comprometido pela pasteurização nem decomposto pela homogeneização, assumia a cor, e até um pouco o sabor, do que as vacas comiam em cada estação do ano — uma ração produzida sem a utilização de herbicidas, pesticidas ou fertilizantes químicos —, e como era mais rico em nutrientes do que o leite composto, ele era tido em alta conta pelas pessoas da região que tentavam servir a suas famílias alimentos integrais em vez de processados. A fazenda tem muitos fregueses fiéis, principalmente entre aqueles — não apenas aposentados, mas também casais com filhos — que vieram para cá fugindo da poluição, das frustrações e corrupções da cidade grande. No semanário local, volta e meia aparece uma carta de alguém que ainda há pouco encontrou uma vida melhor neste recanto rural e fala com admiração do leite da Gado Orgânico, dizendo que não é apenas um leite gostoso, mas também a concretização da pureza revitalizante do campo, exigida pelo idealismo dessas pessoas, tão castigado pela vida urbana. Palavras como "bondade" e "alma" sempre aparecem nessas cartas, como se beber um copo de leite da Gado Orgânico fosse um ritual religioso tão redentor quanto uma bênção nutricional. "Quando bebemos leite da Gado Orgânico, nutrimos ao mesmo tempo o corpo, a alma e o espírito. Vários órgãos de nosso corpo recebem essa integralidade e são por ela beneficiados de um modo do qual às vezes não nos damos conta." Frases assim, frases que permitem que adultos perfeitamente sensatos, liberados das aporrinhações que os levaram a mudar-se de Nova York, Hartford ou Boston, se divirtam, diante de suas escrivaninhas, fingindo que têm sete anos de idade.

Embora provavelmente usasse no máximo meia xícara de leite por dia, a que jogava sobre o cereal no café da manhã, Coleman era um dos clientes da Gado Orgânico que recebiam dez litros de leite por semana. Assim ele podia ir pegar seu leite, recém-saído da vaca, lá na fazenda — seguia pela estrada, depois tomava o longo caminho do trator, até chegar ao celeiro; saltava do carro, entrava no estábulo e pegava o leite diretamente na geladeira. Fazia isso não para poder pagar o preço com desconto a que tinham direito os fregueses que consumiam dez litros, mas porque a geladeira ficava bem na entrada do celeiro, e a apenas cinco metros do lugar onde as vacas eram levadas para serem ordenhadas, uma de cada vez, duas vezes por dia, e onde, às cinco da tarde (quando ele ia), Faunia, tendo cumprido suas obrigações na faculdade, ordenhava as vacas algumas vezes por semana.

Nessas ocasiões, ele se limitava a vê-la trabalhar. Embora quase nunca houvesse outras pessoas lá quando ele chegava, Coleman não entrava no estábulo de ordenha; ficava de fora, olhando, e deixava que Faunia continuasse a trabalhar sem ter de conversar com ele. Muitas vezes não diziam nada, porque não dizer nada intensificava o prazer que sentiam. Faunia sabia que ele estava olhando; sabendo que ela sabia, Coleman olhava com mais atenção ainda — e não importava que não pudessem copular ali mesmo no chão. Bastava-lhes poder estar juntos, só eles, num mesmo lugar que *não* fosse a cama de Coleman; bastava-lhes ter de manter a naturalidade de pessoas separadas por barreiras sociais intransponíveis, representar seus respectivos papéis de trabalhadora rural e professor universitário aposentado, cada um desempenhando com afinco seu papel — ela, o de uma mulher forte e esbelta de trinta e quatro anos, analfabeta e calada, um ser rústico, só músculos e ossos, que acabava de limpar o terreiro com um forcado; ele, o de um senhor pensativo de setenta e um anos, renomado estudioso da cultura greco-romana, dotado de um cérebro poderoso onde cabiam os léxicos de dois idiomas da Antiguidade. Bastava-lhes comportarem-se como duas pessoas que não tinham absolutamente nada em comum, pensando o tempo todo que eram capazes de destilar juntos, numa essência orgástica, tudo aquilo que os tornava irreconciliáveis, as discrepâncias humanas que produziam todo o poder. Isso bastava para fazê-los sentir a emoção de levar uma vida dupla.

À primeira vista, não despertava muitas expectativas carnais aquela mulher magricela e desengonçada, respingada de lama, de short, camiseta e botas de borracha, que vi junto ao rebanho naquela tarde e que Coleman identificou como sua Voluptas. As criaturas dotadas de autoridade carnal eram as que ocupavam todo o espaço, as vacas de cores cremosas, de ancas enormes como vigas a balançar, barrigas largas como barris, úberes inchados de leite, desproporcionais como num desenho animado, as vacas tranquilas e lerdas, sem urgências, cada uma delas uma fábrica de setecentos quilos cujo produto era a autogratificação, aqueles animais de olhos grandes para os quais ficar mastigando ração numa extremidade enquanto a outra era espremida não por uma nem por duas nem por três, mas por quatro bocas mecânicas constantemente a pulsar — para as quais a estimulação sensual simultânea em ambas as extremidades era a volúpia cotidiana. Todas viviam imersas numa existência animal cuja suprema ventura era a ausência de profundezas espirituais: esguichar leite e mastigar ração, cagar e mijar, pastar e dormir — a isso se reduzia toda a sua razão de viver. De vez em quando (Coleman me explicou) um braço humano, protegido por uma comprida luva de plástico, introduz-se no reto para retirar as fezes, e então, encontrando pelo tato o lugar correto, orienta o outro braço, o qual insere na vagina o aplicador, uma espécie de seringa, para injetar o sêmen. Desse modo elas engravidam sem ter de passar pelo incômodo do contato com um touro — mimadas até na reprodução, e depois auxiliadas no parto, um processo que, segundo Faunia, podia ser emocionante para todas as pessoas envolvidas, mesmo em gélidas noites de inverno, durante nevascas. Tudo do bom e do melhor em matéria de carnalidade, o tempo todo saboreando sem pressa grandes bocados úmidos de bolo alimentar, produzido por seu próprio estômago. Uma boa vida que poucas cortesãs conheceram, muito menos mulheres comuns.

Em meio a essas criaturas privilegiadas, cercada pela aura de abundância feminina, opulenta e telúrica, que delas emanava, Faunia trabalhava como um verdadeiro burro de carga, ainda que parecesse, tendo as vacas por pano de fundo, um desses pesos-moscas desprezíveis gerados pela evolução. Ela chamava-as do galpão aberto onde repousavam numa mistura de feno e bosta. "Vamos, Mimosa, não me aporrinha não. Levanta essa bunda daí, Pintada, sua preguiçosa", agarrava-as pela coleira e, com puxões e carícias, fazia-as atravessar a lama do terreiro, subir um degrau e entrar no estábulo de ordenha; empurrava aquelas Mimosas e Pintadas grandalhonas em direção à gamela até amarrá-las nos postes; media e servia uma porção de vitaminas e ração para cada uma delas, desinfetava os úberes, enxugava-os e dava início ao fluxo de leite com umas poucas puxadas manuais, colocava as teteiras — não parava um segundo, sempre concentrada em cada etapa do processo de ordenha; porém, num contraste exagerado com a docilidade teimosa das vacas, movia-se com a agilidade de uma abelha, até que o leite começasse a passar pelo tubo transparente e cair no tarro reluzente de aço inoxidável; só então ela parava e, em silêncio, ficava observando, para certificar-se de que tudo estava dando certo e que a vaca estava tão imóvel quanto ela. Logo se punha em movimento outra vez, massageando o úbere para ter certeza de que havia extraído todo o leite da vaca, removendo as teteiras, separando a porção de ração que daria à próxima vaca a ser ordenhada após desamarrar a anterior, colocando a ração da próxima vaca em frente ao poste seguinte, e tudo isso dentro daquele espaço reduzido, puxando pela coleira a vaca ordenhada e manobrando seu corpanzil, fazendo-a dar marcha a ré com um empurrão e pressionando-a com o ombro, dizendo-lhe com autoridade "Sai daqui, fora daqui, vamos..." e levando-a de volta para o galpão, do outro lado do terreiro enlameado.

Faunia Farley: pernas magras, pulso fino, braços magros, costelas visíveis, omoplatas palpáveis — e no entanto, quando ela retesava os músculos, percebia-se que seus membros eram rijos; quando ela se espichava para alcançar alguma coisa, via-se que os seios eram surpreendentemente volumosos; e quando, por causa das moscas e dos mosquitos que voejavam em torno dos animais naquele dia abafado de verão, ela dava um tapa no pescoço ou nas nádegas, era possível fazer ideia do que nela havia de lúdico, apesar de seu jeito um tanto rígido. Via-se que seu corpo não era apenas austero, esguio e eficiente, que ela era uma mulher rija, situada naquele ponto periclitante em que não está mais amadurecendo, porém ainda não começou a deteriorar, uma mulher na flor dos anos, em que a mecha de cabelos grisalhos é acima de tudo enganosa, porque o contorno nítido das bochechas e do maxilar, típico da Nova Inglaterra, e o pescoço alongado, marcadamente feminino, ainda não foram submetidos às transformações causadas pelo envelhecimento.

"Este aqui é o meu vizinho", disse Coleman quando Faunia fez uma pausa para enxugar o suor do rosto na manga da camisa e olhou para o nosso lado. "O Nathan."

Eu não esperava circunspecção. Esperava uma pessoa que manifestasse mais raiva. Ela reconheceu minha presença apenas com um movimento súbito do queixo, mas ela sabia aproveitar o gesto ao máximo. Ela sabia aproveitar o *queixo* ao máximo. O hábito de mantê-lo sempre levantado lhe conferia... virilidade. O que também se aplicava a seu gesto:

algo de viril e implacável, e também um pouco desclassificado, naquele olhar que encarava de frente. O olhar de uma pessoa para quem sexo e traição são coisas tão básicas quanto o pão. O olhar do fugitivo, e também o olhar que é fruto da monotonia irritante do azar. O cabelo, o cabelo de um louro dourado, naquela etapa inicial e comovente de transformação inevitável, estava preso para trás com um elástico, porém enquanto ela trabalhava uma mecha caía repetidamente em sua testa, quase chegando à sobrancelha, e agora, enquanto olhava para nós em silêncio, Faunia jogou-a para trás com a mão, e pela primeira vez percebi em seu rosto um pequeno detalhe que, talvez erradamente, por eu estar procurando um sinal, me pareceu revelador: o volume convexo do estreito arco de carne entre a sobrancelha e a pálpebra superior. Ela era uma mulher de lábios finos, nariz reto, olhos azuis límpidos, dentes bons e queixo proeminente, e aquela abundância de carne logo abaixo das sobrancelhas era a única marca de exotismo nela, a única marca de sedução, algo túmido de desejo. Além disso, aquilo explicava boa parte do que havia de desconcertante e obscuro no olhar duro e direto.

No todo, Faunia não era nenhuma sereia fascinante, de fechar o comércio, e sim uma mulher de boa aparência que nos leva a pensar: ela deve ter sido muito bonita quando criança. O que era verdade; segundo Coleman, fora uma criança linda e privilegiada, com um padrasto rico que não a deixava em paz e uma mãe mimada que não a protegia.

Ficamos os dois vendo-a ordenhar cada uma das onze vacas — Mimosa, Rosinha, Pintada, Florzinha, Dengosa, Mocinha, Namorada, Boboca, Emília, Simpática e Joana —, vendo-a repetir a mesma rotina precisa em cada uma delas, e terminada a ordenha ela passou para a sala caiada, com pias grandes, mangueiras e unidades esterilizadoras, ao lado do estábulo de ordenha, e ficamos assistindo, do lado de fora, enquanto ela preparava a solução de detergente alcalino e ácido e, tendo separado a linha de vácuo da mangueira e destacado as teteiras e destampado os dois tarros — tendo desmontado todo o equipamento de ordenha que levara para lá —, começava a trabalhar com uma diversidade de escovas, utilizando várias pias cheias de água limpa para esfregar todas as superfícies de cada mangueira, válvula, gaxeta, placa, tubo, tampa, disco e êmbolo, até que tudo estivesse absolutamente limpo e esterilizado. Antes de Coleman pegar seu leite e voltarmos para o carro, nós dois passamos quase uma hora e meia parados ao lado da geladeira, e — fora as palavras que ele pronunciou ao me apresentar a Faunia — nenhum dos seres humanos presentes disse nada. Só se ouviam as andorinhas que faziam seus ninhos no celeiro e entravam e saíam voando por entre os caibros atrás de nós, e os grãos de ração caindo no cimento quando Faunia alimentava as vacas, e o arrastar de cascos no chão quando ela ia empurrando, levando e guiando os animais para junto da ordenhadeira, e o som de sucção, a respiração suave e profunda da bomba de extração.

Quando os dois já estivessem enterrados, quatro meses depois, eu relembraria aquele episódio no estábulo de ordenha como se fosse um espetáculo teatral em que eu fizera uma ponta, em que atuara como figurante, que é o que sou agora, de fato. Noite após noite eu não conseguia dormir por me ver sempre naquele palco, com os dois protagonistas e o coro de vacas, observando a cena, representada de modo impecável por todo o elenco, a cena de um velho apaixonado observando, em seu local de trabalho, a faxineira e trabalhadora rural com quem tem um caso secreto: uma cena tocante, hipnótica, de subjugação sexual, na qual tudo o que a mulher faz com as vacas, o modo como as maneja, como pega nelas, lida com elas, fala com elas, é apropriado pelo fascínio voraz do amante; uma cena em que um homem, dominado por uma força nele reprimida havia tanto tempo que já estava quase extinta, revelava, diante de meus olhos, o renascer de seu poder eletrizante. Imagino que fosse mais ou menos como ver Aschenbach devorando com os olhos o jovem Tadzio — seu anseio sexual levado ao ponto de fervura pelo fator angustiante da mortalidade —, só que não estávamos num hotel de luxo no Lido, em Veneza, nem éramos personagens de uma novela alemã, nem mesmo, naquele momento, de um romance americano: estávamos no auge do verão, num celeiro na Nova Inglaterra, no ano em que foi aberto um processo de impeachment contra o presidente da república, e, naquele momento, não éramos personagens de ficção, tal como os animais à nossa volta não eram seres mitológicos nem bichos empalhados. A luz e o calor do dia (uma verdadeira bênção), a tranquilidade imutável da vida de cada vaca, idêntica à de cada uma das outras, o velho apaixonado observando com atenção a agilidade da mulher eficiente e enérgica, a adulação crescendo dentro dele, sua expressão de quem jamais vivera nada mais emocionante que aquilo, e, além disso, minha própria espera paciente, meu fascínio com a disparidade imensa que havia entre eles, com a falta de uniformidade, a variabilidade, a irregularidade febril das parcerias sexuais — e com o imperativo que se impõe a todos nós, homens ou bois, não apenas de sobreviver mas de *viver*, continuar dando, recebendo, alimentando, extraindo alimento, reconhecendo sem reservas, com tudo o que há nela de enigmático, a absoluta falta de sentido da existência — tudo isso foi registrado como real por dezenas de milhares de minúsculas impressões. A plenitude sensorial, a fartura, a abundância — a superabundância — de detalhes da vida, a rapsódia. E Coleman e Faunia, que agora estão mortos, imersos no fluxo do inesperado, dia a dia, minuto a minuto, eles próprios transformados em detalhes dessa superabundância.

Nada dura, e no entanto nada passa, tampouco. E nada passa justamente porque nada dura.

O problema com Les Farley começou naquela mesma noite, quando Coleman ouviu alguma coisa se mexendo no mato perto da casa; achou que não parecia veado nem racum; levantou-se da mesa da cozinha em que ele e Faunia tinham acabado de comer espaguete e, da porta dos fundos, no lusco--fusco da noitinha de verão, avistou um homem correndo pelo campo atrás da casa, em direção ao bosque. "Ei! Você! Para!", gritou Coleman, mas o homem nem parou nem olhou para trás, e rapidamente desapareceu no meio das árvores. Não era a primeira vez nos últimos meses que Coleman tinha a impressão de estar sendo observado por alguém escondido bem perto da casa, mas nas vezes anteriores estava escuro demais para ele saber se o ruído que ouvira fora causado por um *voyeur* ou por um animal. Além disso, nas outras ocasiões ele estava sozinho. Era a primeira vez que Faunia estava com ele, e foi ela que, sem precisar identificar a silhueta do homem que corria pelo campo, identificou o invasor como seu ex-marido.

Depois do divórcio, disse ela a Coleman, Farley ficava o tempo todo a vigiá-la, mas nos meses que se seguiram à morte das duas crianças, quando ele passou a acusá-la de negligência criminosa, sua perseguição se tornou assustadoramente implacável. Duas vezes ele surgiu do nada — uma vez no estacionamento do supermercado, outra quando ela estava num posto de gasolina — e começou a gritar da janela de sua picape: "Sua puta assassina! Matou meus filhos, sua puta assassina!". Muitas vezes, quando ia para a faculdade de manhã, Faunia olhava pelo retrovisor e via a picape de Farley e o rosto dele, formando com os lábios a frase: "Você matou os meus filhos". Às vezes, quando ela voltava da faculdade, Farley ficava atrás do carro dela. Nessa época Faunia ainda morava no trecho que não fora queimado da garagem habitável onde as crianças haviam morrido asfixiadas no incêndio, e foi por temer o ex-marido que ela se mudou de lá para um quarto em Seeley Falls, e depois, após uma tentativa de suicídio fracassada, para o quarto na fazenda de gado leiteiro, onde as duas donas e seus filhos pequenos estavam quase sempre por perto e havia menos perigo de ela ser atacada por seu perseguidor. Depois da segunda mudança, via cada vez mais raramente a picape de Farley no retrovisor, e quando se passaram meses sem nenhum sinal dele começou a ter esperanças de que o homem a deixaria em paz. Mas agora Faunia tinha certeza de que de algum modo ele descobrira seu caso com Coleman, e todo o ódio que sempre tivera por ela voltara à tona; havia retomado sua rotina enlouquecida de espioná-la, escondendo-se perto da casa de Coleman para ver o que ela estava fazendo lá. O que *eles* estavam fazendo lá.

Naquela noite, quando Faunia entrou no carro — o Chevrolet velho que Coleman preferia que ela estacionasse dentro do celeiro de sua casa, para escondê-lo —, Coleman resolveu segui-la em seu próprio carro por dez quilômetros, até ela tomar a estrada de terra que passava pelo estábulo das vacas e a levava à casa da fazenda. Passou todo o caminho de volta olhando para trás a fim de ver se alguém o seguia. Ao chegar, caminhou da garagem até a casa balançando na mão uma chave de roda, balançando-a em diversas direções, para afastar um possível agressor que o aguardasse na escuridão.

Na manhã seguinte, depois de ficar oito horas na cama pensando em suas preocupações, resolveu não dar queixa à polícia. Como era impossível identificar Farley com certeza, a polícia não poderia tomar nenhuma medida contra ele, e se viesse à tona que Coleman recorrera à polícia seriam confirmados os boatos que já circulavam sobre o caso entre o ex-decano e a faxineira da faculdade. O que não quer dizer que, depois daquela noite de insônia, Coleman tivesse se resignado a não fazer absolutamente nada em relação a *tudo*: logo após o café da manhã telefonou para seu advogado, Nelson Primus, e naquela tarde foi até Athena se encontrar com ele para falar a respeito da carta anônima. Embora o advogado achasse que o melhor mesmo era não fazer nada, Coleman terminou convencendo-o a escrever a seguinte carta para Delphine Roux: "Prezada sra. Roux: Sou o advogado de Coleman Silk. Alguns dias atrás a senhora enviou uma carta anônima ao sr. Silk que é ofensiva, ameaçadora e difamatória. O conteúdo da sua carta é o seguinte: 'Todo mundo sabe que você está explorando sexualmente uma mulher maltratada e analfabeta com a metade da sua idade'. A senhora, infelizmente, intrometeu-se num assunto que não lhe diz respeito, e ao fazê-lo violou os direitos do sr. Silk garantidos por lei, estando portanto sujeita a um processo judicial".

Alguns dias depois Primus recebeu três frases secas do advogado de Delphine Roux. A segunda frase, que negava categoricamente a acusação de que ela era a autora da carta anônima, foi sublinhada em vermelho por Coleman. "Nenhuma das afirmativas contidas na sua carta é verdadeira", escrevera o advogado de Delphine Roux, "e elas são difamatórias."

Imediatamente Coleman obteve com Primus o nome de um perito que morava em Boston e trabalhava para empresas privadas, órgãos federais e estaduais. No dia seguinte, ele próprio foi de carro até Boston para entregar ao perito as amostras da letra de Delphine Roux que ele possuía, bem como a carta anônima e o envelope em que ela viera. Na semana seguinte, o resultado da análise chegou pelo correio. O relatório dizia o seguinte: "Por sua solicitação, examinei e comparei exemplares da letra de Delphine Roux com uma carta anônima e um envelope endereçado a Coleman Silk. O senhor solicitou que fosse identificado o autor da letra dos documentos em questão. Meu exame leva em conta diferentes características da letra, como inclinação, espaçamento, formação de caracteres, qualidade da linha, padrão de pressão, proporções, altura relativa das letras, ligações entre letras, iniciais e arremates. Com base nos documentos que me foram entregues, posso afirmar que no meu entender a letra que consta na carta anônima e no envelope é a mesma que, nos documentos identificados, se assina Delphine Roux. Respeitosamente, Douglas Gordon". Quando Coleman passou o relatório do perito para Nelson Primus, com instruções de que ele enviasse uma cópia ao advogado de Delphine Roux, Primus não disse mais nada, embora se preocupasse ao ver Coleman quase tão enfurecido quanto estivera antes, durante a crise com a faculdade.

Oito dias haviam se passado desde a noite em que ele vira Farley fugindo para o mato; durante esses oito dias ele achou melhor Faunia não ir a sua casa e os dois se comunicaram apenas pelo telefone. Para que ninguém se sentisse estimulado a espioná-los, ele também não foi à fazenda pegar seu leite; ficou o máximo de tempo possível em casa, num plantão meticuloso, especialmente à noite, para verificar se havia algum intrometido. Disse a Faunia que se cuidasse na fazenda e que sempre olhasse pelo retrovisor quando estivesse no carro. "Até parece que a gente é uma ameaça à segurança pública", disse ela, rindo aquele riso. "Não, à saúde pública", retrucou ele. "Estamos violando as normas oficiais de saúde."

Passados os oito dias, quando já fora possível ao menos confirmar a identificação de Delphine Roux como autora da carta, ainda que não a de Farley como invasor, Coleman resolveu decidir que havia feito tudo o que era possível para se proteger de toda essa intrusão desagradável e provocadora. Quando

Faunia lhe telefonou aquela tarde, na hora do almoço, e perguntou "Já terminou a quarentena?", ele finalmente achou que já estava se sentindo seguro o bastante — ou pelo menos decidido a sentir-se seguro o bastante — para lhe dizer que viesse. Como esperava que ela chegasse por volta das sete, tomou um Viagra às seis e, depois de encher o copo de vinho, pegou o telefone, instalou-se numa espreguiçadeira no quintal e ligou para sua filha. Ele e Iris haviam tido quatro filhos: dois homens, agora na faixa dos quarenta, ambos professores universitários da área de ciências, casados e com filhos, morando na costa do Pacífico, e os gêmeos Lisa e Mark, os dois solteiros, com trinta e tantos anos, morando em Nova York. Com uma única exceção, seus três filhos tentavam visitar o pai três ou quatro vezes por ano, e uma vez por mês telefonavam para ele. A exceção era Mark, que nunca se dera bem com o pai e de vez em quando passava um período totalmente rompido com ele.

Coleman estava ligando para Lisa porque se dera conta de que não falava com ela havia mais de um mês, talvez até dois meses. É possível que estivesse apenas sob o impacto de um sentimento de solidão que passaria assim que Faunia chegasse, mas, fosse o que fosse, jamais poderia ter imaginado, antes do telefonema, o que ia acontecer. Sem dúvida, a última coisa que esperava era encontrar mais oposição, principalmente da parte daquela filha, cuja voz — suave, musical, ainda juvenil, apesar de doze anos difíceis trabalhando como professora no Lower East Side de Nova York — bastava para deixá-lo mais calmo, apaziguado, e às vezes mais ainda: apaixonava-se por sua filha outra vez. Provavelmente estava fazendo o que quase todo pai de mais idade faz quando, por um outro motivo, recorre a um telefonema interurbano para reavivar por um momento as velhas referências. Como havia uma história ininterrupta e inequívoca de ternura entre Coleman e ela, Lisa era, de todas as pessoas que ainda lhe eram próximas, aquela com que era mais difícil brigar.

Cerca de três anos antes — foi antes do incidente dos *spooks* — Lisa começou a achar que fizera muito mal ao deixar de trabalhar em sala de aula para especializar-se em crianças com problemas de leitura, e Coleman foi até Nova York passar alguns dias com a filha para ver como ela estava. Naquela época, Iris estava viva (e como!), mas o que Lisa queria não era a energia esfuziante da mãe — o que ela queria não era receber o tipo de estímulo irresistível que Iris sabia dar —, mas a capacidade de resolver problemas com ordem e determinação, especialidade do ex-decano. Iris certamente diria à filha para tocar em frente, fazendo-a sentir-se oprimida e encurralada; já o pai, se ela conseguisse convencê-lo de que não valia a pena insistir, talvez lhe dissesse que, nesse caso, o melhor era assumir o erro e largar aquele trabalho — o que, por sua vez, lhe daria coragem para persistir.

Coleman não apenas passara a primeira noite conversando com ela até tarde, escutando seus infortúnios, como também no dia seguinte fora até a escola para ver por que Lisa estava tão esgotada. E não foi difícil entender: logo de manhã, quatro sessões de meia hora, sem intervalo, cada uma delas com uma criança de seis ou sete anos que estava entre as que tiravam as piores notas da primeira e segunda séries; depois disso, até o final do expediente, sessões de quarenta e cinco minutos com grupos de oito alunos que iam tão mal quanto os da manhã, mas para os quais ainda não havia professores suficientes para colocá-los no programa intensivo.

"As turmas regulares são grandes demais", Lisa explicou-lhe, "por isso os professores não conseguem trabalhar com essas crianças. Eu já trabalhei com turma regular. Os alunos com problemas são três no meio de trinta. Três ou quatro. Dá pra trabalhar. O progresso dos outros anima a gente. Em vez de parar e dar aos problemáticos o que eles precisam, você simplesmente deixa eles passarem, pensando — ou tentando se convencer disso — que eles acabam acompanhando os outros. Aí eles passam pra segunda série, pra terceira série, pra quarta série, e então se esborracham de vez. Mas agora eu *só* lido com essas crianças, essas que não conseguem aprender e que a gente não consegue educar, e como eu me envolvo muito com os meus alunos isso acaba afetando todo o meu ser — todo o meu *mundo*. E a escola, a diretoria — ah, papai, é um problema. A diretora não sabe o que quer, e o resto é um bando de gente, cada um fazendo o que acha que deve ser feito. O que não é necessariamente a coisa certa. Quando eu vim pra cá, há doze anos, era ótimo. A diretora era muito boa. Ela deu uma virada geral na escola. Mas agora nós perdemos vinte e um professores em quatro anos. É muita coisa. Perdemos muita gente boa. Há dois anos eu passei para o programa de recuperação porque não aguentava mais a sala de aula. Dez anos de sala de aula, entra dia, sai dia. Eu não aguentava mais."

Coleman deixava que ela falasse e não dizia quase nada, e, como ela já estava com quase quarenta anos, ele conseguia reprimir com facilidade o impulso de abraçar aquela filha derrotada pela dura realidade, tal como imaginava que ela reprimisse o impulso de abraçar os alunos de seis anos que não conseguiam aprender a ler. Lisa tinha a passionalidade de Iris sem a sua autoridade, e, para uma pessoa que só vivia para os outros — a desgraça de Lisa era um altruísmo incurável —, ela, como professora, estava sempre à beira do esgotamento. Quase sempre tinha também um namorado exigente ao qual não podia negar seu afeto, e para o qual ela se virava do avesso, e para o qual, inevitavelmente, sua virgindade ética absoluta acabava se tornando cansativa. Lisa estava a todo momento enfrentando adversários morais invencíveis, mas não tinha a dureza suficiente para decepcionar a necessidade de outra pessoa, nem a força necessária para convencer-se de sua própria fraqueza. Era por isso que Coleman sabia que ela jamais largaria o programa de recuperação, e era também por isso que o orgulho que aquela filha lhe inspirava era mesclado não apenas de temor mas por vezes de um pouco de impaciência que se avizinhava do desprezo.

"São trinta crianças que você tem que cuidar, cada uma com num nível diferente, cada uma com uma experiência de vida diferente, e você tem que dar um jeito de fazer tudo funcionar", dizia-lhe Lisa. "Trinta crianças diferentes, vindo de trinta famílias diferentes, aprendendo de trinta maneiras diferentes. É muito complicado. Muita papelada pra corrigir. Muito *tudo*. Mas é brincadeira de criança comparada com *isso*. É claro que mesmo no programa de recuperação tem dias que eu penso: hoje eu fui bem. Mas a maioria das vezes tenho vontade de pular pela janela. Fico me perguntando se eu devia mesmo estar trabalhando nesse programa. Porque sou muito passional, caso você nunca tenha percebido. Eu quero fazer as coisas direito, só que não existe uma maneira direita de fazer as coisas — cada criança é um problema diferente, e são todos problemas insolúveis, e querem que eu dê jeito em tudo. É claro que todo mundo tem problema com criança que não consegue aprender. O que é que a gente faz com uma criança que não consegue aprender a ler? Imagine só — uma criança que não sabe ler. É difícil, papai. O ego da gente acaba se envolvendo, você sabe."

Lisa, que contém dentro de si tanta preocupação, que é tão inabalavelmente conscienciosa, Lisa, que vive apenas para servir. Lisa, a que jamais se desilude, Lisa, a idealista a toda prova. Ligue para Lisa, disse Coleman a si próprio; mal podia imaginar que seria capaz de arrancar daquela sua filha de uma santidade apalermada o tom gélido de reprovação com que ela atendeu o telefone.

"Sua voz está estranha."

"Estou bem", disse ela.

"O que houve, Lisa?"

"Nada."

"Como está o curso de verão? Como é que vai a escola?"

"Tudo bem."

"E o Josh?" O atual namorado.

"Vai bem."

"E os seus garotos? Como vai aquele que não conseguia reconhecer a letra *n*? Ele conseguiu passar para o nível dez? Aquele garoto cheio de enes no nome — Hernando."

"Está tudo bem."

Então Coleman perguntou, num tom jocoso: "Você estaria interessada em saber como eu estou?".

"Eu sei como você está."

"Sabe?"

Silêncio.

"O que é que você tem, meu amor?"

"Nada." Um "nada", o segundo, cujo significado era, claramente: *Não me venha com essa de "meu amor"*.

Alguma coisa incompreensível estava acontecendo. Quem lhe tinha contado? O *que* teriam contado a ela? No colegial, e depois da faculdade, após a guerra, Coleman havia enfrentado um currículo pesadíssimo; como decano, na Athena, sentira-se estimulado pelas dificuldades de um cargo exigente; como acusado, no incidente dos *spooks*, jamais fraquejara na sua luta contra a acusação falsa levantada contra ele; até seu pedido de demissão fora não um ato de capitulação, mas sim um protesto indignado, uma manifestação calculada do desprezo inflexível que o movia. Porém durante todos aqueles anos, em que mantivera sua posição qualquer que fosse a tarefa, o obstáculo ou o impacto que tivesse de enfrentar, jamais — nem mesmo depois da morte de Iris — se sentira tão desarmado quanto no momento em que Lisa, a verdadeira encarnação de uma bondade quase ridícula, reuniu naquela única palavra — "nada" — toda a dureza de sentimentos para a qual ela nunca antes havia encontrado, em toda a sua vida, um objeto merecedor.

Então, no momento exato em que o "nada" de Lisa estava destilando seu terrível significado, Coleman viu uma picape descendo a estrada, já depois de sua casa — avançando uns poucos metros bem devagar, freando, avançando a baixíssima velocidade outra vez, depois freando de novo... Coleman levantou-se, plantou os pés na grama aparada e espichou o pescoço para ver melhor, depois saiu na corrida, gritando: "Ei! Você! O que é que você está fazendo?". Mas a picape rapidamente ganhou velocidade e desapareceu, antes que Coleman pudesse aproximar-se o suficiente para perceber algum detalhe do motorista ou do veículo. Como não entendia nada de marcas de picapes e, da distância a que chegou, nem sequer sabia se era nova ou velha, a única coisa que conseguiu determinar foi a cor, um cinza neutro.

E agora o telefone estava desligado. Ao correr pelo gramado, sem querer havia apertado o botão. Ou então fora Lisa que desligara de propósito. Discou outra vez, e um homem atendeu. "É Josh?", perguntou Coleman. "É", respondeu o homem. "Aqui é Coleman Silk. O pai de Lisa." Após um momento de silêncio o homem disse: "A Lisa não quer falar", e desligou.

Coisa do Mark. Só podia ser. Não podia ser mais ninguém. Claro que não podia ser esse tal de Josh — quem era esse babaca? Coleman não fazia ideia de como Mark ficara sabendo de Faunia, tal como não sabia como Delphine Roux ou qualquer outra pessoa tinha descoberto a história, mas no momento aquilo não importava — fora Mark que jogara na cara de sua irmã gêmea o crime do pai. Porque para aquele garoto seria um crime. Praticamente desde que aprendeu a falar, Mark não conseguia tirar da cabeça a ideia de que seu pai estava contra ele: a favor dos dois filhos mais velhos, porque eles eram mais velhos, brilhavam na escola e engoliam sem reclamar as pretensões intelectuais do pai; a favor de Lisa porque ela era Lisa, a menininha da família, claramente a mais mimada pelo pai; e contra ele, Mark, porque tudo que sua irmã gêmea era — adorável, carinhosa, virtuosa, cativante, nobre até o âmago — Mark não era e se recusava a ser.

Mark talvez fosse a mais difícil de todas as personalidades que Coleman tivera não de tentar entender — os ressentimentos eram bem óbvios —, mas de tentar enfrentar. O menino já se lamuriava e emburrava quando ainda não tinha idade para o jardim de infância, e o protesto contra sua família e a visão de mundo dela começou pouco depois; por mais que seu pai tentasse contemporizar, com o passar dos anos essa atitude foi endurecendo, até se transformar no âmago de Mark. Aos catorze anos, defendeu Nixon com veemência durante o processo de impeachment enquanto o resto da família torcia para que o presidente pegasse prisão perpétua; aos dezesseis, tornou-se judeu ortodoxo enquanto os outros irmãos, seguindo o exemplo dos pais, ateus e anticlericais, eram judeus só para constar; aos vinte, enfureceu o pai abandonando a Brandeis University quando só faltavam dois semestres para se formar; e agora, já com quase quarenta anos, tendo arranjado e largado mais de dez empregos que sempre considerava abaixo de suas capacidades, descobrira que sabia escrever poemas narrativos.

Por conta do ódio inflexível que o pai lhe inspirava, Mark fazia questão de ser tudo aquilo que sua família não era —

mais exatamente, e infelizmente, tudo o que *Coleman* não era. Embora inteligente, culto, dotado de mente perspicaz e língua feroz, não sabia como se esquivar do pai até que, aos trinta e oito anos de idade, como poeta narrativo especializado em temas bíblicos, aprendeu a explorar a grande aversão que formava a base de sua existência, com toda a arrogância de uma pessoa que jamais conseguiu fazer nada com sucesso. Era sustentado por uma namorada que fazia tudo por ele, uma moça nervosa, muito religiosa, desprovida de senso de humor, que trabalhava como protética em Manhattan enquanto Mark ficava em casa, num prédio sem elevador no Brooklyn, escrevendo poemas inspirados na Bíblia que não eram aceitos para publicação nem mesmo pelas revistas judaicas, narrativas intermináveis sobre Davi maltratando seu filho Absalão, e Isaac maltratando seu filho Esaú, e Judá maltratando seu irmão José, e a maldição do profeta Natã depois que Davi pecou com Betsabé — poemas que, apesar de seus vários disfarces grandiosos porém transparentes, recaíam todos na ideia fixa em que Markie tudo apostara e tudo perdera.

Como Lisa podia dar ouvidos a ele? Como podia levar a sério qualquer acusação levantada por Markie quando sabia qual era o impulso que o movera a vida inteira? Mas Lisa era generosa com o irmão, por mais que reconhecesse serem infundados os antagonismos que o deformavam, quase desde que os dois nasceram juntos. Porque ela era benevolente por natureza e porque desde pequena lhe pesava na consciência o fato de ser a favorita, sempre ouvia com simpatia as queixas do irmão gêmeo e o confortava nas brigas de família. Mas então sua solidariedade com o irmão menos favorecido chegava a ponto de engolir aquela acusação maluca? E, afinal, *qual* era a acusação? Que mal o pai havia cometido, que mal fizera aos filhos para levá-los a associar-se a Delphine Roux e Lester Farley? E os outros dois, os filhos cientistas — estariam eles e seus escrúpulos morais envolvidos nessa história também? Fazia quanto tempo Coleman não tinha notícia *deles*?

Relembrou aquela hora terrível após o enterro de Iris, já em casa, relembrou e sentiu na carne outra vez as acusações que Mark levantara contra ele até que os irmãos mais velhos o levaram à força para seu antigo quarto, fazendo-o ficar lá o resto da tarde. Nos dias seguintes, enquanto os filhos ainda estavam com ele, Coleman se dispôs a não culpar Mark por ter dito o que disse, atribuindo o ocorrido ao sofrimento do rapaz; mas isso não queria dizer que tinha esquecido suas palavras — jamais as esqueceria. Markie começou a atacá-lo minutos depois de chegarem do cemitério. "Não foi a faculdade. Não foram os negros. Não foram os seus inimigos. Foi *você*. Foi você que matou a mamãe. Você mata tudo! Porque você sempre tem razão! Porque você nunca pede desculpas, porque todas as vezes você está sempre coberto de razão, e agora foi a *mamãe* que morreu! E tudo podia ter sido resolvido com tanta facilidade — em vinte e quatro horas, se você soubesse uma vez na vida pedir *desculpas*. 'Peço desculpas por ter usado a palavra *spooks*.' Era só isso que você precisava fazer, professor emérito, era só dizer àqueles alunos que você sentia muito, e a mamãe não teria morrido!"

Ali, no gramado da casa, de repente Coleman teve um acesso de indignação, tão forte quanto o que sentira no dia seguinte ao desabafo de Markie, quando redigiu e entregou o pedido de demissão em apenas uma hora. Sabia que não era bom nutrir tais sentimentos com relação a seus filhos. Sabia, com base no incidente dos *spooks*, que uma indignação assim tão intensa era uma forma de loucura, e que ele era sujeito a esses acessos. Sabia que indignado daquele jeito ele não conseguiria descobrir uma maneira racional e sensata de enfrentar o problema. Como educador, sabia educar; como pai, sabia agir como pai; como homem com mais de setenta anos, sabia que não se deve jamais achar que uma coisa, principalmente no contexto da família, até mesmo um filho ressentido como Mark, é absolutamente imutável. E não era apenas por conta do episódio dos *spooks* que ele sabia o quanto um homem pode ser deformado e distorcido pela convicção de que sofreu uma terrível injustiça. Sabia, com base na cólera de Aquiles, na raiva de Filoctetes, nas fulminações de Medeia, na loucura de Ajax, no desespero de Electra e nos sofrimentos de Prometeu, os inúmeros horrores que podem ser causados por uma indignação extrema; sabia que a vingança, em nome da justiça, pode desencadear um ciclo de retaliação.

Ainda bem que sabia tudo isso, porque, não fosse por essas considerações, toda a profilaxia da tragédia ática e da epopeia grega, ele teria telefonado na mesma hora para Markie só para lhe dizer que ele era e sempre fora um merda.

O confronto direto com Farley ocorreu cerca de quatro horas depois. Ao que parece, as coisas se passaram como segue. Para certificar-se de que não havia ninguém espionando a casa, Coleman entrou e saiu pela porta da frente e pela porta dos fundos e pela porta da cozinha umas seis ou sete vezes durante as horas transcorridas após a chegada de Faunia. Foi só por volta das dez, quando os dois estavam em pé, à porta da cozinha, abraçando-se na despedida, que ele conseguiu pôr de lado toda aquela indignação corrosiva e deixou que aquilo que realmente lhe importava na vida — a sua última paixão, o que Mann, referindo-se a Aschenbach, chamou de "aventura tardia dos sentimentos" — se reafirmasse e o dominasse. Quando Faunia estava prestes a ir embora, ele finalmente sentiu tamanha necessidade dela que foi como se nada mais tivesse importância — como de fato não tinha, nem sua filha, nem seus filhos, nem o ex-marido de Faunia, nem Delphine Roux. Isso não é apenas a vida, pensou ele, é o *fim* da vida. O insuportável não era toda aquela animosidade ridícula que ele e Faunia haviam despertado; o insuportável era ter ele chegado ao último balde de seus dias, ao fundo do balde, àquele tempo em que se deve parar com as brigas, abrir mão das réplicas, daquele seu lado conscencioso que criara quatro filhos cheios de vida, que persistira no casamento difícil, que influenciara os colegas recalcitrantes, que orientara os alunos medíocres da Athena, ajudando-os, com todo o seu empenho, a estudar uma literatura com dois milênios e meio de idade. Era hora de relaxar, de deixar que aquele desejo simples o orientasse. Apesar das acusações. Apesar das recriminações. Apesar dos julgamentos. Aprenda — ele disse a si próprio — a viver, antes de morrer, fora da jurisdição do irritante, repugnante e ridículo sentimento de culpa dessa gente.

O encontro com Farley. O encontro naquela noite com Farley, o confronto com um fazendeiro que não tivera a intenção de falir, mas falira; um empregado do departamento de estradas que dava tudo pela cidade, por mais braçal e degradante a tarefa que lhe fosse atribuída; um americano leal, que servira a seu país não apenas uma mas duas vezes, que voltara uma segunda vez para terminar a porcaria do serviço. Cismou de voltar e voltou, porque quando ele chega em casa a primeira vez todo mundo diz que ele não é a mesma pessoa, que não consegue reconhecê-lo, e ele vê que é mesmo verdade: todos estão com medo dele. Ele retorna para casa depois de lutar na selva e não apenas não lhe dão reconhecimento como também têm medo dele; melhor então voltar. Ele não esperava que fosse recebido como herói, mas também todo mundo ficar olhando para ele daquele jeito... Assim, ele volta, e dessa vez está a mil. Muito puto. Transbordando de raiva. Um guerreiro muito agressivo. Da primeira vez não estava com tanto pique. Da primeira vez ele era o Les, um sujeito bonachão que não sabia o que era o desespero. Da primeira vez, era o rapaz da serra de Berkshire que confiava muito nas pessoas e não fazia ideia de como a vida humana era barata, nunca havia tomado remédio psiquiátrico, não se achava inferior a ninguém, um sujeito despreocupado que não era nenhuma ameaça à sociedade, cheio de amigos, que gostava de correr nas estradas, essas coisas todas. A primeira vez que cortou as orelhas de um homem foi só porque ele estava ali e era o que todo mundo estava fazendo, mas foi só isso. Ele não era um desses que, quando mergulham na selvageria, ficam doidos para ir ainda mais fundo, aqueles que tinham um parafuso a menos e já eram muito agressivos desde o início e bastava a menor oportunidade para enlouquecerem de vez. Tinha um cara na unidade dele, um que o pessoal chamava de Fodão, esse tinha chegado fazia dois ou três dias e já foi logo cortando a barriga de uma mulher grávida. Farley só começou a ficar bom nesse tipo de coisa no final de sua primeira rodada. Mas da segunda vez, numa unidade em que havia muitos outros caras que também estavam voltando e que não estavam voltando só para passar o tempo nem para descolar uma nota, dessa segunda vez, junto com aqueles caras que estão sempre querendo ir na vanguarda, um pessoal piradão que sabe o que é o horror mas que ao mesmo tempo sabe que está vivendo o melhor momento de sua vida, aí ele também pira de vez. No meio do tiroteio, fugindo do perigo, tiro voando para tudo que é lado, não tem como não ficar com medo, mas se você enlouquece mesmo, pra valer, dá *aquela* adrenalina, e aí da segunda vez ele resolve enlouquecer. Da segunda vez ele realmente bota pra foder. Ali na frente de batalha, a mil por hora, vibrando e apavorado — não tem nada na vida de civil que chegue perto disso. Estão perdendo muitos helicópteros e precisam de alguém para ficar metralhando da porta do helicóptero. Perguntam se tem algum voluntário, ele se oferece. Lá do alto tudo parece tão pequeno, e ele começa a metralhar *adoidado*. Qualquer coisa que se mexer leva bala. Morte e destruição, a ideia é essa. Com uma vantagem: você não tem de ficar andando no meio da selva o tempo todo. Mas aí ele volta para casa e não é melhor que a primeira vez, não, é pior. Não foi como na Segunda Guerra Mundial: os caras voltavam de navio, relaxavam, tinha alguém para tomar conta deles, perguntar como é que eles estavam. Não tem transição, não. Um dia ele está num helicóptero de metralhadora na mão, no Vietnã, vendo helicóptero explodir, ele lá no alto vendo os amigos explodirem, voando tão baixo que dá para sentir o cheiro de pele queimada, ouvir os gritos, ver aldeias inteiras pegando fogo, e no dia seguinte está de volta à serra de Berkshire. E desta vez está deslocado *mesmo*, e além disso fica achando que tem coisas acontecendo às suas costas. Não quer ficar perto de ninguém, não consegue rir, nem achar graça, pensa que não faz mais parte daquele mundo, que viu coisas e fez coisas tão diferentes do que aquelas pessoas conhecem que não tem como se comunicar com elas, nem elas com ele. Disseram que ele podia voltar para casa? Mas voltar para casa como? Em casa não tem helicóptero. Vive sozinho, bebendo, e quando vai ao Departamento de Ex-Combatentes dizem que ele só quer pegar o dinheiro, quando ele sabe que precisa é de ajuda. Antes tentou pedir ajuda ao governo, e a única coisa que fizeram foi lhe dar remédio para dormir; então que se foda o governo. Ele foi tratado como lixo. Você é jovem, disseram, vai se recuperar. Aí ele tenta se recuperar. Já que não dá para lidar com o governo, o jeito é se virar sozinho. Só que não é fácil, depois de duas rodadas, voltar e dar um jeito na vida sozinho. Ele não tem tranquilidade. Está sempre agitado. Inquieto. Bebendo. Qualquer coisinha, estoura de raiva. Tem algo acontecendo às suas costas. Mas ele tenta assim mesmo: acaba casando, arranjando casa, filhos, fazenda. Ele quer ficar sozinho, mas ela quer uma vida sossegada, cuidar da fazenda com ele, então ele tenta querer uma vida sossegada também. Coisas que ele lembra que o Les despreocupado queria, dez, quinze anos atrás, antes do Vietnã; ele tenta querer aquelas coisas de novo. O problema é que ele realmente não consegue entrar na dessa gente. Ele está sentado na cozinha, está comendo com os outros, e nada. Não tem como ir de um ponto a outro. Mas tenta assim mesmo. Duas vezes ele acorda no meio da noite estrangulando a mulher, mas a culpa não é dele — é do governo. Foi o governo que o fez ficar assim. Ele pensou que a mulher fosse o inimigo. O que é que ela pensava que ele ia fazer? Ela sabia que ele ia sair daquela. Ele nunca fez nada de mal a ela nem às crianças. Tudo mentira. Ela é que só queria saber dela mesma. Ele nunca devia ter deixado que ela fosse embora com os meninos. Ela esperou até que ele fosse internado na clínica. Era por isso que ela queria que ele fosse internado. Disse que queria que ele ficasse melhor para que os dois pudessem voltar a viver juntos, mas o que fez foi aproveitar a oportunidade para tirar os filhos dele. Filha da puta. Piranha. Ele foi sacaneado. Não devia ter deixado ela ir embora com os meninos. Em parte foi por culpa dele, porque estava tão bêbado que eles conseguiram levá-lo à força até a clínica, mas teria sido melhor se tivesse mesmo matado as crianças daquela vez que ameaçou. Devia ter matado ela, devia ter matado as crianças, só não fez isso por causa da clínica. E ela sabia, sabia que ele era capaz de matar os dois *na maior*, era só ela tentar levar as crianças. Ele era o pai — quem ia criar os filhos dele era ele mesmo. Se não podia, então que morressem logo de uma vez. Ela não tinha o direito de roubar os filhos dele. Roubar, para depois *ela* matar. Castigo pelo que ele fez no Vietnã. Todo mundo dizia isso lá na clínica — castigo por isso e castigo por aquilo, mas só porque todo mundo dizia isso não queria dizer que não era verdade. Era *mesmo* castigo, *tudo* era castigo, a morte dos filhos, o carpinteiro que andava trepando com ela. Ele não sabia como não havia matado o tal carpinteiro. Primeiro sentira só o cheiro de fumaça. Estava escondido no mato, vendo os dois dentro da picape do carpinteiro. O carro estava parado na entrada da garagem da casa dela. Ela desce do apartamento — ela está alugando um apartamento em cima de uma garagem nos fundos de uma casa — e entra na picape; está escuro e não tem lua mas ele sabe o que está rolando. Então sentiu o cheiro de fumaça. Ele só conseguiu sobreviver no Vietnã porque qualquer mudança, um barulhinho, um cheiro de bicho, qualquer movimento na selva, por menor que fosse, ele era sempre o primeiro a perceber — como se tivesse nascido ali mesmo na selva. Não viu fumaça, não viu fogo, não viu nada, tanto que estava escuro, mas de repente sentiu cheiro de fumaça e aquelas coisas todas martelando na cabeça dele, aí ele começou a correr. Os dois o veem correndo e acham que ele quer roubar os meninos. Não sabem que o prédio está pegando fogo. Acham que ele pirou. Mas ele está sentindo cheiro de fumaça, sabe que está vindo do segundo andar e sabe que as crianças estão lá dentro. Sabe que a mulher dele, aquela puta idiota, não vai fazer nada porque está dentro da picape pagando um boquete para o carpinteiro. Passa correndo por eles. Não sabe onde está agora, esquece onde está, só sabe que tem de entrar e subir a escada, por isso arromba a porta e sobe correndo até o incêndio; encontra as crianças na escada, encolhidas no alto da escada, sufocando, então pega as duas.

Estão juntinhas, largadas no alto da escada, ele pega as crianças e sai correndo do prédio. Estão vivas, ele tem certeza. Não lhe passa pela cabeça a possibilidade de não estarem vivas. Acha que estão só assustadas. Então levanta a cabeça e quem ele vê do lado de fora, olhando? O carpinteiro. Foi aí que perdeu a cabeça. Não sabia mais o que estava fazendo. Foi aí que partiu direto para a garganta dele. Começou a estrangular o sujeito, e aquela filha da puta, em vez de pegar as crianças, fica com medo de ele estrangular o puto do namorado dela. A filha da puta está preocupada com a vida do namorado e não com a vida dos filhos. Se não fosse isso eles não morriam. Foi por isso que morreram. Porque ela estava cagando e andando para as crianças. Sempre cagou para elas. Não estavam mortas quando ele pegou as duas no colo. Estavam *quentes*. Ele sabe o que é uma pessoa morta. Depois de duas rodadas no Vietnã, ninguém vai lhe ensinar o que é uma pessoa morta. Ele é capaz de sentir o *cheiro* da morte. O *gosto* da morte. Ele sabe o que é a morte. *Elas — não — estavam — mortas.* Era o namorado dela que ia morrer, só que a polícia, mancomunada com o governo, veio com arma e tudo, foi aí que ele foi levado para a clínica. A filha da puta mata as crianças, ela é que é negligente, e *ele* é que é internado. Deus do céu, será que eu nunca tinha razão? A filha da puta não estava prestando a menor atenção! Sempre foi assim. Foi como daquela vez em que ele percebeu que estavam caindo numa emboscada. Não sabia por que, mas sabia que aquilo era uma cilada, e ninguém acreditou nele, e acabou que ele tinha mesmo razão. Chega um idiota de um oficial novo na companhia, não lhe dá ouvidos, e é assim que acaba morrendo gente. É assim que as pessoas acabam morrendo queimadas! É assim que por causa de um babaca morrem os dois melhores amigos da gente! Ninguém ouve o que ele diz! Ninguém o leva a sério! Ele voltou vivo, não voltou? Voltou inteiro, com os braços e as pernas no lugar, com a pica no lugar — acham que isso é fácil, acham? Mas ela não ouve o que ele diz! Nunca! Primeiro deu as costas a ele, depois deu as costas aos filhos. Ele é só um ex-combatente maluco. Mas ele *sabe* das coisas, porra. E ela não sabe *nada*. E ela, a filha da puta, é internada? Não, *ele* é que é internado. E ainda toma um monte de injeção. E mais uma vez fica confinado, não pode sair do Departamento de Ex-Combatentes de Northampton. Ele só fez o que o ensinaram a fazer: você vê o inimigo e mata o inimigo. Ficam um ano inteiro treinando você, depois tentam matar você por mais um ano, e quando você está só fazendo o que aprendeu a fazer no treinamento eles amarram você com tiras de couro e lhe dão um monte de injeção. Ele fez o que aprendeu no treinamento, e, enquanto faz isso, a porra da mulher dele dá as costas aos filhos. Ele devia era ter matado todos eles quando teve oportunidade. Especialmente *ele*. O namorado. Devia ter cortado fora a cabeça deles todos. Não entende por que não fez isso. Melhor nem chegar perto dele. Se ele souber onde está o tal namorado, o filho da puta vai morrer tão depressa que nem vai saber como foi que morreu, e ninguém vai saber que foi ele, porque ele sabe fazer de um jeito que ninguém vai ouvir nada. Porque o governo ensinou essas coisas no treinamento. Ele foi treinado para ser assassino, pelo governo dos Estados Unidos. Ele fez o que tinha de fazer. O que o ensinaram a fazer. E é assim que o tratam? Jogado na UTI, preso na UTI, *ele*! E não consegue nem uma aposentadoria decente. Depois disso tudo só lhe dão vinte por cento. Vinte por cento, uma merreca.* Ele fez

---

* Nos Estados Unidos, os ex-combatentes incapacitados recebem uma aposentadoria proporcional ao que se considera a gravidade das sequelas. Assim, a maior aposentadoria é dada àquele que volta da guerra cem por cento incapacitado (por exemplo, paraplégico). (N. T.)

a família passar por um inferno por vinte por cento. E mesmo assim precisa implorar. "Mas sim, me conte como foi", dizem esses assistentes sociais, esses psicólogos formados na faculdade. "Você matou alguém no Vietnã?" Mas quem ele *não* matou no Vietnã? Não foi para isso que foi mandado para o Vietnã? Para matar aquele bando de olho-puxado? Eles não disseram que valia tudo? Então valia tudo. O negócio era matar. Matar olho--puxado! Como se não bastasse ficarem lhe perguntando "você matou alguém?", ainda por cima lhe arranjam uma porra de um psiquiatra de olho puxado, um chinês de merda. Ele serve a pátria e depois ainda lhe dão um médico que nem sabe falar inglês direito. Northampton está assim de restaurante chinês, tem restaurante vietnamita, tem mercado coreano — mas e ele? Se você é um vietnamita qualquer, se é olho-puxado, você se dá bem, você abre um restaurante, você abre um mercado, uma mercearia, faz família, faz faculdade. Agora, ele que se foda. Porque eles querem mais é que ele morra. Queriam que ele nem tivesse voltado de lá. Ele é um pesadelo para eles. Ele *não devia* ter voltado de lá. E agora esse professor universitário. Sabem onde ele estava quando o governo mandou a gente pra lá, com uma das mãos amarrada nas costas? Estava organizando passeata de protesto. Eles recebem para dar aula na faculdade, para ensinar a garotada, não para ficar fazendo passeata contra a guerra do Vietnã. A gente não tinha mesmo a menor chance. Depois dizem que a gente perdeu a guerra. Não fomos *nós* quem perdeu a guerra, não, foi a porra do governo. Mas esses veadinhos desses professores, quando eles queriam, em vez de dar aula saíam fazendo passeata contra a guerra, e agora é assim que ele é recompensado por ter servido a pátria. Por ter aguentado aquela merda tanto tempo. Ele não consegue mais nem dormir. Há vinte e seis anos que não consegue dormir uma noite direito. E, por causa disso, por causa *disso*, a mulher dele vai e resolve pagar boquete para um professorzinho de merda, um judeu? Pensando bem, não tinha muito judeu no Vietnã. Eles estavam era fazendo faculdade. Judeu filho da puta. Esses judeus são todos meio estranhos. É só olhar para a cara deles. Então ela vai e dá pra *ele*? Meu Deus do céu. Só vomitando. Então foi para *isso*? Ela não sabe como é que é. Nunca teve um dia difícil na vida. Ele nunca fez mal a ela nem aos meninos. "Ah, o meu padrasto era ruim comigo." O padrasto vivia pegando nela. Devia mais era ter comido ela logo de uma vez, para ver se ela tomava jeito. Hoje as crianças estariam vivas. Os filhos dele estariam vivos agora! Ele seria igual a todo mundo, gente que tem família e carro bom. Em vez de viver trancado numa porra de um Departamento de Ex-Combatentes. Foi essa a sua recompensa: Thorazine. Sua recompensa era andar cambaleando por causa do Thorazine. Só porque ele achou que estava de novo no Vietnã.

Foi esse o Lester Farley que saiu gritando do meio do mato. Foi esse o homem que partiu para cima de Coleman e Faunia quando os dois estavam parados à porta dos fundos, do lado de dentro, que saiu gritando dos arbustos em torno da casa na direção deles. E tudo aquilo era apenas uma pequena parte do que rodopiava dentro de sua cabeça noite após noite, durante toda a primavera, e agora no início do verão, escondido horas a fio, espremido, imóvel, experimentando tantas emoções, à espreita, esperando que ela fizesse a coisa. A coisa que ela estava fazendo quando seus dois filhos estavam morrendo sufocados na fumaça. Desta vez não era nem com um homem da idade dela. Nem mesmo da idade de Farley. Desta vez não era com o patrão, o Hollenbeck, um americano de quatro costados. O Hollenbeck podia pelo menos lhe dar alguma coisa em troca. Com o Hollenbeck dava quase para sentir respeito por ela. Mas agora aquela mulher tinha se rebaixado tanto que fazia de graça com qualquer um. Agora era com um velho grisalho e magricela, um professor universitário judeu metido a besta, com aquela cara amarelada de judeu distorcida de prazer segurando a cabeça dela com suas mãos trêmulas de velho. Alguém mais tem uma mulher que chupa a pica de um judeu velho? Alguém? Desta vez aquela puta descarada, assassina, sem-vergonha, estava engolindo a porra aguada de um judeu velho nojento, e Rawley e Les Júnior continuavam mortos.

Castigo. Aquilo não tinha fim.

Foi como sair voando, foi como no Vietnã, foi como naquele momento em que você enlouquece. Mais louco ainda, de repente, por ela estar chupando a pica daquele judeu do que por ter matado as crianças, Farley está voando, subindo, gritando, e o professor judeu está gritando também, o professor judeu está levantando uma chave de roda, e é só porque Farley está desarmado — porque naquela noite ele está vindo direto do corpo de bombeiros, sem nenhuma das armas que guarda no porão cheio de armas da casa dele — que ele não arrebenta com aqueles dois. Como foi que ele não arrancou a chave de roda da mão do outro e resolveu logo a situação, isso ele nunca entendeu. Uma beleza, o que ele poderia ter feito com aquela chave de roda. "Larga esse troço! Eu vou foder com a sua cabeça com esse troço! Larga essa porra!" E o judeu largou o ferro. Sorte dele que largou.

Depois que voltou para casa aquela noite (também nunca entendeu como foi que chegou) e até altas horas da madrugada — quando foi preciso que cinco homens do corpo de bombeiros, cinco colegas dele, o agarrassem e algemassem e o levassem para Northampton —, Lester viu tudo, tudo ao mesmo tempo, ali mesmo na sua casa, suportando o calor, suportando a chuva, a lama, as formigas gigantes, as abelhas assassinas ali no assoalho coberto de linóleo bem ao lado da mesa da copa, passando mal de diarreia, dor de cabeça, falta de comida e água, quase sem munição, convicto de que aquela é sua última noite, esperando que a coisa aconteça, o Foster pisando na armadilha, o Quillen morrendo afogado, ele próprio quase morrendo afogado, entrando em parafuso, jogando granada para todos os lados e gritando "eu não quero morrer", os bombardeiros se confundindo e atirando neles, o Drago perdendo uma perna, um braço, o nariz, o corpo queimado de Conrity grudando nas suas mãos, ele sem conseguir fazer com que um helicóptero aterrissasse, o helicóptero respondendo que não pode aterrissar porque está sendo atacado e ele tão puto, sabendo que vai morrer, que tenta derrubar o helicóptero, o helicóptero do Exército americano — a noite mais desumana que já testemunhou está ali de novo naquela merda de casa, e também a noite mais longa, a noite mais longa que ele já passou nesta Terra, petrificado com cada movimento que faz, homens berrando e cagando e chorando, ele despreparado para ouvir tanto choro, homens levando tiros na cara e morrendo, soltando o último suspiro e morrendo, o corpo do Conrity melando as mãos dele, o sangue do Drago se espalhando para todos os lados, Lester sacudindo um morto e gritando, berrando sem parar, "eu não quero morrer". A morte não dá refresco. A morte não dá intervalo. A morte não tem saída. Não tem alívio. Lutar contra a morte até o dia raiar, e tudo tão intenso. O medo intenso, a raiva intensa, nenhum helicóptero querendo aterrissar, e o cheiro terrível do sangue do Drago ali mesmo na porra da casa dele. Ele não imaginava que o cheiro fosse tão ruim. TUDO TÃO INTENSO E TODO MUNDO TÃO LONGE DE CASA E TANTA RAIVA RAIVA RAIVA RAIVA RAIVA!

Quase até chegar a Northampton — até que os outros não aguentaram e lhe puseram uma mordaça —, Farley está cavando no meio da noite e descobrindo ao acordar na manhã seguinte que dormiu na cova de alguém, junto com os vermes. "Por favor!", gritava. "Parem com isso! Chega!" Assim, a única solução foi amordaçá-lo.

No hospital do Departamento de Ex-Combatentes, lugar aonde foram obrigados a levá-lo à força e de onde ele vinha fugindo havia anos — fugindo a vida inteira de um hospital de um governo com o qual não conseguia lidar —, foi colocado no isolamento, amarrado à cama, reidratado, estabilizado, desintoxicado; trataram de seu alcoolismo e de seu fígado danificado, e depois, nas seis semanas seguintes, todas as manhãs, na sessão de terapia de grupo, ele contava outra vez a história da morte de Rawley e Les Júnior. Contava a todos o que havia acontecido, contava diariamente o que havia deixado de acontecer quando ele viu os rostos sufocados das duas crianças e compreendeu, sem sombra de dúvida, que elas estavam mortas.

"Apático", dizia ele. "Totalmente apático. Nenhuma emoção. Meus filhos mortos e eu apático. Os olhos do meu filho revirados pra cima, e o pulso dele morto. O coração morto. Meu filho não respira. Meu filhinho. O Les. O único filho homem que eu tive na vida, e nunca mais vou ter outro, não. Mas não senti nada. Era como se ele fosse um desconhecido. A mesma coisa com a Rawley. Era uma desconhecida. Minha filhinha. A culpa toda é da porra do Vietnã! A guerra já acabou há tantos anos e foi você que fez isso! Meus sentimentos estão completamente atrapalhados. É como se eu tivesse levado uma porrada na cabeça com um porrete desse tamanho quando não tem nada acontecendo. Aí de repente tem uma coisa acontecendo, uma puta duma coisa *enorme*, e eu não sinto porra nenhuma. Totalmente apático. Meus filhos morreram, mas o meu corpo está entorpecido e a minha cabeça está vazia. Vietnã. Foi por isso! Eu nunca nem chorei pelos meus filhos. Ele tinha cinco anos e ela oito. Eu perguntei pra mim mesmo: 'Por que é que eu não sinto nada? Por que foi que eu não salvei meus filhos? Por quê?'. Castigo. Castigo! Eu não conseguia parar de pensar no Vietnã. Todas as vezes que eu achei que morri. Foi aí que comecei a sacar que eu não vou morrer. Porque eu já morri, porra. Porque eu morri no Vietnã. Por que eu sou um cara que já *morreu*."

No grupo de Farley só havia ex-combatentes do Vietnã como ele, menos dois que tinham lutado na guerra do Golfo, dois bebês chorões que atuaram numa guerra terrestre de quatro dias e levaram um pouco de areia no olho. Uma guerra de cem horas. O mais foi ficar esperando no deserto. Os ex-combatentes do Vietnã eram homens que, depois da guerra, haviam passado pelo pior — divórcio, bebida, droga, crime, polícia, cadeia, depressão devastadora, choro incontrolável, vontade de gritar, vontade de quebrar alguma coisa, tremedeira nas mãos, tremedeira no corpo inteiro, tensão no rosto, sudorese da cabeça aos pés quando reviviam aquelas experiências, metal voando, explosões luminosas, braços e pernas amputados, quando reviviam as cenas de massacres de prisioneiros, famílias, velhas, crianças —, assim, embora concordassem com a cabeça quando ele falava sobre Rawley e Les Júnior e compreendessem o que ele não conseguiu sentir pelos filhos quando viu seus olhinhos revirados porque ele próprio estava morto, assim mesmo eles achavam, esses sujeitos que estavam mesmo muito mal (num dos raros momentos em que conseguiam falar sobre outro assunto que não eles próprios andando pela rua prestes a pirar e começar a gritar "por quê?" para o céu, sobre outro assunto que não o respeito que lhes era devido e negado, sobre outro assunto que não a impossibilidade de serem felizes enquanto não estivessem mortos e enterrados e esquecidos), que Farley tinha mais era que deixar aquela história para trás e tocar sua vida para a frente.

Tocar sua vida para a frente. Ele sabe que isso é conversa fiada, mas não tem outra opção. Tocar para a frente. Tudo bem.

Quando teve alta no final de agosto, estava decidido a fazer isso. E, com a ajuda de um grupo de apoio para o qual entrou, e um sujeito em particular, que usava bengala e se chamava Jimmy Borrero, conseguiu, pelo menos em parte; foi difícil, mas com a ajuda de Jimmy estava mais ou menos conseguindo, ficou três meses sem beber uma gota, até novembro. Mas aí — e não foi porque alguém disse alguma coisa ou porque ele viu alguma coisa na televisão ou porque mais uma vez chegou o Dia de Ação de Graças e ele não tinha família nenhuma, mas porque não havia alternativa para Farley, porque não havia como impedir que o passado voltasse à tona, voltasse à tona e o convocasse a agir, e exigisse dele uma reação enorme —, em vez de tudo serem águas passadas, tudo estava bem a sua frente.

Mais uma vez, aquilo *era* a sua vida.

2. Esquivando-se do soco

Quando Coleman retornou a Athena no dia seguinte a fim de se informar a respeito do que poderia fazer para impedir que Farley voltasse a invadir sua propriedade, o advogado, Nelson Primus, disse-lhe o que ele não queria ouvir: que ele devia pensar em terminar aquele caso amoroso. Ele havia consultado Primus pela primeira vez no início do incidente dos *spooks*, e como Primus lhe dera uma boa orientação — e também porque havia uma certa franqueza arrogante naquele jovem advogado que lembrava a Coleman seu próprio jeito de ser quando tinha a idade dele, porque Primus demonstrava uma repugnância por detalhes sentimentais de importância secundária que não tentava disfarçar por trás de uma afetação de simpatia, como faziam os outros advogados da cidade —, foi a Primus que ele mostrou a carta de Delphine Roux.

Primus tinha trinta e poucos anos, era casado com uma acadêmica jovem — uma professora de filosofia, já com doutorado, que Coleman havia contratado uns quatro anos antes — e tinha dois filhos pequenos. Em Athena, uma dessas cidadezinhas universitárias da Nova Inglaterra em que a maioria dos profissionais liberais comprava seus ternos em grandes redes como a L. L. Bean, aquele rapaz esbelto e bonitão, de cabelos negros, alto, saudável, dotado de uma flexibilidade de atleta, chegava ao escritório todos os dias num terno elegante, feito à mão, de sapatos pretos bem lustrados e camisa branca engomada com um monograma discreto, um traje que exprimia não apenas autoconfiança e amor-próprio colossais como também horror a todo tipo de desmazelo — o que indicava que a ambição de Primus ia além de um escritório no sobrado de uma loja de moda feminina em frente ao parque. Sua mulher trabalhava ali, e era por isso que no momento ele estava em Athena. Mas não por muito tempo. Um jovem leopardo com abotoaduras e terno listrado — um leopardo prestes a dar o bote.

"Não duvido que esse Farley seja um psicopata", disse-lhe Primus, destacando e medindo com precisão cada palavra, sempre olhando fixamente para Coleman enquanto falava. "Se ele estivesse me perseguindo, eu também ficaria preocupado. Mas ele o perseguia antes de você conhecer a mulher dele? Ele nem sabia que você existia. Já a carta de Delphine Roux é uma coisa muito diferente. Você quis que eu escrevesse pra ela — e eu escrevi, embora não achasse uma boa ideia. Você quis um perito pra analisar a letra — eu arranjei um perito, mesmo não achando uma boa ideia. Você me pediu pra mandar o relatório do perito ao advogado dela — e eu mandei, apesar de também não achar uma boa ideia. Mesmo achando melhor você encarar isso como um problema sem importância, porque era só isso mesmo, fiz tudo o que você me pediu. Agora, o Lester Farley não é um problema sem importância, não. A Delphine Roux é brincadeira em comparação com o Farley, como psicopata e como adversária. O Farley faz parte do mundo a que a Faunia só conseguiu sobreviver por um triz, um mundo que entra junto com ela quando ela entra na sua casa. O Lester Farley trabalha na equipe de manutenção de estradas, não é? Se a gente consegue um mandado liminar contra ele, todo mundo vai ficar sabendo do seu segredo na cidadezinha tranquila em que você mora. Daqui a pouco a notícia chega aqui em Athena, se espalha pela faculdade, e a briga que você teve que enfrentar antes vai parecer brincadeira em comparação com o puritanismo malicioso que vão usar contra você, um verdadeiro linchamento moral. Eu me lembro da exatidão com que a revista de humor da cidade deixou de entender a acusação ridícula que levantaram contra você e o significado do seu pedido de demissão. 'Ex-decano se demite acusado de racismo.' Lembro-me da legenda embaixo da sua foto: 'Um termo pejorativo usado em sala de aula levou o professor Silk a aposentar-se'. Eu me lembro do que você teve que enfrentar na época, acho que sei o que você está passando agora, e imagino como vai ser no futuro, quando todo o condado estiver sabendo das escapadelas safadas do sujeito que se demitiu da faculdade acusado de racismo. Claro que eu acho que ninguém tem o direito de meter o bedelho no que acontece dentro do seu quarto. Sei que as coisas não deviam ser assim. Estamos em 1998. Há muitos anos que Janis Joplin e Norman O. Brown mudaram tudo pra melhor. Mas aqui neste cafundó tem gente, tanto caipira quanto acadêmico, que se recusa a abrir mão de seus valores e aceitar educadamente a revolução sexual. Carolas bitolados, moralistas intransigentes, um bando de gente retrógrada doida pra acusar e castigar pessoas como você. Se quiserem, eles podem tornar as coisas muito quentes pra você, Coleman — e não do jeito que o Viagra faz."

Muito esperto o rapaz, de meter o Viagra na história por conta própria. Está se exibindo, pensou Coleman, mas ele já me ajudou antes, então é melhor não interromper, não tentar colocá-lo no seu lugar, por mais irritante que seja sua presunção.

Então na armadura dele não há nenhuma fresta por onde entre a compaixão? Por mim, tudo bem. Você pediu seu conselho, agora ouça o que ele está dizendo. Você não vai querer cometer um equívoco porque ninguém o alertou.

"É claro que posso conseguir uma ordem de prisão", disse Primus. "Mas será que vai adiantar? Vai é irritar o Farley mais ainda. Eu lhe arranjei um perito, eu lhe arranjo uma ordem de prisão, eu lhe arranjo um colete à prova de balas. Agora, o que não posso fazer é lhe garantir uma coisa que você nunca mais vai ter enquanto estiver envolvido com essa mulher: uma vida tranquila, sem escândalos, sem acusações, sem o Farley. A paz de espírito que a gente tem quando não está sendo perseguido por ninguém. Nem sendo caricaturado. Nem levando gelo das pessoas. Nem sendo caluniado. Aliás, você tem certeza que ela não é soropositiva? Você já pediu pra ela fazer exame, Coleman? Você usa camisinha, Coleman?"

Por mais que se ache pra-frente, no fundo Primus não consegue entender que um velho como ele tenha vida sexual, não é? Para ele, é uma coisa totalmente anômala. Mas como é que um homem de trinta e dois anos pode entender que aos setenta e um o caso é exatamente o mesmo? Ele fica pensando: mas como e por que ele faz isso? Essa minha virilidade de vovô e os problemas que ela cria. Eu, aos trinta e dois anos, pensou Coleman, também não conseguiria compreender. Fora isso, porém, Primus fala com a autoridade de um homem dez ou vinte anos mais velho a respeito de como o mundo funciona. E como é que ele pode ter experiência de vida, como pode ter passado pelas dificuldades da vida, a ponto de poder falar com condescendência com um homem que tem mais do dobro da idade dele? Não pode, não pode, mesmo.

"Se você não usa", dizia Primus, "será que *ela* usa alguma coisa? E, se ela diz que usa, você pode ter certeza de que ela está mesmo dizendo a verdade? Até arrumadeiras que levaram uma vida de cachorro às vezes faltam com a verdade, e às vezes até tentam compensar toda a vida de merda que levaram. E se a Faunia Farley engravidar? Ela pode estar pensando o que muita mulher pensa desde que a ideia de bastardia perdeu o estigma graças a Jim Morrison e ao The Doors. A Faunia pode muito bem gostar da ideia de se tornar mãe do filho de um respeitável professor universitário aposentado, por mais que você argumente que não, com a maior paciência. Ser mãe do filho de um professor respeitável talvez seja uma boa virada na vida depois de ter sido mãe dos filhos de um sujeito maluco e totalmente fracassado. E se, depois que engravidar, ela resolver que não quer mais ser faxineira, que não quer nunca mais trabalhar em coisa nenhuma, um juiz progressista decide sem piscar que você vai ter que sustentar a criança *e mais* a mãe solteira. Bem, eu posso defender você nesse caso, se ele vier a acontecer, e vou batalhar pra limitar a pensão dela à metade da sua aposentadoria. Vou fazer o que for possível pra que ainda sobre alguma coisa na sua conta bancária quando você estiver entrando na casa dos oitenta. Coleman, vá por mim: é um mau negócio. Sob todos os aspectos, é uma fria. Se você for falar com o seu consultor de hedonismo, ele vai lhe dizer outra coisa, mas eu sou o seu consultor legal, e estou lhe dizendo: é um *péssimo* negócio. Se eu fosse você, não me metia com o tal do Lester Farley, um louco ressentido. Se eu fosse você, rasgava o contrato com a Faunia e pulava fora."

Tendo dito tudo o que tinha a dizer, Primus levantou-se de sua mesa, uma escrivaninha grande e bem lustrada, onde nunca havia papéis e arquivos acumulados, onde ele fazia questão de manter somente as fotos de sua jovem esposa acadêmica e dos dois filhos, uma mesa cuja superfície era a própria concretização da tábula rasa, e que só podia levar Coleman a concluir que não havia nada de desorganizado na vida daquele jovem loquaz, nem fraqueza de caráter, nem ideias extremadas, nem compulsões imprudentes, nem mesmo a possibilidade de erros involuntários, nada de mau nem escondido que pudesse vir à tona um dia e impedi-lo de conquistar todos os louros de sua profissão e as marcas do sucesso burguês. Não haveria nenhum *spook* na vida de Nelson Primus, nem Faunias nem Lesters, nem Markies para desprezá-lo, nem Lisas para abandoná-lo. Primus traçou limites claros, e não vai permitir que nenhuma impureza incriminadora os transgrida. Mas eu também não tracei meus limites, com o mesmo rigor que ele? Então não fui cuidadoso ao buscar minhas metas legítimas, ao tentar viver uma vida respeitável e equilibrada? Eu também não caminhava com a mesma confiança que ele, guiado por meus próprios escrúpulos impregnáveis? Eu era menos arrogante que ele? Não foi assim mesmo que enfrentei a velha guarda nos meus primeiros cem dias, atuando como capanga do Roberts? Não foi desse jeito que enlouqueci aquelas pessoas todas e expulsei-as da faculdade? Eu não tinha a mesma autoconfiança implacável que ele? Entretanto, por causa de uma única palavrinha foi tudo por água abaixo. Uma palavra que estava longe de ser a mais inflamatória do idioma, a mais hedionda, a mais horrenda, e mesmo assim ela bastou para pôr a nu, para todos verem, julgarem e condenarem, a verdade de quem sou, e do que sou.

 O advogado que falava sem papas na língua — que pronunciava cada palavra com um sarcasmo admonitório que equivalia a uma repreensão, que se recusava a ocultar de seu distinto e idoso cliente, com um único circunlóquio que fosse, a posição que defendia — contornou a mesa para levar Coleman à porta do escritório, e depois, lá chegando, desceu a escada e o acompanhou até a rua ensolarada. Foi mais em função de Beth, sua mulher, que Primus fizera questão de falar com o máximo de clareza, de dizer o que tinha de ser dito por mais cruel que parecesse, na esperança de impedir que aquele homem, outrora tão importante na faculdade, se degradasse ainda mais. O incidente dos *spooks* — que coincidira com a morte súbita de sua mulher — perturbara Coleman Silk de tal modo que ele não apenas tomara a medida precipitada de pedir demissão (justamente quando a campanha espúria contra ele já estava praticamente chegando ao fim), como também agora, dois anos depois, continuava incapaz de avaliar o que era e o que não era favorável a seus interesses a longo prazo. Primus chegava quase a pensar que Coleman Silk ainda não estava satisfeito com as humilhações injustas que lhe foram impostas, e, com a obtusidade direcionada de um homem condenado, que caiu em desgraça como um deus, estava procurando, em sua loucura, uma catástrofe final, malévola, degradante, uma injustiça enorme que viesse a justificar seu rancor para todo o sempre. Um sujeito que já tivera bastante poder em seu pequeno mundo parecia agora não conseguir se proteger das investidas de uma Delphine Roux e de um Lester Farley e, mais — o que era igualmente comprometedor para sua autoimagem aguerrida —, nem se defender das deploráveis tentações com que o homem de mais idade tenta compensar a perda de sua virilidade fogosa. Com base na expressão de Coleman, Primus concluiu que havia acertado em cheio ao mencionar o Viagra. Mais uma ameaça química, pensou o rapaz. Esse cara parece que está cheirando *crack* e não tomando Viagra.

    Na rua, os dois trocaram um aperto de mãos. "Coleman", disse Primus, cuja mulher, naquela manhã mesmo, quando ele disse que ia se encontrar com o ex-decano, demonstrara tristeza por ele ter se afastado da Athena, e mais uma vez falara com indignação de Delphine Roux, a quem ela desprezava pelo papel desempenhado no caso dos *spooks*, "Coleman", disse Primus, "a Faunia Farley não faz parte do seu mundo. Você agora já tem uma boa ideia do mundo de onde ela veio, o mundo que a esmagou, e do qual, por motivos que você entende tão bem quanto eu, ela nunca vai conseguir escapar. Essa situação pode acabar em alguma coisa pior do que o que houve ontem à noite, muito pior. Você não está mais brigando num mundo em que seus inimigos querem destruir você expulsando-o do seu emprego pra poder colocar um deles no seu lugar. Você não está mais enfrentando um bando de elitistas que posam de democratas e escondem a ambição por trás de ideais grandiloquentes. Agora você está brigando num mundo em que as pessoas não se dão ao trabalho de disfarçar a crueldade por trás de uma retórica humanitária. A atitude básica dessas pessoas em relação à vida é que desde o começo elas são vítimas de uma sociedade injusta. O que você sofreu com a sacanagem que lhe fizeram na faculdade, por mais terrível que tenha sido, é o que essas pessoas sentem a cada minuto de cada hora da..."

A palavra *chega* estava escrita com tanta clareza no olhar de Coleman que até Primus se deu conta de que era hora de se calar. Durante toda a reunião, Coleman ouvira em silêncio, contendo seus sentimentos, tentando adotar uma postura tolerante e ignorar o prazer evidente que Primus gozava ao passar aquele sermão barroco sobre as virtudes da prudência num homem quase quarenta anos mais velho que ele. Para controlar-se, Coleman ficara pensando: todos se sentem melhor ao zangar-se comigo — assim eles se sentem livres para me dizer que estou errado. Mas quando chegaram à rua não era mais possível isolar a argumentação da falação — nem isolar quem ele era agora do homem que sempre fora, o homem que mandava e por quem todos demonstravam respeito. Primus poderia ter sido claro com seu cliente sem precisar de tanta ornamentação satírica. Se seu objetivo era aconselhá-lo de modo persuasivo, como fazem os advogados, uma quantidade bem *pequena* de ironia teria sido muito mais eficiente. Mas pelo visto a arrogância de Primus, que se via como homem brilhante fadado à grandeza, tinha-o levado a perder o senso dos limites, pensou Coleman, e por isso aproveitara ao máximo aquela oportunidade de zombar de um velho ridículo que recuperara a potência sexual graças a um remédio que custava dez dólares a dose.

"Você é um homem de uma loquacidade extraordinária, Nelson. Muito perspicaz. Muito fluente. Você domina como ninguém a frase interminável, cheia de penduricalhos ornamentais. E cheia de desprezo por todos os problemas humanos que nunca teve que enfrentar." Coleman sentia um impulso quase incontrolável de agarrar o advogado pela camisa e enfiar a cabeça do filho da puta na vitrine da loja de roupas. Em vez disso, recuou, contendo-se, falando estrategicamente com a voz mais suave possível — porém nem de perto tão controlada quanto poderia —, e disse: "Nunca mais quero ouvir essa sua voz presunçosa, nem ver essa sua carinha babaca de branco virginal metido a besta".

"'De branco virginal'?", Primus disse a sua mulher naquela noite. "Por que 'de branco virginal'? A gente nunca deve cobrar de uma pessoa o que ela diz num momento de raiva, quando acha que foi usada ou destratada. Mas eu tinha a *intenção* de parecer que estava sendo agressivo? Claro que não. A coisa é ainda pior. Pior, porque esse velhote está desorientado e eu estava querendo ajudar. Pior, porque ele está à beira de uma catástrofe e eu queria *impedir* essa catástrofe. O que ele entendeu como uma agressão era na verdade uma tentativa desastrosa de ser levado a sério, de impressioná-lo. Fracassei, Beth, meti os pés pelas mãos. Talvez porque eu estivesse mesmo intimidado. Ele é um sujeito baixinho, mas é um forte. Eu não conheci o Coleman quando ele era o decano mandachuva. Desde que o conheço, ele é só uma pessoa cheia de problemas. Mas dá pra sentir a presença dele. Dá pra sentir por que é que as pessoas se intimidavam com ele. Quando ele está sentado na sua frente, você percebe que tem uma pessoa presente. Olha, eu não sei o que é. Não é fácil entender uma pessoa que você só viu umas seis vezes na vida. Talvez seja uma burrice inata minha. Mas, seja o que for, fiz tudo errado. Psicopatologia, Viagra, os Doors, Norman O. Brown, anticoncepcional, Aids. Eu banquei o sujeito que sabe de tudo. Principalmente de tudo o que aconteceu antes de eu nascer. Eu devia ter sido breve, devia ter falado num tom natural e objetivo, e acabei sendo provocativo. Eu queria ajudar e em vez disso insultei o homem e compliquei ainda mais a situação dele. Não, ele tem toda a razão de cair em cima de mim. Mas, meu bem, a pergunta permanece: por que 'de branco'?"

Coleman não entrava no campus da Athena fazia dois anos, e agora evitava até mesmo ir à cidade. Não odiava mais individualmente cada membro do corpo docente da faculdade; apenas não queria ter nenhum contato com aquelas pessoas, pois temia que, se por acaso encontrasse alguma delas e conversasse um pouco, por menos que fosse, talvez não conseguisse disfarçar seu sofrimento, ou disfarçar que estava disfarçando seu sofrimento — não conseguiria conter um súbito sentimento de raiva interior ou, pior ainda, não começaria a desfiar um detalhado rosário de injustiças. Alguns dias após pedir demissão, abriu conta nova no banco e no supermercado de Blackwell, uma cidadezinha industrial decadente à margem do rio a cerca de trinta quilômetros de Athena, e chegou mesmo a associar-se à biblioteca local, decidido a utilizá-la, por mais pobre que fosse, para não ter de voltar a frequentar a da faculdade. Inscreveu-se na ACM de Blackwell, e em vez de ir nadar na piscina do campus no final da tarde, ou exercitar-se na esteira da academia da Athena depois do trabalho, como fora seu hábito por quase trinta anos, ia dar suas braçadas duas vezes por semana na piscina bem menos agradável da ACM de Blackwell — chegou a subir até a academia um tanto dilapidada e, pela primeira vez desde os tempos da pós-graduação, começou, num ritmo bem mais lento do que nos anos 40, a treinar com a *punching ball* e o saco de pancada. Ir até Blackwell, em direção ao norte, levava o dobro do tempo necessário para descer até Athena, mas em Blackwell era pouco provável que Coleman esbarrasse em algum ex-colega, e lá, quando isso acontecia, era mais fácil cumprimentar a pessoa em questão com um aceno seco, sem nenhum sorriso, e seguir adiante, do que nas ruas antigas e bonitas de Athena, onde não havia uma placa, um banco, uma árvore, um único monumento no parque que não lhe trouxesse à memória a pessoa que ele fora antes de se transformar no racista da faculdade e tudo virar do avesso. A fileira de lojas em frente ao parque só surgiu depois que Coleman, como decano, trouxe muita gente diferente para Athena, como professores e alunos e pais de alunos, de modo que, com o passar do tempo, ele alterou a cidade tanto quanto revolucionou a instituição. A loja de antiguidades moribunda, o restaurante ordinário, a vendinha de subsistência, a provinciana loja de bebidas, o barbeiro caipira, o camiseiro do século XIX, a livraria vagabunda, a sala de chá tradicional, a farmácia escura, o botequim deprimente, o jornaleiro sem jornais, a loja de mágicas vazia e enigmática — tudo isso desaparecera para dar lugar a estabelecimentos onde se podia fazer uma refeição decente e tomar um café bem-feito e aviar uma receita e comprar um bom vinho e achar um livro sobre outro assunto que não a serra de Berkshire, e também encontrar outro tipo de agasalho que não ceroulas. A "revolução de qualidade" que, como se dizia antes, havia sido imposta ao corpo docente e ao currículo da Athena tivera também o efeito, ainda que imprevisto, de transformar a Town Street. O que tornava ainda mais dolorosa e surpreendente a sensação de Coleman de ter se transformado num estranho ali.

A essa altura, dois anos depois, Coleman se sentia sitiado menos por *eles* — tirando Delphine Roux, quem mais em Athena se importava com Coleman Silk e o incidente dos *spooks*? — do que pelo cansaço que já lhe inspirava aquele seu ressentimento ainda à flor da pele, que rapidamente voltava à tona com toda a força; nas ruas de Athena, ele agora sentia (para começo de conversa) uma aversão maior por si próprio do que por aqueles que, por indiferença, covardia ou ambição, não haviam levantado uma palha para defendê-lo. Pessoas cultas, com doutorado e tudo, pessoas que ele próprio havia contratado por julgá-las capazes de pensar de modo racional e independente, acabaram por não demonstrar nenhum interesse em pesar as acusações absurdas levantadas contra ele e tirar as conclusões apropriadas. Racismo: na Faculdade Athena, de repente essa passara a ser a acusação mais emocionalmente carregada que podia ser feita, e todo o corpo docente sucumbira a esse emocionalismo (e ao medo de que suas promoções futuras viessem a ser afetadas por qualquer nódoa em suas fichas). Bastava a palavra "racismo" ser pronunciada num tom cheio de ressonâncias oficiais para que todos seus aliados em potencial batessem em retirada.

Uma caminhada até o campus? Era verão. Os alunos estavam de férias. Após quase quatro décadas na Athena, depois de tudo o que fora destruído e perdido, depois de tudo pelo que ele passara para chegar lá, por que não? Primeiro *"spooks"*, depois "cara de branco virginal" — sabe-se lá qual a deficiência repelente que será revelada com a próxima expressão um pouco antiquada, a próxima locução, quase pitoresca de tão desusada, que escapar de seus lábios? Incrível como a palavra exata pode revelar ou arrasar uma pessoa. O que faz desaparecer a camuflagem, o disfarce, o esconderijo? Isto: a palavra certa pronunciada de modo espontâneo, impensadamente.

"Pela milésima vez: eu disse '*spooks*' querendo dizer 'fantasmas'. Meu pai era dono de botequim, porém insistia que era preciso escolher as palavras com precisão, e nisso sou como ele. As palavras têm significados — meu pai só estudou até a sétima série, mas até ele sabia disso. Atrás do balcão ele guardava duas coisas pra resolver discussões entre seus clientes: um porrete e um dicionário. Meu melhor amigo, ele me dizia, é o dicionário — e é verdade, pra mim também, hoje. Porque, se a gente procura no dicionário, qual é a primeira definição de '*spook*'? A acepção básica. '1. Aparição; espectro.'" "Mas, senhor Silk, não foi assim que ela foi entendida. Vou ler a *segunda* definição do dicionário. '2. *Pejorativo*. Um negro.' Foi assim que a palavra foi entendida — e o senhor pode perceber a lógica dessa leitura também: 'Alguém aqui os conhece, ou serão negros que vocês não conhecem?'" "Meu senhor, se minha intenção fosse dizer: 'Alguém aqui os conhece, ou vocês não os conhecem porque são negros?', era exatamente isso que eu teria dito. 'Alguém aqui os conhece, ou nenhum de vocês os conhece por que são dois alunos negros? Alguém aqui os conhece, ou são negros que ninguém conhece?' Se fosse isso que eu quisesse dizer, eu teria dito *exatamente isso*. Mas como eu poderia saber que eles eram negros se nunca os tinha visto e se, fora os nomes deles no diário de classe, eu nem sabia da existência dos dois? O que eu sabia, sem

sombra de dúvida, era que se tratava de alunos *invisíveis* — e a palavra que significa invisível, fantasma, espectro, é a palavra que eu usei em sua acepção básica. Veja o adjetivo '*spooky*', que vem imediatamente depois de '*spook*'. *Spooky*. Uma palavra que todos nós usávamos muito na infância — o que é que ela quer dizer? O dicionário traz o seguinte: '*Informal*.
1. Que lembra ou diz respeito a fantasmas. 2. Sinistro; assustador. 3. (Esp. com referência a cavalos) nervoso; arisco'. Com referência a cavalos. Ora, será que alguém imagina que eu estava caracterizando meus dois alunos como cavalos? Não? Mas por que não? Já que é assim, por que não?"

Uma última olhadela em Athena, e então que a vergonha seja completa.

Silky. Silky Silk. O nome pelo qual não o chamavam havia mais de cinquenta anos, e no entanto ele praticamente esperava ouvir a qualquer momento alguém gritando "Ei, Silky!" como se estivesse de volta a East Orange, caminhando pela Central Avenue depois das aulas — e não atravessando a Town Street de Athena e, pela primeira vez desde sua demissão, subindo a ladeira que levava ao campus — subindo a Central Avenue com sua irmã, Ernestine, que lhe contava uma história maluca que ouvira na véspera quando o dr. Fensterman, médico judeu, o famoso cirurgião do hospital de Newark onde a mãe deles trabalhava, viera visitar seus pais. Enquanto Coleman praticava, no ginásio, com os outros membros da equipe de corrida, Ernestine, que estava fazendo o dever de casa, ouviu o dr. Fensterman, na sala com seus pais, explicando por que era da maior importância para ele e para sua esposa que o filho deles, Bertram, fosse o orador da turma na formatura. Como os Silk sabiam, no momento o primeiro aluno da turma era Coleman, e

Bert era o segundo, atrás de Coleman por conta de uma única nota. O único B que Bert recebera em seu boletim do semestre anterior, um B em física que deveria ter sido um A — aquele B era a única coisa que separava os dois primeiros alunos da última série. O dr. Fensterman explicou para os Silk que Bert queria se tornar médico tal como seu pai, mas que para isso era essencial que ele tivesse um histórico escolar perfeito, não apenas perfeito na faculdade, mas extraordinário desde o jardim de infância. Talvez os Silk não soubessem da existência das cotas discriminatórias cujo objetivo era impedir que entrassem judeus nas faculdades de medicina, principalmente nas de Harvard e Yale, onde — o dr. Fensterman e sua mulher tinham certeza — Bert, se tivesse oportunidade, seria o mais brilhante de todos. Por causa das reduzidas cotas reservadas para os judeus na maioria das faculdades de medicina, o dr. Fensterman tivera de ir até o Alabama para estudar, e lá ele vira com seus próprios olhos todos os obstáculos que os negros tinham de enfrentar. O dr. Fensterman sabia que o preconceito nas instituições de ensino superior contra os negros era muito pior do que contra os judeus. Sabia quais os obstáculos que os próprios Silk tiveram de vencer a fim de conseguir tudo aquilo que então os distinguia como uma família negra exemplar. Sabia dos apertos pelos quais o sr. Silk tinha passado desde que sua óptica abrira falência na Grande Depressão. Sabia que o sr. Silk era, tal como ele, um homem com formação universitária, e sabia que, trabalhando para a estrada de ferro como comissário — "Foi isso que ele disse em vez de garçom, Coleman, 'comissário'" —, ele estava fazendo um trabalho muito aquém de sua formação profissional. Quanto à sra. Silk, ele a conhecia do hospital, naturalmente. Na opinião do dr. Fensterman, não havia enfermeira igual a ela em todo o hospital, nenhuma tão inteligente, informada, responsável e competente quanto a sra. Silk — sem excluir a própria supervisora. Na sua opinião, Gladys Silk já deveria ter sido nomeada enfermeira-chefe da sessão de cirurgia há muito tempo; uma das promessas que o dr. Fensterman queria fazer aos Silk era que estava disposto a se empenhar ao máximo junto ao chefe de pessoal para garantir que o cargo fosse dado à sra. Silk assim que se aposentasse a sra. Noonan, a atual enfermeira-chefe da seção de cirurgia. Além disso, estava disposto a ajudar os Silk com um "empréstimo" sem juros, a fundo perdido, de três mil dólares, a serem entregues de uma só vez quando Coleman entrasse para a faculdade, o que obrigaria a família a incorrer em despesas adicionais. E o que ele pedia em troca era menos do que os Silk podiam estar pensando. Como juramentista, Coleman continuaria sendo o aluno negro mais bem colocado na turma de 1944, e também o aluno negro mais bem colocado em toda a história da escola. Com sua média, Coleman muito provavelmente seria o aluno negro mais bem colocado de todo o condado, até mesmo do estado, e ter concluído o curso como juramentista em vez de orador não faria diferença alguma quando se matriculasse na Howard University. Eram desprezíveis as possibilidades de que ele sofresse qualquer prejuízo por causa dessa colocação. Coleman não perderia nada, enquanto os Silk ganhariam três mil dólares para investir nos estudos dos filhos; além disso, com o apoio do dr. Fensterman, Gladys Silk poderia muito bem tornar-se, em poucos anos, a primeira enfermeira-chefe negra de toda a cidade de Newark. E tudo o que pedia a Coleman era que escolhesse suas duas matérias mais fracas e, em vez de tirar A nos exames finais, tirasse B. Caberia então a Bert tirar A em todas as matérias — essa seria a parte dele no acordo. E se Bert decepcionasse não estudando o suficiente para tirar A em todas as matérias, então os dois meninos terminariam empatados — talvez até Coleman acabasse sendo o orador; mesmo assim o dr. Fensterman cumpriria o prometido. Naturalmente, o acordo seria mantido em segredo por todas as partes envolvidas.

Ao ouvir aquilo, Coleman ficou tão contente que se desgarrou de Ernestine e saiu correndo pela rua, em incontida alegria, subindo a Central até a Evergreen e voltando, aos gritos: "Minhas duas matérias mais fracas — quais são?". Era como se, ao atribuir a Coleman alguma fraqueza acadêmica, o dr. Fensterman tivesse contado uma piada impagável. "O que foi que eles disseram, Ern? O que foi que o papai disse?" "Não ouvi. Ele falou muito baixo." "O que foi que a mamãe disse?" "Não sei. Também não ouvi a mamãe. Mas o que eles disseram depois que ele saiu, isso eu ouvi." "Me diz! O que foi?" "O papai disse: 'Eu tive vontade de matar aquele sujeito'." "Disse mesmo?" "Disse, sim." "E a mamãe?" "'Eu tive que ficar mordendo a língua.' Foi isso que ela disse — 'Eu tive que ficar mordendo a língua'." "Mas você não ouviu o que eles disseram pra *ele*?" "Não." "Pois vou dizer uma coisa — eu não vou entrar nessa, não." "Claro que não", disse Ernestine. "Mas e se o papai dissesse que eu topava?" "Você está maluco, Coleman?" "Ernie, três mil dólares é mais do que o papai ganha o ano inteiro. Ernie, três mil dólares!" E, só de pensar no dr. Fensterman entregando a seu pai um saco grande cheio de notas, Coleman saiu correndo de novo, fingindo saltar por cima de obstáculos imaginários (havia vários anos que ele era o campeão de corrida de obstáculos baixos e vice-campeão dos cem metros rasos, no campeonato dos alunos do colegial do condado de Essex), até chegar a Evergreen, e voltou correndo. Mais um triunfo — era isso que ele estava pensando. Mais um triunfo, mais um recorde quebrado pelo grande, o incomparável, o inimitável Silky Silk! Ele era mesmo o orador da turma, era uma estrela do atletismo, mas como era também só um garoto de dezessete anos a proposta do dr. Fensterman significava, na sua cabeça, que ele era da máxima importância para quase todo mundo. Ainda não tinha percebido o sentido maior da coisa.

Em East Orange, onde quase todos eram brancos, ou italianos pobres — que moravam para os lados de Orange ou na First Ward de Newark — ou então episcopalianos ricos — que moravam nos casarões de Upsala ou em South Harrison —, havia ainda menos judeus do que negros, e no entanto eram os judeus e seus filhos que, naquela época, mais ocupavam a vida extracurricular de Coleman. Primeiro, Doc Chizner, que praticamente o adotara no ano anterior, quando Coleman passou a praticar boxe com ele à noite; e agora o dr. Fensterman, que estava oferecendo três mil dólares para que ele ficasse em segundo lugar e deixasse Bert tornar-se o primeiro da turma. Doc Chizner era um dentista que adorava boxe. Sempre que podia, não perdia uma luta — em Nova Jersey, no Laurel Garden e no Meadowbrook Bowl; em Nova York, no Madison Square Garden e na St. Nick's Arena. As pessoas diziam: "Você se acha entendido em boxe até o dia em que assiste uma luta junto com o Doc Chizner, e aí você se dá conta de que não está vendo a mesma luta que ele". Ele organizava lutas de amadores por todo o condado de Essex, inclusive o torneio Luvas de Ouro em Newark, e recebia alunos enviados por pais judeus de toda a região das Oranges, de Maplewood, de Irvington — até mesmo de Weequahic, no sudoeste de Newark —, que queriam que seus filhos aprendessem a se defender. Coleman tornou-se aluno dele não porque não soubesse se defender, mas porque seu pai descobrira que desde a segunda série do colegial, depois do treinamento de corrida, sozinho — e até três vezes por semana —, Coleman ia escondido ao Clube dos Rapazes de Newark, depois da High Street, passando pelos cortiços de Newark, na Morton Street, para treinar boxe. Aos catorze anos de idade, quando começou, pesando cinquenta quilos, ficava treinando duas horas, esquentando os músculos, exercitando-se com um parceiro, com o saco de pancadas, com a *punching ball*, pulando corda, fazendo exercícios, e depois voltava para fazer seu dever de casa. Duas vezes chegou a treinar com Cooper Fulham, que no ano anterior vencera o campeonato nacional em Boston. A mãe de Coleman enfrentava um turno e meio, às vezes dois turnos seguidos, no hospital; seu pai trabalhava como garçom no trem e praticamente só ia em casa para dormir; seu irmão mais velho, Walt, primeiro estava na faculdade, depois no Exército; assim, Coleman saía de casa e voltava na hora em que bem entendesse, obrigando Ernestine a jurar que não contaria a ninguém e, para que suas notas não fossem prejudicadas, estudando na escola, na cama antes de dormir, nos ônibus que pegava para ir e voltar de Newark — dois na ida, dois na volta —, estudando com mais afinco do que nunca, para que ninguém jamais descobrisse que ele frequentava a Morton Street.

Quem queria se tornar lutador de boxe amador frequentava o Clube dos Rapazes de Newark, e quem era bom, na faixa dos treze aos dezoito anos, enfrentava adversários do Clube dos Rapazes de Paterson, de Jersey City, de Butler, da Liga de Atividades da Polícia de Ironbound e outros lugares assim. Havia garotos aos montes no Clube dos Rapazes, alguns de Rahway, de Linden, de Elizabeth, alguns até mesmo de Morristown, e havia um surdo-mudo conhecido como Mudinho que era de Belleville; mas em sua maioria eram de Newark, e todos eram negros, embora os dois homens que cuidavam do clube fossem brancos. Um deles era um policial chamado Mac Machrone, que trabalhava no West Side Park e tinha uma pistola; uma vez disse a Coleman que, se descobrisse que ele não estava treinando direito, lhe daria um tiro. Mac acreditava em velocidade, e era por isso que acreditava em Coleman. Velocidade, ritmo e contra-ataque. Depois de ensinar Coleman a se posicionar, movimentar-se e dar golpes, e de perceber como o menino aprendia depressa, como era inteligente, como eram rápidos seus reflexos, começou a lhe ensinar as sofisticações do ofício. Como mexer a cabeça. Como se esquivar de golpes. Como bloquear golpes. Como contra-atacar. Para lhe ensinar o *jab*, Mac repetia: "É que nem tirar uma pulga da ponta do nariz. Só que do nariz do outro". Ensinou Coleman a vencer uma luta só na base dos *jabs*. Dar um *jab*, um soco para baixo, um contra-ataque. Vem um *jab*, você se esquiva e contra-ataca pela direita. Ou então você se esquiva para trás e volta com um gancho. Ou então você se abaixa, acerta o adversário no coração com a direita e no ventre com a esquerda, em gancho. Embora fosse pequeno, Coleman às vezes conseguia acertar *jabs* com as duas mãos, puxava o adversário para si e lhe acertava um gancho no ventre, depois o levantava e dava-lhe outro na cabeça. "Tem que acertar o soco do outro. Contra-atacar. O seu forte é o contra-ataque, Silky. É isso que você sabe fazer, é só isso que você sabe fazer." Então foram a Paterson. Sua primeira luta num campeonato para amadores. O outro garoto dava um *jab*, Coleman se esquivava para trás, mas seus pés permaneciam bem plantados no chão; ele voltava, contra-atacando com a direita, e repetia o mesmo truque ao longo de toda a luta. O garoto fazia a mesma coisa, Coleman sempre contra-atacava, e acabou ganhando os três *rounds*. Aquele passou a ser o estilo de Silky Silk no Clube dos Rapazes. Quando dava um golpe, era só para que não fossem depois acusá-lo de ficar parado sem fazer nada. O que mais fazia era esperar que o adversário atacasse, então contra-atacava com dois, três socos, depois se afastava e voltava a esperar. Coleman acertava o adversário mais vezes aguardando os ataques do que ele próprio atacando. Como resultado, aos dezesseis anos, apenas nos condados de Essex e Hudson, em lutas de amadores no arsenal, no prédio dos Cavaleiros de

Pítias, em lutas amistosas no hospital dos ex-combatentes, Coleman derrotou três campeões do torneio Luvas de Ouro. Ele podia perfeitamente, calculava, ter ganhado 112, 118, 126... só que não havia jeito de participar do torneio sem que seu nome saísse nos jornais e seus pais acabassem descobrindo. Mas eles acabaram descobrindo assim mesmo. Ele não sabia como. Nem precisava. Eles descobriram porque alguém lhes contou. Muito simples.

Estavam sentados à mesa do almoço no domingo, depois da igreja, quando seu pai lhe perguntou: "E então, como você se saiu, Coleman?".

"Como eu me saí em quê?"

"Ontem à noite. Lá nos Cavaleiros de Pítias. Como foi?"

"O que é Cavaleiros de Pítias?", Coleman perguntou.

"Você pensa que eu nasci ontem, meu filho? O torneio foi nos Cavaleiros de Pítias ontem. Quantas lutas?"

"Foram quinze."

"E como você se saiu?"

"Ganhei."

"Quantas lutas você já ganhou até agora? Em torneios e amistosos. Quantas, desde que você começou?"

"Onze."

"E perdeu quantas?"

"Até agora, nenhuma."

"E quanto lhe deram pelo relógio?"

"Que relógio?"

"O relógio que você ganhou no hospital dos ex-combatentes de Lyons. O relógio que os ex-combatentes lhe deram por ganhar a luta. O relógio que você pôs no prego na Mulberry Street. Lá em Newark, Coleman — o relógio que você pôs no prego em Newark semana passada."

O homem estava sabendo de tudo.

"Quanto o senhor acha que me deram?", Coleman ousou replicar, mas sem levantar a vista enquanto falava — em vez disso, ficou olhando para o bordado da toalha de mesa reservada para os domingos.

"Lhe deram dois dólares, Coleman. Quando é que você está planejando se profissionalizar?"

"Eu não faço isso por dinheiro, não", respondeu ele, ainda com a cabeça baixa. "Não ligo pra dinheiro, não. Faço porque gosto. É um esporte que só faz quem gosta."

"Sabe, Coleman, se eu fosse seu pai, sabe o que eu lhe diria agora?"

"O senhor é o meu pai", disse Coleman.

"Ah, sou mesmo, é?"

"Ué, claro..."

"Pra mim não está claro, não. Eu acho que o seu pai é o Mac Machrone, lá do Clube dos Rapazes de Newark."

"Ora, pai. O Mac é o meu treinador."

"Certo. Então quem é o seu pai, se me permite a pergunta?"

"O senhor sabe. É o senhor. O senhor, papai."

"Sou mesmo, é?"

"Não!", gritou Coleman. "Não, não é não!" E então, logo no início do almoço de domingo, saiu correndo da casa e ficou mais de uma hora correndo, exercitando-se para o boxe, subindo a Central Avenue, chegando a Orange, atravessando Orange até West Orange, depois seguindo pela Watchung Avenue até o cemitério de Rosedale, depois virando para o sul pela Washington até a Main, correndo e socando, fazendo *sprint*, alternando entre a corrida e o *sprint*, depois treinando golpes até chegar de volta à Brick Church Station, e por fim percorrendo o último trecho em *sprint*, até chegar em casa, entrando e voltando à mesa, onde a família já estava comendo a sobremesa, e retomando seu lugar, muito mais calmo do que estava quando saiu correndo, e esperando que seu pai continuasse a partir do ponto em que havia sido interrompido. O pai que nunca perdia a calma. O pai que sabia se impor de outra maneira. Com palavras. Com a fala. Com o que ele chamava de "a língua de Chaucer, Shakespeare e Dickens". Com a língua inglesa, que ninguém lhe podia tirar, e que o sr. Silk fazia ressoar, sempre num tom encorpado, claro e desafiador, como se mesmo numa conversa cotidiana estivesse recitando a fala de Marco Antônio diante do cadáver de César. Cada um de seus três filhos recebera um segundo nome extraído da peça que ele melhor conhecia de cor, a peça que, na sua opinião, era o ponto culminante da literatura inglesa e o mais instrutivo estudo sobre a traição já escrito: o filho mais velho chamava-se Walter Antony; o segundo, Coleman Brutus; e a filha menor, Ernestine Calpurnia, recebera o nome da leal esposa de César.

A vida profissional do sr. Silk sofrera um rude golpe quando os bancos foram fechados. Levara muito tempo para recuperar-se da perda da óptica em Orange, se é que havia de fato se recuperado. Coitado do seu pai, dizia a mãe, ele sempre quis ser dono do seu próprio negócio. Cursara a faculdade no Sul, na Geórgia, seu estado de origem — sua mãe era de Nova Jersey —, e estudara agricultura e criação de gado. Mas aí abandonara a faculdade e fora para o Norte, estudava optometria em Trenton. Foi recrutado para o Exército na Primeira Guerra Mundial; conheceu sua futura mulher, mudou-se com ela para East Orange, abriu uma óptica, comprou uma casa; aí veio a quebra da Bolsa, e agora trabalhava como garçom num vagão-restaurante. Mas se no trem não era possível, ao menos em casa podia falar da maneira mais cuidadosa, precisa e direta, e fulminar qualquer um com palavras. Fazia muita questão de que seus filhos falassem corretamente. Quando ainda eram pequenos, nunca diziam: "Olha o au-au". Nem sequer diziam:

"Olha o cachorrinho". Diziam: "Olha o *doberman*. Olha o *beagle*. Olha o *terrier*". Aprendiam que as coisas são classificadas. Aprendiam o poder de saber dar os nomes precisos a elas. Ele ensinava-lhes inglês o tempo todo. Até mesmo as crianças que vinham à sua casa, amigas de seus filhos, eram corrigidas pelo sr. Silk.

No tempo em que era optometrista e usava um jaleco branco de médico por cima de um terno escuro de pastor, quando mantinha um expediente mais ou menos regular, depois da sobremesa continuava sentado à mesa lendo o jornal. Todos liam um pedaço. Cada uma das crianças, até a caçula, até Ernestine, tinha de ler um trecho do *Newark Evening News*, e não podia ser dos quadrinhos. A mãe dele, a avó de Coleman, aprendera a ler com sua senhora, e após a abolição fora estudar na instituição então conhecida como Escola Normal e Industrial para Pessoas de Cor do Estado da Geórgia. O pai dele, o avô paterno de Coleman, fora pastor metodista. Na família Silk, todos liam os velhos clássicos. Na família Silk, as crianças não eram levadas para assistir a lutas de boxe, e sim para ver as armaduras no Museu de Arte Metropolitano em Nova York. Eram levadas ao planetário para aprender sobre o sistema solar. Eram regularmente levadas ao Museu de História Natural. Então, em 1937, no Dia da Independência, apesar dos custos envolvidos, o sr. Silk foi com toda a família ao Music Box Theatre, na Broadway, para ver George M. Cohan em *I'd rather be right*. Coleman ainda recordava o que seu pai dissera ao irmão, o tio Bobby, pelo telefone no dia seguinte: "Quando desceu a cortina, depois que o George M. Cohan foi chamado de volta várias vezes, sabe o que ele fez? Ficou mais uma hora cantando todas as músicas do seu papel. Todas elas. Você pode imaginar uma maneira melhor de apresentar o teatro a uma criança?".

"Se eu fosse seu pai", prosseguiu o pai de Coleman, enquanto o menino permanecia imóvel, muito sério, diante de seu prato vazio, "sabe o que eu lhe diria agora?"

"O quê?", disse Coleman, falando baixo, e não por estar sem fôlego depois de tanta correria, mas por sentir-se envergonhado por ter dito ao próprio pai, que não era mais optometrista e sim garçom de um vagão-restaurante, e garçom permaneceria até morrer, que ele não era seu pai.

"Eu diria: 'Você ganhou ontem à noite? Bom. Agora você pode se aposentar invicto. Você está aposentado'. Era isso que eu diria, Coleman."

Foi muito mais fácil quando Coleman foi falar com ele depois, após passar a tarde toda fazendo o dever de casa e após sua mãe ter tido oportunidade de conversar e argumentar com o pai. Então todos se reuniram de modo mais ou menos tranquilo na sala de estar e ouviram Coleman falar sobre as maravilhas do boxe, dizendo que, como o esporte exigia perícia em tantas coisas diferentes, uma vitória no boxe era ainda mais gloriosa do que na corrida e no salto.

Agora quem fazia as perguntas era sua mãe, e responder era fácil. Para Gladys Silk, o filho mais moço era um presente que ela ganhara, associado a todos os sonhos de ascensão social que ela jamais acalentara, e quanto mais bonito e mais inteligente ele se tornava, mais difícil era para ela distinguir o rapaz do sonho. Embora fosse sensível e carinhosa com os pacientes no hospital, também sabia ser, com as outras enfermeiras, e mesmo com os médicos, com os médicos brancos, exigente e severa, impondo-lhes um código de conduta tão implacável quanto o que impunha a si própria. Sabia ser assim com Ernestine. Mas nunca com Coleman. Coleman era tratado por ela tal como os pacientes: com uma bondade e um carinho conscienciosos. Coleman conseguia o que queria dela.

O pai apontando o caminho, a mãe dando o amor. O velho esquema.

"Não entendo como é que você consegue ficar com raiva de uma pessoa que você não conhece. Ainda mais você", disse ela, "que tem um temperamento tão alegre."

"A gente não fica com raiva, não. É só uma questão de concentração. É um esporte. A gente esquenta antes da luta. Fica socando o ar. Se aprontando pro que der e vier."

"Mesmo se nunca viu o adversário antes?", indagou seu pai, tentando ao máximo conter o sarcasmo.

"O que eu estou dizendo", insistiu Coleman, "é que você não *tem* que ficar com raiva."

"Mas", retrucou a mãe, "e se o outro garoto estiver com raiva?"

"Não faz mal. Ganha quem é mais esperto, não quem tem mais raiva. Quer ficar com raiva, fique. E daí? Você tem que pensar. É como uma partida de xadrez. É como um jogo. Você leva o adversário pra onde você quer. Ontem, era um cara com dezoito ou dezenove anos, meio lerdo. Ele me acertou um *jab* no alto da cabeça. Aí, na segunda vez que ele fez isso, eu já estava preparado, e foi *pof*. Acertei com a direita e ele não entendeu nada. Derrubei o cara. Não costumo fazer isso, mas esse eu derrubei mesmo. E derrubei porque fiz ele pensar que ia conseguir me acertar de novo com aquele soco."

"Coleman", disse a mãe, "não estou gostando dessa história."

Ele se levantou para mostrar. "Olha. O soco foi devagar. Está vendo? Vi que o *jab* era devagar e não ia me pegar. Nada que me machucasse, mamãe. Eu estava só pensando: se ele faz isso de novo, eu me esquivo e acerto com a direita. Aí, quando ele repetiu o soco, eu percebi, porque era devagar, e deu tempo de armar o contra-ataque e acertar nele. Eu derrubei o cara, mamãe, mas não porque estivesse zangado. É só porque eu luto boxe melhor que ele."

"Mas esses garotos de Newark que lutam com você, eles são muito diferentes dos seus amigos", e mencionou, com afeto, o nome dos dois outros meninos negros mais inteligentes e bem-comportados de sua série do colegial, que eram de fato os colegas com que Coleman almoçava e conversava na escola. "Eu vejo esses garotos de Newark na rua. Eles são muito mal-encarados", disse ela. "Corrida e salto são coisas muito mais civilizadas que o boxe, têm muito mais a ver com você, Coleman. Meu amor, você corre tão bonito."

"Não faz diferença nenhuma eles serem mal-encarados ou se acharem os maiorais", Coleman retrucou. "Na rua, faz. Mas no ringue não. Na rua esse cara provavelmente podia me dar a maior surra. Mas no ringue? Com regras? Com luvas? Não, não — ele nunca que ia me acertar um soco."

"Mas e se eles acabam acertando, o que acontece? Só pode fazer mal. O impacto. É claro que faz mal. E é tão perigoso. A sua cabeça. O seu *cérebro*."

"A gente recua com o soco, mãe. A gente aprende a fazer isso. Assim, está vendo? Isso diminui o impacto. Só uma vez, uma vez só, de pura burrice minha, porque cometi um erro idiota e porque não estava acostumado a lutar com canhoto, é que eu fiquei um pouco zonzo. E é a mesma coisa que dar uma cabeçada na parede, a gente fica um pouco zonzo, tonto. Mas logo depois o corpo se recupera. É só segurar no cara ou então se afastar, e aí a cabeça volta ao normal. Às vezes, quando você leva um soco no nariz, os olhos ficam um pouco marejados por um segundo, mas é só isso. Se você sabe o que está fazendo, não é nem um pouco perigoso."

Com esse comentário, seu pai achou que já tinha ouvido o suficiente. "Eu já vi homens levarem socos que não esperavam.

E quando isso acontece", disse o sr. Silk, "eles não ficam de olhos marejados; quando isso acontece, eles caem desacordados. Até o Joe Louis, se você se lembra, uma vez caiu desacordado — não é? Estou enganado? E se o Joe Louis pode cair desacordado, Coleman, você também pode."

"É, mas papai, o Schmeling, quando ele lutou com o Louis, daquela primeira vez, ele viu uma fraqueza. E a fraqueza foi o seguinte: quando o Louis fez o *jab*, em vez de voltar..." Levantando-se outra vez, o menino demonstrou para os pais o que queria dizer. "Em vez de voltar, ele baixou a mão esquerda — está vendo? — e o Schmeling foi outra vez — está vendo? — e foi assim que o Schmeling derrubou o Louis. É só pensar. É isso mesmo, papai. É, sim. Juro por Deus."

"Não diga isso. Não diga 'juro por Deus'."

"Não digo mais, não digo mais. Mas olha, se ele não volta, quando ele assume de novo a posição, se em vez disso ele vem pra cá, aí o cara vem com a direita e acaba acertando. Foi o que aconteceu naquela primeira vez. Foi exatamente isso que aconteceu."

Mas o sr. Silk tinha assistido a muitas lutas, no Exército assistira a lutas entre soldados à noite, lutas em que os homens não apenas caíam desacordados como Joe Louis mas também ficavam tão machucados que não paravam de sangrar. Na sua base, ele vira lutadores negros que usavam a cabeça como arma principal, que deviam usar a luva na cabeça, homens durões, acostumados a brigar na rua, idiotas que golpeavam o adversário com a cabeça repetidamente até desfigurá-lo. Não, Coleman teria de aposentar-se invicto, e se queria lutar boxe por prazer, como esporte, não seria no Clube dos Rapazes de Newark, que para o sr. Silk era lugar de garotos do gueto, analfabetos, vagabundos que iriam terminar na sarjeta ou na cadeia, e sim ali mesmo em East Orange, sob a orientação de Doc Chizner, que trabalhava como dentista no sindicato dos eletricitários no tempo em que o sr. Silk era o optometrista que fazia óculos para os membros do sindicato, antes de ir à falência. Doc Chizner ainda trabalhava como dentista, mas depois do expediente ensinava os rudimentos do boxe a filhos de médicos, advogados e comerciantes judeus, e nas aulas dele, disso não havia dúvida, ninguém acabava machucado ou estropiado para o resto da vida. Para o pai de Coleman, os judeus, mesmo judeus cuja audácia era repugnante, como o dr. Fernsterman, eram como guias indígenas, pessoas espertas que iam à frente mostrando o caminho, mostrando quais eram as possibilidades sociais, indicando a uma família negra inteligente a maneira correta de agir.

Foi assim que Coleman chegou a Doc Chizner e se tornou o menino negro que todos os garotos judeus mais ricos passaram a conhecer — provavelmente o único que viriam a conhecer. Em pouco tempo Coleman tornou-se assistente de Doc, ensinando aos meninos judeus não exatamente os detalhes sofisticados referentes à economia de energia e movimento que Mac Machrone ensinara a seu melhor aluno, e sim os elementos da arte, que era o máximo que eles podiam aprender mesmo. "Quando eu disser um, você faz um *jab*. Se eu disser um-um, você faz um *double jab*. Um-dois, *jab* com a esquerda e cruzado com a direita. Um-dois-três, *jab* com a esquerda, cruzado com a direita, gancho com a esquerda." Depois que todos os alunos iam para casa — de vez em quando um deles ia com o nariz sangrando, para nunca mais voltar —, Doc Chizner trabalhava sozinho com Coleman, às vezes lutando bem de perto com ele para desenvolver sua resistência, empurrando, puxando, acertando, um tipo de treino em comparação com o qual, depois, praticar com o *sparring* é brincadeira de criança. Doc mandava Coleman fazer suas corridas na rua, praticando golpes, na hora em que o leiteiro, com sua carroça puxada por um cavalo, chegava ao bairro. Coleman saía às cinco da manhã, trajando um suéter cinzento com capuz, no frio, na neve, qualquer que fosse o tempo, três horas e meia antes de soar a campainha da escola. Não havia ninguém na rua, ninguém correndo, pois isso ainda era no tempo em que ninguém corria; Coleman corria seus cinco quilômetros rapidamente, praticando socos o tempo todo, parando, para não assustar o animal grande, escuro, lerdo e velho, quando, com seu capuz sinistro de monge, passava pelo leiteiro. Detestava o tédio daquela corrida — mas não deixava de correr um dia que fosse.

Num sábado, cerca de quatro meses antes do dia em que o dr. Fensterman fora à casa dos Silk fazer sua proposta, Coleman estava no carro de Doc Chizner sendo levado a West Point, onde Doc ia atuar como árbitro numa luta entre o Exército e a Universidade de Pittsburgh. Doc conhecia o treinador de Pittsburgh e queria que ele visse Coleman lutar. Doc estava certo de que, com as notas que Coleman tinha, ele certamente lhe conseguiria uma bolsa de quatro anos para estudar naquela universidade, muito mais do que seria possível obter como corredor, e para tanto bastaria que Coleman entrasse para a equipe de boxe de Pittsburgh.

Não que, no caminho, Doc o instruísse a dizer ao treinador de Pittsburgh que ele era branco. Disse-lhe apenas que não mencionasse que era negro.

"Se ninguém tocar no assunto", disse Doc, "não vai ser você quem vai puxar. Você não é nem uma coisa nem outra. Você é o Silky Silk. Basta isso. Estamos combinados." A expressão favorita de Doc: estamos combinados. Outra expressão que o pai de Coleman não permitia que ele usasse em casa.

"Ele não vai saber?", indagou Coleman. "Como? Como que ele vai saber? Mas como que ele vai poder saber? Você é o melhor aluno do Colégio Secundário de East Orange, e está com o Doc Chizner. Sabe o que ele vai pensar, se pensar alguma coisa?"

"O quê?"

"Com essa sua cara, e do meu lado, ele vai pensar que você é um dos garotos do Doc. Vai pensar que você é judeu."

Coleman jamais achou que Doc levasse jeito para comediante — era muito diferente de Mac Machrone, com suas histórias de policial de Newark —, mas riu alto e depois disse: "Eu vou estudar na Howard. Não posso entrar na Pitt. Eu vou para a Howard". Desde que se entendia por gente, Coleman sabia que seu pai estava decidido a mandar o mais inteligente de seus filhos para uma tradicional universidade negra, onde estudavam os filhos privilegiados da elite negra.

"Coleman, mostre ao cara que você sabe lutar. Só isso. O lance é esse. Vamos ver no que dá."

Fora uma ou outra viagem educativa a Nova York com sua família, Coleman jamais havia saído de Nova Jersey, e por isso passou um dia muito agradável perambulando por West Point fazendo de conta que estava lá porque ia entrar para a academia militar, e depois lutou para o treinador de Pittsburgh ver, contra um adversário parecido com o daquela vez nos Cavaleiros de Pítias — lerdo, tão lerdo que Coleman levou apenas alguns segundos para se dar conta de que aquele sujeito não tinha a menor possibilidade de derrotá-lo, muito embora tivesse vinte anos e fosse boxeador da faculdade. Meu Deus, pensou Coleman ao final do primeiro *round*, se eu pudesse lutar com esse cara o resto da vida eu seria melhor que o Ray Robinson. Não era só porque estivesse agora pesando três quilos mais do que quando lutou nos Cavaleiros de Pítias. Era porque algo que ele não sabia identificar o motivava a ser mais implacável do que jamais ousara ser, a fazer algo mais naquele dia do que simplesmente vencer. Seria porque o treinador de Pitt não sabia que ele era negro? Seria porque sua verdadeira identidade era um segredo só seu? Ele adorava segredos. O segredo de ninguém saber o que se passava dentro de sua cabeça; ele podia pensar o que quisesse que ninguém descobriria. Os outros garotos todos viviam sempre falando de si próprios. Mas não era só nisso que residiam o poder e o prazer. O poder e o prazer estavam na coisa oposta, em poder contra confessar-se do mesmo modo que se podia contra-atacar, e isso era algo que sabia sem que ninguém lhe tivesse dito nada, sem que nem sequer precisasse pensar no assunto. Era por isso que ele gostava de treinar golpes a seco e de socar o saco de pancadas: pelo que havia de segredo naquilo. Era por isso também que gostava de correr, mas aquilo era melhor. Tinha gente que ficava só socando aquele saco pesado. Mas Coleman não. Coleman *pensava*, e pensava do mesmo modo que pensava na escola ou numa corrida: elimine todas as outras ideias, não deixe mais nada interferir, mergulhe na coisa, no assunto, na disputa, na prova — o que quer que você tenha de enfrentar —, e se transforme nessa coisa. Coleman sabia fazer isso em biologia, na corrida, no boxe. E se tornava imune não apenas a qualquer força externa, mas também a qualquer força interna. Se havia gente na plateia gritando com ele, Coleman conseguia ignorar os gritos; se o adversário era o seu melhor amigo, ele conseguia ignorar o fato. Depois da luta, haveria tempo para refazerem a amizade. Coleman conseguia obrigar-se a ignorar seus próprios sentimentos, fossem eles de medo, insegurança, até mesmo de amizade — tinha os sentimentos, porém os mantinha separados de si próprio. Assim, quando praticava socos, por exemplo, não estava apenas esquentando. Estava também imaginando uma outra pessoa, mentalmente estava lutando contra um adversário. E no ringue, onde o adversário era uma pessoa concreta — um homem fedorento, de nariz sujo, molhado, dando socos perfeitamente concretos —, mesmo assim o adversário não fazia ideia do que se passava na cabeça dele. Não havia um professor pedindo a resposta à sua pergunta. Todas as respostas que encontrava no ringue, ele guardava-as para si próprio, e, quando revelava o segredo, podia ser de qualquer maneira, *menos* pela boca. Assim, em West Point, lugar mágico e místico, onde naquele dia lhe parecia haver mais América em cada centímetro quadrado da bandeira desfraldada no alto do mastro da academia do que em qualquer bandeira que ele vira antes, e onde os rostos férreos dos cadetes tinham para ele um significado heroico dos mais poderosos, até ali, naquele centro patriótico, na medula da espinha inquebrável de seu país, onde a visão fantasiosa que o rapaz de dezesseis anos fazia do lugar era perfeitamente idêntica à fantasia oficial, onde tudo o que ele via lhe inspirava um frenesi de amor não apenas por si próprio mas também por tudo o que era visível, como se todas as coisas na natureza fossem manifestações de sua vida — o sol, o céu, as montanhas, o rio, as árvores, tudo apenas Coleman Brutus "Silky" Silk elevado à milionésima potência —, até mesmo ali ninguém conhecia seu segredo, e foi assim que Coleman, desde o primeiro *round*, em vez de contra-atacar como no tempo de Mac Machrone, partiu para cima do adversário com tudo. No dia em que ele e o adversário fossem do mesmo calibre, ele teria de usar o cérebro, mas quando o outro era um adversário fácil e Coleman percebia isso de saída, podia sempre ser mais agressivo e começar logo a socar. E foi isso que aconteceu em West Point. Num átimo, Coleman feriu os olhos do sujeito, arrancou sangue de seu nariz e começou a atingi-lo por todos os lados. E então aconteceu uma coisa que nunca tinha acontecido antes. Ele acertou um gancho, e foi como se mais da metade de seu punho afundasse no corpo do adversário. Tão fundo que ele ficou perplexo, se bem que não tanto quanto o lutador de Pitt. Coleman pesava cinquenta e oito quilos, estava longe de ser o tipo de boxeador jovem que costuma nocautear oponentes. Nem chegou a plantar os pés no chão com firmeza para desferir aquele soco certeiro, não era esse o seu estilo; e no entanto o soco foi tão fundo que o outro sujeito dobrou para a frente, um universitário que já tinha vinte anos, e Coleman o acertou bem no que Doc Chizner chamava de "estrombo". Bem no estrombo, e o sujeito dobrou para a frente, e por um momento Coleman chegou a pensar que seu adversário fosse vomitar, e assim, antes que o outro vomitasse e caísse, Coleman se preparou para lhe acertar mais um com a direita — ele só via, enquanto aquele branco começava a cair, um sujeito que ele tinha vontade de encher de porrada —, mas de repente o treinador de Pitt, que era o árbitro, gritou: "Não, Silky!", e, quando Coleman ia armando o golpe final, o treinador o agarrou e encerrou a luta.

"E aquele garoto", disse Doc no carro, na volta, "aquele garoto era um lutador bom pra cacete. Mas, depois que levaram ele pro canto, tiveram que dizer pra ele que a luta tinha acabado. O garoto já estava sentado no canto e ainda não tinha entendido o que tinha acontecido com ele."

No fundo da vitória, da magia, do êxtase daquele último soco e da deliciosa efusão de fúria que irrompeu e subiu à tona e o dominou tanto quanto dominou sua vítima, Coleman disse — quase como se falasse dormindo e não em voz alta, dentro do carro, revivendo a luta em sua imaginação — "Acho que eu fui rápido demais pra ele, Doc".

"Claro, rápido. Claro que foi. Sei que você é rápido. Mas forte também. Foi o melhor gancho que você já deu, Silky. Meu filho, você foi *forte* demais pra ele."

Era verdade? Seria ele forte, de verdade?

Assim mesmo, Coleman foi para a Howard. Se não tivesse ido, seu pai — com palavras apenas, usando apenas a língua inglesa — o teria matado. O sr. Silk já tinha planejado tudo: Coleman iria para a Howard estudar medicina, e lá conheceria uma moça de pele mais clara de uma boa família negra, e com ela se casaria e teria filhos que, por sua vez, estudariam na Howard. Na Howard, uma instituição só para negros, as tremendas vantagens intelectuais e físicas de Coleman o projetariam para os pincaros da sociedade negra, e fariam dele uma pessoa que todos sempre haveriam de admirar. E no entanto, já na sua primeira semana na Howard, quando saiu animado no sábado com seu companheiro de quarto, um filho de advogado de New Brunswick, para ver o Monumento a Washington, e pararam na Woolsworth's para comer um cachorro-quente, Coleman foi chamado de crioulo. Pela primeira vez. E não lhe deram o cachorro-quente. Recusaram-se a lhe servir um cachorro-quente na Woolsworth's no centro de Washington, e ainda por cima o chamaram de crioulo; como resultado, ele não conseguiu divorciar-se de seus sentimentos com tanta facilidade quanto conseguia no ringue. No Colégio Secundário de East Orange, o orador da turma; no Sul segregacionista, apenas um crioulo. No Sul não havia identidades separadas, nem mesmo para ele e seu companheiro de quarto. Tais sutilezas não eram permitidas, e o impacto era devastador. Crioulo — *ele* era um crioulo.

Naturalmente, mesmo em East Orange ele não escapara das formas de exclusão um pouco menos malévolas que separavam sua família e a pequena comunidade de cor do resto de East Orange — tudo aquilo que decorria do fenômeno nacional denominado por seu pai "negrofobia". E sabia também que seu pai, trabalhando na Estrada de Ferro Pennsylvania, tinha de engolir insultos no vagão-restaurante e, apesar de ser sindicalizado, aceitar um tratamento discriminatório que era muito mais humilhante do que qualquer experiência que Coleman pudesse ter tido em East Orange, ele, um garoto que não apenas tinha a pele mais clara que um negro pode ter, como também era esfuziante, entusiástico, inteligente, atleta excepcional e primeiro aluno. Ele via seu pai esforçar-se ao máximo para não explodir quando chegava em casa depois de ter acontecido alguma coisa no serviço a respeito da qual, para não perder o emprego, tudo o que ele podia dizer era, de cabeça baixa, "Sim, senhor". Nem sempre os negros de pele mais clara eram mais bem tratados. "Sempre que um branco lida com você", seu pai dizia à família, "por mais bem-intencionado que seja, ele sempre pressupõe que você é intelectualmente inferior. De um modo ou de outro, se não diretamente com palavras então com a expressão do rosto, o tom de voz, a impaciência, ou até mesmo o contrário — a tolerância, uma maravilhosa demonstração de *humanidade* —, ele vai sempre falar com você como se você fosse burro, e, se você não for, ele vai ficar espantado." "O que aconteceu, pai?" Coleman perguntava muitas vezes. Mas, tanto por orgulho como por repulsa, seu pai raramente respondia. Bastava deixar claro que ali havia algo a aprender. "O que aconteceu", explicava sua mãe, "é uma coisa tão indigna de seu pai que não merece nem ser repetida."

No curso secundário, Coleman sentia em alguns professores uma aceitação hesitante, um apoio hesitante, em comparação com o que manifestavam em relação aos meninos brancos inteligentes, mas a hesitação, por maior que fosse, nunca chegava a constituir um obstáculo para ele. Qualquer que fosse a humilhação ou o empecilho, Coleman o enfrentava tal como fazia numa corrida de obstáculos. Mesmo que apenas para fingir-se inexpugnável, encarava com um dar de ombros coisas que Walter, por exemplo, não conseguia ou não aceitava deixar passar. Walt era do time de futebol americano da escola, tirava boas notas; como negro tinha uma pele tão anormalmente clara quanto a de Coleman, e no entanto sempre reagia com um pouco mais de irritação às coisas. Quando, por exemplo, Walt não foi convidado a entrar na casa de um garoto branco, e teve de esperar do lado de fora, e quando não foi convidado à festa de aniversário de um garoto branco de seu time que ingenuamente considerava seu amigo, Coleman, que dividia o quarto com ele, passou meses ouvindo-o resmungar sobre o ocorrido. Quando deixou de tirar A em trigonometria, Walt foi até o professor branco, encarou-o e disse: "Acho que o senhor se enganou". Quando o professor verificou suas anotações e consultou as notas de Walt, ele reconheceu seu engano e teve a desfaçatez de dizer: "Eu não acreditei que as suas notas fossem tão altas assim"; só então, depois de dizer uma coisa dessas, mudou o B para A. Coleman jamais sonharia em pedir a um professor que mudasse sua nota; por outro lado, nunca precisou fazer isso. Talvez por não ter a atitude de desafio irritadiço de Walt, ou talvez por ter sorte, ou talvez por ser mais inteligente e portanto não precisar se esforçar tanto quanto Walt para se destacar na turma, ele tirava A logo de saída. E quando, na sétima série, chegou sua vez de não ser convidado para o aniversário de um amigo branco (e era um menino que morava no mesmo quarteirão que ele, no prédio de apartamentos da esquina, o filho do zelador do prédio, que sempre ia e voltava da escola com Coleman desde o jardim de infância), ele não encarou aquilo como uma rejeição dos brancos — após a estupefação inicial, concluiu que fora rejeitado pelos pais de Dicky Watkin, que eram burros. Quando passou a ensinar boxe aos alunos de Doc Chizner, sabia que havia garotos que sentiam repugnância por ele, que não gostavam que ele os tocasse, que evitavam entrar em contato com seu suor; de vez em quando um aluno largava o curso — provavelmente porque seus pais não queriam que ele aprendesse boxe, ou o que quer que fosse, com um garoto negro —, e no entanto Coleman, ao contrário de Walt, que não desistia de registrar a menor humilhação, terminava esquecendo ou deixando de lado o episódio, ou fingindo que não ligava. Uma vez um dos corredores brancos de sua equipe sofreu um acidente sério de trânsito, e seus colegas foram todos se oferecer para doar sangue à família, Coleman entre eles, e contudo foi o seu sangue que recusaram. Agradeceram, dizendo que já tinham o suficiente, mas ele sabia qual era a razão verdadeira. Não, não era que ele não percebesse as coisas que aconteciam. Ele era inteligente demais para não perceber. Nas corridas, competia contra muitos brancos de Newark, italianos de Barringer, polacos de East Side, irlandeses de Central, judeus de Weequahic. Via e ouvia — ouvia o que não era para ele ouvir. Coleman sabia o que estava acontecendo. Mas sabia também o que *não* estava acontecendo, ao menos no centro de sua vida. A proteção que lhe davam seus pais, a proteção que lhe dava Walt, seu irmão mais velho, com um metro e oitenta e nove de altura, sua própria autoconfiança inata, seu charme sedutor, sua velocidade na corrida ("o garoto mais rápido das Oranges"), até mesmo sua cor, que por vezes o tornava difícil de classificar — tudo isso junto tinha o efeito de atenuar para Coleman os insultos que para Walter eram intoleráveis. E havia também a diferença de personalidade: Walt era Walt, veementemente Walt, e Coleman, com igual veemência, não era Walt. Era essa, com toda a certeza, a melhor explicação para as reações diferentes dos dois irmãos.

Mas "crioulo" — dirigido a *ele*? Isso o deixou furioso. E entretanto, a não ser que quisesse arrumar uma encrenca das grandes, a única coisa a fazer era sair da loja calado. Ele não estava na noite dos boxeadores amadores nos Cavaleiros de Pítias. Estava na Woolsworth's, em Washington, D.C. Seus punhos de nada serviriam, seu jogo de corpo era inútil, tanto quanto sua raiva. Não pensava em Walter. Como era que seu *pai* podia engolir aquela sacanagem? Aguentar uma sacanagem como aquela, no vagão-restaurante, todos os dias de sua vida! Nunca antes, apesar de toda a sua inteligência precoce, Coleman percebera a que ponto sua vida sempre fora protegida, tampouco parara para pensar na firmeza de caráter de seu pai, na sua força tremenda — e não apenas por ser seu pai. Finalmente encarava tudo aquilo que seu pai estava condenado a aceitar. Via também o quanto seu pai era indefeso, ele que antes era ingênuo o bastante para imaginar, com base na postura orgulhosa, austera, por vezes insuportável que o sr. Silk adotava, que não havia nele nada de vulnerável. Mas porque alguém, só agora, havia chamado Coleman de crioulo, afinal ele se dava conta da formidável barreira que seu pai sempre fora para ele, protegendo-o do grande perigo americano.

Mas isso não teve o efeito de tornar sua vida melhor em Howard. Especialmente quando começou a pensar que devia ser visto como um crioulo até mesmo pelos garotos do seu dormitório, que tinham belas roupas novas e dinheiro no bolso, e no verão, em vez de ficarem perambulando pelas ruas quentes da cidade, iam para uma colônia de férias — e não era para a colônia dos escoteiros nos subúrbios de Nova Jersey, e sim para lugares sofisticados onde andavam a cavalo, jogavam tênis e encenavam peças. Que diabo era "cotilhão"? Onde ficava Highland Beach? Do que aqueles garotos estavam falando? Coleman era, de todos os calouros, um dos que tinham a pele mais clara, mais clara até que a de seu companheiro de quarto, porém era tão ignorante em relação às coisas de que seus colegas falavam que era como se fosse o mais retinto negro do interior. Odiou Howard desde o dia em que chegou, e em menos de uma semana já odiava Washington; assim, no início de outubro, quando seu pai morreu de repente enquanto servia o jantar no vagão-restaurante da Estrada de Ferro Pennsylvania, que saía da estação da 30th Street na Filadélfia, com destino a Wilmington, Coleman voltou para casa por ocasião do enterro e disse à mãe que não retornaria à universidade. Ela implorou que tentasse mais uma vez, garantiu que certamente haveria rapazes com a mesma origem social modesta que ele, bolsistas como ele, com quem seria possível fazer amizade; mas nada que sua mãe lhe dissesse, por mais verdadeiro que fosse, poderia fazê-lo mudar de ideia. Apenas duas pessoas eram capazes de convencê-lo a mudar de ideia depois que ele tomava uma decisão, seu pai e Walt, e mesmo eles eram obrigados a fazer um esforço tremendo para dobrar sua vontade. Mas Walt estava na Itália servindo o Exército, e o pai a quem Coleman era obrigado a obedecer para que ele não o fulminasse não estava mais ali para lhe dar ordens imperiosas.

Naturalmente, ele chorou no enterro, sabendo como era imenso aquilo que, sem aviso prévio, lhe fora tomado. Quando o pastor leu, junto com os trechos da Bíblia, uma passagem de *Júlio César* do volume contendo o teatro de Shakespeare que seu pai tanto amava — um livrão cuja capa de couro mole sempre fazia Coleman pensar, quando era pequeno, num *cocker spaniel* —, o filho sentiu a majestade do pai como nunca antes: a grandeza de sua ascensão e de sua queda, a grandeza que, na condição de calouro saído havia apenas um mês de seu pequeno mundo de East Orange, só agora começava a conceber.

> Morre mil vezes o covarde vil
> Antes da morte; o bravo, uma vez só.
> De tudo o que é espantoso neste mundo
> Nada me espanta mais do que o temor;
> Pois que a morte, este fim inevitável,
> Virá quando virá.

A palavra "bravo", tal como foi enunciada pelo pastor, arrancou a máscara viril de Coleman, que tentava manter um autocontrole sóbrio e estoico, e pôs a nu o anseio infantil por aquele homem, o que lhe fora mais próximo e que ele jamais voltaria a ver, o pai imenso, que sofria em segredo, que falava com tanta facilidade e tanta eloquência, que apenas com o poder de sua fala despertara em Coleman, sem ter essa intenção, o desejo de ser magnífico. Coleman chorava com a mais fundamental e copiosa de todas as emoções, reduzido, impotente, a tudo aquilo que não podia suportar. Quando adolescente, queixava-se do pai aos amigos fingindo sentir por ele um desprezo muito maior do que sentia, do que era capaz de sentir — fingir que conseguia julgar seu pai de modo impessoal era um dos métodos de que se valia para inventar e afirmar sua própria inexpugnabilidade. Porém, ao se dar conta de que não tinha mais seu pai para circunscrevê-lo e defini-lo, sentiu-se como se de repente todos os relógios à sua volta tivessem parado e fosse impossível saber que horas eram. Até o dia em que chegou a Washington e ingressou na Howard, era, querendo ele ou não, seu pai quem escrevia a história da vida de Coleman; agora teria de escrevê-la sozinho, e essa ideia o aterrorizava. E de repente o terror passou. Três dias terríveis, apavorantes, se sucederam, uma semana terrível, duas semanas terríveis, até que, sem mais nem menos, Coleman sentiu-se revigorado.

"Como evitar aquilo/ Que os deuses poderosos decretaram?" Também versos de *Júlio César*, que seu pai lhe citara, e no entanto foi só depois da morte dele que Coleman finalmente lhes deu atenção — e, quando o fez, no mesmo instante os exaltou. *Aquilo* fora decretado pelos deuses poderosos! A liberdade de Silky. O *eu* nu e cru. Toda a sutileza de ser Silky Silk.

Na Howard, Coleman não descobriu apenas que era um crioulo em Washington, D.C. — como se esse choque não bastasse, descobriu também que era negro. Não só isso, mas também que era um negro da Howard. Da noite para o dia, o *eu* nu e cru fazia parte de um *nós* com toda a solidez arrogante do *nós*, e Coleman não queria nenhuma relação com aquele *nós*, nem com nenhum outro *nós* opressor que viesse a aparecer. Então a gente acaba de sair de casa, a Ur do *nós*, e encontra *outro nós*? Outro lugar igualzinho à casa da gente, um *substituto* dela? Quando menino em East Orange, naturalmente Coleman era negro, perfeitamente integrado àquela pequena comunidade de cinco mil pessoas, mas lutando boxe, correndo, estudando, em tudo o que fazia com dedicação e sucesso, perambulando sozinho por toda a região das Oranges, e, com ou sem Doc Chizner, penetrando em Newark, ele era, sem que tivesse pensado nisso, tudo o mais também. Ele era Coleman, o maior dos grandes *pioneiros* do *eu*.

Então foi para Washington e, durante todo o primeiro mês, foi um crioulo e mais nada, um *negro* e mais nada. Não. Não. Ele via o destino que o esperava, e não o aceitava. Apreendia-o intuitivamente e recuava com uma repulsa espontânea. Não podia deixar que o grande *eles* lhe impusesse seu preconceito; também não podia deixar que o pequeno *eles* se transformasse num *nós* e lhe impusesse sua ética. Não à tirania do *nós*, àquela conversa do *nós*, a tudo aquilo que o *nós* quer empilhar sobre sua cabeça. Não, jamais a tirania do *nós*, sempre louco para tragá-lo, aquele *nós* moral coercitivo, abrangente, histórico, inevitável, com seu insidioso E *pluribus unum*. Nem o *eles* da Woolsworth's nem o *nós* da Howard. Em vez disso, o *eu* nu e cru, com toda a sua agilidade. A *auto*descoberta — isso é que era o soco no estrombo. A singularidade. A luta encarniçada pela singularidade. O animal singular. O relacionamento fluido com tudo. Não estático, mas fluido. Autoconhecimento, sim, porém *oculto*. O que haveria de mais poderoso que isso?

"Cuidado com os idos de março." Que nada — cuidado com coisa nenhuma. Livre. Agora que os dois baluartes desapareceram — o irmão mais velho na Europa, o pai morto —, Coleman está reenergizado, livre para ser o que quiser ser, livre para buscar o ideal mais elevado, imbuído da autoconfiança necessária para ser o seu *eu* específico. Livre numa escala que seu pai jamais poderia imaginar. Tão livre quanto seu pai fora cerceado. Livre agora não apenas de seu pai mas de tudo aquilo que seu pai teve de suportar. As imposições. As humilhações. Os obstáculos. A mágoa, a dor, o fingimento, a vergonha — todas as agonias interiores do fracasso e da derrota. Em vez disso, livre no palco maior. Livre para seguir adiante e ser magnífico. Livre para representar o drama ilimitado e autodefinidor dos pronomes *nós, eles* e *eu*.

A guerra continuava, e se não acabasse de repente Coleman seria recrutado de qualquer modo. Se Walt estava na Itália lutando contra Hitler, por que ele não poderia enfrentar o sacana também? Estavam em outubro de 1944, e ainda faltava um mês para ele completar dezoito anos. Mas podia perfeitamente mentir a respeito da idade — jogar sua data de nascimento um mês para trás, mudá-la de doze de novembro para doze de outubro, era muito fácil. E, por estar tentando consolar sua mãe — que estava chocada com sua decisão de largar a faculdade —, não lhe ocorreu de imediato que, se quisesse, podia também mentir sobre sua raça. Podia ter a cor que quisesse, dependendo de seu interesse. Não, essa ideia só lhe ocorreu quando ele estava na repartição em Newark, sentado diante dos formulários para o alistamento na Marinha, e com cuidado, tão meticulosamente quanto se preparara para as provas finais do secundário — como se qualquer coisa que ele fizesse, grande ou pequena, durante o tempo dedicado a ela, fosse a coisa mais importante do mundo —, começou a ler. E mesmo então a ideia não ocorreu a *ele*. De início foi só seu coração que se deu conta e começou a bater furiosamente, como o coração de um homem prestes a cometer seu primeiro grande crime.

Em 1946, quando Coleman deu baixa, Ernestine já estava matriculada no curso normal da Faculdade Estadual de Montclair, Walt estava na Montclair concluindo seus estudos, e os dois moravam com a mãe viúva. Mas Coleman, decidido a viver sozinho, por conta própria, atravessou o rio e foi para Nova York, matriculando-se na Universidade de Nova York (NYU). Para ele era muito mais importante morar em Greenwich Village do que estudar na NYU, muito mais importante tornar-se poeta ou dramaturgo do que se formar, mas a melhor maneira que encontrou de atingir seu objetivo sem precisar arranjar emprego foi valer-se do auxílio aos ex-combatentes. Porém, bastou começar a assistir às aulas para que ele passasse a tirar as melhores notas e se interessar, e no final do segundo ano já estava bem colocado para se tornar membro da sociedade honorária Phi Beta Kappa e formar-se em letras clássicas com o grau *summa cum laude*. Sua inteligência ágil, sua memória prodigiosa, sua fluência em sala de aula fez com que tivesse tanto sucesso na universidade quanto sempre tivera na escola. Assim seu objetivo original ao ir para Nova York foi posto de lado pelo êxito que obtinha na área que todos achavam a mais apropriada para ele, que todos o incentivavam a abraçar, que fazia com que todos o admirassem por dominá-la com tanto brilho. Pelo visto, aquela situação tendia a se repetir: ele era sempre cooptado graças a seu sucesso no mundo acadêmico. É claro que ele podia aceitar tudo aquilo e aproveitar o prazer de ser convencional de modo nada convencional, mas não era isso que o interessava. Sempre fora brilhante em latim e grego no secundário, e ganhara uma bolsa para a Howard quando o que mais queria era participar do torneio Luvas de Ouro; agora era igualmente brilhante na faculdade, mas a poesia que escrevia, quando mostrava a seus professores, não despertava nenhum entusiasmo. De início continuou a praticar o boxe por diversão, até que em uma ocasião, quando treinava na academia, ofereceram-lhe trinta e cinco dólares para participar de uma luta de quatro *rounds* na St. Nick's Arena, substituindo um lutador que havia pulado fora, e, mais para compensar o fato de jamais ter participado do Luvas de Ouro, Coleman topou e exultou por se tornar, em segredo, um lutador profissional.

Assim, Coleman tinha a faculdade, a poesia, o boxe profissional e também as garotas, garotas que sabiam andar e sabiam usar um vestido, que sabiam *andar* de vestido, garotas que correspondiam exatamente a tudo aquilo que ele imaginara ao sair do escritório da Marinha em San Francisco e partir em direção a Nova York — garotas que sabiam usar do modo apropriado as ruas de Greenwich Village e o labirinto de caminhos de Washington Square. Havia tardes quentes de primavera em que nada em todos os Estados Unidos triunfantes do pós-guerra, muito menos no mundo da Antiguidade, interessava a Coleman mais que as pernas da garota que andava a sua frente. Não era o único a voltar da guerra com aquela fixação. Naquele tempo, não havia melhor distração nas horas vagas em Greenwich Village para os ex-combatentes da NYU do que ficar apreciando as pernas das garotas que passavam pelos bares e cafés onde eles se reuniam para ler jornal e jogar xadrez. Sabe-se lá qual a explicação sociológica, mas o fato era que os Estados Unidos viviam a grande época das pernas afrodisíacas, e uma ou duas vezes por dia, no mínimo, Coleman seguia um par de pernas femininas por vários quarteirões, para observar seu jeito de andar, sua forma, sua aparência quando imóveis no momento em que o sinal da esquina mudava de verde para vermelho. E quando achava que chegara o momento apropriado — tendo seguido as pernas o bastante para ficar ao mesmo tempo verbalmente pronto e loucamente ávido —, acelerava o passo a fim de alcançar a moça, falava com ela e conquistava sua simpatia o suficiente para poder andar a seu lado, perguntar-lhe o nome, fazê-la rir e convencê-la a aceitar um encontro com ele. Coleman estava, embora a moça não o soubesse, marcando um encontro com as pernas dela.

E as garotas, por sua vez, gostavam das pernas de Coleman. Steena Palsson, a moça que se exilara do Minnesota aos dezoito anos de idade, chegou a escrever um poema sobre ele em que suas pernas eram mencionadas. Escreveu-o à mão numa folha pautada de caderno, assinou "S", depois dobrou o papel em quatro e o enfiou na caixa de correio de Coleman, no corredor ladrilhado acima de seu quarto de porão. Haviam se passado duas semanas desde o flerte na estação do metrô, e o dia anterior fora o domingo em que os dois haviam feito sua primeira maratona de vinte e quatro horas. Coleman tinha saído correndo para as aulas da manhã enquanto Steena ainda se maquiava no banheiro; alguns minutos depois ela própria saiu para o trabalho, deixando na caixa de correio o poema que, apesar de toda a energia que eles haviam demonstrado na véspera, ela não tivera coragem de lhe entregar em mãos. Como ia direto das aulas à biblioteca e de lá para o treinamento de boxe no final da tarde, numa academia decadente em Chinatown, Coleman só encontrou o poema enfiado na fenda da caixa de correio quando chegou em casa, às onze e meia da noite.

Ele tem um corpo.
Ele tem um belo corpo —
seus músculos das pernas, seus músculos da nuca.

Além disso é inteligente e ousado.
É quatro anos mais velho,
mas às vezes me parece mais jovem.

É doce, tranquilo, romântico,
embora diga não ser romântico.

Sou quase perigosa para esse homem.

O quanto posso dizer
do que vejo nele?
Que fará ele
depois de engolir-me inteira?

Ao ler apressadamente o poema escrito à mão, à luz fraca do corredor, de início entendeu "músculos de negro" em vez de "músculos da nuca". Músculos de negro *por quê*? Até então, tudo tinha sido tão fácil que ele chegava a se surpreender. O que supostamente seria difícil, vergonhoso ou destruidor não apenas fácil era como também não tinha nenhuma consequência; não havia nenhum preço a pagar. Porém agora Coleman estava suando em bicas. Continuava lendo, mais depressa ainda que antes, mas as palavras não se agrupavam de modo a fazer sentido. Músculos de negro POR QUÊ? Tinham permanecido nus, juntos, por todo um dia e uma noite, a maior parte do tempo quase colados um no outro. Desde seu tempo de bebê, nunca alguém que não ele próprio ficara tanto tempo examinando seu corpo. Como não havia nada no corpo longo e claro de Steena que ele não tivesse observado, nada que ela tivesse escondido, nada que ele não pudesse evocar agora com uma precisão de pintor, com uma perícia excitada e meticulosa de amante, e como ele passara o dia todo estimulado tanto pela presença dela em suas narinas como por suas pernas, bem abertas, na imaginação dele, concluía que não podia haver nada no corpo *dele* que *ela* não tivesse absorvido microscopicamente, nada naquela superfície extensa marcada pela sua singularidade evolucionária ciosa de si, nada em sua configuração peculiar de homem, na pele, nos poros, nos bigodes, nos dentes, nas mãos, no nariz, nas orelhas, nos lábios, na língua, nos pés, nos colhões, nas veias, no pau, nas axilas, no cu, nos pentelhos emaranhados, nos cabelos da cabeça, nos pelos do tórax, nada em seu jeito de rir, dormir, respirar, nos seus movimentos, no seu cheiro, nada em seu modo de estremecer convulsivamente na hora do orgasmo, que ela não tivesse registrado. E relembrado. E analisado.

Seria efeito do próprio ato em si, da sua intimidade absoluta, quando você não apenas está dentro do corpo de outra pessoa mas também ela envolve o seu? Ou seria a nudez física? Você tira a roupa, vai para a cama com alguém, e é justamente nesse momento que tudo aquilo em que você se esconde, sua particularidade, seja ela qual for, seja lá como estiver codificada, é descoberto, e é esse o motivo da timidez, do medo que *todo mundo* sente. Naquele lugar louco e anárquico, quanto de mim está exposto, quanto de mim está a descoberto? *Agora eu sei quem você é. Vejo agora seus músculos de negro.*

Mas como, vendo *o quê*? O que poderia ser? Seria visível para ela por ser uma dinamarquesa islandesa loura, descendente de uma longa linhagem de islandeses e dinamarqueses louros, criada em meio a escandinavos, em casa, na escola, na igreja, sempre cercada por... e então Coleman percebeu que a palavra no poema tinha quatro letras e não cinco. Ela não tinha escrito "negro" e sim "nuca". Ah, a minha *nuca*! É só a minha nuca!... *seus músculos das pernas, seus músculos da nuca*. Mas nesse caso o que queria dizer "O quanto posso dizer/ do que vejo nele?". O que havia de tão ambíguo no que ela via nele? Se tivesse escrito "com base no que" em vez de "do que", teria ficado mais claro o que ela queria dizer? Ou menos claro? Quanto mais Coleman relia aquela estrofe simples, mais obscuro se tornava o significado — e quanto mais obscuro o significado, mais ele se convencia de que ela percebia muito bem o problema que Coleman representava para sua vida. A menos que "o que vejo nele" tivesse apenas o significado coloquial que tem para uma pessoa cética ao perguntar a alguém que está apaixonado: "Mas, afinal, o que é que você vê nele?".

E "dizer"? Quanto ela pode dizer a *quem*? Seria no sentido de "entender" — o quanto posso entender com base em etc. — ou no de "revelar", "expor"? E mais: "Sou quase perigosa para esse homem". Qual o sentido exato de "perigosa para"? Qual, afinal, o perigo?

Cada vez que Coleman tentava penetrar no significado do poema, esse significado escapulia entre seus dedos. Após dois nervosos minutos parado no corredor, a única coisa de que ele tinha certeza era que estava com medo. E esse fato o surpreendeu — e, como sempre acontecia, sua suscetibilidade, ao pegá-lo despreparado, também lhe inspirou vergonha, desencadeando um SOS, um sinal de alerta para que se tornasse vigilante e entrasse na linha.

Por mais inteligente, determinada e linda que fosse, Steena tinha só dezoito anos e chegara havia pouco tempo a Nova York, vindo de Fergus Falls, Minnesota, e no entanto ele sentia-se mais intimidado agora por ela — e por sua perfeição inequívoca, quase absurda — do que jamais se sentira diante

149

de qualquer adversário no ringue. Até mesmo naquela noite no puteiro em Norfolk, em que a mulher que o observava da cama enquanto ele tirava o uniforme peça por peça — uma prostituta carnuda, peituda e desconfiada, não exatamente feia mas longe de ser bonita (e talvez ela também com dois trinta e cinco avos de sangue que não era branco) — sorriu um sorriso azedo e disse: "Você é crioulo, não é, garoto?", e dois brutamontes foram chamados para expulsá-lo, só mesmo naquela vez ele ficara tão desconcertado como agora, com o poema de Steena.

*Que fará ele
depois de engolir-me inteira?*

Nem mesmo *isso* ele conseguia entender. Sentado à sua mesa, varou a madrugada analisando as implicações paradoxais dessa última estrofe, elaborando e descartando uma série de fórmulas complicadas até que, quando raiou o dia, a única coisa de que tinha certeza era que para Steena, a deslumbrante Steena, nem tudo o que ele havia erradicado de si próprio havia se desmanchado no ar.

Redondamente enganado. O poema de Steena não queria dizer nada. Nem sequer era um poema. Sob a pressão de seus sentimentos confusos, fragmentos de ideias, pedaços de pensamentos mal digeridos, tudo havia se aglomerado de modo caótico em sua cabeça durante o banho, e assim ela arrancou uma folha de um dos cadernos de Coleman, rabiscou à sua mesa as primeiras palavras que lhe ocorreram e em seguida enfiou o papel na caixa de correio antes de sair correndo para o trabalho. Aqueles versos eram apenas uma coisa que ela fizera — que se sentira *impelida* a fazer — movida pelo aturdimento da nova sensação que estava vivendo. Ela não era poeta, comentou com um riso; era somente uma pessoa saltando por dentro de um aro em chamas.

 Passaram todos os fins de semana, por mais de um ano, juntos na cama do quarto dele, alimentando-se um do outro como prisioneiros na solitária a devorar com sofreguidão as rações diárias de pão e água. Ela o surpreendeu — e surpreendeu a si própria — quando, uma noite de sábado, dançou ao pé do sofá-cama trajando somente a anágua. Estava se despindo, o rádio estava ligado — era o programa de Symphony Sid —, e antes, para ela começar a se esquentar e entrar no espírito, tocaram Count Basie e um bando de músicos de *jazz* improvisando sobre o tema de "Lady be good", uma gravação ao vivo incrível, e depois mais Gershwin, aquela gravação de "The man I love" de Artie Shaw com Roy Eldridge criando um clima tremendo no trompete. Coleman estava na cama semirrecostado, fazendo o que mais gostava de fazer numa noite de sábado depois que voltavam do restaurante favorito deles na Fourteenth Street, onde gastavam cinco dólares em *chianti*, espaguete e *cannoli*: ver Steena se despir. De repente, sem que ele tivesse dado nenhum incentivo — o único incentivo, pelo visto, foi o trompete de Eldridge —, ela deu início ao que Coleman qualificou de a dança mais sinuosa já executada por uma garota de Fergus Falls que estava em Nova York havia pouco mais de um ano. Ela seria capaz de levantar da cova o próprio Gershwin com aquela dança e com seu jeito de cantá-la. Despertado por um trompetista negro que tocava a música como se fosse uma canção de dor de cotovelo de negro, o poder da alvura de Steena era visível, claro como a luz do dia. Aquela coisa branca e imensa. "Um dia eu sei que vai chegar... o meu amor... e será grande e forte... o meu amor." Palavras simples o bastante para serem encontradas numa cartilha da primeira série, mas, quando a música terminou, Steena levantou as mãos para esconder o rosto, em parte fingindo disfarçar a vergonha, em parte disfarçando-a de verdade. Porém o gesto não a protegia de nada, certamente não do enlevo de Coleman. Pelo contrário, o gesto o cativou ainda mais. "Onde foi que encontrei você, Voluptas?", indagou ele. "*Como* foi que eu encontrei você? Quem é você?"

Foi nessa época gloriosa que Coleman parou de praticar boxe todas as noites na academia de Chinatown, reduziu sua corrida diária de nove quilômetros e terminou abrindo mão da pretensão de que se tornara um boxeador profissional. Havia lutado e vencido ao todo quatro lutas profissionais, três de quatro *rounds* e uma, a última, de seis, todas em noites de segunda-feira na velha St. Nicholas Arena. Jamais falou a Steena a respeito dessas lutas, jamais falou a alguém na NYU, e muito menos à sua família. Durante os primeiros anos de seu curso universitário, o boxe era mais um segredo, muito embora na arena usasse o nome Silky Silk e os resultados das lutas saíssem em letra miúda na página de esportes dos tabloides no dia seguinte. Desde o momento inicial do primeiro *round* da primeira luta, a dos trinta e cinco dólares, ele entrou no ringue como profissional com uma atitude diferente da que adotara nos tempos de amador. Não que, quando amador, ele quisesse perder. Mas como profissional se esforçava o dobro, mesmo que fosse apenas para provar a si próprio que era capaz de persistir se quisesse. Nenhuma das lutas foi muito longe, e na última, a de seis *rounds* — o principal nome da noite era Beau Jack —, que lhe valeu cem dólares, Coleman derrotou seu adversário em dois minutos e poucos segundos, e não estava nem mesmo cansado quando a luta terminou. Quando caminhava em direção ao ringue antes da última luta, Coleman passou por Solly Tabak, o empresário, que já estava lhe oferecendo um contrato que daria a Solly um terço de tudo o que ele ganhasse nos dois anos seguintes. Solly lhe deu uma palmada no traseiro e disse, num sussurro rouco: "No primeiro *round*, sente só a força do crioulo, Silky, pra não decepcionar o público". Coleman fez que sim e sorriu, mas enquanto subia no ringue pensou: Vá tomar no cu. Eu estou ganhando cem dólares e vou deixar um cara me dar porrada para não decepcionar o público? Estou me lixando pro babaca que está assistindo na décima quinta fileira. Eu peso sessenta e três quilos e tenho um metro e setenta e quatro de altura, ele pesa sessenta e seis e tem um e setenta e oito, e querem que eu deixe o cara me acertar na cabeça quatro, cinco, dez vezes a mais só para agradar o público? O público que se foda.

Depois da luta, Solly não ficou satisfeito com o comportamento de Coleman. Achou que ele fora infantil. "Você podia ter derrubado o crioulo no quarto *round* e não no primeiro, pra não decepcionar o público. Mas não. Eu peço a você numa boa e você não faz o que eu peço. Por que, hein, seu espertinho?"

"Porque eu não dou refresco pra crioulo." Foi isso que ele disse, o estudante de letras clássicas da NYU, o orador da turma, o filho do falecido optometrista, garçom de vagão-restaurante, linguista amador, gramático, disciplinador e shakespeariano, Clarence Silk. A tal ponto chegava a obstinação, a obsessão pelos segredos, a vontade de vencer daquele garoto de cor do Colégio Secundário de East Orange.

Coleman parou de lutar por causa de Steena. Por mais enganado que estivesse a respeito do sinistro significado oculto daquele poema, ele estava convicto de que as forças misteriosas que tornavam inexaurível o ardor sexual dos dois — que os transformava em amantes tão arrebatados que Steena, num arroubo de autodeslumbramento autoirônico de neófita, rotulou-os, revelando seu lado Meio-Oeste, de "dois loucos varridos" — um dia teriam o efeito de fazer com que a história pessoal que ele criara para si próprio se desmanchasse diante dos olhos dela. Como aconteceria, Coleman não fazia ideia; o que era necessário fazer para impedir isso, ele também não sabia. Mas o boxe sem dúvida não ajudava. Assim que ela ficasse sabendo da existência de Silky Silk, faria perguntas que fatalmente a levariam a descobrir a verdade. Steena já sabia que ele tinha uma mãe em East Orange que era enfermeira e frequentava a igreja com regularidade, um irmão que começara a dar aulas na sétima e oitava séries em Asbury Park, e uma irmã que estava concluindo o curso normal na Montclair, e que uma vez por mês seu domingo na cama em Sullivan Street acabava mais cedo porque a família o esperava para almoçar em East Orange. Sabia também que seu pai fora optometrista — só isso, optometrista — e até que ele era da Geórgia. Coleman fazia questão de que ela não tivesse nenhum motivo para desconfiar da verdade de tudo o que ele lhe dizia, e, tendo abandonado definitivamente o boxe, não precisaria nem mesmo mentir sobre isso. Não mentia a Steena a respeito de nada. Só fazia seguir as instruções que Doc Chizner lhe dera no dia em que foram a West Point (e graças às quais lhe fora possível servir na Marinha): se ninguém puxar o assunto, não vai ser você quem vai puxar.

    A decisão de levá-la a East Orange para o almoço de domingo, como todas as suas decisões agora — até mesmo a que tomara no íntimo, na St. Nicks, de mandar Solly Tabak tomar no cu e derrubar o adversário logo no primeiro *round* —, fundava-se única e exclusivamente em seu próprio juízo. Eles dois já se conheciam havia quase dois anos, Steena tinha vinte anos e ele vinte e quatro, e não lhe parecia mais possível caminhar pela Eighth Street, quanto mais levar o resto de sua vida, sem ela. A capacidade que tinha Steena de comportar-se do modo mais tranquilo e convencional no dia a dia, e entregar-se com uma intensidade tremenda nos fins de semana — tudo isso envolto numa incandescência física, um brilho juvenil e americano de lâmpada acesa que tinha um poder quase sobrenatural —, havia conseguido impor-se surpreendentemente sobre uma pessoa tão voluntariosa, implacável e independente como Coleman: conseguira não apenas afastá-lo do boxe e da agressividade filial representada pela identidade de Silky Silk, o peso meio--médio profissional invicto, como também libertá-lo do desejo de qualquer outra pessoa. Porém ele não conseguia dizer-lhe que era um homem de cor. Quando se imaginava pronunciando as palavras necessárias, sentia que ao dizê-las estaria fazendo as coisas parecerem piores do que eram — ele próprio pareceria pior do que era. E, se deixasse que Steena imaginasse como era sua família, ela terminaria idealizando pessoas totalmente diferentes das reais. Como não conhecia nenhum negro, imaginaria o tipo de negro que via no cinema ou conhecia do rádio ou de quem ouvia falar nas piadas que lhe contavam. Coleman já havia percebido que ela não tinha preconceitos e que bastaria conhecer Ernestine, Walt e sua mãe para que reconhecesse de imediato que eram pessoas convencionais, que tinham muito em comum com o tipo de convencionalismo respeitável e insuportável que ela fizera questão de deixar para trás em Fergus Falls. "Mas não me entenda mal — é uma bela cidade", ela apressou-se em dizer, "é uma linda cidade. É diferente, Fergus Falls, porque tem o lago Otter Tail, logo ao leste, e perto da nossa casa tem o rio Otter Tail. E acho que é um pouco mais sofisticada que as outras cidades do mesmo tamanho de lá, porque fica pertinho de Fargo-Moorhead, que é a cidade universitária da região." O pai de Steena tinha uma loja de ferragens e uma pequena madeireira. "É uma pessoa incontrolável, imensa, incrível, o meu pai. Um gigante. Feito um presunto enorme. Ele é capaz de beber numa só noite uma garrafa inteira de qualquer bebida. Não dá pra acreditar. Até hoje eu não consigo acreditar. Ele simplesmente começa e não para. Ele vai mexer numa máquina e leva um talho enorme na barriga da perna — e deixa a ferida como está, sem nem lavar. Eles são assim, os islandeses. Uns verdadeiros rolos compressores. O que é interessante é a personalidade dele. Uma pessoa realmente incrível. Meu pai, quando está conversando, domina a sala inteira. E não é só ele, não. Meus avós Palsson também. O pai dele é assim. A mãe dele é assim." "Islandeses. Eu nem sabia que a palavra era essa, islandês. Eu nem sabia que tinha islandês aqui. Não sei nada sobre os islandeses", disse Coleman. "Quando foi que eles vieram para Minnesota?" Ela deu de ombros e riu. "Boa pergunta. Acho que foi logo depois dos dinossauros. É a impressão que dá." "E é dele que você está fugindo?" "Acho que sim. É difícil ser filha de uma pessoa tão dominadora. A gente meio que é absorvida por ele." "E a sua mãe? Também é absorvida por ele?" "É o lado dinamarquês da família. Os Rasmussen. Não, essa não se deixa engolir, não. Minha mãe é prática demais para isso. As características da família dela — e acho que não é só da família dela não, acho que os dinamarqueses são assim, e nisso são parecidos com os noruegueses —, eles se interessam por objetos. *Objetos.* Toalhas de mesa. Pratos. Vasos. Falam horas a fio sobre o preço de cada objeto. O pai da minha mãe é assim também, meu avô Rasmussen. Toda a família dela. Ali ninguém sonha. Não tem nada de irreal. Só objetos, o preço de cada um deles, por quanto você consegue comprar cada coisa. Ela vai na casa de uma pessoa e examina todos os objetos e sabe onde metade deles foi comprada e diz às pessoas que ela sabe onde comprar mais barato. E roupa. Cada peça de roupa. A mesma coisa. Gente muito prática. De um pragmatismo radical. Econômica. Extremamente econômica. Limpa. Extremamente limpa. Quando chego em casa da escola, ela repara se tem uma manchinha de tinta debaixo de uma das minhas unhas, porque eu enchi uma caneta-tinteiro. Quando vai receber visita numa tarde de sábado, já prepara a mesa na sexta-feira às cinco da tarde. Põe tudo na mesa, todos os copos, todos os talheres. Então cobre tudo com um pano bem fininho para não empoeirar. Tudo perfeitamente organizado. E é uma cozinheira fantástica, se você não gosta de tempero, sal nem pimenta. Nem gosto de coisa nenhuma. Mas é isso, os meus pais são assim. Não consigo entender os dois a fundo, principalmente ela. É tudo superfície. Ela organiza tudo, meu pai desorganiza tudo, e assim que eu fiz dezoito anos, concluí o secundário e vim pra cá. Porque, se tivesse ido pra Moorhead ou pra Dakota do Norte, ia ter que continuar morando com eles. Aí eu disse, a faculdade que se dane, e vim pra Nova York. E aqui estou eu. A Steena."

Era assim que ela explicava quem era e de onde vinha e por que tinha vindo. Para ele, não seria tão simples. *Depois*, ele dizia a si próprio. Depois — depois ele conseguiria dar suas explicações e pedir-lhe que compreendesse por que não permitira que suas possibilidades fossem limitadas de modo tão injusto por uma designação racial arbitrária. Se ela escutasse com tranquilidade tudo o que ele tinha a dizer, Coleman estava certo de que conseguiria fazê-la entender por que ele tinha tomado o futuro em suas próprias mãos em vez de deixar que uma sociedade preconceituosa determinasse seu destino — uma sociedade em que, mais de oitenta anos após a abolição, pessoas intolerantes ainda desempenhavam um papel importante demais. Ele conseguiria fazê-la entender que não havia nada de errado na sua decisão de se identificar como branco: pelo contrário, era a opção mais natural para uma pessoa com as opiniões, o temperamento e a cor de pele que ele tinha. Tudo o que ele sempre quisera, desde pequeno, era ser livre: não negro, nem mesmo branco — simplesmente independente e livre. Não tinha nenhuma intenção de insultar ninguém com sua escolha, nem estava tentando imitar ninguém que ele considerasse seu superior, nem estava realizando nenhum protesto contra a raça dele ou a dela. Coleman admitia que, para as pessoas convencionais, para quem tudo era determinado e rigidamente inalterável, o que ele fazia não era direito. Mas nunca tivera como objetivo na vida fazer apenas o que era direito. Seu objetivo era que seu destino fosse determinado não pelas intenções ignorantes e odientas de um mundo hostil, e sim, até onde era humanamente possível, por sua própria vontade. Por que aceitar uma vida que não fosse assim?

Era isso que Coleman diria. Mas ela não acharia tudo isso conversa fiada, conversa de vendedor, uma mentira pretensiosa? A menos que primeiro ela conhecesse sua família — encarasse o fato de que ele era tão negro quanto eles, e que eles, assim como Coleman, eram muito diferentes do que ela imaginava serem os negros —, essas palavras e quaisquer outras que Coleman dissesse lhe pareceriam apenas mais um disfarce. Enquanto ela não jantasse com Ernestine, Walt e sua mãe, e todos eles trocassem com ela as banalidades mais tranquilizadoras, qualquer explicação que ele apresentasse pareceria uma mentira narcisista e autojustificadora, uma conversa elevada e presunçosa cuja falsidade envergonharia tanto ele como ela. Não, ele não podia dizer essas bobagens. Seria uma indignidade. Se realmente queria aquela garota, o que era necessário agora era ousadia, e não um palavreado enganador à Clarence Silk.

Na semana anterior à visita, embora não tivesse preparado nenhum dos outros envolvidos, Coleman preparou-se para o evento com a mesma concentração que utilizava antes de uma luta, e quando saltaram do trem na Brick Church Station naquele domingo ele chegou a evocar as frases que sempre repetia, numa espécie de transe místico, segundos antes de soar a campainha: "A tarefa, nada além da tarefa. Concentrar-se na tarefa. Não permitir nenhuma distração". Só então, quando a campainha tocava, ao levantar-se de seu banco — ou, no caso, ao começar a subir a escada que levava à porta da frente —, ele acrescentava a frase tradicional de todo lutador: "Vamos ao trabalho".

Os Silk moravam naquela casa unifamiliar desde 1925, um ano antes de Coleman nascer. Quando chegaram lá, só havia brancos na rua, e a pequena casa de madeira lhes foi vendida por um casal que estava brigado com os vizinhos e decidira vender a casa para uma família negra só por despeito. Mas ninguém na rua se mudou porque eles chegaram, e, embora os Silk não cultivassem relações sociais com os vizinhos, todos eram muito simpáticos em todo o trecho que ia até a igreja episcopaliana e a residência do pastor. Simpáticos, se bem que quando o pastor chegou, alguns anos antes, e encontrou um certo número de pessoas das Bahamas e de Barbados naquela congregação anglicana — muitas delas empregados domésticos que trabalhavam para os brancos ricos de East Orange, ilhéus que conheciam seu lugar e se sentavam sempre nas últimas fileiras, achando que eram aceitos —, ele se debruçou sobre a beira do púlpito e, antes de dar início ao sermão no seu primeiro domingo, disse: "Estou vendo que temos algumas famílias de cor aqui. Vamos ter que dar uma solução para isso". Após consultar o seminário em Nova York, determinou que fossem realizados cultos e aulas da escola dominical para as famílias negras em suas próprias casas, violando as regras básicas da igreja. Depois, a piscina da escola secundária foi fechada pelo superintendente para que as crianças brancas não tivessem de nadar junto com as negras. Era uma piscina grande, usada para as aulas de natação e o treinamento da equipe da escola; havia anos que era utilizada no programa de educação física; mas como tinham ocorrido reclamações de pais de alunos brancos que eram patrões de pais de alunos negros — os que trabalhavam como empregados domésticos e motoristas e jardineiros e caseiros —, a piscina foi esvaziada e coberta.

Nos dez quilômetros quadrados daquele pontinho no mapa, uma cidadezinha de Nova Jersey com menos de setenta mil habitantes, como por todo o país no tempo da juventude de Coleman, havia essas distinções rígidas entre classes e raças, santificadas pela igreja e legitimadas pelas escolas. No entanto, na modesta rua arborizada onde moravam os Silk, as pessoas comuns não precisavam ser tão responsáveis perante Deus e o Estado quanto aquelas cujo ofício era manter uma comunidade humana, inclusive suas piscinas, livre de qualquer impureza; e assim os vizinhos eram, de modo geral, simpáticos para com os Silk, respeitabilíssimos e quase brancos — negros, sem dúvida, mas, nas palavras da mãe tolerante de um dos colegas de jardim de infância de Coleman, "pessoas com uma tez muito agradável, cor de gemada" — a ponto mesmo de pedir-lhes emprestada uma ferramenta ou uma escada, ou de ajudá-los a descobrir por que o carro não queria pegar. O prédio de apartamentos alto da esquina permaneceu cem por cento branco até depois da guerra. Então, no final de 1945, quando pessoas de cor começaram a se mudar para a outra extremidade da rua, a de Orange — famílias de profissionais liberais, em sua maioria, professores, médicos e dentistas —, havia um caminhão de mudanças parado à frente do prédio todos os dias, e metade dos moradores brancos desapareceu numa questão de meses. Mas logo as coisas se aquietaram, e, embora o proprietário do prédio o alugasse para pessoas de cor para que o imóvel não ficasse vazio, os brancos que continuaram morando por perto ficaram aguardando uma razão mais forte do que a negrofobia para se mudar dali.

Vamos ao trabalho. Então tocou a campainha e abriu a porta da frente, dizendo: "Chegamos".

Walt não havia conseguido vir de Asbury Park naquele domingo, mas lá estavam, saindo da cozinha para recebê-los, sua mãe e Ernestine. E ali, na casa delas, estava a sua namorada. Ela podia ou não estar correspondendo às expectativas das duas. A mãe de Coleman não havia perguntado nada. Desde que ele tomara a decisão unilateral de alistar-se na Marinha como branco, ela não ousava lhe perguntar nada, com medo da resposta que poderia ouvir. Agora, fora do hospital — onde finalmente se tornara a primeira enfermeira-chefe negra de Newark, e sem a ajuda do dr. Fensterman —, deixara que Walt assumisse o controle de sua vida e de toda a família. Não, não havia feito nenhuma pergunta a respeito da namorada, educadamente preferira não saber de nada, e convencera Ernestine a não perguntar nada também. Coleman, por sua vez, não dissera nada a ninguém, e assim, branca do branco mais branco que se pode imaginar e — com *escarpins* e bolsa azuis, vestido de algodão com estampado de florzinhas, luvas brancas e chapéu sem aba — tão imaculadamente elegante e correta quanto era possível uma moça ser em 1950, eis Steena Palsson, filha americana de sangue islandês e dinamarquês, que remontava ao rei Canuto, no mínimo.

Ele havia conseguido impor sua vontade, e ninguém nem sequer piscou. Capacidade de adaptação das espécies era aquilo mesmo. Ninguém gaguejou, ninguém ficou mudo, ninguém começou a falar descontroladamente a cem por hora. Lugares--comuns, sim; pieguices, é claro — generalidades, abobrinhas, clichês a mancheias. Afinal, Steena fora criada às margens do rio Otter Tail: não havia obviedade que ela não conhecesse de trás para a frente. O mais provável era que, se Coleman tivesse vendado os olhos das três mulheres desde o começo, a conversa não teria sido mais profunda do que foi com as três se encarando. Tampouco a conversa delas teria contido qualquer outra intenção que não a de sempre, ou seja: eu não digo nada que ofenda você se você não disser nada que me ofenda. Respeitabilidade a qualquer preço — era isso que os Palsson e os Silk tinham em comum.

A questão que deixou todo mundo sem jeito foi, curiosamente, a altura de Steena. Era bem verdade que ela tinha um metro e oitenta de altura, quase oito centímetros mais do que Coleman e quinze mais do que sua irmã e sua mãe. Porém o pai de Coleman tinha um metro e oitenta e cinco e Walt era quase quatro centímetros mais alto do que o pai, de modo que altura não era novidade na família, muito embora, no caso de Steena e Coleman, a mulher fosse mais alta que o homem. No entanto, aqueles sete centímetros de Steena — a distância das sobrancelhas até o alto da testa, mais ou menos — levaram a uma conversa desgovernada a respeito de anomalias físicas que foi se aproximando perigosamente da catástrofe durante quinze minutos, até que Coleman sentiu um cheiro estranho, e as mulheres — todas as três — correram para a cozinha e conseguiram salvar as rosquinhas, que estavam quase pegando fogo.

Depois disso, durante todo o almoço e até chegar a hora de o jovem casal voltar a Nova York, não houve senão uma retidão implacável, aparentemente um domingo que era a perfeita imagem da felicidade dominical de toda boa família, e consequentemente o oposto exato da vida, a qual, como a experiência já havia ensinado até mesmo à mais jovem daqueles quatro, nem sequer por meio minuto podia ser expurgada de modo a livrá-la de sua instabilidade inerente, quanto mais reduzi-la a uma essência previsível.

Foi só quando o trem que levava Coleman e Steena de volta ao lar parou na Pennsylvania Station, ao cair da tarde, que ela começou a chorar.

Até então, Coleman pensava que ela estivesse ferrada no sono, com a cabeça em seu ombro, desde que saíram de Nova Jersey — praticamente desde o momento em que pegaram o trem na Brick Church Station, cansada de todo aquele esforço extenuante, em que se saíra tão bem.
"Steena — o que foi?"
"Não consigo!", exclamou ela, e sem nenhuma outra palavra esclarecedora, ofegante, chorando violentamente, apertando a bolsa contra o peito — e esquecendo-se do chapéu, que estava no colo de Coleman, que o segurara enquanto ela dormia —, saiu do trem correndo, sozinha, como se fugisse de algum predador, e nunca mais voltou a lhe telefonar ou visitá-lo.

Foi quatro anos depois, em 1954, que Coleman e Steena quase esbarraram um no outro perto da Grand Central Station e pararam para trocar um aperto de mão, conversando apenas o tempo necessário para evocar a sensação maravilhosa que um havia despertado no outro quando tinham respectivamente vinte e dois e dezoito anos, depois cada um seguiu para um lado, esmagado pela certeza de que nada estatisticamente tão espetacular quanto aquele encontro fortuito voltaria a acontecer um dia. Àquela altura Coleman já estava casado, e sua mulher esperava um filho; ele tinha ido apenas passar o dia em Nova York, pois era professor de letras clássicas na Universidade Adelphi, enquanto ela trabalhava numa agência de publicidade perto dali, na Lexington Avenue, ainda solteira, ainda bonita, porém agora já uma mulher, uma perfeita nova-iorquina, elegante, certamente uma pessoa para quem aquela visita a East Orange poderia ter terminado de modo muito diferente, se tivesse acontecido um pouco depois.

O modo como a visita poderia ter terminado — a conclusão que a realidade havia vetado em caráter definitivo — era a única coisa em que ele conseguia pensar. Aturdido ao constatar que não havia conseguido se esquecer dela, nem ela dele, caminhava e compreendia algo que antes só havia entendido em suas leituras da tragédia grega clássica: como é fácil a vida virar para um lado em vez de virar para o outro, como é acidental o destino de uma pessoa... em contrapartida, como o destino pode parecer acidental quando as coisas não podem deixar de ser o que são. Ou seja, Coleman caminhava sem compreender nada, sabendo que não conseguiria compreender nada, ainda que imbuído da ilusão de que *teria* compreendido metafisicamente alguma coisa muitíssimo importante a respeito da sua teimosa decisão de determinar seu próprio destino se... se fosse possível compreender essas coisas.

A encantadora carta de duas páginas que ela lhe enviou na semana seguinte, aos cuidados da faculdade, em que dizia que ele se revelara muito bom em matéria de "avançar", na primeira vez em que estiveram juntos no quarto dele na Sullivan Street — "feito uma ave que está sobrevoando a terra ou o mar e vê alguma coisa se mexendo, alguma coisa cheia de vida, e aí desce em voo rasante e agarra a presa" —, começava com "Querido Coleman, foi um grande prazer ver você em Nova York. Apesar de nosso encontro ter sido tão rápido, depois senti uma tristeza outonal, talvez porque os seis anos que se passaram desde que nos conhecemos deixaram terrivelmente claro para mim quantos dias de minha vida já ficaram 'para trás'. Você está muito bem, e adorei saber que está feliz...", e terminava com um final lânguido, flutuante, sete frases curtas e um fecho melancólico que, conforme Coleman concluiu após inúmeras releituras, exprimiam a perda que *ela* sentia, um reconhecimento tácito de remorso que era também um pedido de desculpas e que, por ser quase inaudível, era ainda mais comovente: "Pois é isso. Chega. Eu não devia nem incomodar você. Prometo que nunca mais faço isso. Cuide-se bem. Cuide-se bem. Cuide-se bem. Com muito carinho, Steena".

Ele nunca jogou fora a carta; quando a encontrava em seus arquivos, estivesse fazendo o que fosse, parava para relê-la — tendo passado cinco ou seis anos sem se lembrar da carta —, e voltava a pensar o que havia pensado na rua naquele dia, após beijar Steena de leve no rosto e despedir-se dela para sempre: que se Steena tivesse se casado com ele — tal como ele queria — ela teria sabido de tudo — tal como ele também queria — e tudo o que depois aconteceu com a família dele, com a família dela, com seus próprios filhos, teria sido diferente do que foi com Iris. O que acontecera com sua mãe e Walt poderia perfeitamente não ter ocorrido. Se Steena tivesse topado, ele teria vivido uma outra vida.

Não consigo. Havia nisso uma sabedoria, uma tremenda sabedoria para uma moça tão jovem, muito mais do que se costuma ter aos vinte anos de idade. Mas fora por isso mesmo que ele se apaixonara por ela — porque ela tinha aquela sabedoria sólida, aquele bom senso de quem sabe pensar de modo independente. Se ela não tivesse... mas se não tivesse, não seria Steena, e ele não teria desejado casar-se com ela.

Coleman pensava os mesmos pensamentos inúteis, inúteis para um homem que não tinha grande talento, como ele, ainda que não para um Sófocles: com que material fortuito se faz um destino... ou como tudo parece fortuito quando é inevitável.

Segundo o relato inicial que fizera para Coleman a respeito de si própria e de suas origens, Iris Gittelman fora uma criança voluntariosa, esperta, secretamente rebelde, sempre tramando em segredo, desde a segunda série primária, uma maneira de fugir do ambiente opressor em que vivia — uma família de Passaic marcada pelo ódio a todas as formas de opressão social, em particular à autoridade dos rabinos e a suas mentiras intrusivas.

Seu pai, que falava iídiche, era, conforme Iris o retratava, um anarquista e um herege tão radical que nem sequer circuncidara os dois irmãos mais velhos dela; aliás, seus pais tampouco haviam se dado ao trabalho de casar no civil. Consideravam--se marido e mulher, afirmavam ser americanos, diziam-se até mesmo judeus, aqueles dois imigrantes ateus e ignorantes que cuspiam no chão quando passava um rabino. Porém diziam o que diziam com total liberdade, sem pedir a permissão nem a aprovação daqueles que, segundo seu pai, eram os inimigos hipócritas de tudo o que havia de natural e de bom — ou seja, as autoridades, os que detinham o poder de modo ilegítimo. Na parede rachada e imunda acima do balcão de refrigerantes da loja de balas que pertencia à sua família, na Myrtle Avenue — uma loja atulhada, tão pequena, dizia ela, "que não daria para enterrar nós cinco lá dentro um ao lado do outro" —, havia duas fotos emolduradas, uma de Sacco, a outra de Vanzetti, fotos arrancadas da seção de rotogravuras do jornal. Todo ano, no dia 22 de agosto — o dia em que, em 1927, o estado de Massachusetts executou os dois anarquistas, os quais, segundo seus pais ensinaram a ela e a seus irmãos, não haviam cometido assassinato algum —, a loja era fechada e a família se recolhia no sobrado (um apartamento apertado e escuro, cuja desordem enlouquecida era maior ainda que a da loja) para observar um dia de jejum. Era um ritual que o pai de Iris, como se fosse líder de uma seita, havia inventado sozinho, inspirando-se no Yom Kippur judaico. Seu pai não tinha ideias de verdade a respeito do que ele julgava serem ideias — nas profundezas de sua mente só havia uma ignorância absoluta e o desespero amargo dos miseráveis, um ódio revolucionário impotente. Tudo o que ele dizia era dito com o punho cerrado, e era sempre uma diatribe. Seu pai conhecia Kropotkin e Bakunin de nome, mas nada sabia a respeito de seus escritos, e do semanário anarquista *Freie*

Arbeiter Stimme, publicado em iídiche, que ele sempre levava de um lado para outro, jamais lia mais do que umas poucas palavras a cada noite antes de dormir. Seus pais, Iris explicava a Coleman — e tudo isso num tom dramático, escandalosamente dramático, num café na Bleecker Street, depois que ele a pescou na Washington Square —, seus pais eram pessoas simples que viviam entregues a um sonho que não eram capazes de exprimir em palavras nem defender racionalmente, mas em nome do qual estavam mais do que dispostos a sacrificar os amigos, os parentes, a loja, a simpatia dos vizinhos, até mesmo sua própria sanidade mental, até mesmo a sanidade mental de seus filhos. Só sabiam que nada tinham em comum com um determinado mundo, o qual era — disso Iris foi se convencendo à medida que crescia — simplesmente o mundo inteiro. A sociedade, tal como era constituída — suas forças em constante movimento, o intricado complexo de interesses levado até o limite, a constante luta por vantagens, a constante subjugação, os conflitos e conluios entre facções, o jargão maroto da moralidade, o despotismo suave da convenção, a ilusão instável de estabilidade —, a sociedade tal como era composta, como sempre fora e sempre será, era para eles um mundo tão estranho como a corte do rei Artur para o ianque de Connecticut. E no entanto a causa dessa situação não era estarem eles inelutavelmente presos a algum outro tempo ou lugar e terem sido transportados à força para um mundo que lhes era de todo alheio: não, antes, eram pessoas que haviam saído do berço diretamente para a vida adulta, sem ter tido um mínimo de instrução que lhes mostrasse como funciona e é controlada a bestialidade humana. Desde a mais tenra infância Iris não conseguia decidir se os pais que a criavam eram malucos ou visionários, nem se o ódio passional que tentavam lhe transmitir era uma revelação da terrível verdade ou uma besteira ridícula, talvez até patológica.

Iris passou toda aquela tarde contando a Coleman histórias folclóricas, fascinantes, que davam a impressão de que ser criada no sobrado da loja de balas em Passaic por dois individualistas tão extraordinariamente ignorantes quanto Morris e Ethel Gittelman tinha sido uma aventura terrível, saída das páginas não de um romance russo, mas sim da seção de quadrinhos de um jornal russo, como se os Gittelman fossem os protagonistas de uma versão de "Os sobrinhos do capitão" escrita por Dostoievski. Foi um espetáculo brilhante, impactante, para uma garota que mal completara dezenove anos, que havia atravessado o rio Hudson fugindo de Nova Jersey — mas qual de seus conhecidos em Greenwich Village não estava fugindo, alguns até de lugares tão distantes quanto Amarillo? —, sem nenhum plano além do desejo de se tornar mais uma pessoa livre, exótica e sem um tostão no grande palco da Eighth Street, uma moça morena, muito viva, com traços marcantes, como convém a uma atriz, um dínamo de emoções e, como se dizia na época, bem servida de "para--choques", que estudava na Associação de Estudantes de Arte e cuja bolsa de estudos exigia que ela trabalhasse como modelo nas aulas de desenho, que adotara o estilo de não esconder nada e que parecia ter tão pouco medo de expor-se em público quanto uma praticante da dança do ventre. Seu cabelo era um fenômeno, um labirinto inflado de espirais e anéis, grosso como barbante e volumoso o suficiente para ser usado como enfeite natalino. Todo o tormento de sua infância parecia se manifestar nas convulsões daquele emaranhado sinuoso. O cabelo irreversível de Iris. Seria possível usá-lo para arear panelas sem alterar nem um pouco sua estrutura, como se ele tivesse sido colhido na escuridão das profundezas oceânicas, como se fosse uma espécie de organismo cujas secreções se transformassem em recifes, uma combinação híbrida, viva e densa como ônix, de coral com arbusto, talvez dotada de propriedades medicinais.

Por três horas ela manteve Coleman encantado por sua comédia, sua indignação, seu cabelo, sua capacidade de fabricar emoções, por aquela combinação de inteligência adolescente, frenética e inculta, e capacidade histriônica de empolgar a si mesma e acreditar em seus próprios exageros que fazia Coleman — também ele produto de seu próprio artesanato, um produto cuja patente só ele possuía — sentir-se, em comparação com ela, uma pessoa desprovida de qualquer conceito a respeito de si.

Mas quando Coleman a levou para seu quarto na Sullivan Street naquela noite, tudo mudou. Constatou que ela não fazia a menor ideia do que era. Uma vez atravessada a barreira do cabelo, tudo o que havia por detrás estava fundido. A verdadeira antítese da vida intensamente direcionada de Coleman Silk aos vinte e cinco anos de idade — também uma lutadora, lutando por sua própria liberdade, porém a versão agitada, *anarquista*, da pessoa que quer encontrar seu caminho.

Iris não teria ficado espantada nem por cinco minutos se fosse informada de que Coleman nascera negro, no seio de uma família negra, e que se identificara como negro quase toda a sua vida; tampouco teria se incomodado se ele lhe pedisse para manter segredo sobre isso. Falta de tolerância pelo exótico não era uma das deficiências de Iris Gittelman — o que lhe parecia mais exótico era justamente o que se adaptava aos padrões de normalidade. Ser dois homens e não um só? Ter duas cores em vez de uma? Caminhar pelas ruas incógnito ou disfarçado, não ser nem isto nem aquilo e sim alguma coisa intermediária? Ter personalidade dupla, tripla ou quádrupla? Para ela, não havia nada de assustador em aparentes anomalias como essas. Em Iris, a ausência de preconceitos não era sequer uma qualidade moral do tipo que os liberais e libertários cultivam com orgulho: era mais uma espécie de mania, uma espécie de intolerância enlouquecida com sinal trocado. As expectativas que são indispensáveis para a maioria das pessoas, o pressuposto de que tudo tem significado, a confiança na autoridade, a santificação da coerência e da ordem eram as únicas coisas que lhe pareciam absurdas, totalmente loucas. Como as coisas poderiam acontecer tal como acontecem, e a história ser tal como é, se algo chamado normalidade fosse inerente à existência?

E, no entanto, o que ele disse a Iris foi que era judeu, que Silk era uma forma atenuada de Silberzweig imposta a seu pai por um funcionário de alfândega bondoso. Coleman ostentava até mesmo a marca bíblica da circuncisão, o que não era muito comum entre seus amigos negros de East Orange daquele tempo. Sua mãe, enfermeira num hospital em que predominavam os médicos judeus, foi convencida pelo consenso reinante na comunidade médica de que a circuncisão era uma medida higiênica importante, e assim foi que os Silk optaram pelo rito que era tradicional entre os judeus — e que estava começando a ser adotado como procedimento pós-natal por um número cada vez maior de pais cristãos — a ser executado pelos médicos quando os meninos completavam duas semanas de vida.

Coleman passara a dizer que era judeu havia alguns anos — ou então deixava que as pessoas pensassem que ele era judeu —, desde que se dera conta de que, tanto na NYU como nos cafés que frequentava, muitas das pessoas que ele conhecia aparentemente sempre o tomavam por judeu. Na Marinha ele tinha aprendido que, quando uma pessoa conta uma história verossímil e coerente a respeito de seu passado, ninguém jamais faz perguntas, porque ninguém está tão interessado assim. Seus amigos da NYU e de Greenwich Village poderiam perfeitamente ter imaginado — tal como acontecera na Marinha — que ele tinha suas raízes no Oriente Médio, mas naquele momento de pós-guerra o orgulho judaico chegara ao auge nos meios vanguardistas e intelectuais de Washington Square; a ambição que impelia a audácia mental dessa gente começava a parecer incontrolável, e uma aura de importância cultural emanava das piadas dos judeus, das suas histórias de família, de seu riso, de suas palhaçadas, de suas tiradas espirituosas, de suas discussões — até mesmo de seus insultos — tal como das revistas intelectualizadas como *Commentary*, *Midstream* e *Partisan Review*, e não ia ser Coleman que ia perder aquela carona, especialmente depois do tempo que passara como assistente de Doc Chizner, ensinando boxe aos meninos judeus do condado de Essex, que o convencera de que afirmar ter vivido a infância num bairro judeu de Nova Jersey era menos arriscado do que se fazer passar por um marinheiro americano de origem síria ou libanesa. Assumindo o prestígio postiço de um judeu americano ousado, autoanalisado, irreverente e agressivo, deliciando-se com as ironias de viver em Manhattan na penúria, constatava que a coisa não era tão perigosa quanto talvez lhe teria parecido se houvesse passado anos elaborando aquele disfarce às escondidas; e no entanto aquilo lhe proporcionava a sensação deliciosa de estar correndo perigos tremendos — quando se lembrava do dr. Fensterman, que oferecera três mil dólares à sua família para que Coleman não se saísse tão bem nas provas finais e que seu filho, o brilhante Bert, se tornasse orador da turma, sua situação também lhe parecia tremendamente engraçada, uma maneira *sui generis* e impagável de se vingar. Que ideia ousada, o mundo tivera ao transformá-lo naquilo — que travessura extraordinariamente terrena! Se havia no mundo uma invenção perfeita e única — e a singularidade não fora desde sempre a ambição mais íntima de seu ego? — era aquela transformação mágica de Coleman no filho do dr. Fensterman.

Mas a brincadeira ficara séria. Tendo Iris — aquela moça agitada, selvagem, a própria anti-Steena, uma judia não judia

— como veículo para efetuar sua transformação, ele finalmente havia acertado. Não estava mais testando e descartando, eternamente praticando e se preparando para ser algo. Havia chegado à solução, ao segredo de seu segredo, com o toque exato, apenas uma gota, de ridículo — aquele ridículo redentor, tranquilizador, a pequena contribuição da vida a toda decisão humana. Agora, tendo se tornado um amálgama inédito dos dois indesejáveis mais não iguais da América, ele fazia sentido.

Porém houve um interlúdio. Depois de Steena e antes de Iris, houve um interlúdio de cinco meses chamado Ellie Magee, uma moça de cor, *mignon* e bonita de corpo, de tez clara, nariz e faces ligeiramente sardentos, uma aparência de quem ainda não terminou de atravessar a fronteira entre a adolescência e a idade adulta, que trabalhava na Village Door Shop, na Sixth Avenue, onde vendia, muito animada, módulos de estantes para livros e portas — portinhas embutidas para escrivaninhas e para camas. O dono da loja, um judeu velho e cansado, dizia que sua freguesia aumentara cinquenta por cento depois da contratação de Ellie. "Isso aqui estava ruim", ele explicou a Coleman. "Mal dava pra viver. Mas agora todo mundo em Greenwich Village quer uma de minhas portas. As pessoas entram e nem pedem pra falar comigo — querem falar com a Ellie. Quando telefonam pra cá, querem falar com a Ellie. Essa garotinha mudou tudo."
Era verdade, ninguém conseguia resistir a Ellie, inclusive Coleman, que de início ficou impressionado com as pernas dela, destacadas pelos sapatos de salto alto, e depois com seu jeito natural. Sai com garotos brancos da NYU que se sentem atraídos por ela, sai com garotos negros da NYU que se sentem atraídos por ela — uma moça reluzente de vinte e três anos de idade, que ainda não foi atingida por nada, que veio

para Greenwich Village de Yonkers, seu lugar de origem, e está vivendo uma vida anticonvencional com *a* minúsculo, a vida do Village tal como é apregoada. Ellie é um achado, e assim Coleman entra para comprar uma mesa da qual não tem necessidade e, naquela noite, leva a moça a um bar. Depois de Steena, do choque de perder uma pessoa que ele queria tanto, Coleman está se divertindo outra vez, está vivo outra vez, e tudo isso desde o momento em que os dois começam a flertar na loja. Será que ela acha que ele é um freguês branco? Coleman não sabe. Interessante. Então, naquela noite, ela ri e, apertando os olhos para ele, num gesto cômico, pergunta: "Afinal, você é o quê?". Na mesma hora ela percebe que ali há alguma coisa, e abre o jogo logo. Mas dessa vez ele não começa a suar frio, como no dia em que leu errado o poema de Steena. "Eu sou o quê? Eu sou o que você quiser que eu seja", diz Coleman. "É assim que *você* quer que seja?", pergunta ela. "É claro que é assim que eu quero que seja", responde ele. "Então as garotas brancas pensam que você é branco?" "Eu deixo elas pensarem o que elas quiserem pensar", diz ele. "E o que *eu* quiser pensar?", indaga Ellie. "Isso mesmo", concorda Coleman. É esse o joguinho que eles jogam, e é isso que se torna fascinante para eles, a ambiguidade da coisa. Coleman não tem nenhum amigo mais próximo, mas seus colegas de faculdade acham que ele está namorando uma garota de cor, e todos os amigos dela acham que ela está saindo com um rapaz branco. É divertido fazer com que as outras pessoas lhes deem importância, e em quase todos os lugares a que eles vão é isso que acontece. Estamos em 1951. Os homens perguntam a Coleman: "Como é que ela é?". "Quente", responde ele, prolongando a palavra ao mesmo tempo que sacode uma das mãos, tal como faziam os italianos em East Orange. Há nisso um prazer que se renova a cada dia, a cada segundo; sua vida ganhou uma espécie de magnitude de astro de cinema: ele está sempre em cena quando sai com Ellie. Ninguém na Eighth Street consegue entender que diabo está acontecendo, e isso lhe dá prazer. Ela tem um belo par de pernas. Ri o tempo todo. Sabe ser mulher com naturalidade — com uma espontaneidade e uma inocência viva que o encanta. Lembra um pouco Steena, só que não é branca, e por isso eles não vão logo visitar a família dele nem a família dela. E para quê? Afinal, eles moram no Village. A ideia de levá-la a East Orange nem passa pela cabeça de Coleman. Talvez por ele não querer ouvir o suspiro de alívio, não querer que lhe digam, nem mesmo de modo tácito, que está fazendo a coisa certa. Ele pensa no que o fez levar Steena para conhecer sua família. A intenção de ser honesto com todo mundo? E deu no que deu. Não, nada de família — pelo menos por ora.

Nesse ínterim, Coleman se diverte tanto com Ellie que uma noite a verdade acaba saindo de repente. Até mesmo a respeito de sua carreira no boxe, que ele jamais conseguiu revelar a Steena. Com Ellie, é muito fácil se abrir. Quando a moça não demonstra nenhuma reprovação, ganha ainda mais pontos na avaliação de Coleman. Ela não é convencional — e no entanto é muito equilibrada. Ele está lidando com uma pessoa absolutamente desprovida de preconceitos. Uma garota magnífica, que faz questão de saber tudo. Assim, ele fala, e fala muitíssimo bem quando não se sente constrangido, de modo que Ellie fica fascinada. Fala a respeito da Marinha. Fala sobre sua família, a qual, os dois constatam, não é muito diferente da dela; a principal diferença é que o pai de Ellie, dono de uma farmácia no Harlem, está vivo, e embora não aprove a ida dela para o Village não consegue deixar de adorá-la, felizmente para ela. Coleman fala sobre sua experiência na Howard, e diz que não conseguiu suportar aquele lugar. Falam muito sobre a Howard porque era lá que os pais de Ellie queriam que ela fosse estudar. E sempre, qualquer que seja o assunto, Coleman constata que, sem nenhum esforço, faz a moça rir. "Eu nunca tinha visto tanta gente de cor junta, nem mesmo nas reuniões da minha família no sul de Nova Jersey. Pra mim, a Universidade Howard era um exagero de negros no mesmo lugar. Negros de todas as tendências, de todos os tipos, mas eu não queria tantos negros assim ao meu redor. Eu achava que aquilo não tinha nada a ver comigo. Tudo lá era tão concentrado que todo o orgulho que eu tinha foi diminuído. Foi diminuído por um ambiente concentrado, falso." "Como um refrigerante que é doce demais", disse Ellie. "O problema não era tanto o excesso de uma coisa", retrucou Coleman, "mas a falta de qualquer outro tipo de coisa." Falando abertamente com Ellie, Coleman se sente aliviado. É bem verdade que agora não é mais um herói, mas também não é nenhum vilão. Aquela moça realmente é uma candidata e tanto. Ela conseguiu transformar-se a ponto de se transcender, tornando-se independente, virando uma moça de Greenwich Village, e soube lidar com a família dela — ficou adulta de verdade, como todo mundo deveria ficar.

Uma noite ela o leva a uma minúscula joalheria da Bleecker Street cujo dono, branco, faz coisas lindas com esmalte. Ficam só olhando, mas quando saem da loja Ellie diz a Coleman que o sujeito é negro. "Engano seu", diz ele, "esse aí não pode ser." "Não me diga que eu me enganei" — Ellie ri — "*você* é que é cego." Numa outra ocasião, por volta de meia-noite, ela o leva a um bar na Hudson Street frequentado por pintores. "Está vendo aquele ali? Todo metido a besta?", diz ela em voz baixa, indicando com a cabeça um rapaz de vinte e tantos anos, branco e bonito, que está fascinando todas as garotas presentes. "Esse", diz ela. "*Não!*", exclama Coleman, e dessa vez é ele quem está rindo. "Você está em Greenwich Village, Coleman Silk, os dez quilômetros quadrados mais livres do país. Tem um em cada quarteirão. Você é tão vaidoso que acha que foi o primeiro a ter a ideia." E se *ela* conhece três — e sem dúvida ela conhece —, então serão dez, se não mais. "Eles vêm de todos os lados", diz ela, "direto pra Eighth Street. Igual a você, vindo de East Orange." "E eu nem percebo", diz Coleman. O comentário faz os dois rir, rir, rir e rir, porque não tem jeito, ele não consegue identificar os outros, e porque Ellie é seu guia, ela é que lhe indica quem é o que.

No início, Coleman se delicia com a solução de seu problema. Abandonando o segredo, sente-se menino outra vez. O menino que era antes do segredo. Uma espécie de moleque outra vez. A naturalidade de Ellie lhe dá o prazer e a espontaneidade de ser natural também. Para ser cavaleiro ou herói, é preciso andar de armadura, e o que Coleman sente agora é o prazer de não precisar de armadura. "Você é um homem de sorte", diz-lhe o patrão de Ellie. "Um homem de sorte", ele repete, e está falando sério. Com Ellie o segredo não funciona mais. A ela Coleman pode dizer tudo, e diz, porém não é só isso: se quiser, e quando quiser, agora pode voltar para casa. Pode lidar com o irmão, coisa que jamais poderia fazer antes, ele sabe. Pode voltar a ter uma relação próxima e tranquila com a mãe. Só que então Coleman conhece Iris, e é o fim. Foi divertido com Ellie, e continua sendo, mas falta uma dimensão. Falta ambição — falta um estímulo àquela autoimagem que vem lhe impulsionando a vida inteira. Aparece Iris, e com isso Coleman volta ao ringue. Seu pai lhe dissera: "Agora você pode se aposentar invicto. Você está aposentado". No entanto, lá está Coleman partindo do canto do ringue com toda a disposição — ele reassumiu o segredo. E o *dom* de guardar segredos outra vez, o que não é fácil. Talvez existam mesmo mais de dez sujeitos como ele no Village. Mas nem todos têm esse dom. Quer dizer, até têm, sim, mas de maneiras mesquinhas: eles mentem o tempo todo. Não sabem guardar um segredo como Coleman, de um modo grandioso e complexo. Agora ele voltou à trajetória que há de levá-lo longe. Ele conhece o elixir do segredo, e é como saber falar fluentemente uma língua estrangeira — é estar em algum lugar que é sempre novo pra gente. Coleman já viveu sem o segredo, e foi muito bom, nada de horrível aconteceu, não foi desagradável. Foi divertido. Inocentemente divertido. Porém foi só divertido, e deixou-o insatisfeito. Sem dúvida, ele recuperou a inocência. Isso Ellie lhe deu. Mas de que serve a inocência? Iris lhe dá mais. Iris eleva tudo a um patamar mais alto. Ela lhe devolve a vida que ele quer viver.

Dois anos depois de se conhecerem, resolveram casar-se, e foi então que, por aquela licença que ele se deu, aquela liberdade que ele se arrogou, as escolhas que ousou fazer — e como poderia ter sido mais ardiloso ao elaborar uma personalidade utilizável grande o bastante para nela caber sua ambição, e poderosa o bastante para enfrentar o mundo? —, a primeira conta pesada lhe foi cobrada.

Coleman foi a East Orange visitar a mãe. A sra. Silk não sabia da existência de Iris Gittelman, mas não se surpreendeu nem um pouco quando ele lhe disse que ia se casar e que a moça era branca. Também não ficou surpresa nem mesmo quando lhe foi dito que a moça não sabia que ele era negro. Se alguém ficou surpreso, foi Coleman, pois, tendo declarado abertamente sua intenção, de repente começou a se perguntar se toda a sua decisão, a mais monumental de sua vida, não estaria baseada na coisa menos séria imaginável: o cabelo de Iris, aquele cipoal sinuoso que era muito mais negroide que o de Coleman — que era mais parecido com o de Ernestine do que com o seu. Quando menina, Ernestine tornou-se famosa por perguntar: "Por que é que o meu cabelo não venta que nem o da mamãe?", querendo saber por que o dela não balançava ao vento, como não apenas o de sua mãe mas o de todas as mulheres da família de sua mãe.

Diante da angústia da sra. Silk, Coleman sentiu assaltá-lo a possibilidade terrível e louca de que a única coisa que o atraíra em Iris fosse a explicação que ela poderia dar para a textura do cabelo dos filhos que eles viessem a ter.

Mas como um motivo tão claramente, tão espantosamente utilitário como esse poderia ter escapado a sua atenção até aquele momento? Porque não era nem um pouco verdadeiro? Vendo sua mãe sofrer daquele jeito — abalada por dentro pelo comportamento do filho e entretanto decidida, tal como ele, a enfrentar a situação até o fim —, como aquela ideia surpreendente poderia *não* lhe parecer verdadeira? Embora continuasse sentado em frente a sua mãe numa atitude aparente de completo autocontrole, Coleman teve a nítida sensação de que havia acabado de escolher a mulher com quem se casaria pelo motivo mais idiota que podia haver, e que era o mais vazio dos homens.

"E ela acredita que seus pais morreram, Coleman. Foi o que você disse a ela."

"Isso mesmo."

"Você não tem irmão, não tem irmã. Não existe Ernestine. Não existe Walt."

Ele concordou com a cabeça.

"E o que mais você disse a ela?"

"O que mais a senhora acha que eu disse?"

"Tudo mais que você achou conveniente dizer." Foi o comentário mais áspero que sua mãe fez naquela tarde. Sua capacidade de irritar-se jamais conseguira se estender a ele, e jamais o faria. Bastava olhar para Coleman, desde o momento em que ele nasceu, para que nela despertassem sentimentos contra os quais não havia defesa, sentimentos que nada tinham que ver com o que ele de fato merecia.

"Nunca vou conhecer meus netos", disse ela.

Coleman estava preparado. O importante era não pensar no cabelo de Iris e deixar que sua mãe falasse, deixá-la encontrar sua fluência e, com base no fluxo suave de suas próprias palavras, criar para ele uma desculpa.

"Você nunca vai deixar que eles me vejam", prosseguiu sua mãe. "Nunca vai deixar eles saberem quem eu sou. 'Mamãe', você vai me dizer, 'vá à estação rodoviária de Nova York, fique sentada na sala de espera, que às onze e vinte e cinco eu passo com os meus filhos, todos eles endomingados.' Vai ser esse o meu presente de aniversário daqui a cinco anos. 'Fique sentadinha, mamãe, não diga nada, que eu passo com eles bem devagar.' E você sabe muito bem que eu vou estar lá. A estação ferroviária. O jardim zoológico. O Central Park. O que você disser, é claro que eu vou fazer. Você me diz que a única maneira de eu pegar os meus netos é você me contratar pra tomar conta deles, dizendo que meu nome é sra. Brown, e eu aceito. Me diz pra ir como arrumadeira e limpar a sua casa, até isso eu aceito. É claro que eu faço o que você mandar. Eu não tenho opção."

"Não tem, não?"

"E tenho? Qual é a minha opção, Coleman?"

"Me renegar."

Quase debochada, ela fingiu pensar um pouco na hipótese. "Acho que eu conseguiria ser implacável com você a esse ponto, sim. É possível, talvez. Mas você acha que eu teria forças pra ser tão implacável assim comigo mesma?"

Não era o momento adequado para Coleman ficar relembrando sua infância. Não era o momento para admirar a lucidez de sua mãe, seu sarcasmo, sua coragem. Não era o momento para entregar-se ao fenômeno quase patológico do amor materno. Não era o momento para ouvir todas aquelas palavras que ela não estava dizendo mas que ressoavam ainda mais intensamente do que as que ela dizia. Não era o momento para se permitir outros pensamentos além dos que ele trouxera, prontos para ser usados como armas. Certamente não era o momento para recorrer a explicações, para começar a arrolar, com uma retórica brilhante, todas as vantagens e desvantagens e fazer de conta que a decisão que ele tomara se fundava apenas na lógica. Não havia explicação que pudesse fazer frente à indignidade que ele estava cometendo. Naquele momento, o importante era concentrar-se no que ele fora fazer ali. Se a opção de renegá-lo inexistia para sua mãe, ela seria obrigada a suportar o golpe. O importante era falar com calma, dizer pouco, esquecer-se do cabelo de Iris e, por todo o tempo que fosse necessário, deixá-la continuar a usar suas próprias palavras para absorver a brutalidade do ato mais brutal de que ele já fora capaz.

Coleman estava assassinando sua mãe. Assassinar o pai não é necessário. Isso o mundo faz por nós. Há muitas forças tentando pegar o pai. O mundo toma conta dele, como já fizera com o sr. Silk. É a mãe que tem de ser assassinada, e era isso — Coleman percebeu — que ele estava fazendo, ele, o menino que fora amado por aquela mulher do jeito que fora amado. Assassinando sua mãe em nome de sua inebriante ideia de liberdade! Teria sido muito mais fácil sem ela. Mas é só passando por esse teste que ele poderá tornar-se o homem que optou ser, inexoravelmente separado do que lhe foi imposto quando nasceu, livre para lutar pela conquista da liberdade que todo ser humano deseja. Para conseguir isso da vida, um destino alternativo, conforme as condições que ele determinara, Coleman tinha de fazer o que tinha de ser feito. Não é verdade que quase todas as pessoas querem deixar para trás a merda de vida que são obrigadas a viver? Mas elas não conseguem, e é por isso que são o que são, e era por isso que ele estava se tornando quem era. Dê o soco, faça o mal que tem de ser feito e tranque a porta para o resto da vida. Você não pode fazer uma coisa assim com uma mãe maravilhosa, que ama você com um amor incondicional, que lhe deu a felicidade, você não pode proporcionar um sofrimento como esse e depois achar que é possível voltar atrás. É tão terrível que o máximo que você pode fazer é conviver com isso. Uma coisa assim, tão violenta assim, *jamais* pode ser desfeita — o que é justamente o que Coleman quer. É como naquele momento em West Point quando o adversário estava caindo. Apenas o árbitro poderia salvá-lo do que Coleman queria fazer com ele. Naquele momento, tal como agora, ele sentiu o poder da coisa, como lutador. Porque esse é o teste, também — dar à brutalidade do repúdio todo o seu significado humano imperdoável, encará-la com todo o realismo e toda a clareza possíveis no momento em que o seu destino se vê diante de uma enormidade. É o momento de Coleman. Deste homem e de sua mãe. Desta mulher e de seu filho amado. Se, com o intuito de se fortalecer, ele está disposto a fazer a coisa mais dura imaginável, será isto; pior, só apunhalá-la. Este ato o leva diretamente ao âmago da questão. Este é o ato mais importante de sua vida, e ele sente a imensidão do ato da maneira mais clara e consciente.

"Não sei por que não estou mais preparada para isso, Coleman. Eu devia estar", disse ela. "Você está me avisando quase que desde o dia em que nasceu. Você relutou muito antes de aceitar o seio. É verdade, sim. Agora entendo por quê. Até isso poderia retardar a sua fuga. Sempre houve alguma coisa na nossa família, e não estou falando na cor, não — havia alguma coisa em nós que era um obstáculo para você. Você raciocina como um prisioneiro. É verdade, Coleman Brutus. Você é branco como a neve e pensa como um escravo."

Não era o momento para reconhecer a inteligência de sua mãe, para tomar suas palavras, por mais empolgantes que fossem, como manifestação de uma sabedoria toda especial. Muitas vezes acontecia de sua mãe dizer algo que dava a impressão de que ela sabia mais do que sabia de fato. O outro lado racional. Era consequência de seu pai representar o papel de orador: tudo o que ela dizia parecia, por efeito de contraste, ser essencial.

"Bom, eu podia lhe dizer que não há como fugir, que todas as suas tentativas de fuga vão levar você de volta ao ponto de partida. É o que o seu pai lhe diria. E ainda ia encontrar uma citação de *Júlio César* em que se sustentar. Mas um rapaz como você, por quem todo mundo se derrete? Um rapaz bonito, encantador, inteligente, com o seu físico, a sua determinação, a sua astúcia, com todos os seus dons maravilhosos? Com os seus olhos verdes e os seus cílios longos e negros? Ora, isso não vai lhe trazer problema nenhum. Imagino que a maior dificuldade vai ser encontrar um jeito de me visitar, e no entanto você está aí na maior tranquilidade. Isso porque você sabe que a sua decisão é muito sensata. Eu *sei* que é, porque você não ia escolher um objetivo que não fosse sensato. É claro que você vai ter decepções. É claro que quase nada vai ser como você imaginava que fosse, agora que você está aí nessa tranquilidade toda. O seu destino especial vai ser especial, sim — mas de que modo? Vinte e seis anos — você não faz a menor ideia. Mas não daria no mesmo se você não fizesse nada? Imagino que qualquer mudança profunda na vida da gente implica dizer 'não conheço você' a alguém."

Ela continuou falando por quase duas horas, um longo discurso sobre a autonomia de Coleman, remontando até sua primeira infância, um discurso que abordava o sofrimento da maneira mais eficaz, delineando tudo o que ela teria de suportar, sem poder levantar nenhuma oposição, e enquanto isso Coleman fez o que pôde para não pensar — com base nas coisas mais simples, como o fato de que o cabelo dela (de sua mãe, não o de Iris) estava rareando, que sua cabeça parecia mais ossuda, seus tornozelos inchados, seu ventre distendido, os dentes grandes exageradamente separados — que sua mãe estava bem mais próxima da morte agora do que naquele domingo, três anos antes, em que ela fizera o possível para deixar Steena à vontade. Houve um momento no meio da tarde em que — foi essa a impressão de Coleman — ela pareceu aproximar-se do limiar da grande mudança: aquele ponto em que um velho se transforma num pequeno ser deformado. Quanto mais ela falava, mais forte a impressão de Coleman de que aquilo estava acontecendo. Ele tentava não pensar na doença que a mataria, no enterro que lhe dariam, nos elogios e preces que seriam feitos junto à sepultura. Porém também tentava não pensar em sua mãe continuando a viver, depois que ele fosse embora e a abandonasse, vivendo ali, os anos passando, ela pensando nele e nos filhos dele e na mulher dele, mais anos passando e a ligação entre os dois tornando-se mais forte ainda para ela, precisamente por estar sendo negada.

Nem a longevidade nem a mortalidade dela deviam influenciar a opção de Coleman, nem todas as dificuldades por que a família passara em Lawnside, onde sua mãe nasceu num barraco e onde viveu com os pais e os quatro irmãos até o dia em que o pai morreu, quando ela estava com sete anos. A família de seu pai vivia em Lawnside, Nova Jersey, desde 1855. Eram escravos foragidos, levados de Maryland para Nova Jersey pelos quacres. Os negros deram ao lugar o nome de Free Haven, Refúgio Livre. Na época, não havia brancos por lá, e mesmo agora os brancos eram muito poucos, vivendo nos arredores de uma cidade de dois mil habitantes onde praticamente todo mundo era descendente dos escravos foragidos que ali viviam sob a proteção dos quacres de Haddonfield — o prefeito, o chefe do corpo de bombeiros, o chefe da polícia, o coletor de impostos, os professores da escola primária, os alunos da escola primária, todos eram descendentes deles. Mas a singularidade de Lawnside, uma cidade só de negros, também não tinha nenhuma relevância. Nem tampouco a singularidade de Gouldtown, mais ao sul, também em Nova Jersey, perto de Cape May. A família de sua mãe era de Gouldtown, e foi para lá que se mudaram depois da morte do pai. Outro povoado de negros, muitos deles quase brancos, inclusive a avó de Coleman, todo mundo parente de todo mundo. "Há muitos e muitos anos", como sua mãe lhe contava quando ele era menino — simplificando e condensando todas as histórias que tinha ouvido — havia um escravo cujo senhor, um soldado do Exército continental, morrera na guerra com a França. O escravo cuidou da viúva do soldado. Ele era encarregado de tudo; desde a alvorada até o pôr do sol ele não parava de trabalhar. Cortava lenha, fazia a colheita, armazenava os repolhos num depósito que ele mesmo construíra, armazenava as abóboras, enterrava as maçãs, os nabos e as batatas no chão antes que o inverno chegasse, empilhava o centeio e o trigo no celeiro, abatia o porco e salgava a carne, abatia a vaca e salgava a carne, até que um dia a viúva casou-se com o escravo e eles tiveram três filhos homens. E esses filhos se casaram com moças de Gouldtown, de famílias que lá viviam desde que o povoado fora fundado no início do século XVII, famílias que, no tempo da revolução, já estavam profundamente interligadas por laços de casamento. Algumas dessas famílias, ou todas elas, contava-lhe a mãe, descendiam do índio lenape da aldeia grande que havia em Indian Fields, que se casara com uma sueca — ali os colonizadores holandeses haviam sido substituídos por suecos e finlandeses — e tivera cinco filhos com ela; algumas das famílias, ou todas, descendiam dos dois irmãos mulatos trazidos das Índias Ocidentais num navio cargueiro que viera subindo o rio, de Greenwich até Bridgeton, onde passaram a servir os proprietários de terras que haviam financiado sua viagem, e depois pagaram eles próprios as viagens de duas irmãs holandesas vindas da Holanda para casar-se com eles; algumas das famílias, ou todas, descendiam da neta de John Fenwick, filho de um baronete inglês, oficial de cavalaria do Exército de Cromwell e quacre, que morreu em Nova Jersey, não muitos anos depois que a Nova Cesárea (a província entre o rio Hudson e o rio Delaware doada pelo irmão do rei da Inglaterra a dois proprietários ingleses) se tornou Nova Jersey. Fenwick morreu em 1683 e foi enterrado em algum lugar da colônia por ele adquirida, fundada e governada, e que se estendia ao norte de Bridgeton até Salem, e ao sul e ao leste até o Delaware.

A neta de Fenwick, Elizabeth Adams, com dezenove anos de idade, casou-se com um homem de cor, Gould. "Esse negro que foi a desgraça dela" — era assim que o avô se referia a Gould em seu testamento, no qual negou qualquer parcela de sua herança a Elizabeth até que "o Senhor lhe abra os olhos e ela enxergue a abominável transgressão que perpetrou contra Ele". Constava que apenas um dos cinco filhos varões de Gould e Elizabeth chegara à idade adulta, Benjamin Gould, o qual desposou uma finlandesa, Ann. Benjamin morreu em 1777, um ano depois da assinatura da Declaração da Independência, ocorrida na Filadélfia, do outro lado do Delaware, e deixou uma filha, Sarah, e quatro filhos, Anthony, Samuel, Abijah e Elisha, que deram seu nome a Gouldtown.

Por intermédio de sua mãe, Coleman tomou conhecimento daquela história familiar tortuosa, remontando aos tempos do aristocrático John Fenwick, que representava, no sudoeste de Nova Jersey, o que William Penn representava para a parte da Pensilvânia onde ficava Filadélfia — e que às vezes parecia ser o ancestral de toda a população de Gouldtown —, e depois ouviu-a outras vezes, se bem que nunca exatamente com os mesmos detalhes, de tias-avós e tios-avôs, de tias-bisavós e tios--bisavôs, alguns deles quase centenários, quando, ainda criança, ele, Walt e Ernestine iam com os pais a Gouldtown para a reunião anual da família — quase duzentos parentes do sudoeste de Nova Jersey, de Filadélfia, de Atlantic City, até mesmo de Boston, comendo enchova frita, frango cozido, frango frito, sorvete caseiro, doce de pêssego, tortas e bolos —, comiam os pratos prediletos da família e jogavam beisebol e cantavam canções e contavam histórias o dia inteiro, histórias sobre as mulheres de antigamente, que fiavam e tricotavam, coziam gordura de porco e assavam pães imensos que os homens levavam para o campo, faziam roupa, tiravam água do poço, administravam remédios quase todos encontrados no mato, infusões de ervas para tratar o sarampo, xarope de melado com cebola para combater a coqueluche. Histórias sobre mulheres da família que cuidavam do gado leiteiro e faziam queijos finos, mulheres que iam a Filadélfia trabalhar como governantas, costureiras e professoras, mulheres cujos lares eram exemplos de hospitalidade. Histórias sobre homens que iam para o mato armar arapucas e caçar animais hibernais para lhes comer a carne, fazendeiros que cuidavam de suas terras, cortavam lenha e trilhos para fazer cercas, compravam, vendiam e abatiam gado, e homens prósperos também, os comerciantes, que vendiam toneladas de feno para as olarias de Trenton, feno feito do capim que dava nos pântanos de sua propriedade às margens da baía e do rio. Histórias sobre homens que largaram o mato, a fazenda e o pântano para sentar praça — uns como soldados brancos, outros como negros —

na Guerra de Secessão. Histórias sobre homens que entraram para a Marinha e furaram o bloqueio naval, que foram para Filadélfia e se tornaram agentes funerários, impressores, barbeiros, eletricistas, fabricantes de charutos e pastores da Igreja Episcopal Metodista Africana — um que foi a Cuba combater ao lado de Theodore Roosevelt, e uns poucos que se meteram em confusões, fugiram e jamais voltaram. Histórias sobre crianças da família semelhantes a Coleman e seus irmãos, muitas vezes pobremente vestidas, sem sapatos e às vezes sem agasalhos, dormindo em quartos gélidos de casas simples no inverno, carregando feno com os homens no calor do verão, porém sempre aprendendo boas maneiras com os pais, e sendo catequizadas na escola pelos presbiterianos — e lá também aprendendo a ler e escrever —, e sempre podendo comer tudo o que queriam, mesmo naquele tempo, porco e batata e pão e melado e caça, e crescendo fortes, saudáveis e honestas.

Mas ninguém desiste de ser boxeador por causa da história dos escravos foragidos de Lawnside, da abundância de tudo nas reuniões familiares em Gouldtown e da complexidade da árvore genealógica da família — tampouco resolve se tornar professor de letras clássicas por causa da história dos escravos foragidos de Lawnside, da abundância de tudo nas reuniões familiares em Gouldtown e da complexidade da árvore genealógica da família — nem desiste de se tornar o que quer que seja por nenhum motivo desse tipo. Muitas coisas desaparecem da vida de uma família. Lawnside é uma delas, Gouldtown outra, genealogia a terceira, e Coleman Silk a quarta.

Nos últimos cinquenta anos, Coleman também não foi o primeiro filho a ouvir histórias da família sobre a venda de feno às olarias de Trenton, a comer enchova frita e doce de pêssego nas reuniões de Gouldtown e, depois de crescido, sumir desse jeito — sumir, como se dizia na sua família, "até não deixar o menor sinal de vida". Ou então diziam: "Se perdeu de toda a sua gente".

O culto aos antepassados — era assim que Coleman dizia. Honrar o passado era uma coisa — a idolatria aos antepassados era outra. Dessa prisão ele queria distância.

Naquela noite, depois que voltou de East Orange para o Village, Coleman recebeu um telefonema de seu irmão, em Asbury Park, que levou a coisa adiante mais depressa do que ele havia planejado. "Você está proibido de falar com ela", Walt avisou-o, e havia em sua voz algo contido com dificuldade — e que se tornava ainda mais assustadora justamente por estar sendo contida — que Coleman não ouvia desde o tempo de seu pai. Agora há mais uma força na família que o empurra para o outro lado em caráter definitivo. O ato foi cometido em 1953 por um jovem ousado em Greenwich Village, por uma pessoa específica num lugar específico num tempo específico, mas agora ele ficará para sempre do outro lado. No entanto, como ele acaba constatando, a questão é justamente esta: a liberdade é perigosa. A liberdade é muito perigosa. E nada é exatamente como você quer durante muito tempo. "Nem *tente* entrar em contato com ela de novo. Nenhum tipo de contato. Nem por telefone, nem nada. Nunca. Está ouvindo?", disse Walt. "*Nunca*. Não ouse aparecer naquela casa nunca mais, com essa sua carinha de branco virginal!"

3. O que é que se faz com a menina que não sabe ler?

"Se o Clinton tivesse enrabado essa mulher, ela era bem capaz de ficar de bico calado. O Bill Clinton não é esse machão todo que dizem que ele é. Se ele vira a tal estagiária de bruços lá no Salão Oval e enfia no cu dela, nada disso acontecia."

"É que ele nunca chegou a dominar a moça. Ele foi cuidadoso."

"Desde que ele chegou à Casa Branca que ele não dominava mais ninguém. Não podia mais. Também não dominava a Kathleen Willey. Por isso que ela ficou puta com ele. Depois que virou presidente, ele perdeu aquela capacidade de dominar as mulheres que tinha lá no Arkansas. Ser secretário da Justiça ou governador de um estado sem importância, isso é que era perfeito pra ele."

"Claro. A Gennifer Flowers."

"O que acontece lá no Arkansas? Se você cai, você continua lá, você não cai de muito alto."

"Isso. E além do mais lá tem aquela tradição de comer cu."

"Mas, quando você chega à Casa Branca, não dá mais pra dominar. E quando você não domina mais, então a Kathleen Willey se volta contra você, e a Monica Lewinsky se volta contra você. Se ele bota no cu dela, ele garante a lealdade da moça. Seria uma espécie de pacto, um pacto entre os dois. Mas não houve esse pacto."

"É, mas ela estava com medo. Por um triz que ela não diz nada, você sabe. O Starr apavorou a coitada. Onze caras num quarto de hotel com ela, todo mundo caindo em cima dela — foi uma curra coletiva. Isso que o Starr fez com ela foi uma curra coletiva."

"É, sim. É verdade. Mas ela já estava falando com a Linda Tripp."

"É, tem razão."

"Ela estava falando com todo mundo. Ela faz parte dessa cultura babaca. Do blá-blá-blá. Dessa geração que se orgulha de ser superficial. O importante é uma *performance* sincera. Sincera e vazia, totalmente vazia. Aquela sinceridade que atira pra todos os lados. A sinceridade que é pior que a falsidade, e a inocência que é pior que a corrupção. Por trás daquela sinceridade tem uma coisa muito predatória. E por trás de toda aquela conversa fiada. Essa linguagem que eles todos têm — em que eles parecem até acreditar, mesmo —, essa história de 'falta de amor-próprio', quando no fundo eles se arrogam todos os direitos. A sem-vergonhice deles eles chamam de amor, e a crueldade eles disfarçam como perda de 'amor-próprio'. O Hitler também não tinha amor-próprio. O problema dele era esse. Essa garotada é um bando de vigaristas. Vivem hiperdramatizando as emoções mais mesquinhas. Relação. A nossa relação. Discutir a nossa relação. Elas abrem a boca e eu fico puto só de ouvir. Essa linguagem é uma súmula de toda a burrice dos últimos quarenta anos. Assumir. É outra que eu não aguento. Tem que *assumir*, tem que ter um sentido fechado. Meus alunos não conseguem ficar no local em que o pensamento se dá. Eles precisam de uma narrativa convencional, com começo, meio e fim — e toda experiência, por mais ambígua, complexa ou misteriosa que seja, tem que se resolver num sentido pronto para o consumo, que possa ser devidamente 'assumido'. Aluno meu que fala em 'assumir' eu reprovo. E aí tem que 'assumir' que levou pau."

"Bom, seja lá o que ela for — uma narcisista completa, uma filha da puta traiçoeira, a garota judia mais exibicionista de toda a história de Beverly Hills, completamente corrompida por uma vida de privilégios —, ele já sabia tudo isso de saída. Só de olhar pra ela já sabia. Se ele não consegue decifrar a Monica Lewinsky, como é que ele vai decifrar o Saddam Hussein? Se não consegue decifrar a Monica Lewinsky e ser mais esperto que ela, ele não *merece* ser presidente. Isso é que é um motivo razoável pro impeachment. Não, ele sabia, ele sabia de tudo. Eu não acredito que ele caiu na história dela por muito tempo. Que ela era totalmente corrupta e totalmente inocente, é claro que ele sabia. A inocência extrema é que era a corrupção — a corrupção, a loucura e a esperteza dela. A força dela estava justamente nessa combinação. Foi a superficialidade dela que atraiu o presidente da República. A intensidade daquela superficialidade era o atrativo. Para não falar na superficialidade da intensidade. As histórias sobre a infância dela. Ela se gabando de ser voluntariosa: 'Pois é, eu tinha três anos mas já era uma personalidade'. Claro que ele sabia muito bem que tudo que ele fizesse que não se conformasse às ilusões dela ia ser mais um golpe brutal ao amor-próprio dela. Mas o que ele não percebeu era que tinha de botar na bunda dela. Por quê? Pra que ela não abrisse o bico. Um comportamento estranho do nosso presidente. Foi a primeira coisa que ela mostrou a ele. Só faltou esfregar a bunda na cara dele. Oferecendo a ele. E ele não fez nada. Não entendo esse cara. Se ele tivesse comido o cu dela, acho pouco provável que ela tivesse conversado com a Linda Tripp. Porque não ia querer falar sobre isso."

"Ela queria falar era sobre o charuto."

"Isso é diferente. Isso é coisa de criança. Não, ele não deu a ela uma coisa que depois ela não quisesse mencionar. Uma coisa que ele quisesse que ela não quisesse. O erro foi esse."

"É o cu que gera a lealdade."

"Não sei se com isso ela ia mesmo calar o bico. Não sei se é possível fazer essa mulher calar o bico. Ela é do tipo que não consegue manter a boca fechada. Ela não é Garganta Profunda, é Boca-Rota."

"Agora, você tem que admitir que essa garota revelou mais sobre o país do que qualquer pessoa desde o John dos Passos. Foi *ela* que enfiou um termômetro no cu *do país*. Dos *EUA* da Monica"

"O problema é que o Clinton estava dando a ela o que os outros caras todos davam. Ela queria uma coisa diferente dele. Ele é o presidente, ela é uma terrorista do amor. Ela queria que ele fosse diferente daquele professor com quem ela teve um caso."

"É, o problema do Clinton foi ser bonzinho. Interessante. Não a brutalidade dele, mas o lado bonzinho dele. Foi ele adotar as regras dela e não as dele. Ela controla o Clinton porque ele quer. Porque ele está a fim. Está tudo errado. Você sabe o que o Kennedy diria a ela se ela viesse pedir emprego? Sabe o que o Nixon diria? O Truman, até mesmo o Eisenhower diria a ela. O general que comandou as Forças Armadas durante a Segunda Guerra Mundial, esse aí sabia não ser bonzinho. Eles diriam a ela que não só não davam o emprego que ela pedia, mas que também ninguém nunca mais ia dar emprego nenhum a ela, o resto da vida. Que ela não ia conseguir nem ser motorista de táxi no interior do Novo México. *Nada*. Que o pai dela ia perder a freguesia, que ele também ia ficar sem trabalho. A mãe dela nunca mais ia conseguir trabalho, o irmão dela nunca mais ia conseguir trabalho, ninguém na família dela nunca mais ia conseguir ganhar um tostão, se ela pensasse em contar a história dos onze boquetes. Onze. Nem mesmo uma dúzia redonda. Eu acho que menos de uma dúzia em mais de dois anos não dá pra ganhar o Nobel da sacanagem, é ou não é?"

"A cautela, a cautela dele é que foi a culpada. Não tem dúvida. Ele agiu como advogado."

"Ele não queria que ela tivesse nenhuma prova. Por isso ele não queria gozar."

"Nisso ele tinha razão. Foi ele gozar e se ferrar. Porque aí ela tinha uma prova. Uma amostra. A porra fatal. Se ele tivesse comido o cu dela, o país não teria passado por esse trauma terrível."

Eles riram. Eram três.

"Ele nunca se entregou completamente. Estava sempre com um olho na porta. Ele também tinha o sistema dele. Ela estava tentando aumentar o cacife."

"Não é assim que a Máfia faz? Você dá ao sujeito uma coisa que ele não pode contar pra ninguém. Aí ele está no papo."

"Você envolve a vítima numa transgressão mútua, e com isso consegue uma corrupção mútua. É isso mesmo."

"Então o problema do Clinton é que ele não é corrupto o bastante."

"Isso mesmo. Faltou corrupção. E faltou também sofisticação."

"Ele é acusado de ser desonesto. É justamente o contrário: ele não é desonesto o bastante."

"É claro. Se você está fazendo esse tipo de coisa, por que não ir até o fim? Não é uma coisa meio artificial?"

"Se você não vai até o fim, deixa claro que está com medo. E, quando você está com medo, você tá ferrado. Aí é só a Monica pegar o celular que você tá ferrado."

"Ele não queria perder o controle, entendeu? Você se lembra do que ele disse: eu não quero ficar amarrado em você, não quero ficar viciado em você? Eu achei que isso era verdade."

"Já eu achei que era conversa fiada."

"Não acredito. Do jeito que ela lembrou a frase, realmente parece inventada, mas eu acho que a motivação... não, ele não queria ficar viciado. Ela era boa, mas era substituível."

"Todo mundo é substituível."

"Mas você não sabe que experiência que ele tinha. Ele não era chegado a putas, essas coisas."

"Já o Kennedy gostava de puta."

"Se gostava! Esse ia fundo. O Clinton é só um garotão."

"Eu não acho que ele era só um garotão quando estava no Arkansas."

"Não, lá no Arkansas a coisa estava de bom tamanho para ele. Em Washington, era demais. E foi isso que enlouqueceu o Clinton. O presidente da República tem acesso a tudo mas não pode pegar. Deve ter sido um inferno. Especialmente estando casado com aquela mulher que é toda certinha."

"Você acha que ela é toda certinha?"

"Pode crer que é."

"E ela com o Vince Foster?"

"Bom, é claro que ela tinha que se apaixonar por alguém, só que ela não é do tipo que é capaz de fazer uma maluquice, porque ela era *casada*. Com ela, até o adultério é chato. Ela tira a graça de qualquer transgressão."

"Você acha que ela estava transando com o Foster?"

"Estava, sim. Claro que estava."

"Agora todo mundo está apaixonado por essa mulher toda certinha. É isso que ela é."

"O lance genial do Clinton foi dar ao Vince Foster um emprego em Washington. Levar ele pra lá. Fazer o Foster dar sua contribuição ao governo. Foi um lance de gênio. Nesse ponto o Clinton agiu que nem um chefão da Máfia. Porque aí ele tinha um trunfo contra a mulher."

"É, está certo. Mas não foi isso que ele fez com a Monica. Ele tinha só o Vernon Jordan para conversar sobre a Monica. Que provavelmente era a melhor pessoa com quem conversar. Mas eles não se tocaram do que estava acontecendo. Pensaram que ela só estava contando tudo pra aquelas amiguinhas idiotas dela de Los Angeles. Está bem. Agora, a tal da Linda Tripp, esse Iago de saias, essa Iaga que o Starr infiltrou na Casa Branca..."

Nesse ponto, Coleman levantou-se e foi andando em direção ao campus. Isso foi tudo o que ouviu enquanto pensava, sentado num banco do parque, no que faria em seguida. Não reconheceu as vozes, e como os três estavam de costas para ele, e o banco em que estavam ficava do outro lado da árvore, não viu seus rostos. Imaginava que fossem três sujeitos jovens, contratados depois que ele saiu, reunidos no parque para tomar água mineral ou café descafeinado trazido numa garrafa térmica, voltando das quadras de tênis da cidade e relaxando juntos, comentando as últimas do caso Clinton antes de voltar para suas casas, para suas esposas e seus filhos. Eles pareceram ter um conhecimento sexual e uma abertura para questões sexuais que não eram típicos dos professores assistentes mais jovens, especialmente na Athena. Uma conversa meio pesada para um grupo de professores universitários. Uma pena aqueles caras durões não estarem na faculdade no seu tempo. Talvez eles o tivessem ajudado a resistir contra... Não, não. Lá no campus, onde nem todo mundo frequenta as quadras de tênis, essa força

195

costuma se dissipar em piadas, quando não é inteiramente contida — eles provavelmente teriam se comportado como os outros professores na hora de lhe prestar solidariedade. De qualquer maneira, o fato era que ele não os conhecia nem queria conhecer. Não conhecia mais ninguém. Havia dois anos, desde que começara a escrever *Spooks*, que ele tinha se desligado completamente dos amigos, colegas e companheiros de toda a sua vida, e assim foi só naquele dia — pouco antes do meio-dia, depois daquela reunião com Nelson Primus que terminara pior do que mal, que terminara catastroficamente, a ponto de Coleman se surpreender com sua própria agressividade — que ele ousou afastar-se da Town Street, como estava fazendo agora, seguir pela South Ward e então, chegando ao monumento da Guerra da Secessão, subir a ladeira que levava ao campus. O mais provável era que não encontrasse nenhum conhecido, no máximo um ou outro professor que estivesse dando aulas aos aposentados que vinham cursar o programa para alunos idosos que a faculdade oferecia em julho, o qual incluía concertos em Tanglewood, visitas às galerias de arte de Stockbridge e ao Norman Rockwell Museum.

As primeiras pessoas que ele viu, quando terminou de subir a ladeira e, passando pelo antigo prédio de astronomia, chegou à praça central ensolarada, com seu ar acadêmico mais *kitsch* até do que na capa do catálogo da faculdade, foram justamente esses alunos do curso de verão. Estavam indo para o bandejão, seguindo em pares por uma das alamedas que se cruzavam. Seguiam aos pares: esposo com esposa, esposo com esposo, esposa com esposa, viúva com viúva, viúvo com viúvo, viúva de um com viúvo de outra — era a impressão que Coleman tinha —, casais novos que haviam se formado após se conhecerem no curso de verão. Todos usavam roupas bem leves, saias e blusas em tons pastel, calças brancas ou cáqui, um ou outro paletó esporte e quadriculado. A maioria dos homens usava boné com viseira, boné de todas as cores, muitos deles ostentando logotipos de equipes esportivas profissionais. Não havia nenhuma cadeira de rodas, nenhum andador, nenhuma muleta, nenhuma bengala à vista. Pessoas de sua idade, lépidas e faceiras, aparentemente tão saudáveis quanto ele, algumas um pouco mais jovens, outras visivelmente mais velhas, porém aproveitando bem a liberdade que a aposentadoria concedia aos que tinham a felicidade de poder respirar com certa facilidade, caminhar sem sentir muita dor e pensar com relativa clareza. Era assim que ele devia estar. Caminhando ao lado de uma pessoa apropriada. Adequada.

Adequado. A palavra atualmente usada para conter a maioria dos desvios às normas que garantiam um comportamento salutar, que deixavam todos "à vontade". Todos fazendo não o que achavam que ele estava fazendo, e sim, pensou, o que era considerado adequado por sabe-se lá qual expoente da moral do momento. Barbara Walters? Joyce Brothers? William Bennett? *Dateline NBC?* Se ele continuasse a trabalhar ali como professor, podia dar um curso intitulado "Comportamentos adequados no teatro grego clássico", um curso que terminaria antes mesmo de começar.

Estavam a caminho do almoço, passando perto do Prédio Norte, o prédio de tijolo colonial, coberto de hera e lindamente desgastado pelo tempo, onde, por mais de dez anos, Coleman Silk, como decano, ocupou a sala em frente à suíte do presidente. O marco arquitetônico da faculdade, a torre de seis lados do Prédio Norte, no alto da qual ficava um relógio encimado por um pináculo que terminava com a bandeira — que era vista da cidade de Athena tal como as grandes catedrais europeias são vistas das estradas que levam a elas —; o relógio batia as horas, assinalando o meio-dia, quando ele se sentou num banco da praça central, à sombra de um carvalho contorcido pela idade, o mais famoso do campus, tentando pensar com calma nas restrições impostas pelo decoro. A *tirania* do decoro. Era difícil até mesmo para ele, em meados de 1998, acreditar na sobrevivência do conceito americano de decoro, e era ele próprio que se considerava vítima dessa tirania: o freio que ela ainda impõe à retórica pública, a inspiração que fornece aos santarrões, a persistência quase universal dessa exibição desvirilizante de virtudes que H. L. Mencken rotulou de besteirismo, que Philip Wylie denominou culto à mãe, que os europeus chamam (violando o sentido histórico do termo) de puritanismo americano, que os Ronald Reagans da vida intitulam valores básicos da nação, que exerce sua jurisdição por toda parte fazendo-se passar por outra coisa — por praticamente *tudo*. O decoro é uma força multiforme, uma dominadora que assume mil e um disfarces, que se for necessário é capaz de infiltrar a responsabilidade cívica, a dignidade das elites, os direitos das mulheres, o orgulho dos negros, a solidariedade étnica ou a sensibilidade ética emocional dos judeus. Não é como se Marx, Freud, Darwin, Stalin e Hitler nunca tivessem existido — é como se Sinclair Lewis nunca tivesse existido. Como se, pensou Coleman, *Babbit* nunca tivesse sido escrito. É como se nem sequer o nível mais básico de pensamento imaginativo tivesse causado o menor distúrbio na consciência. Um século de destruições sem precedente que afligem toda a espécie humana — dezenas de milhões de pessoas comuns condenadas a passar pelas maiores provações, atrocidades, barbaridades, mais de metade do mundo submetida a uma política social que se resume ao sadismo patológico, sociedades inteiras se organizando e se aprisionando pelo medo de sofrer uma perseguição violenta, a degradação da vida individual imposta numa escala industrial inaudita, nações inteiras dominadas e escravizadas por criminosos ideológicos que as despojam de tudo, populações inteiras de tal modo acovardadas que já não conseguem sair da cama de manhã com a menor vontade de enfrentar o dia... e, apesar de todas as marcas terríveis deste século, está todo mundo em pé de guerra por causa de Faunia Farley. Aqui nos Estados Unidos, quando não é Faunia Farley, é Monica Lewinsky! O luxo dessas vidas é perturbado pelo comportamento inadequado de Clinton e Silk! Isso, em 1998, é a maldade que eles têm de suportar. Isso, em 1998, é a tortura, o tormento, a morte espiritual deles. A fonte do maior desespero moral para eles, a Faunia chupar meu pau e eu comer a Faunia. Sou um depravado, não apenas por ter uma vez pronunciado a palavra "*spooks*" diante de uma turma de alunos brancos — e ter feito isso não quando estava falando sobre o legado da escravidão, ou as fulminações dos Panteras Negras, as metamorfoses de Malcolm X, a retórica de James Baldwin ou a popularidade do programa de rádio *Amos 'n' Andy*, mas quando estava simplesmente fazendo a chamada. Sou um depravado não apenas por...

Tudo isso em menos de cinco minutos sentado num banco e contemplando o belo prédio onde outrora ele trabalhara como decano.

Porém o erro fora cometido. Ele havia voltado. Ele estava ali, no alto do morro de onde fora expulso, e todo o desprezo pelos amigos que lhe haviam negado seu apoio havia voltado, os colegas que não haviam se dado ao trabalho de defendê-lo, os inimigos que tinham com tanta facilidade desmerecido toda a sua carreira profissional. O impulso de denunciar a crueldade leviana da indignação moral idiota daquelas pessoas desencadeou sua raiva. Ele estava de volta ao campus à mercê de toda sua raiva, e sentiu que a intensidade daquela raiva era mais forte que sua sensatez, exigindo uma ação imediata.

Delphine Roux.

Levantou-se e partiu em direção à sala dela. Após uma certa idade, pensou ele, é melhor para a saúde não fazer o que vou fazer agora. Após uma certa idade é melhor se deixar guiar pela moderação, se não pela resignação, ou até mesmo pela capitulação. Após uma certa idade, a gente deve viver sem ficar o tempo todo relembrando os ressentimentos do passado, nem provocando resistências no presente desafinando o coro do decoro reinante. Porém, abrir mão de desempenhar qualquer papel que não o que é atribuído pela sociedade, no seu caso o papel de um homem aposentado respeitável — aos setenta e um anos de idade, certamente é esse o papel adequado, e assim, para Coleman Silk, como ele demonstrou muitos anos antes, com toda a crueldade necessária, à sua própria mãe, é justamente esse papel que é inaceitável.

Ele não era um anarquista ressentido, como o pai maluco de Iris, o velho Gittelman. Não era nenhum agitador incendiário. Também não era maluco. Tampouco era radical ou revolucionário, nem mesmo do ponto de vista intelectual ou filosófico, a menos que seja revolucionário acreditar que ignorar os limites mais restritivos da sociedade e afirmar de modo independente uma opção pessoal livre perfeitamente legal é apenas um direito humano básico — a menos que seja revolucionário, chegando à idade adulta, recusar-se a aceitar automaticamente o contrato que foi redigido para que você assinasse no instante do seu nascimento.

Coleman já tinha passado pelos fundos do Prédio Norte e estava seguindo em direção ao longo gramado que levava até o Barton, onde ficava a sala de Delphine Roux. Não havia pensado no que diria se conseguisse encontrá-la sentada à sua mesa num dia de verão magnífico como aquele, quando ainda faltavam seis ou sete semanas para o reinício das aulas — nem jamais pensou, porque, muito antes de chegar perto do caminho de tijolo em torno do Barton, viu, atrás do Prédio Norte, reunidos num trecho de sombra no gramado, junto a uma escada que levava ao porão, um grupo de cinco funcionários da limpeza, de uniforme pardo, comendo uma pizza diretamente na caixa de papelão em que fora entregue e rindo às gargalhadas da piada que alguém havia contado. A única mulher do grupo, o centro das atenções dos colegas — a pessoa que havia contado a piada, ou feito a tirada espirituosa, que era também quem ria mais alto —, era Faunia Farley.

Os homens aparentavam ter trinta e poucos anos. Dois deles usavam barba, e um desses dois, que tinha também um rabo de cavalo comprido, era um sujeito bem largo, que parecia um boi. Era o único que estava em pé, quem sabe para poder ficar bem perto de Faunia, que, sentada no chão, as pernas compridas esticadas para a frente, a cabeça jogada para trás, entregava-se à alegria do momento. Seu cabelo, para surpresa de Coleman, estava solto. Ele sempre o vira antes preso para trás, com um elástico — Faunia só o soltava na cama, quando retirava o elástico e deixava que ele se espalhasse sobre os ombros nus.

Estava com os rapazes. Aqueles certamente seriam "os rapazes" de quem ela sempre falava. Um deles se divorciara recentemente; antes trabalhava como mecânico de oficina, mas não tivera sucesso, e era quem mantinha o Chevrolet de Faunia funcionando, era quem a levava para o trabalho e depois para casa nos dias em que a porcaria do carro não queria pegar de jeito nenhum; e um deles queria levá-la para assistir a um filme pornográfico numa das noites em que sua mulher trabalhava no último turno da fábrica de caixas de papelão em Blackwell; e um deles era tão inocente que nem sabia o que era um hermafrodita. Sempre que Faunia mencionava os rapazes, Coleman a ouvia sem fazer nenhum comentário, sem manifestar nenhum constrangimento em relação ao que ela dizia deles, ainda que ficasse curioso a respeito do interesse que eles tinham por ela, levando-se em conta o teor das conversas entre Faunia e eles. Mas como ela não se estendia demais sobre o assunto e ele também não lhe fazia perguntas a respeito, Coleman não se preocupava tanto com os rapazes quanto o faria em seu lugar, por exemplo, Lester Farley. É claro que ela podia perfeitamente ser um pouco menos solta com eles, alimentar um pouco menos suas fantasias, mas, mesmo quando se sentia impelido a dizer isso a Faunia, Coleman conseguia conter-se com facilidade. Ela podia se soltar como e com quem quisesse, pois ela teria de arcar com as consequências, quaisquer que fossem. Faunia não era sua filha. Não era nem mesmo sua "namorada". Ela era... o que era.

Porém, vendo-a sem ser visto, atrás da quina do Prédio Norte, na sombra, não era tão fácil encarar a coisa com distanciamento e tolerância. Pois agora ele via não somente o que via sempre — o que Faunia havia se tornado por ter conseguido tão pouco na vida —, mas também uma explicação provável para o fato de ela ter conseguido tão pouco; daquele ponto de vista, a apenas quinze metros, ele percebia, de modo quase microscópico, que ela, sem Coleman presente para ela poder seguir seu exemplo, seguia o do indivíduo mais rude à sua volta, o que tinha expectativas humanas mais baixas e autoimagem mais rasa. Já que, por mais inteligente que você seja, Voluptas é capaz de realizar praticamente qualquer coisa que você possa imaginar, algumas possibilidades nunca são sequer esboçadas, quanto mais pensadas a fundo, por isso avaliar corretamente os atributos da sua Voluptas é a última coisa que se pode esperar de você... até o dia em que, escondido na sombra, você a vê rolando na grama, os joelhos dobrados e um pouco separados, o queijo da pizza escorrendo em uma de suas mãos, brandindo uma lata de Coca Diet na outra, rindo feito uma louca de — do quê? do hermafroditismo? — enquanto a seu lado encontra-se, encarnado na pessoa de um mecânico fracassado, tudo aquilo que é a antítese da vida que você leva. Um outro Farley? Um outro Les Farley? Talvez nada tão trágico assim, porém mais um substituto de Farley do que de Coleman.

Uma cena na vida do campus que lhe pareceria despida de qualquer significado se a tivesse visto num dia de verão alguns anos antes, no tempo em que era o decano — e que ele certamente teria visto várias vezes —, uma cena que, naquele tempo, teria lhe parecido não inofensiva mas sim expressiva, exprimindo, no caso, o prazer de comer ao ar livre num belo dia, agora estava sobrecarregada de significados. Nem Nelson Primus nem sua querida Lisa, nem mesmo a denúncia anônima enviada por Delphine Roux tinham conseguido convencê-lo de alguma coisa, mas aquela cena corriqueira no gramado atrás do Prédio Norte fez com que visse, por fim, em cores vivas, sua própria degradação.

Lisa. Lisa e aqueles filhos dela. A pequenina Carmen. Foi nela que pensou naquele momento, na pequenina Carmen, seis anos de idade, mas, segundo Lisa, com a aparência de uma criança muito menor. "Ela é uma gracinha", disse-lhe Lisa, "mas parece um bebê." De fato, quando a viu, Coleman achou Carmen uma verdadeira gracinha: pele parda bem clara, cabelo negro como piche preso em duas tranças rígidas, olhos que não eram como nenhum par de olhos que ele já tivesse visto num ser humano, olhos que eram como brasas vivas, azuis de tão quentes, com uma luz que vinha de dentro, um corpo ágil e flexível de criança, vestida com capricho, jeans e tênis minúsculos, meias coloridas e uma camiseta branca que era apenas um tubo fino, quase tão estreita quanto um limpador de cachimbo — uma criança serelepe, aparentemente atenta a tudo, particularmente a ele. "Este é o meu amigo Coleman", disse Lisa quando Carmen entrou na sala, trazendo no rostinho matinal e bem lavado um sorriso irônico, um pouco convencido. "Oi, Carmen", disse Coleman. "Ele só quer ver o que é que a gente faz", explicou Lisa. "Tá bem", disse Carmen, num tom aparentemente simpático, mas examinando com a mesma atenção com que ele a examinava, como se o examinasse *com* aquele sorriso. "Vamos fazer como a gente sempre faz", disse Lisa. "Tá bem", disse Carmen, porém agora dirigindo a ele uma versão bem mais séria do sorriso. E quando ela se virou e começou a manusear as letras de plástico presas com ímãs num pequeno quadro-negro enquanto Lisa pedia que dispusesse as letras de modo a formar as palavras "pano", "prato" e "papel" — "Eu sempre digo que você tem que olhar para a primeira letra", dizia Lisa; "Quero ver você lendo as primeiras letras. Leia com o dedo" —, Carmen ficou virando repetidamente a cabeça, depois o corpo todo, a fim de olhar para Coleman e manter-se em contato com ele. "Qualquer coisa distrai a atenção dela", disse Lisa ao pai em voz baixa. "Vamos lá, Carmen. Vamos lá, meu amor. Ele é invisível." "O que é isso?" "Invisível", repetiu Lisa, "você não está vendo o Coleman." Carmen riu: "Estou vendo ele, sim". "Vamos. Olhe pra cá. As primeiras letras. Isso. Certo. Mas agora você tem que ler o resto da palavra também. Está bem? A primeira letra — e agora o resto da palavra. Isso — 'pano'. E essa aqui? Você conhece. 'Prato.' Isso mesmo." Fazia vinte e cinco semanas que Carmen estava naquele programa de recuperação de leitura no dia em que Coleman foi vê-la, e, embora tivesse feito algum progresso, não era muito. Ele lembrava a dificuldade que lhe dera a palavra "seu" no livro ilustrado que estava lendo em voz alta — esfregando os dedos em volta dos olhos, espremendo e enrolando a barra da blusa, retorcendo as pernas sobre a cadeirinha de criança, afastando lenta mas inexoravelmente o traseiro do assento da cadeira —, mas ainda assim incapaz de reconhecer "seu" ou pronunciar a palavra. "Estamos em março, papai. São vinte e cinco semanas. É muito tempo para não conseguir aprender a palavra 'seu'. É muito tempo para continuar confundindo 'camisa' com 'caneta', mas a esta altura eu já me dava por satisfeita com 'seu'. A expectativa é fazer o programa inteiro em vinte semanas. Ela já passou pelo jardim de infância — já devia ter aprendido algumas palavras básicas. Mas quando eu lhe mostrei uma lista de palavras em setembro — quando ela já estava matriculada na primeira série —, ela me perguntou: 'O que é isso?'. Ela nem reconhecia que eram palavras. E as letras: ela não conhecia o *h*, não conhecia o *j*, confundia o *u* com o *c*. Até dá pra entender por quê, tem uma certa semelhança visual, mas cinco semanas depois ela continua com o mesmo problema. O *m* e o *w*. O *i* e o *l*. O *g* e o *d*. Tudo isso ainda é difícil pra ela. Tudo é um problema pra ela." "Você está muito desanimada com a Carmen", disse ele. "Mas meia hora todos os dias? É muita aula. É muito trabalho. Ela devia ler em casa, mas em casa tem uma irmã de dezesseis anos que acabou de ter um filho, e os pais nunca lembram ou não estão nem aí. Os pais são imigrantes, para eles inglês é uma língua estrangeira, é difícil para eles ler em inglês para os filhos, se bem que nem em espanhol eles leem para a Carmen. E é esse o meu trabalho todos os dias. É só ver se uma criança consegue manipular um livro — eu entrego o livro a ela, um livro como esse, cheio de ilustrações coloridas embaixo do título, e digo: 'Me mostre onde é a capa do livro'. Algumas das crianças conseguem, mas a maioria não. A palavra escrita não significa nada pra elas. E veja lá", acrescentou Lisa, com um sorriso exausto, muito menos sedutor que o de Carmen, "essas crianças que vêm pra mim supostamente não têm nenhuma deficiência de aprendizagem. A Carmen não olha pras palavras nem quando *eu* estou lendo. Ela não se interessa. E é por isso que no final do dia a gente fica arrasada. Eu sei que os outros professores também têm tarefas difíceis, mas no final do dia, depois de atender uma Carmen e outra Carmen e mais outra Carmen, a gente chega em casa emocionalmente esgotada. Nem eu mais consigo ler. Não consigo nem falar no telefone. Eu como alguma coisa e vou pra cama. Faço igual a essas crianças. Eu gosto dessas crianças. Eu adoro essas crianças. Mas é uma coisa que esgota — não, esgota é pouco, é uma coisa que *mata*."

Faunia estava sentada na grama agora, bebendo o resto do refrigerante, enquanto um dos rapazes — o mais jovem, o mais magro, o que mais tinha cara de menino, com uma barba incongruente só no queixo, o que usava, com o uniforme pardo, um lenço xadrez vermelho e, ao que parecia, botas de caubói de salto alto — recolhia os restos do almoço num saco de lixo, e os outros três, separados, em pé no sol, fumavam cada um o último cigarro antes de voltar ao trabalho.

Faunia estava sozinha. E calada, agora. Imóvel, muito séria, com a lata de refrigerante vazia a seu lado, pensando em quê? Nos dois anos em que trabalhara como garçonete na Flórida, dos dezesseis aos dezessete anos, nos homens de negócios aposentados que vinham almoçar desacompanhados das esposas e lhe perguntavam se ela não gostaria de morar num bom apartamento, ganhar roupas bonitas, um carrinho novo e contas abertas em todas as lojas de modas de Bal Harbour e na joalheria e no salão de beleza e em troca não fazer quase nada, só ser namorada algumas noites por semana e também no fim de semana de vez em quando? Nem uma nem duas nem três, mas quatro propostas assim, só no primeiro ano. E depois a proposta do cubano. Ela ganha cem dólares com cada cliente, e sem pagar imposto. Para uma loura magricela e peituda, uma garota alta e bonitona como ela, cheia de energia, ambição e coragem, com minissaia, frente-única e botas, mil dólares por noite seria brincadeira. Um ano, dois, e aí, se quiser, ela se aposenta — vai ter o bastante para isso. "E você não topou?", perguntou Coleman. "Não. Eu não. Mas não fica achando que eu não pensei nisso", disse ela. "Toda aquela merda lá no restaurante, aquela gente esquisita, os cozinheiros malucos, e eu sem conseguir ler o menu nem anotar os pedidos, tendo que guardar tudo de cabeça — não era brincadeira, não. Agora, eu não sei ler, mas contar eu sei. Sei somar. Sei subtrair. Não sei ler mais sei quem foi Shakespeare. Sei quem foi Einstein. Sei quem ganhou a Guerra de Secessão. Não sou burra. Sou só analfabeta. É uma distinção sutil, mas enfim. Já número é outra história. De número eu entendo, pode crer. Não fica achando que eu não pensei que a ideia de repente não era nada má." Mas isso ela nem precisava dizer a Coleman. Não apenas ele imaginava que aos dezessete anos ela achava que se tornar prostituta talvez fosse uma boa ideia, como também pensava que ela não havia se limitado a considerar essa possibilidade.

"O que é que se faz com a criança que não sabe ler?" Fora essa a pergunta que Lisa lhe fizera, em desespero. "É a chave que abre todas as portas, por isso a gente tem que fazer *alguma* coisa, mas é essa coisa que está me desgastando. Dizem que o segundo ano é melhor. E o terceiro é melhor ainda. Pois eu estou no quarto." "E não é melhor?", perguntou ele. "É difícil. É muito difícil. Cada ano é *mais* difícil. Mas se aula particular individual não adianta, então o que é que se pode fazer?" Pois bem, o que *ele* fez com a menina que não sabia ler foi transformá--la em sua amante. O que Farley fez foi transformá-la em um saco de pancada. O que o cubano fez foi transformá-la em prostituta, na prostituta dele, ou uma delas — disso ele estava quase convencido. E por quanto tempo ela fora prostituta? Era nisso que Faunia pensava antes de se vestir e voltar para o Prédio Norte para terminar de limpar os corredores? Estaria pensando em todo o tempo que fizera aquilo? A mãe, o padrasto, a fuga, os lugares no Sul, os lugares no Norte, os homens, as surras, os empregos, o casamento, a fazenda, o gado, a falência, as crianças, a morte das duas crianças. Dá para entender por que passar meia hora no sol comendo pizza com os rapazes para ela é um verdadeiro paraíso.

"Este é o meu amigo Coleman, Faunia. Ele vai só ficar olhando."

"Está bem", diz Faunia. Ela está com uma saia de veludo cotelê verde, meias brancas limpas e sapatos pretos engraxados, e é muito menos serelepe que Carmen — tranquila, bem-comportada, sempre um pouco desanimada, uma criança branca, de classe média, bonitinha, cabelo louro comprido preso com dois prendedores em forma de borboleta, um de cada lado; ao contrário de Carmen, não manifesta nenhum interesse nele depois de ser apresentada. "Oi", ela murmura, educada, e, obediente, volta a remexer nas letras magnéticas, juntando os *w*, os *t*, os *n* e os *s*, e agrupando, em outra parte do quadro, todas as vogais.

"Use as duas mãos", diz Lisa, e ela obedece.

"Essas aqui quais são?", pergunta Lisa.

E Faunia lê as letras. Acerta todas.

"Vamos perguntar uma coisa que ela sabe", diz Lisa ao pai. "Faça 'pato', Faunia."

Faunia faz. Faunia faz "pato".

"Muito bem. Agora uma coisa que ela não sabe. Faça 'gato'."

Ela olha um bom tempo para as letras, concentrando-se, mas nada acontece. Faunia não escreve nada. Não faz nada. E espera. Espera que aconteça a próxima coisa. Passou a vida inteira esperando que acontecesse a próxima coisa. Sempre acontece.

"Quero que você mude a primeira parte, Faunia. Vamos. Você sabe. Qual é a primeira parte de 'gato'?"
"G." Ela retira o *p* é, no início da palavra, coloca em seu lugar o *g*.
"Muito bem. Agora faça 'rato'."
Ela faz. Rato.
"Bom. Agora leia com o dedo."
Faunia passa o dedo embaixo de cada letra pronunciando o som correspondente de maneira bem clara. "Erre. A. Tê. Ô."
"Ela é rápida", diz Coleman.
"É, mas isso é pra ser rápido, mesmo."
Há três outras crianças com três outras professoras de recuperação de leitura espalhadas pela sala ampla, de modo que Coleman ouve a sua volta vozinhas lendo, subindo e descendo no mesmo padrão infantil, independentemente do que está sendo dito, e ouve as outras professoras dizendo: "Essa você conhece — *u* de 'urso' — *u, u*..." e "Isso você sabe — *ando*, você sabe, *ando*..." e "O *i* você conhece... isso, isso mesmo", e quando olha a sua volta ele vê que todas as outras crianças também são Faunia. Há tabelas do alfabeto por todos os lados, com imagens de objetos para ilustrar cada uma das letras, e também letras de plástico que podem ser manuseadas, cada uma de uma cor diferente para ajudar a criança a formar foneticamente as palavras, uma letra de cada vez, e há pilhas de livros simples que contam histórias simplíssimas: "... na sexta-feira fomos à praia. No sábado fomos ao aeroporto". "'Papai Urso, o Bebê Urso está com você?' 'Não', respondeu o Papai Urso."
"De manhã, um cachorro latiu para Sara. Ela ficou com medo. 'Tente ser corajosa, Sara', disse a mãe." Além de todos esses livros e todas essas histórias e todas essas Saras e todos esses cachorros e todos esses ursos e todas essas praias, havia quatro professoras, quatro professoras, todas à disposição de

Faunia, e assim mesmo elas não conseguem fazê-la aprender a ler no seu nível apropriado.

"Ela está na primeira série", diz Lisa ao pai. "A gente espera que, se nós quatro juntas trabalharmos com ela direto o dia inteiro, todos os dias, até o final do ano ela pega mais velocidade. Mas é difícil ela se motivar sozinha."

"Menina bonitinha", diz Coleman.

"Você acha? Você gosta desse tipo? É esse o seu tipo, papai — cabelo louro comprido preso com prendedor-borboleta, que lê mal e não tem nenhuma força de vontade?"

"Eu não disse isso."

"Nem precisa. Eu estava vendo você olhar pra ela", e aponta para as quatro Faunias espalhadas pela sala, quietinhas diante dos quadros de letras, formando e reformando, com letras de plástico colorido, as palavras "rato" e "gato" e "pato". "A primeira vez que ela escreveu 'rato' com o dedo, você não conseguia tirar os olhos dela. Pois bem, se isso excita você, imagine se estivesse aqui em setembro. Em setembro ela não sabia escrever direito o primeiro nome *nem* o sobrenome. Estava acabando de sair do jardim de infância e a única palavra da lista que ela conseguia reconhecer era 'pato'. Ela não entendia que as palavras escritas contêm uma mensagem. Não sabia que a gente lê a página da esquerda antes da página da direita. Não conhecia a história dos *Três ursos*. 'Você conhece a história dos *Três ursos*, Faunia?' 'Não.' Isso quer dizer que a experiência dela no jardim de infância não foi das melhores — porque é só isso que tem no jardim de infância, histórias de fadas, cantigas infantis. Hoje ela já conhece *Chapeuzinho Vermelho*, mas, em setembro, nem pensar. Ah, se você tivesse conhecido a Faunia em setembro, logo depois que ela saiu do jardim de infância tão crua quanto entrou, eu garanto, papai, que você ia ficar enlouquecido."

O que é que se faz com a menina que não sabe ler? A menina que está chupando um cara numa picape enquanto na casa dela, um apartamento espremido em cima de uma garagem, os filhos pequenos dela eram para estar dormindo com um aquecedor ligado — duas crianças sem ninguém para tomar conta delas, um aquecedor a querosene, e ela com o tal cara na picape. A menina que está fugindo de casa desde os catorze anos de idade, fugindo de sua vida inexplicável a vida inteira. A menina que se casa, achando que o marido vai lhe dar estabilidade e segurança, com um ex-combatente pirado que tenta estrangulá-la só porque ela se virou na cama. A menina que é falsa, a menina que esconde e mente, a menina que não sabe ler mas *sabe* ler, que *finge* que não sabe ler, que assume voluntariamente essa desvantagem para encarnar melhor a personagem da marginalizada, para se fazer passar por alguém que ela não é nem precisa ser, mas que, por vários motivos, todos equivocados, ela quer que ele acredite que ela é. Que ela mesma quer acreditar que é. A menina cuja vida se tornou uma alucinação aos sete anos de idade, uma catástrofe aos catorze e um desastre depois disso, cuja vocação não é ser garçonete nem prostituta nem fazendeira nem faxineira, e sim eternamente a enteada de um padrasto lascivo e a filha desprotegida de uma mulher narcisista, a menina que não confia em ninguém, que vê um impostor em cada pessoa e que no entanto não está protegida de nada, cuja capacidade de tocar para a frente sem ser intimidada é imensa, e contudo se prende à vida apenas por um fio, a menina aguerrida, favorita do azar, a menina que já passou por todas as coisas horríveis por que alguém pode passar e cujo azar, pelo visto, não vai terminar nunca, e que mesmo assim o atrai e excita como nenhuma outra mulher desde Steena, a pessoa que é não a mais, e sim, moralmente falando, a *menos* repulsiva de todas as que ele já conheceu, pela qual ele

se sente atraído por ter por tantos anos procurado exatamente o contrário dela — por tudo o que ele *deixou de experimentar* por procurar sempre o contrário dela — e porque a sensação subjacente de retidão que o controlava outrora é precisamente o que o impele agora, a mais inesperada companheira com quem ele tem uma união que não é menos espiritual do que física, que é tudo *menos* um brinquedo sobre o qual ela lança seu corpo duas vezes por semana a fim de dar sustento à sua natureza animal, que desperta nele um sentimento de estarem juntos na mesma guerra que nenhum outro ser humano algum dia lhe inspirou.
  E o que é que se faz com uma menina assim? Procurar um telefone público o mais depressa possível para reparar o erro idiota que se cometeu.

  Ele pensa que ela está pensando no tempo que tudo isso está durando, a mãe, o padrasto, a fuga, os lugares no Sul, os lugares no Norte, os homens, as surras, os empregos, o casamento, a fazenda, o rebanho, a falência, as crianças, as crianças mortas... e talvez ela esteja pensando nisso mesmo. Talvez esteja, mesmo se agora, sozinha no gramado enquanto os rapazes estão fumando e recolhendo os restos do almoço, estiver pensando que está pensando nos corvos. Ela pensa muito nos corvos. Há corvos por toda parte. Eles moram na floresta, não muito longe da cama em que ela dorme, eles estão lá no pasto quando ela vai abrir a porteira para as vacas, e hoje estão crocitando por todo o campus, e assim, em vez de pensar no que está pensando segundo Coleman pensa que ela está pensando, ela está pensando é no corvo que costumava frequentar a loja lá em Seeley Falls quando, depois do incêndio e antes de se mudar para a fazenda, ela alugou um quarto mobiliado para tentar se esconder de Farley, o corvo que frequentava o estacionamento, que vivia entre a agência dos correios e a loja, o corvo que alguém havia domesticado porque ele tinha sido abandonado, ou porque sua mãe morrera — ela nunca ficou sabendo por que o corvo se tornou órfão. E então ele havia sido abandonado pela segunda vez e começara a frequentar aquele estacionamento, por onde todo mundo passava ao longo do dia. Esse corvo criava muito problema lá em Seeley Falls, porque dera de fazer voos rasantes sobre as pessoas que estavam entrando no correio, a atacar os prendedores-borboleta nos cabelos das meninas, coisas assim — coisas que os corvos fazem porque é de sua natureza colecionar objetos reluzentes, pedacinhos de vidro etc. —, e a gerente do correio, depois de consultar algumas pessoas interessadas no problema, resolveu levar o corvo para a sociedade de proteção à natureza, onde ele foi colocado numa gaiola, que era aberta para que ele voasse apenas de vez em quando; não se podia deixá-lo livre porque, em seu meio natural, uma ave que se acostumou a frequentar um estacionamento simplesmente não consegue mais se adaptar. A voz daquele corvo. Faunia se lembra dela a toda hora, dia ou noite, acordada, dormindo ou com insônia. Era uma voz estranha. Diferente da voz dos outros corvos, provavelmente por não ter sido criado com seus semelhantes. Logo depois do incêndio, eu ia às vezes visitar o corvo lá na sociedade de proteção, e sempre que acabava o horário de visita e eu me virava para ir embora o corvo me chamava com aquela voz dele. É, estava engaiolado, mas, sendo ele o que era, era melhor assim. Havia outras aves em gaiolas, que tinham sido levadas para lá porque não podiam mais viver no mato. Havia duas corujinhas. Bem pintadinhas, pareciam de brinquedo. Eu visitava as corujas também. E um falcão, que dava um grito agudo de doer. Eram simpáticas aquelas aves. E aí eu me mudei pra cá, e sozinha como eu estava, como estou, passei a conhecer os corvos como nunca antes. E eles me conhecem também. O senso de humor deles. Será isso mesmo? Talvez não seja senso de humor. Mas é a impressão que eu tenho. Aquele jeito de andar. O jeito de enfiar a cabeça nas penas. Gritam comigo se eu não levo pão pra eles. Faunia, vá buscar pão. Eles fazem a maior pose. Eles metem medo nas outras aves. No sábado, depois de conversar com o gavião lá em Cumberland, voltei pra casa e ouvi dois corvos no pomar. Eu sabia que estava acontecendo alguma coisa. Aquele grito de alerta dos corvos. Não deu outra: olhei e havia três aves — dois corvos crocitando e expulsando um gavião. Talvez o mesmo gavião com que eu estava conversando logo antes. Perseguindo ele. Estava na cara que o gavião ia aprontar alguma coisa. Mas enfrentar um gavião? Será que isso era uma boa ideia? Está certo que eles ganham a admiração dos outros corvos, mas, se fosse eu, acho que eu não fazia isso, não. Até mesmo *dois* corvos, não é pouco para enfrentar um gavião? São agressivos, os sacanas. Sempre brigando. E têm mais é que brigar, mesmo. Uma vez eu vi uma foto — um corvo partindo pra cima de uma águia e gritando com ela. A águia pouco se fodendo. Ela nem vê o corvo. Mas o corvo é um barato. Voa que é uma coisa. Não é tão bonito quanto o voo da gralha, que faz aquelas tremendas acrobacias aéreas. O corvo tem que levantar aquela fuselagem toda, e no entanto eles nem precisam de pista pra pegar velocidade. Basta dar uns poucos passos. Eu já vi isso acontecer. Aí, eles fazem um tremendo esforço. Fazem aquele esforço todo e decolam. No tempo que eu levava as crianças pra comer lá no Friendly's. Quatro anos atrás. Eram milhões de corvos. O Friendly's da East Main Street em Blackwell. No final da tarde. À tardinha. Milhões de corvos no estacionamento. A grande convenção de corvos lá no Friendly's. Por que é que os corvos se amarram tanto em estacionamento? O que será? Isso a gente nunca vai saber, isso e tudo o mais. Em comparação com o corvo, as outras aves não têm muita graça. É, os gaios-azuis têm aquele jeito de andar saltitando. Andar de malabarista. Isso é legal. Agora, o corvo sabe saltitar e sabe também andar todo durão, de peito empinado. É incrível. Virando a cabeça de um lado pro outro, pra sentir o ambiente. Ah, o corvo é o fodão do pedaço. Aquele grito dele. Barulhento. Escuta. Escuta só. Ah, eu adoro. É assim que eles se comunicam. Aquele grito nervoso que é sinal de perigo. Eu adoro. Saio correndo para ver na mesma hora. Pode ser cinco da madrugada, eu não estou nem aí. Eu ouço aquele grito nervoso e vou lá fora na mesma hora, porque sei que o espetáculo vai logo começar. Os outros gritos, não sei o que eles querem dizer. Vai ver que não querem dizer nada. Às vezes é um grito rápido. Às vezes é uma coisa gutural. Não confundir com o da gralha. Corvo transa com corvo, gralha com gralha. É incrível eles nunca se confundirem. Pelo menos que eu saiba. Quem diz que corvo é um bicho feio que come porcaria — e quase todo mundo diz isso — é maluco. Eu acho o corvo lindo. Acho, sim. Lindíssimo. Aquelas penas lisas. Aqueles tons de negro. Eles são tão pretos que você olha e chega a ver roxo. A cabeça do corvo. Aqueles pelinhos no começo do bico, aquele bigode, aqueles pelos que saem das penas. Isso deve ter um nome. Mas o nome não tem importância. Nunca tem importância. O importante é que existe. E ninguém sabe por quê. É como tudo o mais — as coisas simplesmente existem. Todos eles têm olhos pretos. Não tem nenhum que não tem olho preto. As garras pretas. Como será que é voar? A gralha sobe lá no alto, mas o corvo parece que só vai aonde ele quer ir. Não fica voando por aí, de bobeira, pelo menos é o que me parece. Deixa a gralha planar. Deixa a gralha se encarregar de planar. Deixa a gralha subir até não poder mais, quebrar todos os recordes e ganhar todos os prêmios. Os corvos têm que ir de um lugar pra outro. Eles ficam sabendo que eu tenho pão, aí eles vêm pra cá. Ficam sabendo que tem alguém a três quilômetros daqui que tem pão, aí vão pra lá. Quando eu jogo pão pra eles, tem sempre um que fica de sentinela, e outro que você ouve lá longe, e fica um falando com o outro pra todo mundo saber o que está acontecendo. É difícil a gente acreditar que está todo mundo tomando conta de todo mundo, mas é isso que parece. Tem uma história maravilhosa que eu nunca esqueci, que uma amiga minha me contou quando eu era menina, que a mãe dela contou pra ela. Tinha uns corvos tão espertos que eles descobriram uma maneira de abrir nozes, que eles não conseguiam quebrar com o bico, então eles levavam as nozes até a estrada e ficavam de olho no semáforo, o sinal de trânsito, e sabiam quando é que os carros iam se mexer — eles eram tão inteligentes que sabiam pra que serve o semáforo —, aí eles colocavam as nozes bem na frente dos pneus para que elas quebrassem, e assim que fechava o sinal eles iam lá pegar. Eu acreditei quando ela me contou. Naquele tempo eu acreditava em tudo. E agora que eu conheço bem os corvos e não conheço mais ninguém, eu voltei a acreditar. Eu e os corvos. Isso é que é o barato. Fica do lado dos corvos que você se dá bem. Ouvi dizer que eles alisam as penas um do outro com o bico. Isso eu nunca vi. Já vi eles bem juntinhos sem entender o que eles estavam fazendo. Mas isso eu nunca vi. Nem mesmo alisar as penas deles mesmos. Mas eu moro perto de onde eles moram, e não junto com eles. Bem que eu queria morar com eles. Preferia mesmo. É mesmo, sério. Não tem a menor dúvida. Eu preferia mil vezes ser um corvo. Eles não precisam ficar se preocupando de ter que fugir de ninguém nem de nada. Eles estão sempre indo de um lado pro outro. Não têm que fazer as malas nem nada. É só se mandar. De repente um deles é esmagado, pronto, acabou. Quebrou a asa, acabou. Quebrou o pé, acabou. É muito melhor do que essa vida da gente. Quem sabe eu volte como corvo. O que será que eu era antes de voltar *assim*? Eu era um corvo! Isso mesmo! Eu era um corvo! Aí eu disse: "Ah, Deus, eu queria tanto ser aquela moça peituda lá embaixo", e o meu desejo se realizou, e agora, meu Deus, eu quero voltar a ser corvo. *Status* de corvo. Um bom nome para um corvo. *Status*. Um bom nome para qualquer coisa preta e grande. Combina com aquele jeito orgulhoso de andar deles. *Status*. Eu reparava em tudo quando era menina. Adorava os pássaros. Sempre me amarrei em corvo, gavião e coruja. Até hoje eu vejo as corujas à noite, quando volto de carro da casa do Coleman. Às vezes eu não consigo me conter, e salto do carro pra falar com elas. Não devia fazer isso. Devia era seguir direto pra casa antes que aquele filho da puta me mate. O que será que os corvos pensam quando ouvem os outros pássaros cantando? Devem achar uma bobagem. E é mesmo. O negócio é crocitar. Não ia pegar bem, um bicho tão orgulhoso cantar uma musiquinha bonita. Não, o negócio é crocitar. Isso é que é o barato — crocitar até não poder mais e nunca ter medo de nada e comer tudo que está morto. Tem que comer muita carniça todo dia pra poder voar daquele jeito. E nem se dá ao trabalho de arrastar para o acostamento, come ali mesmo na estrada. Esperam até o último segundo quando vem um carro, e aí eles vão pro lado mas não vão muito longe, não, porque assim que o carro vai embora eles voltam. Comem no meio da estrada. O que será que acontece se a carne está estragada? Vai ver que pra eles não faz mal nenhum. Vai ver que é essa a vantagem de se alimentar de carniça. Os corvos e os urubus — é o serviço deles. Eles é que tomam conta de todas aquelas coisas que estão aí no meio da estrada ou no meio do mato que a gente não quer nem olhar pra elas. Nenhum corvo passa fome nesse mundo. Nunca perde uma refeição. Se a carne apodrece, você não vê o corvo fugir dela. Onde tem morte tem corvo. Morreu alguma coisa, eles vêm pegar a carniça. Eu acho isso legal. Acho muito legal. Comer racum morto e foda-se o mundo. Esperam o caminhão passar por cima e quebrar a espinha, aí voltam e chupam toda aquela substância que alimenta, pra poder levantar voo com aquele corpão preto lindo. É, às vezes eles fazem umas coisas estranhas. Como todo mundo. Tem vezes que eu vejo um monte de corvo no alto da árvore, todos reunidos, todos falando ao mesmo tempo, e sei que tem *alguma* coisa acontecendo. Agora, o que é, isso eu nunca vou saber. É alguma coisa importante. Mas não faço a menor ideia se eles sabem o que é. De repente não tem nenhum sentido, como nada tem sentido. Mas não, acho que é uma coisa que faz muito sentido, muito mais sentido que essas merdas que a gente faz aqui embaixo. Ou será que não? Será só um monte de coisa que parece outra coisa mas não é? Vai ver é só uma espécie de cacoete genético. Imagina só se os corvos mandassem no mundo. Será que seria a mesma merda de agora? O barato deles é como eles são práticos. Quando voam. Quando conversam. Até mesmo a cor deles. Aquele pretume. Tudo preto, só preto. Vai ver que já fui corvo, vai ver que não fui. Às vezes eu acho que já sou um corvo. É, ora acho que sim, ora que não, já estou assim há meses. Por que não? Tem mulher que por dentro é homem e homem que por dentro é mulher, não tem? Então por que é que eu não posso ser corvo por dentro? É, e cadê o médico que vai conseguir soltar o corvo que eu sou por dentro? Quem é que sabe fazer a operação que vai me deixar ser quem eu sou de verdade? Com quem é que eu falo? Aonde é que eu vou, o que é que eu faço, como é que eu saio dessa merda?

Eu sou um corvo. Sei que sou. Eu sei!

No prédio do diretório acadêmico, descendo a ladeira a partir do Prédio Norte, Coleman achou um telefone público no corredor em frente ao bandejão onde estavam almoçando os alunos do programa para idosos. Olhando pela porta larga, Coleman viu as mesas compridas onde os casais se misturavam, alegres. Jeff não estava em casa — eram cerca de dez da manhã em Los Angeles, e quem atendeu foi a secretária eletrônica; assim, Coleman pegou seu caderno de endereços para procurar o número do telefone da sala de Jeff na universidade, rezando para que ele não tivesse ainda saído para dar aula. O que o pai tinha a dizer ao filho mais velho precisava ser dito imediatamente. A última vez em que ele telefonara para Jeff num estado semelhante àquele fora para lhe dizer que Iris tinha morrido. "Eles mataram a Iris. Queriam me pegar, mas foi ela que acabaram matando." Foi a mesma coisa que disse a todos, e não apenas nas primeiras vinte e quatro horas. Foi o começo da desintegração: tudo impulsionado pela raiva. Mas agora é o fim. O fim — era essa a notícia que tinha a dar ao filho. E a si próprio. O fim de sua expulsão da vida anterior. Para contentar-se com algo menos grandioso que o autoexílio e o desafio imenso que uma situação assim representa. Para conviver com seu fracasso de maneira modesta, voltando a se organizar como um ser racional, deixando para trás a obsessão e a indignação. Ainda que inflexível, inflexível em silêncio. Em paz. Contemplação digna. Isso é que é o barato, como dizia a Faunia. Viver de um modo que não lembre Filoctetes. Ele não tem que viver como um personagem de uma das tragédias de seu curso. Não é nenhuma novidade as coisas básicas serem uma boa solução — é sempre assim. Tudo muda com o desejo. A resposta a tudo que foi destruído. Mas optar por prolongar o escândalo, perpetuando o protesto? Burrice. Destrambelhamento. E o sentimentalismo mais grosseiro. Relembrando Steena com saudade. Dançando de gozação com Nathan Zuckerman. Me abrindo com ele. Falando do meu passado com ele. Deixando ele ouvir tudo. Aguçando o senso de realidade do escritor. Alimentando aquela grande goela oportunista, a mente do escritor. Onde tem uma catástrofe, ele a transforma em literatura. Catástrofe é bucha de canhão para ele. Mas e eu, em que eu posso transformar tudo isso? Eu não tenho o que fazer com isso. A coisa fica tal como está. Sem linguagem, sem forma, sem estrutura, sem sentido — sem as três unidades, sem a catarse, sem nada. Mais coisas imprevistas em estado bruto. E quem haveria de querer mais disso? No entanto, a mulher que é Faunia *é* o imprevisto. Interligada de modo orgástico com o imprevisto e as convenções insuportáveis. Os princípios rígidos, insuportáveis. O contato com o corpo dela, o único princípio. Nada mais importante que isso. E a força do sorriso sarcástico dela. Uma coisa totalmente alheia. Contato com *isso*. A obrigação de sujeitar minha vida à dela, com todas as suas contingências. Seus meandros. Sua vagabundagem. Sua estranheza. O deleite desse eros elementar. Golpear com o martelo de Faunia tudo o que já foi deixado para trás, todas as justificativas excelsas, e quebrar tudo até chegar à liberdade. Liberdade do quê? Da glória idiota de ter razão. Da ridícula busca do significado. Da infindável campanha pela legitimidade. O impacto da liberdade aos setenta e um anos de idade, a liberdade de deixar para trás toda uma existência — também conhecida como mal de Aschenbach. "E ainda no mesmo dia" — as palavras finais de *Morte em Veneza* — "um mundo respeitosamente comovido recebeu a notícia de sua morte." Não, ele não precisa viver como um personagem trágico de curso nenhum.

"Jeff! Sou eu. O seu pai."

"Oi. Tudo bem?"

"Jeff, eu sei por que você não tem me procurado, porque o Michael não tem me procurado. O Mark não é de me procurar mesmo — e a Lisa bateu o telefone na minha cara a última vez que liguei pra ela."
"Ela me ligou. Ela me contou."
"Escute, Jeff — meu caso com essa mulher terminou."
"Terminou? Por quê?"
Coleman pensa: porque ela não tem esperança. Porque os homens já deram muita porrada nela. Porque os filhos dela morreram num incêndio. Porque ela trabalha como faxineira. Porque ela não tem instrução e diz que não sabe ler. Porque ela está fugindo desde os catorze anos. Porque ela nem me pergunta: "O que é que você está fazendo comigo?". Porque ela sabe o que *todo mundo* está fazendo com ela. Porque ela já viu tudo e não tem esperança.

Mas o que ele diz ao filho é: "Porque não quero perder os meus filhos".

Com um riso suave, Jeff retruca: "Mesmo que você tentasse, não ia conseguir. Certamente você não vai conseguir me perder. Também não acho que fosse perder o Mike e a Lisa. Já o Markie são outros quinhentos. O Markie quer uma coisa que nenhum de nós pode dar a ele. Não é só você, não — nenhum de nós. É muito triste, essa coisa do Markie. Mas que história é essa que a gente estava perdendo você? Que a gente está perdendo você desde que a mamãe morreu e você pediu demissão da faculdade? Todos nós estamos convivendo com isso. Papai, ninguém sabe o que fazer. Desde que você rompeu com a faculdade, não está fácil lidar com você."

"Eu sei", disse Coleman, "eu sei disso", mas a conversa só começara havia dois minutos e ele já não estava aguentando mais. Seu filho mais velho, equilibrado, supercompetente, bonachão, o de cabeça mais fria, discutindo tranquilamente o problema da família com o pai que *era* o problema — aquilo era tão terrível de suportar quanto o irracional do seu filho mais novo com raiva dele e enlouquecendo. As exigências emocionais excessivas que ele fazia aos próprios filhos — seus próprios filhos! "Eu sei", repetiu Coleman, e o fato de que ele sabia tornava a coisa pior ainda.

"Espero que não tenha acontecido nada de terrível com ela", disse Jeff.

"Com ela? Não. É só que eu resolvi que era hora de terminar." Teve medo de dizer mais porque poderia começar a dizer alguma coisa muito diferente.

"Que bom", disse Jeff. "Estou muitíssimo aliviado. Por não ter havido nenhuma repercussão, se é isso que você está dizendo. Muito bom."

Repercussão?

"Não entendi", disse Coleman. "Repercussão do quê?"

"Você está livre e limpo? Voltou a ser quem você era? Há anos que eu não ouço a sua voz tão normal. Você ter ligado — isso é que é importante. Eu estava esperando, eu tinha esperança, e agora você ligou. Não há mais nada a dizer. Você voltou. A nossa preocupação era essa."

"Fiquei na mesma, Jeff. Me explique. Não estou entendendo o que está acontecendo. Repercussão do quê?"

Jeff fez uma pausa antes de voltar a falar, e quando falou foi com relutância. "O aborto. A tentativa de suicídio."

"Faunia?"

"Isso."

"Fez um aborto? Tentou se suicidar? Quando?"

"Papai, todo mundo está sabendo lá na Athena. Foi assim que chegou até nós."

"Todo mundo? Todo mundo quem?"

"Olhe, papai, não houve repercussão..."

"Nada disso aconteceu, meu filho, é por isso que não houve nenhuma 'repercussão'. *Nada disso aconteceu.* Não houve aborto, não houve tentativa de suicídio — não que eu saiba. Nem que *ela* saiba. Mas quem é esse todo mundo? Porra, você ouve uma história como essa, uma história sem pé nem cabeça como essa, por que é que você não pega o telefone, por que não fala *comigo*?"

"Porque não é da minha conta falar sobre isso com você. Eu não vou ligar para um homem da sua idade..."

"Não vai, não? Em vez disso, você ouve um monte de bobagens sobre um homem da minha idade, e por mais absurdas, por mais maliciosas e absurdas que sejam, você acredita."

"Se eu me enganei, peço sinceras desculpas. Você tem razão. É claro que você tem razão. Mas a barra foi muito pesada pra nós todos. Você não era uma pessoa tão fácil assim de..."

"Quem contou essa história pra você?"

"A Lisa. Foi a Lisa a primeira a saber."

"E quem foi que contou pra Lisa?"

"Várias fontes. Pessoas. Amigos."

"Eu quero os nomes. Quero saber quem é esse tal de todo mundo. Que amigos?"

"Velhos amigos. Amigos da Athena."

"Os queridos amigos de infância dela. Filhos dos meus colegas. Quem foi que contou a eles, eu gostaria de saber."

"Não houve tentativa de suicídio", disse Jeff.

"Não, Jeffrey, não houve. Nem aborto também, que eu saiba."

"Bom, então tudo bem."

"E se tivesse acontecido? Se eu tivesse mesmo engravidado essa mulher, e ela tivesse tentado fazer um aborto e depois do aborto tivesse tentado se suicidar? Imagine, Jeff, se ela tivesse conseguido se suicidar. E aí? *E aí, Jeff?* A amante do seu pai se suicida. E aí? Você se volta contra o seu pai? Seu pai criminoso? Não, não, não — vamos voltar atrás, vamos dar mais um passo atrás, vamos voltar à *tentativa* de suicídio. Gostei dessa. Eu queria saber quem foi que inventou a *tentativa* de suicídio. Será por causa do aborto que ela tenta o suicídio? Vamos mergulhar fundo nesse melodrama que a Lisa ouviu dos amigos dela da Athena. Porque ela não *quer* fazer o aborto? Porque ela é *obrigada* a fazer o aborto? Entendi. Entendi a crueldade. Uma mãe que perdeu dois filhinhos num incêndio é engravidada pelo amante. Êxtase. Uma nova vida. Uma nova oportunidade. Uma nova criança pra substituir os filhos mortos. Mas o amante — ele diz *não*, e arrasta a pobrezinha até a clínica de aborto, e então — é claro —, tendo imposto sua vontade a ela, toma aquele corpo nu ensanguentado..."

A essa altura, Jeff já havia desligado.

Mas a essa altura Coleman já não precisava de Jeff como estímulo. Bastava-lhe ver os casais de idosos terminando o café no bandejão antes de voltar às aulas, bastava-lhe ouvir suas vozes, muito à vontade, divertindo-se, aqueles idosos agindo e falando tal como se espera de pessoas idosas, para pensar que até mesmo as coisas convencionais que ele havia feito não lhe davam o menor alívio. Não apenas ter sido professor universitário, não apenas ter sido decano, não apenas ter permanecido casado, apesar de todos os pesares, com a mesma mulher difícil, mas ter uma família, ter filhos inteligentes — pois tudo isso não lhe dava nada. Se havia filhos no mundo capazes de entender isso deviam ser os dele, não era? Tanto jardim de infância. Tanta leitura em casa. Tanta enciclopédia. Tanta preparação antes das provas. Tanta conversa na mesa do jantar. Tantos ensinamentos, ministrados por Iris, por ele, sobre a natureza multiforme da vida. Tantos esmiuçamentos da linguagem. Fizemos tudo isso, para agora eles me verem com essa mentalidade?

Depois de tanta escola, tanto livro, tanta falação, tanta nota alta, é insuportável. E depois de tê-los levado a sério. Mesmo quando diziam bobagem, ele os levava a sério. Tanta atenção dada ao desenvolvimento da razão, da mente, da identificação imaginativa. E do ceticismo, do ceticismo bem fundamentado. Da capacidade de pensamento independente. Para depois eles engolirem o primeiro boato? Toda aquela educação para nada. Nada consegue proteger a mente do nível mais baixo de pensamento. Nem mesmo a ideia: "Mas o nosso pai fazer uma coisa dessas? Dá para acreditar nisso?". Não, mordem a isca na mesma hora. Nunca tiveram permissão de ficar assistindo tevê, e no entanto manifestam essa mentalidade de novela. Passaram a vida só lendo tragédia grega e coisa parecida, e acabam transformando a vida numa novela mexicana. Sempre respondi a todas as perguntas de vocês. Nunca deixei nenhuma sem resposta. Vocês perguntavam sobre os avós, quem eram, e eu respondia. Seus avós morreram quando eu era pequeno. O vovô morreu quando eu estava no secundário, a vovó quando eu estava servindo a Marinha. Quando voltei da guerra, o proprietário já tinha colocado todas as nossas coisas na rua. Não restava mais nada. O proprietário disse que não ia atrás de conversa mole, aluguel que é bom ninguém lhe pagava, tive vontade de matar o filho da puta. Álbuns de fotografias. Cartas. Coisas da minha infância, da infância *deles*, tudo, tudo perdido. "Onde foi que eles nasceram? Onde que eles moravam?" Nasceram em Nova Jersey. Os primeiros membros da família deles que nasceram aqui. Ele era dono de botequim. Acho que na Rússia o pai dele, o bisavô de vocês, trabalhava numa taberna. Vendia birita para os russos. "Nós temos algum tio ou tia?" Meu pai tinha um irmão que foi para a Califórnia quando eu era pequeno, e minha mãe era filha única, como eu. Depois que eu nasci ela não pôde ter mais filhos — nunca entendi direito por quê.

O irmão, o irmão mais velho do meu pai, não mudou o nome — que eu saiba, continuou se chamando Silberzweig. Jack Silberzweig. Ele nasceu na Rússia e por isso conservou o nome. Quando embarquei em San Francisco, procurei em todos os catálogos telefônicos da Califórnia, mas não consegui localizá-lo. Estava brigado com meu pai. Meu pai o considerava um vagabundo, não queria ter nenhuma relação com ele, e por isso ninguém sabia direito em que cidade morava o tio Jack. Procurei em todos os catálogos. Eu queria lhe dizer que o irmão dele tinha morrido. Eu queria conhecê-lo. Meu único parente vivo pelo lado paterno. Não importava que ele fosse um vagabundo. Eu queria conhecer os filhos dele, os meus primos, se houvesse algum. Procurei o nome Silberzweig. Procurei Silk. Procurei Silber. Talvez na Califórnia ele tivesse virado Silber. Eu não sabia. E não sei. Não faço ideia. Aí parei de procurar. Quando você não tem família, essas coisas preocupam. Aí vocês nasceram e eu parei de me preocupar com meu tio e com a possibilidade de ter primos... Cada filho ouvia a mesma história. E o único que não ficou satisfeito foi Mark. Os meninos mais velhos não perguntavam muita coisa, mas os gêmeos insistiam. "Havia gêmeos no passado da família?" Eu achava — creio que alguém havia me contado isso — que havia um bisavô ou trisavô que tinha um irmão gêmeo. Era essa a história que ele contava a Iris também. Foi tudo inventado para ela. Foi a história que ele contou a Iris na Sullivan Street quando os dois se conheceram, e a história à qual permaneceu fiel o resto da vida. E o único que nunca ficou satisfeito foi Mark. "De onde vieram os nossos bisavós?" Da Rússia. "Mas de que cidade?" Eu perguntava a meu pai e a minha mãe, mas eles nunca sabiam dizer direito. Ora diziam um lugar, ora outro. Teve toda uma geração de judeus assim. Nunca sabiam direito. Os mais velhos não falavam muito no assunto, os filhos americanos não eram muito curiosos, faziam questão de ser americanos, e assim, na minha família, como em tantas outras, havia uma espécie de amnésia geográfica judaica. Toda vez que eu perguntava, explicava-lhes Coleman, eles só respondiam "Rússia". Mas Markie insistia: "A Rússia é enorme, papai. *Onde* na Rússia?". Markie não se contentava. E por quê? *Por quê?* Não havia resposta. Markie queria saber quem eles eram, de onde vinham — e seu pai jamais pôde lhe dar essas respostas. E foi por isso que ele se tornou judeu ortodoxo? Por isso que ele escreve aqueles poemas bíblicos de protesto? É por isso que Markie o odeia tanto? Impossível. Ele tinha os Gittelman. Os avós Gittelman. Tios e tias Gittelman. Priminhos Gittelman espalhados por Nova Jersey. Não bastava? De quantos parentes ele precisava? Era necessário que houvesse Silks e Silberzweigs também? Aquilo não era motivo para tanto rancor — não fazia sentido! No entanto, Coleman pensava naquela possibilidade, por mais irracional que fosse associar a raiva de Markie a seu segredo. Enquanto Markie estivesse brigado com ele, Coleman jamais conseguiria deixar de pensar nisso, e o pensamento nunca o atormentou tanto quanto depois que Jeff bateu o telefone na sua cara. Se os filhos que traziam em sua carga genética as suas origens e que passariam essas origens para seus próprios filhos achavam tão fácil atribuir-lhe tamanha crueldade em relação a Faunia, que explicação poderia haver para esse fato? Só porque ele jamais lhes havia falado a respeito de sua família? Porque deveria ter contado tudo a eles? Porque negar-lhes essas informações era errado? Isso não fazia sentido! Era impossível cobrar alguma coisa de modo inconsciente. Isso não podia acontecer. *Não podia.* E entretanto, depois daquele telefonema — enquanto saía do diretório, saía do campus, enquanto subia a serra de carro chorando —, era exatamente isso que parecia ser a verdade.

E o tempo todo, enquanto voltava para casa, pensava no dia em que quase revelou sua verdadeira história a Iris. Foi depois que os gêmeos nasceram. A família estava então completa. Eles haviam conseguido — ele havia conseguido. Sem que nenhum de seus filhos demonstrasse o menor sinal de seu segredo, era como se ele tivesse sido *libertado* do segredo. Sentia-se tão exultante por ter conseguido que quase chegou a revelar tudo. Sim, ele daria a sua mulher o melhor presente que tinha para lhe dar: diria à mãe de seus quatro filhos quem era na verdade o pai deles. Resolveu contar a verdade a Iris, de tão entusiasmado e aliviado que estava, experimentando uma intensa sensação de solidez depois que nasceram os lindos gêmeos. Levou Jeff e Mikey ao hospital para ver os irmãozinhos recém-nascidos, e a maior preocupação de todas havia sido eliminada de sua vida.

Porém Coleman jamais deu aquele presente a Iris. Sua salvação — ou maldição — foi a catástrofe sofrida por uma grande amiga dela, sua aliada mais próxima na diretoria da associação de artistas, uma mulher bonita e sofisticada, uma artista amadora que pintava aquarelas, chamada Claudia McChesney, a qual ficara sabendo que seu marido, proprietário da maior construtora do condado, tinha um segredo muito surpreendente: uma segunda família. Havia cerca de oito anos, Harvey McChesney vinha sustentando uma mulher bem mais jovem que Claudia, que trabalhava como contadora de uma fábrica de cadeiras perto do rio Taconic, e com quem ele tivera dois filhos, agora com quatro e seis anos. A mulher e os filhos moravam numa cidadezinha já no estado de Nova York, logo depois da divisa com Massachusetts, e Harvey os visitava uma vez por semana, e os sustentava, e aparentemente os amava, e ninguém na família de McChesney, em Athena, sabia de sua existência até o dia em que um telefonema anônimo — dado provavelmente pelo dono de uma construtora que era concorrente da firma de Harvey — revelou a Claudia e seus três filhos adolescentes o que

McChesney aprontava quando não estava no trabalho. Claudia desabou naquela noite, desabou completamente, e tentou cortar os pulsos, e foi Iris que, às três da manhã, com a ajuda de uma amiga psiquiatra, organizou a operação de salvamento que instalou Claudia, antes que o dia nascesse, em Austin Riggs, o hospital psiquiátrico de Stockbridge. E era ela que, embora estivesse amamentando dois filhos recém-nascidos e cuidando de mais dois filhos em idade pré-escolar, ia ao hospital todos os dias para falar com Claudia, para tranquilizá-la, dar-lhe forças, levar-lhe vasos de plantas para ela cuidar e livros de arte para folhear, e mesmo escovar-lhe o cabelo e fazer-lhe tranças, até que, cinco semanas depois — graças aos cuidados de Iris tanto quanto ao tratamento psiquiátrico —, Claudia voltou para casa e começou a tomar as medidas necessárias para se livrar do homem que lhe causara tanto sofrimento.

Em poucos dias, Iris deu a Claudia o nome de um advogado de Pittsfield especializado em divórcios, e, junto com todos os seus filhos, inclusive os gêmeos recém-nascidos, presos no banco de trás da caminhonete, levou sua amiga ao consultório do advogado para certificar-se de que o processo de separação seria iniciado e que Claudia já estava começando a se libertar de McChesney. Naquele dia, no caminho de volta, Iris precisou animar Claudia muito, mas animar pessoas era sua especialidade, e ela reforçou a determinação de Claudia de dar um jeito em sua vida, impedindo que ela fosse neutralizada pelos temores que ainda lhe restavam.

"Que coisa mais horrível que esse homem fez", disse Iris. "A questão não é a amante. Isso já é ruim, mas acontece. E nem os filhos, nem mesmo isso — nem mesmo o menino e a menina que ele teve com a outra mulher, por mais doloroso e brutal que seja a descoberta para a esposa. Não, a questão é o segredo — isso é que é o problema, Coleman. É por isso que a

Claudia não quer mais viver. 'Como pode haver intimidade?' Toda vez que diz isso ela começa a chorar. 'Como pode haver intimidade', diz ela, 'se existe um segredo assim?' Ele esconder dela uma coisa dessas, ele *querer* continuar escondendo uma coisa assim tanto tempo — é isso que faz a Claudia se sentir impotente, é por isso que ela ainda pensa em morrer. Ela me disse: 'É como descobrir um cadáver. Três cadáveres. Três corpos escondidos debaixo do nosso assoalho'." "É", disse Coleman, "parece coisa de tragédia grega. Das *Bacantes*." "Pior", disse Iris, "porque não é das *Bacantes*. É da vida de Claudia."

Quando, após quase um ano de terapia, Claudia se reaproximou do marido e ele voltou a morar em sua casa de Athena e os McChesney retomaram sua vida de família — quando Harvey aceitou abrir mão da outra mulher, ainda que não dos filhos, pois jurou continuar sendo um pai responsável para eles —, Claudia parecia tão pouco inclinada a conservar a amizade com Iris quanto Iris a continuar sua amiga, e depois que Claudia saiu da associação de artistas as duas pararam de se visitar e de se encontrar nas reuniões das diversas sociedades em que Iris quase sempre dava as cartas.

E Coleman — apesar do impulso que sentiu no momento triunfal do nascimento dos gêmeos — não contou à mulher seu segredo estarrecedor. Sentiu que fora salvo do gesto mais sentimental e infantil de sua vida. Como pudera de repente pensar tal como pensam todos os idiotas: de repente pensar que se está vivendo no melhor dos mundos possíveis, parar de desconfiar, de tomar cuidado, de desconfiar até de si mesmo, e pensar que todas as dificuldades chegaram ao fim, que todas as complicações deixaram de existir, esquecer não apenas onde se está mas também como se chegou ao lugar onde se está, abrir mão da diligência, da disciplina, do hábito de avaliar com cautela cada situação... Como se a batalha que é a vida de cada um pudesse ser abjurada, como se fosse possível voluntariamente deixar de ser quem se é, aquele ser característico, imutável, que é a razão de ser da batalha. Quando o último de seus filhos nasceu perfeitamente branco, por um triz ele não pegou o que tinha de mais forte e mais sábio em si próprio e o estraçalhou. Foi salvo pela sabedoria que diz: "Não faça nada".

Mas mesmo antes, depois do nascimento de seu primeiro filho, ele fizera uma coisa quase igualmente idiota e sentimental. Ele era um jovem professor de letras clássicas na Adelphi, e fora à Universidade da Pensilvânia participar de um colóquio de três dias sobre a *Ilíada*; havia apresentado um trabalho, realizado alguns contatos e recebido mesmo uma discreta proposta, feita por um professor renomado, de candidatar-se a uma vaga que ia se abrir em Princeton, e a caminho de casa, julgando-se no ápice de sua vida, em vez de seguir para o norte, pelo Jersey Turnpike, em direção a Long Island, por um triz não virou para o sul e tomou as estradas secundárias dos condados de Salem e Cumberland em direção a Gouldtown, a terra ancestral de sua mãe, onde era realizado o piquenique anual da família em seu tempo de menino. Isso mesmo: naquela ocasião, tendo acabado de se tornar pai, ele ia tentar permitir-se o prazer fácil de um desses sentimentos profundos que as pessoas buscam sempre que desligam o cérebro. Mas o fato de ter um filho não exigia que ele fosse a Gouldtown, tal como, ao chegar ao norte de Nova Jersey, o fato de ter um filho não exigia que ele pegasse a saída de Newark e fosse a East Orange. Havia ainda mais um impulso a ser reprimido: o impulso de ver sua mãe, de contar a ela o que havia acontecido e lhe mostrar seu filho. O impulso, dois anos após livrar-se dela, e apesar da advertência de Walter, de se exibir a sua mãe. Não. Absolutamente não. Em vez disso, seguiu em frente para casa, onde o aguardavam sua mulher branca e seu filho branco.

* * *

E, cerca de quarenta anos depois, enquanto voltava da faculdade, torturado pela recriminação, relembrando alguns dos melhores momentos de sua vida — o nascimento dos filhos, o entusiasmo, a empolgação inocente, as oscilações radicais de sua determinação, o alívio tão imenso que quase teve o efeito de *anular* sua determinação —, relembrava também a pior noite da sua vida, no tempo em que servia a Marinha, a noite em que foi expulso do puteiro em Norfolk, o famoso puteiro para brancos chamado Oris's. "Você é crioulo, não é, garoto?", e instantes depois os leões de chácara o lançaram porta afora, do alto da escada, e ele foi cair no olho da rua. O lugar dele era o Lulu's, lá na Warwick Avenue — Lulu's, gritavam para ele, lá é que era lugar de crioulo. Sua testa bateu no asfalto, mas assim mesmo ele se levantou, correu até ver um beco e ali se refugiou da rua e da Patrulha Terrestre, que andava para todos os lados naquele sábado, balançando seus cassetetes. Terminou no banheiro do único bar onde ousou entrar tal como estava, todo esmolambado — um bar para negros a algumas centenas de metros de Hampton Roads e do ferryboat de Newport News (que levava os marinheiros ao Lulu's) e a cerca de dez quarteirões do Oris's. Era a primeira vez que entrava num bar para negros desde seus tempos de menino em East Orange, quando ele e um amigo organizavam as apostas no campeonato de futebol americano no Billy's Twilight Club, um bar na divisa com Newark. Durante seus dois primeiros anos do curso secundário, além de lutar boxe às escondidas, ele passou o outono frequentando o Billy's Twilight, e foi lá que adquiriu todo o folclore de botequim que afirmava ter aprendido — como menino branco em East Orange — no bar de seu pai judeu.

Estava agora relembrando como havia tentado fazer estancar o sangue que escorria de seu rosto cortado; levava à ferida a manga do blusão branco, mas o sangue continuava escorrendo, sujando tudo. O vaso sem assento estava coberto de merda, o chão úmido de madeira cheio de mijo, e a pia, se aquilo era uma pia, era uma fossa cheia de escarros e vômito — assim, quando lhe subiu a ânsia incontrolável, por causa da dor em seu pulso, ele vomitou sobre a parede a sua frente, por não conseguir aproximar o rosto daquela imundície.

Era um botequim horroroso, infecto, o pior que ele já conhecera, o mais abominável que era capaz de imaginar, porém precisava se esconder em algum lugar, e assim, num banco que estava o mais distante possível dos farrapos humanos que infestavam o bar, presa de todos os seus temores, ele tentou tomar uma cerveja, acalmar-se, atenuar a dor e não atrair a atenção das pessoas. Na verdade, ninguém no bar havia lhe dirigido o olhar depois que ele comprou a cerveja e desapareceu naquele mar de mesas vazias: tal como no bordel de brancos, ali ninguém o tomava por outra coisa senão o que ele era.

Ele ainda sabia, na segunda cerveja, que estava num lugar onde não devia estar, e no entanto, se a Patrulha Terrestre o pegasse, se descobrisse por que ele havia sido expulso do Oris's, seria um desastre: a corte marcial, a condenação, uma longa sentença de trabalhos forçados seguida da expulsão da Marinha — tudo isso por ter mentido a respeito de sua raça, por ter feito a burrice de entrar numa porta onde os únicos negros permitidos eram os que lavavam as roupas de cama e os que esvaziavam os penicos.

Era o fim. Ele ia cumprir o serviço militar como branco, e depois daria fim àquilo. Porque não consigo, pensou — não consigo nem mesmo quero. Nunca antes ele havia conhecido a vergonha de verdade. Até então não sabia o que era se esconder da polícia. Nunca havia sangrado de nenhum dos socos que levara — em tantas lutas de boxe amador, não havia perdido uma única gota de sangue, nem se ferido, nem se machucado de nenhum modo. Porém agora seu blusão branco estava vermelho como um curativo, suas calças estavam encharcadas de sangue coagulado e, como havia caído de joelhos na sarjeta, rasgadas e enegrecidas nos joelhos. E seu punho estava machucado, talvez até fraturado, porque ele se apoiara com a mão ao ser jogado no chão — não conseguia dobrar o punho, nem sequer tocá-lo. Tomou a cerveja e comprou outra, para atenuar a dor.

Era nisso que dava, ele não realizar os ideais de seu pai, desobedecer às suas ordens, abandonar de modo radical seu pai morto. Se tivesse agido tal como o pai, tal como Walter, tudo seria diferente. Mas ele já começara violando a lei, mentindo para entrar para a Marinha, e agora, ao procurar uma mulher branca para trepar, havia mergulhado na pior catástrofe possível. "Espere até eu terminar o serviço militar. Espere até eu sair. Depois eu nunca mais vou mentir. Espere só até eu terminar o serviço militar, só isso!" Era a primeira vez que se dirigia a seu pai depois que ele morrera de repente no vagão-restaurante.

Se continuasse assim, sua vida não daria em nada. Como era que Coleman sabia disso? Porque seu pai estava lhe respondendo — aquela antiga autoridade disciplinadora mais uma vez ressoava, vindo do fundo do peito de seu pai, sempre carregada daquela legitimidade inequívoca de um homem íntegro. Se Coleman continuasse assim, ia terminar na sarjeta, com a garganta cortada. Era só ver onde estava agora, onde havia se escondido. E como? Por quê? Por causa do princípio que adotara, seu credo arrogante: "Não sou um de vocês, não suporto vocês, não faço parte do *nós* negro de vocês". A grande luta heroica contra aquele *nós* — para terminar daquele jeito! A luta apaixonada por uma singularidade preciosa, a revolta solitária contra o destino dos negros — e aquele grande desafiador terminar assim! Você veio aqui, Coleman, procurar o significado mais profundo da existência? Um mundo de amor, era isso que você tinha, e você o trocou por isto! Que coisa mais trágica, mais imprudente que você fez! E não fez só com você — fez com todos nós. Com Ernestine. Com Walt. Com sua mãe. Comigo. Comigo, sim, embora eu esteja morto. Com meu pai, também morto. Que outra jogada grandiosa você está planejando, Coleman Brutus? Quem é o próximo que você vai desencaminhar e trair?

Fosse como fosse, ele não podia ir à rua, pois temia a Patrulha Terrestre, a corte marcial, a prisão, a expulsão que o marcaria para sempre como um estigma. Tudo dentro dele estava tão tumultuado que a única coisa a fazer era continuar bebendo, até que, naturalmente, veio sentar-se a seu lado uma prostituta que era claramente da sua raça.

Quando a Patrulha Terrestre o encontrou na manhã seguinte, concluíram que os ferimentos e o pulso quebrado, o uniforme imundo, eram consequência de uma noite no bairro dos negros, mais um branco sequioso por carne negra, que — tendo sido devidamente roubado, sacaneado e fodido (e tatuado ainda por cima) — havia sido largado para ser recolhido pelos garis naquele terreno baldio cheio de cacos de vidro atrás da estação do ferry-boat.

"Marinha dos EUA" era tudo o que estava escrito na tatuagem; as palavras, com apenas meio centímetro de altura, inscritas em tinta azul entre os braços azuis de uma âncora azul, com cinco centímetros de comprimento. Um desenho até bem discreto, considerando-se que era uma tatuagem militar, e posicionado num lugar igualmente discreto, logo abaixo da junção entre o braço direito e o ombro; uma tatuagem bem fácil de ocultar. Mas, sempre que ele se lembrava da origem daquela marca, ela lhe evocava não apenas a turbulência e a pior noite de sua vida mas também tudo o que havia por trás daquela turbulência — era o sinal de toda a sua história de vida, em que era impossível separar o heroísmo da vergonha. Aquela tatuagem azul continha a imagem verdadeira e total de sua pessoa. Toda a sua biografia irrevogável estava ali, juntamente com o protótipo da irrevogabilidade, pois a tatuagem é o próprio símbolo do que não pode ser apagado. Todo seu empreendimento imenso também estava ali. As forças externas estavam ali. Toda a cadeia de imprevistos, todos os perigos do desmascaramento e todos os perigos do segredo — até mesmo a falta de sentido da vida estava ali, naquela pequena tatuagem idiota.

Suas dificuldades com Delphine Roux começaram no primeiro semestre em que ele voltou a dar aula, quando uma de suas alunas, que por acaso era uma das prediletas da professora Roux, foi procurá-la, como chefe do departamento, para se queixar das peças de Eurípides incluídas no curso de tragédia grega dado por Coleman. Uma das peças era *Hipólito*, e a outra era *Alceste*; a aluna, Elena Mitnick, achava que essas obras "depreciavam as mulheres".

"Então o que é que eu vou fazer para agradar a senhorita Mitnick? Retirar Eurípides da minha lista de leitura?"

"Absolutamente. Está claro que tudo depende do modo como você ensina Eurípides."

"E qual é", perguntou ele, "o método recomendado hoje em dia?", pensando, naquele exato momento, que para aquele tipo de discussão ele não tinha nem a paciência nem a civilidade necessárias. Além disso, para derrotar Delphine Roux era mais fácil *não* entrar naquela discussão. Por maior que fosse sua arrogância intelectual, a professora tinha vinte e nove anos de idade e praticamente nenhuma experiência fora do mundo escolar; era nova naquele cargo e relativamente nova tanto na faculdade como no país. Coleman já havia percebido, em seus contatos anteriores com ela, que a melhor maneira de reagir às tentativas de Roux de parecer não apenas superior a ele como também arrogantemente superior — "Está claro que tudo depende", e por aí afora — era manifestar a mais completa indiferença às suas opiniões. Era verdade que ela não suportava Coleman, mas não era menos verdade que ela não suportava a ideia de que suas credenciais acadêmicas, que tanto impressionaram seus colegas na Athena, ainda não tinham tido o mesmo efeito sobre o ex-decano. Querendo ou não, Delphine Roux não conseguia deixar de se sentir intimidada pelo homem que, cinco anos antes, a havia contratado com certa relutância, quando ela acabara de sair do curso de pós-graduação de Yale, e que depois disso jamais negou que se arrependia de sua decisão, especialmente depois que as bestas quadradas de seu departamento escolheram aquela moça tão confusa para ser diretora.

Até aquele dia, Delphine continuava a se sentir incomodada com a presença de Coleman Silk, tanto quanto gostaria de que a recíproca fosse verdadeira. Havia algo nele que sempre a fazia voltar à infância, àquele seu medo de criança precoce de estar sendo ignorada, e também àquele medo de criança precoce de não estar recebendo atenção suficiente. Medo de ser desmascarada, vontade de aparecer — eis um bom dilema. A presença de Coleman tinha até mesmo o efeito de fazê-la titubear no inglês, embora em outras situações ela se sentisse perfeitamente à vontade com o idioma. Sempre que os dois se viam um diante do outro, alguma coisa a fazia pensar que, no fundo, o que Coleman queria mesmo fazer era amarrar as mãos dela às costas.

O que seria essa "alguma coisa"? Seria ele lhe haver dirigido um olhar sexualizado no dia em que ela foi a sua sala para ser entrevistada, ou seria ele *não* tê-la encarado de modo sexual? Delphine não conseguira descobrir de que forma Coleman a olhava, embora naquela manhã tivesse consciência de estar utilizando ao máximo todo o seu potencial. Havia se preparado para estar linda, e estava; para ser fluente, e foi; para demonstrar a solidez de seus conhecimentos, e demonstrou, disso não tinha dúvida. E no entanto Coleman olhara para ela como quem olha para uma menininha, a filha do sr. João e da sra. Maria Ninguém.

Bem, talvez fosse por causa daquele saiote xadrez — aquela espécie de minissaia xadrez talvez tivesse evocado em Coleman a imagem de uma menina com uniforme de escola, especialmente porque a mulher que a usava era esguia, pequena, morena, com um rosto minúsculo que era quase só olhos, e que pesava, com roupa e tudo, cerca de quarenta e cinco quilos. E contudo sua intenção, ao escolher aquele saiote, e aquele suéter de *cashmere* preto com gola rolê, e a malha preta, e as botas pretas de cano alto, não fora nem a de se tornar assexuada por seu modo de vestir (as mulheres que Delphine conhecera no meio universitário até então, nos Estados Unidos, pareciam todas sofregamente empenhadas em fazer isso) nem tampouco dar a impressão de que queria tantalizar seu interlocutor. Embora dissessem que Coleman tinha sessenta e tantos anos, ele não parecia nem um pouco mais velho que o pai dela, que tinha cinquenta; na verdade, ele lembrava o sócio mais moço de seu pai, um dos vários engenheiros que trabalhavam com ele e que não tiravam o olho dela desde que completara doze anos. Quando, sentada à frente do decano, cruzou as pernas e suas coxas ficaram expostas, Delphine esperou um ou dois minutos antes de cobri-las — e o fez com o gesto mecânico com que uma pessoa fecha uma carteira — só porque, por mais juvenil que fosse sua aparência, ela *não* era uma menina, não tinha os temores de uma menina, nem a pudicícia de uma menina, nem estava sujeita às regras que são impostas a uma menina. Não queria dar essa impressão, assim como não queria dar a impressão oposta, o que aconteceria se deixasse o decano o tempo todo olhando para suas coxas esguias cobertas pela malha preta. Ela havia tentado, da melhor maneira possível, pela escolha de roupas e também por sua postura, impressioná-lo com a complexa interação de *todas* as forças que a tornavam uma pessoa tão interessante aos vinte e quatro anos de idade.

Até mesmo a única joia que usava, o anel grande que colocara no dedo médio da mão esquerda, seu único ornamento, fora escolhido para ressaltar um outro aspecto de sua personalidade intelectual, o de uma pessoa que desfrutava abertamente a superfície estética da vida, sem nenhum pudor, cujo apetite e cujo refinamento eram afirmados sem medo, porém contidos pela dedicação ao trabalho acadêmico. O anel, uma cópia setecentista de uma peça romana, um anel com sinete, era grande, e fora usado antes por um homem. A ágata oval, disposta horizontalmente — era ela que tornava o anel tão pesado e masculino —, representava em relevo Dânae recebendo Zeus como chuva de ouro. Em Paris, quatro anos antes, quando tinha vinte anos, Delphine ganhara aquele anel como lembrança amorosa de um professor — o único professor a quem ela não conseguira resistir e com quem vivera uma paixão. Por coincidência, esse professor também era da área de letras clássicas. A primeira vez que se encontraram, na sala dele, o professor lhe pareceu tão distante, tão inquisitivo, que ela ficou paralisada de medo, até se dar conta de que aquilo era um jogo de sedução às avessas. Qual seria o jogo do decano Silk?

Apesar do tamanho do anel, o decano não pediu para ver de perto a chuva de ouro esculpida em ágata, o que, pensando bem, Delphine achou até bom. A história de como aquele anel chegara a sua mão indicava uma certa audácia adulta, mas ele o consideraria um sinal de frivolidade, de que ela *não era* uma pessoa madura. Embora ainda se agarrasse a alguns farrapos de esperança, Delphine estava certa de que era assim que ele a julgava desde o momento em que trocaram o primeiro aperto de mãos — e era mesmo. Para Coleman, ela era jovem demais para aquele cargo, ainda estava cheia de contradições mal resolvidas, era ao mesmo tempo um pouco cheia de si demais e, como uma criança que assume uma atitude arrogante de brincadeira, reagia ao menor sinal de desaprovação, manifestando uma facilidade considerável para magoar-se, sendo impelida, como criança e como mulher, de uma realização a outra, de um admirador a outro, de uma conquista a outra, pela incerteza tanto quanto pela autoconfiança. Inteligente para sua idade, talvez até demais, porém emocionalmente confusa e muito imatura sob quase todos os outros aspectos.

Com base em seu currículo e num texto autobiográfico suplementar de quinze páginas, que apresentava detalhadamente uma carreira intelectual iniciada aos seis anos de idade, Coleman percebeu muito bem com quem estava lidando. De fato, as credenciais de Delphine eram excelentes, mas tudo o que dizia respeito a ela (inclusive as credenciais) parecia a Coleman completamente impróprio para uma faculdade pequena como Athena. Uma infância privilegiada na rue de Longchamp, no 16ème arrondissement. Monsieur Roux era engenheiro, dono de uma empresa com quarenta empregados; madame Roux (*née* De Walincourt), herdeira de um nome nobre tradicional e da aristocracia interiorana, esposa, mãe de três filhos, estudiosa da literatura francesa medieval, excelente cravista, especialista em literatura para o cravo, especialista em história do papado "etc.". E que "etc.", aquele! Filha do meio, única filha mulher, Delphine formou-se no Lycée Janson de Sailly, onde estudou filosofia e literatura, inglês e alemão, latim e literatura francesa: "... leu todo o *corpus* da literatura francesa de modo muito canônico". Depois do Lycée Janson foi para o Lycée Henri IV: "... estudo rigoroso e aprofundado da literatura e da filosofia francesas, do inglês e da história da literatura inglesa". Aos vinte anos, concluído o curso do Lycée Henri IV, foi para a École Normale Supérieure de Fontenay, "... onde se forma a elite da sociedade intelectual francesa... apenas trinta alunos selecionados por ano". Tese: "O espírito de renúncia em Bataille". Bataille? Ah, não, mais uma. Em Yale, todos os alunos de pós-graduação ultrassofisticados estão trabalhando ou com Mallarmé ou com Bataille. Não é difícil entender o que ela quer que ele entenda, especialmente porque Coleman conhece alguma coisa de Paris, por ter passado um ano lá, acompanhado de sua família, quando ainda era um jovem professor, com uma bolsa Fulbright, e por conhecer alguma coisa a respeito desses jovens franceses ambiciosos, que estudaram nos *lycées* das elites. Muitíssimo bem preparados, com excelentes contatos no meio intelectual, muito inteligentes, imaturos, tendo recebido a forma mais esnobe de formação que a França tem a oferecer, preparando-se com afinco para serem invejados a vida inteira, podem ser encontrados nas noites de sábado no restaurante vietnamita barato da rue St. Jacques, falando sobre temas grandiosos, jamais mencionando nenhuma trivialidade ou amenidade — só ideias, política, filosofia. Mesmo nas horas vagas, quando estão sozinhos, pensam exclusivamente no impacto de Hegel sobre a vida intelectual francesa do século XX. Intelectual não pode ser frívolo. Vive para pensar. A lavagem mental que sofreram pode tê-los tornado agressivamente marxistas ou agressivamente antimarxistas, mas, qualquer que seja o caso, têm um horror congênito a tudo o que é americano. É com base nesse tipo de coisa, entre outras, que Delphine vem para Yale: candidata-se a ensinar francês aos alunos de graduação e a entrar para o programa de pós-graduação; como observa em seu texto autobiográfico, ela e outro aluno são os dois únicos candidatos franceses aceitos. "Cheguei a Yale muito cartesiana, e lá tudo era muito mais pluralista e polifônico." Achava graça nos alunos de graduação. Cadê o lado intelectual deles? Ficou chocadíssima ao ver como eles se divertiam. Uma maneira totalmente caótica e nada ideológica de pensar — de viver! Nunca viram um filme de Kurosawa — nem *isso* eles conhecem. Quando tinha a idade deles, Delphine já tinha assistido a todos os Kurosawa, todos os Tarkovski, todos os Fellini, todos os Antonioni, todos os Fassbinder, todos os Wertmüller, todos os Satyajit Ray, todos os René Clair, todos os Wim Wenders, todos os Truffaut, os Godard, os Chabrol, os Resnais, os Rohmer, os Renoir, e essa garotada só viu *Guerra nas estrelas*. Em Yale ela retoma sua missão intelectual a sério, matricula-se nos cursos de todos os professores mais avançados. Porém fica um pouco perdida. Confusa. Especialmente com os outros alunos de pós-graduação. Está acostumada a andar com pessoas que falam o mesmo idioma intelectual, e esses americanos... E nem todo mundo a considera interessante. Esperava que, nos Estados Unidos, todos diriam: "Meu Deus, ela é uma *normalienne*". Mas na América ninguém se dá conta da trajetória muito especial que ela estava seguindo na França, e do imenso prestígio a ela associada. Não está recebendo o tipo de reconhecimento que estava preparada para receber, como jovem membro da elite intelectual francesa. Não está nem mesmo despertando o tipo de ressentimento que estava preparada para encontrar. Arranja um orientador e escreve sua tese. Defende a tese. Recebe o grau. Tudo acontece extraordinariamente depressa, porque ela já chegou muito preparada da França. Tanto estudo, tanto trabalho, e agora ela está pronta para um emprego importante numa instituição importante — Princeton, Columbia, Cornell, Chicago — e, não conseguindo nada, fica arrasada. Professora visitante na Faculdade Athena? Mas onde é que fica e o que é essa tal de Faculdade Athena? Torce o nariz. Até que seu orientador lhe diz: "Delphine, aqui neste mercado você arranja um bom emprego com base no emprego anterior. Professora visitante na Faculdade Athena? *Você* pode nunca ter ouvido falar, mas nós conhecemos. Uma instituição muito respeitável. Como primeiro emprego, um emprego muito respeitável".

Seus colegas estrangeiros de pós-graduação lhe dizem que ela é boa demais para a Faculdade Athena, seria muito *déclassé*, mas seus colegas americanos, que seriam capazes de cometer um assassinato para arranjar emprego de professor no porão da Stop & Shop, acham que esse esnobismo é típico de Delphine. Com má vontade, candidata-se ao cargo — e assim é que vai parar, de minissaiote e botas, sentada diante da mesa do decano Silk. Para conseguir o segundo emprego, o emprego bom, ela primeiro precisa desse emprego na Athena, mas ela conversa com o decano durante uma hora e por um triz ele não lhe nega o emprego. Estrutura narrativa e temporalidade. As contradições internas da obra de arte. Rousseau se esconde, mas depois sua retórica o entrega. (Mais ou menos, pensa o decano, como ela mesma faz naquele texto autobiográfico.) A voz do crítico é tão legítima quanto a voz de Heródoto. Narratologia. O diegético. A diferença entre diegese e mimese. A experiência parentética. A qualidade proléptica do texto. Coleman não precisa perguntar o que tudo isso significa. Ele sabe, a partir do sentido grego original, o que todas as palavras de Yale significam e o que significam todas as palavras da École Normale Supérieure. E ela, será que sabe? Como ele já trabalha nisso há mais de três décadas, não tem tempo para essa bobajada. Ele pensa: por que é que uma pessoa tão bonita tenta se esconder da dimensão humana de sua experiência por trás dessas palavras? Talvez justamente por ser tão bonita. Pensa: ela faz uma autoavaliação tão cuidadosa, e está tão redondamente iludida.

Sem dúvida, ela tinha as credenciais. Para Coleman, porém, ela representava precisamente aquele besteirol acadêmico de prestígio que ele não queria para os alunos da Athena, mas que exerceria um fascínio irresistível sobre todas as mediocridades do corpo docente.

Na época, achou que estava sendo imparcial ao contratá-la. Entretanto a razão mais provável era que ela era realmente fascinante. Tão bonita. Tão atraente. Mais ainda por parecer uma menininha.

Delphine Roux havia interpretado erradamente o olhar de Coleman, ao pensar, com um toque de melodrama — era uma das coisas que prejudicavam sua destreza, esse impulso de não apenas saltar para a conclusão melodramática como também de entregar-se com volúpia ao fascínio do melodrama —, que o que ele queria fazer era amarrar suas mãos às costas: o que ele queria, por todos os motivos possíveis, era não tê-la por perto. E por isso contratou-a. E por isso começaram a ter desentendimentos sérios.

E agora era Delphine que estava chamando Coleman para conversar com ela em sua sala. Em 1995, o ano em que Coleman renunciou ao decanato para voltar a lecionar, o fascínio de Delphine, a francesinha bonita e chiquérrima, que aliava uma sutil sensualidade de ninfeta ao peso de sua sofisticação de ex-aluna da École Normale (a que Coleman se referia como "a autoglorificação contínua de Delphine"), parecia ter conquistado praticamente todo professor bobo o bastante para se deixar conquistar, e embora ainda não tivesse saído da casa dos vinte — mas talvez já estivesse de olho no cargo que fora ocupado por Coleman — assumiu a direção do pequeno departamento que, cerca de doze anos antes, tinha absorvido, junto com os outros departamentos da área de letras, o antigo Departamento de Letras Clássicas em que Coleman havia começado, como instrutor. No novo Departamento de Línguas e Literatura havia onze professores: um de russo, um de italiano, um de espanhol, um de alemão, Delphine em francês e Coleman Silk em línguas clássicas, e mais cinco professores adjuntos sobrecarregados, instrutores em começo de carreira e uns poucos estrangeiros que moravam na região e davam os cursos elementares.

"A leitura equivocada que a senhorita Mitnick faz dessas duas peças", dizia Coleman a Delphine, "está fundada em preocupações ideológicas tão estreitas e provincianas que não dá para ser corrigida."

"Então você não nega o que ela diz — que você não tentou ajudá-la."

"Uma aluna que me diz que eu falo com ela numa 'linguagem falocêntrica' não pode mais ser ajudada por mim."

"Então", disse Delphine, sorrindo, "o problema está aí, não é?"

Ele riu — espontaneamente, mas também com um objetivo. "É? O inglês que eu falo não é sutil o bastante para uma inteligência tão refinada quanto a da senhorita Mitnick?"

"Coleman, você está há muito tempo fora da sala de aula."

"E você até hoje não saiu dela. Minha cara", disse ele, escolhendo bem as palavras, com um sorriso calculadamente irritante, "passei a vida inteira lendo essas peças e pensando nelas."

"Mas nunca da perspectiva feminista da Elena."

"Tampouco da perspectiva judaica de Moisés. Tampouco da perspectiva nietzschiana sobre a perspectiva, tão na moda atualmente."

"Coleman Silk é a única pessoa na face da Terra que só tem uma perspectiva: uma perspectiva literária pura e desinteressada."

"Quase sem exceção, minha cara" — outra vez? E por que não? — "nossos alunos são de uma ignorância abissal. A formação deles é de uma ruindade inacreditável. Eles levam uma vida marcada pela esterilidade intelectual. Eles chegam sem saber nada, e a maioria deles vai embora sem saber coisa alguma. E o que eles menos sabem, quando se matriculam no meu curso, é como ler o teatro clássico. Lecionar na Athena, principalmente na década de 90, ensinar para a geração que é de longe a mais burra da história dos Estados Unidos, é a mesma coisa que subir a Broadway lá em Manhattan falando sozinho, só que, em vez das dezoito pessoas que ouvem você na rua falando sozinho, aqui estão todas na mesma sala de aula. O grau de conhecimento desses alunos é, sacou, tipo assim, *zero*. Depois de quase quarenta anos lidando com esse tipo de aluno — e a senhorita Mitnick é bem típica — posso lhe afirmar que nada poderia ser *pior* para eles que uma leitura de Eurípides com uma perspectiva feminista. Apresentar aos leitores mais ingênuos uma leitura feminista de Eurípides é uma das melhores maneiras que se podem imaginar de desligar o raciocínio deles antes mesmo de ter oportunidade de começar a demolir o primeiro 'tipo assim' deles. Chego a achar difícil acreditar que uma mulher instruída, com uma formação acadêmica francesa como a sua, seja capaz de acreditar que *existe* uma leitura feminista de Eurípides que não seja pura bobagem. Será que você realmente se converteu em tão pouco tempo, ou será apenas uma manifestação do tradicional carreirismo ditado pelo medo das suas colegas feministas? Porque se for mesmo carreirismo, por mim tudo bem. É uma coisa humana, eu compreendo. Agora, se for um compromisso intelectual com essa idiotice, então eu estou pasmo, porque você não é nenhuma idiota. Porque você é uma pessoa instruída. Porque na França ninguém na École Normale levaria essa bobajada a sério. Será possível? Ler duas peças como *Hipólito* e *Alceste*, depois ouvir uma semana de discussões em sala de aula sobre cada uma delas, e no fim não ter nada a dizer sobre as duas peças além de que são 'degradantes para as mulheres' — isso não é 'perspectiva' coisa nenhuma, meu Deus — isso é abobrinha. Abobrinha da moda."

"A Elena é uma aluna. Ela tem vinte anos de idade. Ela está aprendendo."

"Sentimentalizar aluno não fica bem em você, minha cara. Leve seus alunos a sério. A Elena não está aprendendo. Ela está repetindo que nem um papagaio. E se ela foi procurar logo você é porque provavelmente ela está repetindo o que ouviu de você."

"Isso não é verdade, mas, se lhe dá prazer me rotular culturalmente assim, tudo bem, e aliás isso é inteiramente previsível. Se você se sente protegido ao adotar essa postura de superioridade em relação a mim e me ver como uma boba, tudo bem, meu caro", agora era ela que usava a expressão com prazer, sorrindo. "A maneira como você trata a Elena é ofensiva para ela. Foi por isso que ela me procurou. Você assustou a Elena, e ela ficou perturbada."

"Pois é, eu recorro a certos maneirismos pessoais irritantes quando deparo com as consequências de ter contratado uma pessoa como você."

Delphine retrucou: "E alguns dos nossos alunos recorrem a certos maneirismos pessoais irritantes quando deparam com uma pedagogia fossilizada. Se você insiste em ensinar literatura dessa maneira chata a que você já se habituou, se você insiste em ensinar tragédia grega com essa tal abordagem humanista que você adota desde os anos 50, conflitos como esses vão ocorrer o tempo todo".

"Ótimo", disse ele. "Que ocorram." E saiu da sala. Então, no semestre seguinte, quando Tracy Cummings procurou correndo a professora Roux, quase em lágrimas, mal conseguindo falar, estupefata por saber que, às suas costas, o professor Silk utilizara um termo racista e pejorativo para referir-se a ela diante de seus colegas, Delphine concluiu que chamar Coleman a sua sala para discutir a acusação seria uma perda de tempo. Como estava certa de que ele se comportaria do mesmo modo que da última vez em que uma aluna se queixara dele — e certa, com base na sua experiência, de que se o chamasse ele novamente a trataria com condescendência, mais uma mulher metida a besta ousando questionar sua conduta, mais uma vez uma mulher com uma reclamação que, se ele se dignasse a ouvi-la, seria para trivializá-la —, Delphine entregou o caso para o novo decano, uma pessoa mais acessível. A partir daí, pôde se dedicar mais a Tracy, tranquilizando-a, confortando-a, praticamente adotando-a, uma jovem negra sem pai nem mãe, tão insegura que, nas primeiras semanas após o episódio, para que ela não pegasse suas coisas e fugisse — e fugisse para lugar nenhum —, Delphine obteve permissão para ajudá-la a mudar-se do alojamento dos estudantes para um quarto sem uso em seu próprio apartamento, tornando-se temporariamente responsável por ela. Embora antes do final do semestre Coleman Silk, ao pedir demissão, praticamente tivesse confessado suas más intenções no episódio, o mal que causara a Tracy fora fatal para uma pessoa tão insegura: incapaz de se dedicar aos estudos por causa da investigação e temendo que o professor Silk jogasse os outros professores contra ela, Tracy foi reprovada em todos os cursos. Ela abandonou não apenas a faculdade como também a cidade — foi embora de Athena, onde Delphine estava tentando encontrar um emprego para ela, dar-lhe aulas particulares e ficar de olho nela até que ela conseguisse voltar para a faculdade. Um belo dia Tracy pegou um ônibus para Oklahoma, com destino à casa de uma meia-irmã em Tulsa; porém, apesar de ter o endereço de Tulsa, Delphine nunca mais conseguiu localizá-la.

Então Delphine soube do caso de Coleman Silk com Faunia Farley, que ele estava fazendo de tudo para esconder. Ela não conseguiu acreditar — aposentado havia dois anos, com setenta e um anos de idade, e continuava atacando. Como não havia mais alunas questionando sua perspectiva as quais ele pudesse intimidar, como não havia mais jovens negras precisando de cuidados as quais ele pudesse ridicularizar, como não havia mais jovens professoras como ela ameaçando sua hegemonia que ele pudesse humilhar e insultar, ele havia conseguido encontrar, nos recônditos mais profundos da faculdade, uma candidata para o cargo de humilhada que era o protótipo do desamparo feminino: uma mulher que apanhava do marido. Quando Delphine recorreu ao departamento de pessoal para levantar informações a respeito de Faunia, quando ficou sabendo do ex-marido e das mortes pavorosas dos dois filhos pequenos — num incêndio misterioso que, segundo alguns, teria sido provocado pelo próprio ex-marido —, quando ficou sabendo que, por ser analfabeta, Faunia só podia se encarregar das tarefas braçais, compreendeu que Coleman Silk havia conseguido realizar o desejo mais íntimo de todo misógino: em Faunia Farley ele encontrara uma pessoa ainda mais indefesa do que Elena ou Tracy, a mulher perfeita para ser esmagada. Em Faunia Farley ele haveria de se vingar de todas aquelas que, na faculdade, haviam ousado desafiar sua absurda postura de superioridade.

E ninguém vai fazer nada, pensou Delphine. Ninguém vai impedi-lo.

Cônscia de que Silk agora estava fora da jurisdição da faculdade, e que portanto nada o impediria de se vingar dela

— dela, sim, vingar-se de todas as suas tentativas de impedi-lo de exercer seu terrorismo psicológico sobre as alunas, vingar-se dela por ter trabalhado conscientemente com o fim de derrotar sua autoridade e expulsá-lo da sala de aula —, Delphine não conseguiu conter sua indignação. Faunia Farley era para ele sua substituta. Por meio de Faunia Farley, Coleman estava se vingando dela. O rosto e o nome e a forma dela evocam para você precisamente a mim — como ela é minha imagem especular, não poderia evocar nenhuma outra pessoa que não eu. Ao atrair uma mulher que é, tal como eu, empregada da Faculdade Athena, e que, tal como eu, tem menos de metade da sua idade — e que, no entanto, sobre todos os outros aspectos é exatamente o oposto do que sou —, você ao mesmo tempo disfarça espertamente e expõe de maneira flagrante precisamente a pessoa que visa destruir. Não lhe falta a sagacidade necessária para que você se dê conta desse fato, e, a partir de sua posição excelsa, você é suficientemente impiedoso para valer-se dela. Mas não sou tão obtusa a ponto de não reconhecer que sou eu que, em efígie, você quer destruir.

Essa compreensão lhe veio tão depressa, em frases tão espontaneamente explosivas, que enquanto assinava seu nome na segunda página da carta e endereçava o envelope a ele, por posta-restante, Delphine ainda fervia de raiva ao pensar na crueldade capaz de transformar aquela mulher terrivelmente sofrida, que já havia perdido tudo, num *brinquedo*, crueldade capaz de fazer de um ser humano sofredor como Faunia Farley um objeto de prazer, só para vingar-se *dela*. Como podia alguém, até mesmo *ele*, fazer uma coisa dessas? Não, ela não ia alterar uma sílaba do que havia escrito, tampouco se daria ao trabalho de escrever à máquina para tornar a leitura mais fácil para ele. Recusava-se a adulterar sua mensagem suprimindo as marcas de indignação na letra traçada com fúria. Que ele não subestimasse sua determinação: agora não havia nada mais importante para ela do que desmascarar Coleman Silk. Mas vinte minutos depois Delphine rasgou a carta. Felizmente. Felizmente. Quando seu idealismo desenfreado a dominava, ela nem sempre conseguia distinguir realidade de fantasia. Ela tinha toda a razão de repreender um predador contumaz como aquele. Mas pensar que seria capaz de salvar um caso tão perdido quanto Faunia Farley, ela que não conseguira salvar Tracy? Pensar que poderia derrotar um homem que, velho e rancoroso, agora estava não apenas além do alcance dos controles impostos pela instituição como também — mas que grande humanista! — livre de qualquer consideração de humanidade? Não poderia haver ilusão maior do que se julgar capaz de enfrentar a astúcia de Coleman Silk. Até mesmo uma carta tão evidentemente ditada pelo calor da repulsa moral, uma carta que o informava, nos termos mais claros, que seu segredo fora revelado, que ele fora desmascarado, apanhado em flagrante, ele daria um jeito de transformar numa arma a ser usada *contra* ela, até mesmo, se ele tivesse oportunidade, para destruí-la.

Ele era implacável e paranoico, e por mais que a ideia a desagradasse era necessário levar em conta certas considerações práticas, que talvez não a tivessem impedido de agir no tempo em que ela era uma estudante marxista, com uma incapacidade de tolerar a injustiça que a fazia por vezes, como ela própria reconhecia, agredir o senso comum. Porém agora ela era uma professora universitária que apesar de jovem já conseguira conquistar a estabilidade em seu emprego, que já se tornara chefe de departamento, e que — era quase certo — mais dia, menos dia seria contratada por Princeton, Columbia, Cornell, Chicago, talvez até mesmo por Yale, de onde saíra. Uma carta como essa, assinada por ela, que Coleman Silk faria correr de mão em mão, até que, inevitavelmente, fosse parar na mão de sabe-se lá quem que, por inveja, por ressentimento, só por ela ter tido sucesso demais jovem demais, quisesse prejudicá-la... Sim, por mais ousada que fosse, por mais que manifestasse sua fúria incontida, aquela carta seria usada por ele com o fim de trivializá-la, de argumentar que ela não tinha maturidade, não tinha o direito de exercer autoridade sobre *ninguém*. Ele tinha lá seus contatos, ainda conhecia pessoas — ele era bem capaz de fazer uma coisa dessas. É claro que sim, claro que distorceria suas intenções...

Rapidamente Delphine rasgou a carta em pedacinhos e, no centro de uma folha de papel em branco, com uma esferográfica vermelha que não costumava usar para escrever cartas, numa letra de imprensa que ninguém reconheceria como sua, escreveu:

Todo mundo sabe

Mas parou por aí. Deteve-se aí. Três noites depois, minutos após apagar as luzes, levantou-se da cama e, tendo caído na realidade, foi até sua mesa com a intenção de amassar, jogar fora e eliminar de sua lembrança o pedaço de papel com as palavras "Todo mundo sabe"; em vez disso, debruçada sobre a mesa, sem nem sequer se sentar — temendo que no intervalo de tempo necessário para se sentar perderia mais uma vez a coragem —, escreveu depressa mais dezesseis palavras que bastariam para avisá-lo de que seu desmascaramento era iminente. O envelope foi endereçado, selado, com o bilhete anônimo dentro dele, a luminária da escrivaninha foi apagada, e Delphine, aliviada por ter escolhido de modo definitivo a solução mais impactante, dadas as limitações práticas de sua situação, voltou para a cama pronta para dormir o sono dos justos.

Mas antes foi obrigada a conter todos os impulsos que se esforçavam para fazê-la levantar outra vez, rasgar o envelope e reler o que havia escrito, para verificar se não dissera muito pouco ou se expressara de modo muito fraco — ou com ênfase excessiva. Claro que aquela não era a sua retórica. Não podia ser. Por isso mesmo a utilizara — era óbvia demais, vulgar demais, simplista demais para que pudesse ser atribuída a ela. Mas por esse exato motivo ela talvez a achasse, erradamente, pouco convincente. Foi obrigada a levantar para ver se havia se lembrado de disfarçar a letra — para ver se, sem querer, no calor do momento, num gesto raivoso, não havia assinado embaixo. Precisava verificar se não havia de algum modo, inadvertidamente, revelado sua identidade. E se tivesse? Ela *devia* assinar o bilhete. Toda a sua vida era uma luta, uma eterna recusa a ceder diante dos Coleman Silk deste mundo, que usam seus privilégios para dominar a todos, obrigando-os a fazer sua exata vontade. Enfrentando homens. *Afrontando* homens. Até mesmo homens muito mais velhos que ela. Aprendendo a não temer a autoridade que eles se arrogam, suas pretensões a sabedoria. Reconhecendo que sua inteligência pesava, sim. Ousando considerar-se à altura deles. Aprendendo, quando apresentava um argumento e este não era aceito, a conter o impulso de capitular, aprendendo a recorrer a toda sua lógica, autoconfiança e equilíbrio emocional para *continuar* discutindo, por mais que tentassem fazê-la calar-se. Aprendendo a dar o segundo passo, a insistir em vez de desabar. Aprendendo a defender sua posição *sem recuar*. Ela não tinha por que manifestar deferência em relação a ele, nem a *ninguém*. Ele não era mais o decano que a havia contratado. Nem o chefe do departamento. Ela era a chefe. O decano Silk agora não era mais nada. Ela devia, sim, abrir o envelope e assinar o bilhete. Ele não era nada. Aquilo era confortador como um mantra: nada.

Delphine passou semanas andando com o envelope fechado dentro da bolsa, examinando as razões que justificavam não apenas enviar o bilhete mas também assiná-lo. Ele escolhe uma mulher arrasada, que é incapaz de reagir. Que não tem a menor condição de competir com ele. Que do ponto de vista intelectual simplesmente não existe. Escolhe uma mulher que jamais se defendeu, que é *incapaz* de se defender, a mulher mais fraca deste mundo, para aproveitar-se dela, uma mulher inferior a ele sob todos os aspectos — e a escolhe pelo mais óbvio dos motivos antitéticos: porque considera inferiores todas as mulheres e porque tem medo de qualquer mulher inteligente. Porque sei me defender, porque me recuso a ser intimidada, porque sou uma mulher de sucesso, porque sua bonita, porque sou intelectualmente independente, porque tenho uma formação de primeira, um diploma de primeira...

E então, em Nova York, aonde foi num sábado para ver a exposição de Jackson Pollock, Delphine tirou o envelope da bolsa e por um triz não colocou a carta com dezenove palavras, anônima, numa caixa do correio no prédio da Port Authority, a primeira caixa de correio que viu após descer do ônibus da Bonanza. O envelope continuava em sua mão quando ela pegou o metrô, mas assim que o trem começou a andar Delphine se esqueceu da carta, recolocou-a na bolsa e deixou que os significados do metrô a dominassem. O metrô de Nova York ainda a surpreendia e entusiasmava. Quando andava no metrô de Paris jamais pensava nele, mas a angústia melancólica dos usuários do metrô nova-iorquino sempre tinha o efeito de reafirmar sua convicção de que fizera bem em vir para os Estados Unidos. O metrô de Nova York era o símbolo da razão daquela vinda — sua recusa a esquivar-se da realidade.

A exposição de Pollock dominou-a emocionalmente a tal ponto que ela sentia, ao deslocar-se de um quadro estupendo a

254

outro, uma sensação crescente, avassaladora, que era a obsessão da luxúria. Quando o celular de uma mulher começou a tocar de repente, no momento em que todo o caos do quadro intitulado *Number 1A, 1948* estava penetrando com ímpeto o espaço que até então naquele dia — que até então em todo aquele *ano* — fora apenas seu corpo, Delphine ficou tão furiosa que se virou e exclamou: "Tenho vontade de estrangular a senhora!".

Então foi à biblioteca pública na Forty-Second Street. Sempre passava por lá quando ia a Nova York. Ia aos museus, às galerias de arte, aos concertos, ia assistir aos filmes que jamais seriam exibidos no único cinema pavoroso que havia no fim de mundo de Athena, e por fim, qualquer que fosse o motivo específico que a havia levado a Nova York, terminava passando cerca de uma hora lendo o livro que trouxera consigo na sala de leitura principal da biblioteca.

Delphine lê. Olha para os lados. Observa. Curte pequenas paixonites pelos homens que vê. Em Paris, assistiu a *Maratona da morte* num festival de cinema. (Ninguém sabe que, no cinema, ela é terrivelmente sentimental e chora com frequência.) Em *Maratona da morte*, a personagem, a falsa estudante, frequenta a biblioteca pública de Nova York e é lá que Dustin Hoffman a conquista, e é sob esse ângulo romântico que ela sempre encarou a biblioteca pública de Nova York. Até agora não foi conquistada por nenhum homem lá; o único que tentou foi um estudante de medicina que era jovem demais, inexperiente demais, e logo de saída fez um comentário infeliz. Logo de saída fez algum comentário sobre o sotaque dela, e Delphine achou-o insuportável. Um garoto que ainda não tinha nenhuma experiência de vida. Ele a fez sentir-se velha como uma avó. Com a sua idade, ela já tinha tido tantos casos amorosos, já tinha pensado e repensado tanta coisa, tantos níveis de sofrimento — aos vinte anos, quando era mais moça que ele, já tinha vivido sua grande paixão amorosa, não uma vez, mas duas. Em parte, viera para os Estados Unidos para *fugir* de sua história de amor (e também para deixar de ser figurante no drama havia tanto tempo em cartaz — com o título *Etc.* — que era a vida de sua mãe, quase criminosamente bem-sucedida). Mas agora Delphine se sente muitíssimo solitária em sua busca de um homem a quem possa se ligar.

Outros que tentam conquistá-la às vezes fazem comentários perfeitamente aceitáveis, às vezes irônicos ou maliciosos o bastante para parecerem encantadores, mas então — porque vista de perto ela é mais bonita do que imaginavam, e, para uma pessoa tão *mignon*, um pouco mais arrogante do que esperavam — eles recuam, tímidos. Os que trocam olhares com ela são, de saída, os que não a agradam. E os que estão mergulhados na leitura, que são encantadores e desejáveis por ser desligados, estão... mergulhados na leitura. Quem é que ela está procurando? Ela está procurando o homem que vai reconhecê-la pelo que ela *é*. Está procurando o Grande Reconhecedor.

Hoje Delphine está lendo, em francês, um livro de Julia Kristeva, um tratado sobre a melancolia dos mais maravilhosos que já foram escritos, e na mesa ao lado ela vê um homem lendo, imagine só, um livro em francês escrito pelo marido de Kristeva, Phillipe Sollers. Sollers é um autor cujo ludismo ela agora se recusa a levar a sério, muito embora ele tenha sido importante para ela numa certa etapa de seu desenvolvimento intelectual; os escritores franceses lúdicos, ao contrário dos escritores lúdicos da Europa Oriental, como Kundera, já não a satisfazem... mas não é isso o que está em questão na biblioteca pública de Nova York. O que está em questão é a coincidência, uma coincidência que é quase sinistra. Em seu estado ansioso, inquieto, Delphine desencadeia mil e uma especulações a respeito do homem que está lendo Sollers enquanto ela lê

Kristeva, e sente a iminência não apenas de uma cantada mas também de um caso. Ela sabe que aquele homem moreno de quarenta, quarenta e dois anos tem precisamente aquela *gravitas* que ela não encontra em ninguém na Athena. O que ela consegue adivinhar só de vê-lo imóvel, lendo seu livro, faz com que aumentem cada vez mais suas esperanças de que algo esteja prestes a acontecer.

E uma coisa acontece: uma moça vem se encontrar com ele, moça mesmo, ainda mais jovem do que ela, e os dois saem juntos, e Delphine pega suas coisas e sai da biblioteca e assim que vê uma caixa de correio pega a carta na bolsa — a carta que está na sua bolsa há mais de um mês — e a enfia na caixa de correio, tão furiosa quanto no momento em que disse à mulher na exposição de Pollock que queria estrangulá-la. Pronto! Está feito! Consegui! Muito bem!

É necessário que se passem cinco segundos inteiros para que ela se dê conta da magnitude do equívoco que cometeu; sente uma fraqueza nos joelhos. "Ah, meu Deus!" Mesmo tendo deixado a carta sem assinatura, mesmo tendo utilizado uma retórica vulgar que não era sua, vai ser fácil descobrir quem mandou aquele bilhete, para uma pessoa tão fixada nela quanto Coleman Silk.

Agora ele *nunca* vai deixá-la em paz.

4. Qual o louco que teve essa ideia?

Vi Coleman vivo só mais uma vez depois daquele dia em julho. Ele jamais me falou a respeito de sua ida à faculdade, nem do telefonema que deu para seu filho Jeff. Fiquei sabendo que ele esteve no campus naquele dia porque foi visto lá — por acaso, da janela de uma sala — por seu ex-colega Herb Keble, que, no final do discurso que fez no enterro, mencionou tê-lo visto escondido na sombra projetada pelo Prédio Norte, sem que Keble pudesse imaginar que motivo o levara a se esconder. Fiquei sabendo desse telefonema porque Jeff Silk, com quem conversei depois do funeral, tocou no assunto, dando a entender que, durante a conversa, Coleman se descontrolara completamente. Foi o próprio Nelson Primus que me falou sobre seu encontro com Coleman algumas horas antes daquele telefonema ao filho que terminou, tal como sua conversa com o advogado, numa explosão de vitupérios. Depois disso, nem Primus nem Jeff Silk jamais voltaram a falar com Coleman, que não retornou os telefonemas dos dois nem o meu — ou seja, não retornou nenhum telefonema — e em seguida, ao que parece, desligou a secretária eletrônica, porque pouco depois tentei ligar para ele e o telefone ficou tocando sem parar. Ele, porém, estava em casa, sozinho — não havia saído. Sei disso porque, depois de passar umas duas semanas tentando falar com ele pelo telefone sem conseguir, num sábado à noitinha, no início de agosto, passei por lá de carro para verificar. Havia poucas lâmpadas acesas, mas, depois que estacionei junto aos bordos de galhos imensos diante da casa de Coleman, desliguei o motor e fiquei em silêncio dentro do carro; parado na estrada de asfalto em frente ao gramado extenso, logo comecei a ouvir música de dança saindo das janelas abertas da casa de venezianas pretas revestidas de ripas brancas de madeira, a música do programa de rádio das noites de sábado que o fazia voltar ao tempo de Steena Palsson e do apartamento de subsolo na Sullivan Street logo depois da guerra. Ele está lá dentro agora com Faunia, cada um deles protegendo o outro do resto do mundo — cada um deles *representando*, para o outro, o resto do mundo. Estão dançando, possivelmente nus, desligados das confusões do mundo, num paraíso extraterreno de volúpia terrena em que a cópula é o drama no qual se decantam de todas as decepções irritantes de suas vidas. Lembrei-me de algo que, segundo Coleman, Faunia lhe dissera após uma dessas noites gloriosas, em que parecia haver tanta coisa fluindo de um para o outro. Coleman observou: "Isso é mais que sexo", ao que ela respondeu na hora: "Não, não é, não. Você é que esqueceu o que é o sexo. Isso é sexo. Mais nada. Não vá foder tudo fingindo que é outra coisa".

Quem são eles agora? São as versões mais simples possíveis de si próprios. A essência da singularidade. Tudo o que é doloroso imobilizado na paixão. Talvez já nem lamentem as coisas não serem diferentes do que são. A repulsa que acumularam é demais para permitir isso. Conseguiram sair debaixo de tudo aquilo que foi empilhado em cima deles. Nada na vida os tenta, nada na vida os excita, nada na vida atenua o ódio que sentem pela vida tanto quanto essa intimidade. Quem são esses dois, tão radicalmente diferentes, formando um par tão incongruente, ele com setenta e um anos, ela com trinta e quatro? São a catástrofe a que estão condenados. Ao som da banda de Tommy Dorsey e da voz suave do jovem Sinatra, dançando nus em pelo, rumo a uma morte violenta. Cada pessoa neste mundo arranja um fim diferente: é esse o fim que esses dois arranjaram. Agora não há como eles se deterem a tempo. A coisa está feita.

Eu não sou o único que está na estrada ouvindo a música.

Quando meus telefonemas não tiveram retorno, concluí que Coleman não queria mais nenhum contato comigo. Alguma coisa dera errado, e eu imaginava, como todos fazem quando uma amizade termina de modo ab-rupto — principalmente uma amizade nova —, que a culpa era minha; mesmo que não tivesse dito nem feito alguma coisa que o irritasse ou o ofendesse profundamente, por ser quem sou e o que sou. Coleman havia me procurado de início, relembremos, na vã esperança de me convencer a escrever o livro que contaria como a faculdade matara sua mulher; talvez nada lhe parecesse menos desejável agora do que aquele mesmo escritor começar a se meter na sua vida privada. A única conclusão que tirei foi que, por algum motivo, ele achara muito mais sensato esconder de mim os detalhes de sua vida com Faunia do que continuar a me fazer confidências.

Na época, é claro, eu não sabia nada a respeito de sua verdadeira origem — também isso foi algo que só fiquei sabendo no dia do enterro — e portanto nem me passava pela cabeça que o motivo pelo qual jamais havíamos tido nenhum contato antes da morte de Iris, o motivo que o levara a me evitar, era o fato de que meu lugar de origem ficava bem perto de East Orange, e portanto eu, conhecendo razoavelmente bem a região, podia resolver investigar suas raízes em Nova Jersey. E se eu fosse um dos meninos judeus de Newark que aprenderam boxe com Doc Chizner? Aliás, eu era um deles, sim, mas só comecei em 1946 ou 1947, quando Silky não estava mais ajudando Doc a ensinar a garotos como eu a maneira correta de se posicionar, movimentar-se e golpear; nessa época ele já era aluno da NYU, com sua bolsa de ex-combatente.

A verdade era que, tendo se tornado meu amigo na época em que estava escrevendo *Spooks*, ele fora bastante imprudente, correndo o risco de ser identificado, quase seis décadas depois, como o orador de turma negro do Colégio Secundário de East Orange, o menino de cor que participara de torneios de boxe amador no Clube dos Rapazes na Morton Street antes de entrar para a Marinha como branco; havia uma razão bastante sensata para ele parar de me procurar no meio daquele verão, embora eu não fizesse ideia disso.

Bem, vamos à última vez em que o vi. Num sábado em agosto, sentindo-me solitário, peguei o carro e fui até Tanglewood para assistir ao ensaio aberto do concerto do dia seguinte. Uma semana depois do dia em que fiquei no carro estacionado na frente da casa de Coleman, eu ainda sentia falta dele, da experiência de ter um amigo íntimo, e portanto resolvera fazer parte daquela pequena plateia que, nas manhãs de sábado, ocupa cerca de um quarto dos lugares do Music Shed quando há ensaios abertos, uma plateia composta de melômanos passando as férias na região e alunos de música, mas principalmente turistas e idosos, pessoas com aparelhos de audição e binóculos, a folhear o *New York Times*, que vieram de ônibus passar o dia na serra de Berkshire.

Não sei se foi pela sensação de estranheza provocada por ter saído de casa naquela manhã, a experiência momentânea de ser uma pessoa sociável (ou uma pessoa que finge ser sociável), ou se foi pela fantasia passageira que me veio, ao ver aquela plateia, de que estavam todos prestes a embarcar, a ser deportados, a ser libertados, pela música, do enclausuramento da velhice, mas o fato é que, naquela manhã de sol e brisa, no último verão da vida de Coleman Silk, o Music Shed me fazia pensar naqueles cais sem proteção lateral que antigamente se estendiam, cavernosos, adentrando o rio Hudson, como se um daqueles cais espaçosos, de aço, do tempo em que os transatlânticos aportavam em Manhattan, tivesse sido erguido do fundo do rio, em toda sua imensidão, transportado por algum foguete até a serra, a duzentos quilômetros de distância, e largado intacto sobre aquele extenso gramado em Tanglewood, uma aterrissagem perfeita entre as árvores imponentes e as belas vistas da região montanhosa da Nova Inglaterra.

Enquanto me aproximava de um lugar desocupado que encontrei, um dos poucos lugares vazios e perto do palco de que ninguém havia ainda se apropriado largando sobre ele um suéter ou um casaco, fiquei pensando que estávamos todos indo juntos a algum lugar, que na verdade já tínhamos ido e chegado, tendo deixado tudo para trás... quando estávamos apenas nos preparando para ouvir a Sinfônica de Boston ensaiando Rachmaninoff, Prokofiev e Rimsky-Korsakov. O chão de terra batida do Music Shed não deixa dúvida de que você está mesmo em terra firme; no alto da estrutura há ninhos de aves cujos gorjeios preenchem os silêncios pesados entre os movimentos das obras, andorinhas e garriças que ficam o tempo todo voejando, que emergem da floresta na encosta e saem voando de repente com uma avidez com que ave alguma teria ousado partir da arca de Noé. Estávamos a três horas de carro do Atlântico, mas eu não conseguia me livrar daquela dupla sensação de estar onde de fato estava e ter sido transportado, junto com os outros idosos, para um oceano misterioso.

Seria apenas a morte que eu tinha em mente ao pensar nesse embarque? A morte e eu mesmo? A morte e Coleman? Ou seria a morte e aquele grupo de pessoas que ainda encontravam prazer em ser levadas de ônibus, como se fossem crianças, para um passeio de verão, e no entanto, como uma multidão humana palpável, uma entidade de carne sensível e sangue vermelho e quente, separada do nada por uma finíssima e fragilíssima camada de vida?

O programa que precedia o ensaio estava terminando no momento em que cheguei. Um apresentador animado, de camisa esporte e calça cáqui, à frente do palco vazio, falava à plateia sobre as peças que tinham acabado de ouvir — uma gravação de trechos de Rachmaninoff — e discorria, empolgado, sobre "os ritmos misteriosos" das *Danças sinfônicas*. Foi só quando ele terminou e a plateia começou a aplaudir que um homem emergiu dos bastidores para retirar o pano que cobria os timbales e colocar as partituras nas estantes. Do lado oposto do palco apareceram dois empregados carregando as harpas, e por fim entraram os músicos, conversando, todos eles, tal como o apresentador, com trajes informais, apropriados a um ensaio — um oboísta com um suéter de malha cinzenta com capuz, dois baixistas com jeans desbotados, e depois os violinistas, tanto os homens como as mulheres, ao que parecia, usando roupas da Banana Republic. Quando o maestro pôs os óculos — um maestro convidado, Sergiu Commissiona, um velho romeno com camisa de gola rolê, cabelos brancos abundantes na cabeça e sapatos de lona nos pés —, e a plateia, com uma gratidão infantil, mais uma vez começou a aplaudir, vi Coleman e Faunia procurando um lugar perto do palco.

Os músicos, prestes a sofrer a metamorfose que transformava um bando de pessoas de férias, aparentemente despreocupadas, numa máquina de fazer música poderosa e fluida, já haviam se instalado em seus lugares e começavam a afinar seus instrumentos quando o casal — a mulher loura, alta, de rosto anguloso, e o homem bonitão e grisalho, não tão alto quanto sua companheira e muito mais velho que ela, embora ainda caminhasse com um passo lépido e atlético — acomodou-se em dois lugares vazios três fileiras à minha frente e cerca de sete metros à minha direita.

A peça de Rimksy-Korsakov era uma história de fadas melodiosa, cheia de oboés e flautas, cuja doçura a plateia achou irresistível, e quando a orquestra chegou ao fim da primeira peça os aplausos entusiásticos se repetiram, como uma irrupção de inocência daquela multidão de velhos. De fato, os músicos haviam posto a nu nossas concepções mais jovens, mais inocentes da vida, o anseio indestrutível pelas coisas tal como elas não são e jamais hão de ser. Era o que eu pensava, quando desviei a vista para meu ex-amigo e sua amante e vi que não havia neles nada de tão diferente, de tão isolado, quanto eu havia imaginado desde que Coleman sumira de vista. Não pareciam de modo algum pessoas imoderadas, principalmente Faunia, cujas feições esculpidas, típicas da Nova Inglaterra, me faziam pensar num quarto estreito com janelas mas sem porta. Nada naqueles dois indicava que eles estivessem contra o mundo e atacando a tudo e todos — nem tampouco se defendendo. Talvez se estivesse sozinha, naquele ambiente estranho, Faunia não parecesse tão à vontade quanto parecia agora, mas com Coleman a seu lado não dava a impressão de estar mais deslocada em relação ao lugar do que em relação a ele. Não pareciam dois foras da lei unidos, e sim um casal que havia atingido uma serenidade suprema, que simplesmente não dava atenção alguma aos sentimentos e às fantasias que sua presença poderia despertar em qualquer lugar do mundo, principalmente ali no condado de Berkshire. Eu me perguntava se Coleman não a teria preparado de antemão, explicando-lhe como queria que ela se comportasse. Nesse caso, teria ela lhe dado atenção? Seria mesmo necessária uma tal preparação? Por que ele teria resolvido ir com ela a Tanglewood? Só porque queria ouvir a música? Porque queria que ela ouvisse a música e visse os músicos ao vivo? Sob os auspícios de Afrodite, disfarçado de Pigmalião, nos arredores de Tanglewood, estaria o professor de letras clássicas aposentado transformando Faunia, aquele ser recalcitrante e transgressor, numa Galateia civilizada e de bom gosto? Estaria Coleman decidido a educá-la, a influenciá-la — decidido a salvá-la da tragédia de sua estranheza? Seria aquele concerto o primeiro grande passo no sentido de transformar aquele casal transgressor em algo mais ortodoxo? Por que tivera essa ideia tão de repente? Por que tivera essa ideia, afinal? Por que, se tudo o que eles tinham e eram, juntos, era fruto do oculto, do clandestino, do grosseiro? Por que se dar ao trabalho de normalizar, de regularizar aquela união, por que se dar ao trabalho de tentar fazer tal coisa, circulando como se formassem um "casal"? Como a exposição ao público terá forçosamente o efeito de diminuir a intensidade, será isso mesmo o que eles querem? O que *ele* quer? Seria a *domesticação* uma coisa essencial às suas vidas agora, ou aquela ida ao concerto não teria nenhum significado desse tipo? Seria uma peça que eles estavam pregando, com o intuito de escandalizar, uma provocação proposital? Estariam sorrindo por dentro, aqueles animais carnais, ou estariam apenas ouvindo a música?

Como eles não se levantaram para esticar as pernas quando se fez um intervalo e um piano foi trazido para o palco — a próxima peça era o segundo concerto para piano de Prokofiev —, também eu permaneci sentado. Dentro daquele galpão estava um pouco frio, mais friagem de outono que frescor de verão, embora o sol que se derramava sobre o amplo gramado estivesse aquecendo os que preferiram ouvir a música e divertir-se do lado de fora, uma plateia mais jovem, casais na faixa dos vinte e mães com crianças pequenas e famílias com cestas de piquenique já começando a servir a comida. A três fileiras de onde eu estava, Coleman, a cabeça ligeiramente inclinada para o lado, conversava com Faunia em voz baixa, num tom sério, mas sobre o que falava, eu, naturalmente, não sabia.

Porque não sabemos, não é? *Todo mundo sabe...* Como é que as coisas acontecem do jeito que acontecem? O que está por trás da anarquia da sequência de eventos, as incertezas, os infortúnios, a incoerência, as irregularidades chocantes que definem os assuntos humanos? *Ninguém* sabe, professora Roux. "Todo mundo sabe" é a invocação do clichê e o início da banalização da experiência, e a seriedade e o tom de autoridade que as pessoas adotam ao repetir esse clichê é o que é mais insuportável. O que sabemos é que, ao contrário do que diz o clichê, ninguém sabe nada. *Não se pode saber nada.* As coisas que você *sabe*, você não sabe. Intenção? Motivo? Consequência? Significado? É surpreendente, quantas coisas desconhecemos. Mais surpreendente ainda é o que passa por conhecimento.

À medida que a plateia voltava para o auditório, em fila, comecei, como num desenho animado, a imaginar as doenças fatais que, sem que ninguém se desse conta, estavam atuando dentro de cada um de nós: comecei a visualizar os vasos sanguíneos se entupindo debaixo dos bonés, os tumores malignos crescendo sob os cabelos brancos fixados em permanente, os órgãos a pifar, atrofiar, entrar em pane, as centenas de bilhões de célu-

las assassinas impelindo silenciosamente toda aquela plateia em direção à catástrofe improvável mais adiante. Eu não conseguia me conter. Aquela dizimação estupenda que é a morte nos levando embora a todos. Orquestra, plateia, regente, técnicos, andorinhas, garriças — pensemos apenas nos números referentes a Tanglewood entre hoje e o ano 4000. Depois multipliquemos isso por tudo. A mortandade incessante. Que ideia! Qual o louco que teve essa ideia? E no entanto hoje está um dia tão bonito, um dia que é uma dádiva, um dia perfeito a que nada falta, numa região de veraneio em Massachusetts tão inofensiva e tão bonita quanto qualquer outra na Terra.
Então Bronfman aparece. Bronfman, o brontossauro! O homem do fortíssimo! Entra Bronfman para tocar Prokofiev com tanta velocidade e tanto espalhafato que a minha morbidez na mesma hora leva nocaute. É um homem visivelmente sólido da cintura para cima, uma força da natureza camuflada com uma camisa de malha, o sujeito que veio para o Music Shed diretamente do circo onde se apresenta como hércules, e que enfrenta o piano como um desafio ridículo para sua força gigantesca que lhe dá tanto prazer. Yefim Bronfman parece menos o músico que vai tocar o piano do que o sujeito que vai carregá-lo. Eu nunca tinha visto ninguém enfrentar um piano como aquele judeu russo com a barba por fazer, com um corpo que lembrava um barril pequeno mas resistente. Quando ele terminar, pensei, vão ter que jogar fora aquele troço. Ele esmaga o piano. Não deixa o piano esconder coisa alguma. Tudo o que estiver lá dentro vai ter de sair, e sair com as mãos para o alto. E quando isso acontece, depois que tudo saiu, quando terminou a última das últimas pulsações, ele se levanta e vai embora, deixando nossa redenção. Com um aceno jovial, Bronfman desaparece de repente, e embora leve consigo todo seu fogo, como se fosse o próprio Prometeu, agora nossas vidas

parecem inextinguíveis. Ninguém está morrendo, *ninguém* — pelo menos no que depender de Bronfman!

Houve mais um intervalo no ensaio, e quando Faunia e Coleman então se levantaram, para sair do galpão, também me levantei. Deixei-os seguir na minha frente, sem saber como abordar Coleman, nem sequer — já que aparentemente ele não estava mais interessado em mim ou em nenhuma outra pessoa à sua volta — se era mesmo o caso de abordá-lo. E no entanto eu sentia falta dele. Afinal, eu não havia feito nada. A vontade de ter um amigo veio à tona tal como no dia em que nos conhecemos, e mais uma vez, por causa do magnetismo que havia em Coleman, um atrativo que eu jamais conseguira identificar exatamente, não pude me conter.

Mais atrás, a uma distância de uns três metros, fiquei vendo-os subir devagar a passagem ligeiramente inclinada entre os assentos em direção ao gramado ensolarado, um aglomerado de gente que arrastava os pés. Coleman falando em voz baixa com Faunia tal como antes, a mão pousada entre as omoplatas dela, a palma da mão contra sua espinha, guiando-a, enquanto lhe explicava o que quer que estivesse explicando a respeito de alguma coisa que ela desconhecia. Lá fora, foram atravessando o gramado, provavelmente em direção ao portão e ao estacionamento de terra batida; não tentei segui-los. Quando olhei de volta em direção ao galpão vi que, no palco iluminado, oito lindos contrabaixos haviam ficado perfeitamente alinhados, deitados de lado, quando os músicos saíram para o intervalo. Não consegui entender por que também isso me fez pensar na morte de todos nós. Um cemitério de instrumentos horizontais? Por que não pensei em vez disso na imagem alegre de uma fileira de baleias dentro de uma vagem?

Eu estava no gramado, espreguiçando-me, recebendo o sol nas costas por mais alguns instantes antes de retomar meu lugar para ouvir o Rachmaninoff, quando vi os dois voltando — pelo visto, tinham apenas dado uma caminhada, talvez porque Coleman quisesse mostrar a Faunia a vista para o sul —, e agora estavam retornando para ouvir a última parte do ensaio aberto, as *Danças sinfônicas*. Para conseguir descobrir alguma coisa, decidi seguir diretamente na direção deles, embora continuassem com aquele ar de quem não está interessado em nada a sua volta. Fiz sinal, dizendo: "Oi, Coleman, oi", e me coloquei bem a sua frente.

"Eu achei que tinha visto você", disse Coleman, e, apesar de não acreditar nele, pensei: é a melhor maneira de deixá-la à vontade — de me deixar à vontade, de fazer com que ele próprio ficasse à vontade. Sem o menor vestígio de nenhuma outra coisa que não seu charme natural e obstinado de decano, sem nenhum indício de irritação por me ver de repente, Coleman prosseguiu: "Esse Bronfman é incrível. Eu estava dizendo à Faunia que ele tirou pelo menos dez anos de vida daquele piano".

"Era mais ou menos isso que eu estava pensando."

"Faunia Farley", disse ele a mim, dizendo a ela: "Nathan Zuckerman. Vocês dois se conheceram lá na fazenda".

Mais próxima à minha altura que à dele. Esguia e austera. De seu olhar dava para concluir muito pouco, talvez nada. Um rosto nada eloquente. Sensualidade? Zero. Invisível. Fora do estábulo de ordenha, tudo o que havia de atrativo desaparecia. Ela conseguia dar um jeito de se tornar praticamente invisível. Um talento de animal, fosse de predador ou de presa.

Usava jeans desbotado e mocassins — o mesmo traje de Coleman — e, com as mangas arregaçadas, uma velha camisa xadrez de Coleman que reconheci.

"Tenho sentido sua falta", comentei. "Eu queria levar vocês dois pra jantar um dia desses."

"Boa ideia. Claro. Vamos, sim."

Faunia não estava mais prestando atenção. Olhava para as copas das árvores. Os galhos balouçavam ao vento, mas ela os observava como se estivessem falando. Foi então que me dei conta de que ela era de todo desprovida de algo além da capacidade de conversar sobre amenidades. Eu não saberia dizer que coisa era essa. Inteligência não era. *Aplomb* também não. Não era decoro nem decência — essa tática ela dominava com facilidade. Não era profundidade — o problema não era ela ser superficial. Também não era interioridade — dava para ver que isso ela tinha, até demais. Não era equilíbrio mental — ela era equilibrada, e, de um modo ligeiramente recatado, exibia um certo ar altivo, como se tivesse orgulho da autoridade conferida pelos sofrimentos. Porém não havia dúvida de que lhe faltava alguma coisa.

Vi um anel no dedo médio de sua mão direita. A pedra era de um branco leitoso. Uma opala. Eu tinha certeza de que Coleman tinha lhe dado aquele anel.

Ao contrário de Faunia, Coleman era uma pessoa inteira, ou pelo menos parecia. Inteira e à vontade. Eu sabia que ele não tinha a menor intenção de sair para jantar com Faunia e comigo, nem com nenhuma outra pessoa.

"O Madamaska Inn", insisti. "Um jantar ao ar livre. O que você acha?"

Eu nunca vira Coleman tão cortês quanto no momento em que me disse, mentindo: "O Madamaska — combinado. Certamente. Vamos, sim. Só que nós é que convidamos você. Vamos nos falar, Nathan", disse ele, subitamente apressado e segurando a mão de Faunia. Indicando o galpão com a cabeça, disse: "Quero que Faunia ouça o Rachmaninoff". E foram embora, os dois amantes, como diria Keats, "em direção à tormenta".

Em apenas dois minutos tanta coisa tinha acontecido, ou parecia ter acontecido — pois na verdade nada de importante acontecera —, que em vez de voltar para meu lugar comecei a andar de um lado para o outro, de início como um sonâmbulo, rodando sem rumo pelo gramado pontilhado de pessoas que faziam piquenique, contornando o Music Shed até chegar aos fundos, depois voltando ao lugar de onde se tem uma vista da serra no auge do verão que é das melhores vistas a leste das montanhas Rochosas. Ao longe, ouvi as *Danças* de Rachmaninoff vindo do galpão, mas fora isso era como se eu estivesse sozinho, perdido entre as dobras daquela serra verdejante. Sentei-me na grama, atônito, sem ser capaz de entender por que eu estava pensando o que estava pensando: ele tem um segredo. Esse homem, estruturado sobre as bases emocionais mais convincentes e verossímeis, essa potência com todo um passado de potência, esse homem viril, simpaticamente astucioso, habilmente encantador, aparentemente inteiro, tem um segredo gigantesco. Como é que chego a essa conclusão? Por que um segredo? Porque está presente quando ele está com ela. E, quando ele não está com ela, está presente também — o segredo é que é o magnetismo de Coleman. O que encanta é alguma coisa que *não* está lá, e é essa coisa que me atraiu desde o começo, o quê de enigmático que Coleman afirma como só seu e de mais ninguém. Ele dá um jeito de que só uma metade sua seja visível, como a lua. E eu não consigo fazer com que todo ele se torne visível. Há uma lacuna. É só o que posso dizer. Eles dois juntos são *duas* lacunas. Há uma lacuna nela, e, apesar de Coleman ter aquela sua aparência de estar com os pés bem firmes no chão, de se revelar um adversário obstinado e decidido — o colosso indignado da faculdade que preferiu pedir demissão a ter de engolir idiotices humilhantes —, também nele existe uma lacuna, uma sombra, uma omissão, embora eu não faça a menor ideia do quê... na verdade nem sei se faz sentido essa minha intuição, ou esse meu registro fantasioso de minha ignorância a respeito de um outro ser humano.

Foi só cerca de três meses depois, quando fiquei sabendo do segredo e comecei a escrever este livro — o livro que ele me pedira para escrever naquele primeiro dia, porém não necessariamente o livro que ele queria —, que entendi qual era a base do pacto que os unia: ele havia contado toda a sua história a ela. Faunia era a única pessoa que sabia de que modo Coleman Silk havia se tornado quem ele era. Como é que sei que ela sabia? Saber, não sei não. É mais uma coisa que não foi possível descobrir. Não posso saber. Agora que os dois estão mortos, ninguém pode saber. Tudo o que posso fazer, para o bem ou para o mal, é o que todos fazem achando que sabem. Eu imagino. Sou obrigado a imaginar. Só que, no meu caso, isso é meu trabalho. Minha profissão. É a única coisa que faço agora.

Depois que Les saiu do hospital dos ex-combatentes e entrou em contato com seu grupo de apoio para não voltar a beber e entrar em parafuso, a meta a longo prazo estabelecida para ele por Louie Borrero era fazer uma peregrinação até o Muro — se não o verdadeiro Muro, o Memorial dos Ex-Combatentes do Vietnã em Washington, então pelo menos o Muro Itinerante, a réplica do Muro que estava sendo exibida por todo o país, quando ela chegasse a Pittsfield, em novembro. Les havia jurado jamais pôr os pés em Washington por odiar o governo e, desde 1992, por desprezar o atual ocupante da Casa Branca, que havia se esquivado do serviço militar. De qualquer modo, seria muito exigir que ele fosse de Massachusetts até Washington: para uma pessoa recém-saída do hospital, seria emoção demais durante uma viagem de ônibus longa demais.

Louie preparou Les para ir ver a réplica do Muro do mesmo modo como preparava todo mundo: antes de mais nada, um jantar no restaurante chinês, convencer Les a ir com mais quatro ou cinco companheiros a um restaurante chinês, marcar tantas idas quanto fosse necessário — duas, três, sete, doze, quinze se fosse o caso —, até ele conseguir finalmente ficar até o encerramento do jantar, comer todos os pratos, da sopa à sobremesa, sem encharcar a camisa de suor, sem tremer tanto que não conseguisse manter a sopa na colher, sem ter de correr para a rua de cinco em cinco minutos para respirar, sem terminar vomitando no banheiro e se escondendo trancado no cubículo da privada, e sem, naturalmente, perder as estribeiras por completo e partir pra cima do garçom chinês.

Louie Borrero dedicava vinte e quatro horas de seu dia a esse trabalho; fazia doze anos que tinha largado as drogas e tomava seus remédios regularmente, e afirmava que ajudar ex-combatentes era uma terapia para ele. Trinta e tantos anos depois, ainda havia um monte de ex-combatentes da guerra do Vietnã sofrendo por aí, e por isso ele passava praticamente todos os seus dias rodando pelo estado na sua van, organizando grupos de apoio para ex-combatentes e suas famílias, arranjando-lhes médicos, levando-os a reuniões dos Alcoólicos Anônimos, ouvindo pessoas lhe contar problemas de toda espécie, domésticos, psiquiátricos, financeiros, dando-lhes conselhos a respeito de como lidar com o Departamento de Ex-Combatentes, tentando levá-los para conhecer o Muro em Washington.

O Muro era a menina dos olhos de Louie. Ele organizava tudo: fretava os ônibus, arranjava comida; com seu companheirismo suave ele cuidava pessoalmente dos homens que temiam chorar demais, sentir-se mal ou ter um infarto e morrer. De início, todos se esquivavam dizendo mais ou menos a mesma coisa: "Nem pensar. Eu não posso ver o Muro. Não posso ir lá e ver o nome do fulano. Nem pensar. Fora de cogitação. Eu não vou conseguir". Les, por sua vez, dissera a Louie: "Eu soube como que foi a sua última viagem. Me disseram que deu tudo errado. Vinte e cinco dólares por cabeça só pelo transporte. Almoço incluído, e todo mundo diz que o almoço foi uma merda — que não valia nem *dois* dólares. E o tal cara de Nova York nem queria esperar, o motorista. Não é, Lou? Queria voltar logo pra poder ir até Atlantic City? Atlantic City! Ora, vá tomar no cu. Apressando todo mundo, na maior afobação, e depois querendo uma gorjeta das boas? Estou fora, Lou. Nem por um cacete. Se eu vejo dois caras com uniforme de camuflagem abraçados chorando, eu vomito".

Mas Louie sabia a importância daquela viagem. "Les, estamos em 1998. O século XX está terminando, Lester. Já é hora de você enfrentar esse negócio. Não dá pra fazer tudo de uma vez, eu sei, e ninguém vai te pedir isso. Mas é hora de você começar, meu chapa. A hora é *agora*. A gente não vai começar com o Muro. A gente vai começar pegando leve. Primeiro a gente vai num restaurante chinês."

Mas para Les isso não era pegar leve; para ele, até mesmo quando iam ao fast-food chinês em Athena, ele tinha de esperar dentro do caminhão enquanto Faunia pegava a comida. Se ele entrasse, tinha ganas de matar o primeiro olho-puxado que via. "Mas eles são chineses, não são vietnamitas", dizia Faunia. "Foda-se! Estou *cagando* pro que eles são! Pra mim, olho-puxado é olho-puxado!"

Como se não bastassem vinte e seis anos dormindo mal, uma semana antes da ida ao restaurante chinês ele parou de dormir por completo. Telefonou para Louie mais de cinquenta vezes para dizer-lhe que não podia ir, e pelo menos metade dos telefonemas foi feita após as três da manhã. Mas Louie lhe dava atenção a qualquer hora que ele ligasse, deixava-o dizer tudo o que lhe passava pela cabeça, até mesmo concordava com ele, ficava o tempo todo murmurando "hum-hum... hum-hum", mas no final sempre o fazia calar-se da mesma maneira: "Você vai ficar sentadinho, Les, vai ter que dar um jeito. É só isso que você tem que fazer. Você pode estar sentindo qualquer coisa, tristeza, raiva, seja lá o que for, que a gente vai estar do seu lado, e enquanto isso você tem que ficar tentando se segurar sem sair correndo nem nada". "Mas e o *garçom*", insistia Les, "como é que eu vou enfrentar a porra do garçom? Eu não vou conseguir, Lou — eu vou pirar!" "Deixa que eu lido com o garçom. Só te peço que fique quietinho no seu lugar." Qualquer que fosse a objeção que Les levantasse, inclusive o risco de matar o garçom, Louie respondia que era só ele ficar quietinho, sentado em seu lugar. Como se bastasse ficar sentado para evitar que um homem matasse seu pior inimigo.

Havia cinco pessoas dentro da van de Louie quando foram até Blackwell uma noite, apenas duas semanas depois que Les teve alta. Louie era mãe, pai, irmão e líder de todos, um sujeito careca, de barba feita, bem-vestido, roupas recém-passadas, boné preto de ex-combatente na cabeça, bengala e, baixinho como era, com ombros caídos e barriga proeminente, lembrava um pouco um pinguim, ainda mais porque andava todo duro por causa de um problema nas pernas. Havia uns caras grandões que nunca diziam muita coisa: Chet, pintor de paredes, divorciado três vezes, ex-fuzileiro naval — três mulheres diferentes apavoradas por aquela massa humana opaca e imensa que terminava com um rabo de cavalo no alto, e que jamais tinha vontade de falar —, e Bobcat, ex-infante, que perdera um pé por causa de uma mina e trabalhava para a Midas Muffler, um fabricante de silenciosos. Por fim, havia um sujeito esquisito e subnutrido, magricelo, asmático, cheio de tiques, que havia perdido quase todos os molares e que adotara o nome de Swift — tinha trocado de nome no cartório depois que deu baixa, como se deixando de se chamar Joe Brown ou Bill Green ou lá o que fosse quando foi convocado para prestar o serviço militar pudesse ter o efeito de fazer com que, ao voltar para casa, ele acordasse todos os dias vendo felicidade. Desde o tempo da guerra, sua saúde vinha sendo devastada por todo tipo de problema dermatológico, respiratório e neurológico, e agora o que o corroía era um ódio aos ex-combatentes da guerra do Golfo que era maior até mesmo do que o manifestado por Les. Durante a viagem a Blackwell, em que Les já começava a tremer e sentir náuseas, Swift compensou com larga margem o silêncio dos grandalhões. Sua voz arquejante simplesmente não se calava nunca. "Quer dizer que o grande problema deles é não poder ir à praia, é? Então eles ficam grilados quando chegam na praia e veem a areia? Grandes merdas. Guerreiros de fim de semana que de repente têm que enfrentar uma guerrinha. É por isso que eles estão putos — estavam no banco de reserva, acharam que nunca iam ser convocados, e aí um dia tiveram que ir. E não fizeram *picas*. Eles nem sabem o que é uma guerra. Então aquilo foi guerra? Quatro dias de combate terrestre? Quantos olhos-puxados eles mataram? Estão grilados porque não mataram o Saddam Hussein. Eles só têm um inimigo — o Saddam Hussein. Ora, vamos e venhamos. Esses caras não têm problema nenhum. Eles querem mais é ganhar uma grana sem ter feito nada. Diz que está com problema de pele. Sabe quantos problemas de pele eu já tive por causa do Agente Laranja? Eu não vou poder emplacar sessenta anos, e esses caras estão preocupados com uma brotoeja!"

O restaurante chinês ficava ao norte de Blackwell, na estrada, logo depois da fábrica de papel abandonada, e os fundos davam para o rio. Era um prédio de concreto baixo e comprido, pintado de rosa, com um janelão na frente, e metade das paredes era pintada de modo a dar a impressão de uma estrutura de tijolos — tijolos rosa. Antigamente ali funcionava um boliche. Na vitrine grande, o letreiro de néon, que imitava caracteres

chineses, piscava de modo aleatório, formando o nome: "Palácio da Harmonia".
  Para Les, bastou ver aquele letreiro para que morressem suas últimas e tênues esperanças. Ele não ia conseguir. Nunca ia conseguir. Ia pirar completamente. A monotonia de repetir aquelas palavras — e, no entanto, o esforço necessário para reprimir a sensação de terror. O rio de sangue que ele precisou atravessar, passando pelo olho-puxado sorridente à porta, até sentar-se à mesa. E o horror — um horror enlouquecedor, contra o qual não havia proteção — de receber o cardápio das mãos daquele olho-puxado sorridente. Como era grotesco aquele olho-puxado lhe dar um copo d'água. Dar um copo d'água a *ele*! Quando a fonte de todo o seu sofrimento podia perfeitamente ser aquela água. Era o tipo de loucura que lhe ia pela cabeça.
  "OK, Les, você está se saindo bem. Muito bem", disse Louie. "Agora é só ir enfrentando um prato de cada vez. Até aqui, tudo bem. Agora quero que você pegue o menu. Só isso. Só o menu. Você vai pegar o menu, abrir, e eu quero que você olhe as sopas. A única coisa que você tem que fazer agora é escolher a sua sopa. Só isso. Se você não consegue se decidir, a gente decide por você. Aqui tem uma sopa de *wonton* fantástica."
  "Porra de garçom", exclamou Les.
  "Ele não é garçom, Les. O nome dele é Henry. Ele é o dono. Les, o negócio é se concentrar na sopa. O Henry está aqui pra cuidar do restaurante dele. Pra ver se está tudo correndo bem. Nem mais, nem menos. Ele não está sabendo de nada dessa história toda. Não sabe e não quer saber. E a sopa?"
  "Vocês vão pedir o quê?" *Ele* tinha dito isso. Ele, Les. No meio de todo seu desespero, ele, Les, havia conseguido se desvencilhar de seu tormento mental e perguntar o que eles iam pedir.

"Wonton", responderam todos.
"Está bem. Wonton."
"OK", disse Louie. "Agora a gente vai pedir o resto da comida. Vamos dividir os pratos? É exigir demais de você, Les; você prefere pedir uma coisa só para você? O que você quer, Les? Frango, legumes, porco? Quer *lo mein*? Com macarrão?" Ele tentou ver se conseguia repetir o feito. "Vocês vão pedir o quê?"
"Bom, Les, uns vão pedir porco, outros preferem carne..."
"Tanto faz!" E para ele tanto fazia porque tudo aquilo estava acontecendo num outro planeta, aquele faz de conta de pedir comida chinesa. Não era isso que estava acontecendo na verdade.
"Porco frito? Porco frito pro Les. OK. Agora, Les, é só você se concentrar que o Chet vai pôr chá na sua xícara. Tudo bem? Tudo bem."
"Só não quero essa porra desse garçom aqui." Porque tinha detectado algum movimento com o rabo do olho.
"Garçom, garçom...", chamou Louie. "Por favor, pode ficar aí mesmo que a gente leva o nosso pedido. Se o senhor não se importa. A gente leva o pedido até o senhor — pode ficar aí mesmo." Mas pelo visto o garçom não estava entendendo, e, quando ele mais uma vez fez menção de aproximar-se, Louie levantou-se com dificuldade porém depressa, apesar das pernas avariadas. "*Garçom!* Nós vamos levar o pedido até *o senhor*. Nós. Levamos. Ao senhor. Certo? Certo", disse Louie, voltando a sentar. "Muito bem", disse, "muito bem", olhando para o garçom, que estava imobilizado a cerca de três metros da mesa. "Isso mesmo, meu senhor. Perfeito."

O Palácio da Harmonia era um lugar escuro, com plantas artificiais espalhadas pelas paredes e cerca de cinquenta mesas enfileiradas ao longo do salão comprido. Apenas umas poucas

estavam ocupadas, e todas ficavam longe da mesa onde os cinco homens haviam se instalado, de modo que os outros fregueses pareciam não estar percebendo nada. Por precaução, Louie sempre pedia a Henry que os instalasse numa mesa longe de todas as outras. Louie e Henry já haviam passado por esse tipo de coisa antes. "OK, Les, está tudo sob controle. Agora você pode largar o menu. Les, larga esse menu. Primeiro a mão direita. Agora a esquerda. Isso. O Chet dobra ele pra você."
Os dois grandalhões, Chet e Bobcat, estavam um de cada lado de Les. Louie os havia escalado para atuar como seguranças, e eles saberiam o que fazer se Les desse algum passo em falso. Swift estava sentado do outro lado da mesa redonda, junto a Louie, que estava bem em frente a Les. No tom de voz solícito de um pai que ensina o filho a andar de bicicleta, Swift dizia a Les: "Eu me lembro da primeira vez que vim aqui. Achei que não ia conseguir. Você está se saindo muito bem, mesmo. Eu, da primeira vez, nem entender o menu eu conseguia. As letrinhas ficavam dançando na minha frente. Eu achei que ia pular pra fora pela vidraça. Dois caras tiveram que me levar pra rua porque eu não conseguia ficar quieto na cadeira. Você está se saindo muito bem, Les". Se Les fosse capaz de perceber qualquer coisa além do tremor de suas mãos, teria se dado conta de que era a primeira vez que via Swift sem tiques nervosos. Sem tiques e sem reclamações. Era por isso que Louie o havia chamado — ajudar uma pessoa a enfrentar o restaurante chinês era a coisa que Swift sabia fazer melhor neste mundo. Ali no Palácio da Harmonia, como em nenhum outro lugar, por algum tempo Swift parecia recuperar o senso da realidade. Ali quase dava para esquecer que ele era uma pessoa que rastejava pela vida. Ali se manifestava, naquele caco humano, ressentido e doente, um vestígio minúsculo e esfarrapado do que outro-

ra tinha sido coragem. "Você está indo muito bem, Les. Muito bem. É só tomar mais um pouquinho de chá", sugeriu Swift. "Deixa o Chet pôr mais chá na sua xícara." "Respira", disse Louie. "Isso. Respira, Les. Se você não conseguir se aguentar depois da sopa, a gente vai embora. Mas você tem que tentar aguentar até o final do primeiro prato. Se você não conseguir ir até o fim do porco frito, tudo bem. Mas a sopa você tem que aguentar até o fim. Vamos combinar um código, pra se você precisar sair. Uma senha pra você dizer se realmente não der para aguentar mais. Que tal 'folha de chá'? É só você dizer isso que a gente vai embora. Folha de chá. Se precisar, é só dizer. Mas só se precisar *mesmo*."

O garçom estava parado a uma pequena distância, segurando a bandeja com as cinco tigelas de sopa. Chet e Bobcat se levantaram de um salto, pegaram as tigelas e as trouxeram até a mesa.

Então Les sente uma vontade forte de dizer "folha de chá" e sair dali. Por que ele não faz isso? Eu tenho que sair daqui. Eu tenho que sair daqui.

Repetindo mentalmente "eu tenho que sair daqui", ele consegue entrar numa espécie de transe e, mesmo sem o menor apetite, começa a tomar a sopa. Ingerir um pouco de caldo. "Eu tenho que sair daqui", e isso anula o garçom, anula o dono, mas não anula as duas mulheres que, numa mesa junto à parede, estão abrindo vagens e jogando as ervilhas dentro de uma panela. A dez metros dali, e Les consegue detectar o aroma da colônia barata que as duas olhos-puxados passaram atrás das orelhas — para ele, é um cheiro tão pungente quanto cheiro de terra. Os mesmos poderes fenomenais que lhe permitiram detectar o cheiro de um franco-atirador sujo na escuridão indevassável de uma selva do Vietnã, e desse modo sobreviver, fazem com que ele agora sinta o cheiro das mulheres e comece a entrar em parafuso. Ninguém lhe avisou que ia haver mulheres fazendo aquilo no restaurante. Quanto tempo elas vão ficar fazendo aquilo? Duas moças. Duas olhos-puxados. Por que elas estão sentadas ali fazendo aquilo? "Eu tenho que sair daqui." Mas ele não consegue se mexer porque não consegue desprender sua atenção das mulheres.

"Por que é que aquelas mulheres estão fazendo aquilo?", Les pergunta a Louie. "Por que elas não param de fazer aquilo? Elas têm que ficar fazendo aquilo o tempo todo? Vão ficar fazendo aquilo sem parar? Qual o motivo? Alguém pode me dizer qual é o motivo? Manda essas mulheres pararem de fazer aquilo."

"Calma", diz Louie.

"Eu estou calmo. Eu só queria saber — elas vão ficar fazendo aquilo o tempo todo? Será que ninguém pode mandar elas pararem? Será que ninguém tem uma *solução*?" Está começando a levantar a voz, e impedir que isso aconteça é tão difícil quanto impedir que as mulheres trabalhem.

"Les, a gente está num restaurante. No restaurante, as pessoas preparam feijão."

"Ervilha", diz Les. "*Aquilo é ervilha!*"

"Les, você tem que tomar a sopa e esperar o próximo prato. O próximo prato: agora isso é a única coisa que existe no mundo. É tudo. Só isso. É só você comer o porco frito, e pronto."

"Não quero mais sopa."

"Não?", exclama Bobcat. "Não vai querer mais não? Já está quase no fim?"

Cercado por todos os lados pelo desastre que está prestes a acontecer — por quanto tempo aquela agonia pode se transformar no ato de comer? —, Les consegue dizer, em voz baixa: "Pode pegar".

E é nesse momento que o garçom dá um passo — ao que parece, para recolher os pratos vazios.

"Não!", grita Les, e Louie se levanta novamente, e agora, como o domador de leões no circo — Les tenso e pronto para resistir a um ataque do garçom —, Louie aponta para o garçom com a bengala. "O senhor fica aí", diz Louie ao garçom. "Fica *aí*. Nós levamos os pratos vazios até aí. O senhor não vem aqui."
As mulheres que descaroçavam as ervilhas pararam e nem foi preciso que Les se levantasse, fosse até lá e mostrasse a elas como parar.
E agora Henry já se deu conta do que está acontecendo, não há dúvida. Aquele sujeito alto e magro e sorridente, um sujeito jovem, de jeans e camisa de cor berrante e tênis de corrida, que serviu a água e é o dono, está olhando para o Les da porta. Sorrindo, mas olhando. Aquele homem é uma ameaça. Ele está bloqueando a saída. Esse tal de Henry não pode ficar ali.
"Está tudo bem", Louie se dirige a Henry. "Comida muito boa. Maravilhosa. Por isso que a gente volta." Fala então ao garçom: "É só fazer o que eu digo". Então baixa a bengala e senta-se outra vez. Chet e Bobcat recolhem os pratos vazios e os colocam na bandeja do garçom.
"Mais alguém?", pergunta Louie. "Alguém mais quer contar como foi a sua primeira vez?"
"Hã-hã", exclama Chet, enquanto Bobcat se dedica à agradável tarefa de terminar a sopa de Les.
Desta vez, assim que o garçom sai da cozinha trazendo o resto da comida, Chet e Bobcat se levantam e vão até aquela porra daquele olho-puxado idiota antes que ele se esqueça e tente se aproximar da mesa de novo.
E agora ela está ali. A comida. A agonia que é a comida. *Lo mein* com camarão e carne. *Moo goo gai pan*. Carne com pimentão. Porco frito. Costela. Arroz. A agonia do arroz. A agonia do vapor. A agonia dos cheiros. Tudo ali supostamente vai

salvá-lo da morte. Um elo com o Les menino. É este o sonho recorrente: o menino intacto na fazenda.

"A cara está ótima!"

"O gosto é melhor ainda!"

"Quer que o Chet ponha no seu prato ou você mesmo se serve, Les?"

"Sem fome."

"Tudo bem", diz Louie, enquanto Chet vai empilhando comida no prato de Les. "Você não tem que ter fome. Isso não faz parte do combinado."

"Já está terminando?", pergunta Les. "Eu tenho que sair daqui. Não estou brincando, não, pessoal. Eu realmente tenho que sair daqui. Já chega. Não aguento mais. Estou sentindo que vou perder o controle. Já chega. Você disse que eu podia ir embora. Eu tenho que ir embora."

"Ainda não ouvi a palavra do código, Les", diz Louie, "por isso a gente vai continuar."

Agora a tremedeira está séria. Ele não consegue lidar com o arroz. O arroz cai do garfo de tanto que sua mão treme.

E, meu Deus do céu, lá vem um garçom com a água. Circulando pelo salão e vindo em direção a Lester por trás, vindo sabe-se lá de onde, outro garçom. Todos ao mesmo tempo, por apenas uma fração de segundo, conseguem impedir Les de sair gritando e partir para a garganta do garçom, e o jarro d'água se espatifar no chão.

"Para!", exclama Louie. "Pra trás!"

As mulheres que estão abrindo as vagens começam a gritar.

"Ele não quer mais água!", gritando, em pé e gritando, levantando a bengala, Louie dá às mulheres a impressão de que o louco é ele. Mas elas não fazem ideia do que é loucura se acham que o maluco é Louie. Elas não fazem ideia.

Nas outras mesas, algumas pessoas estão em pé, e Henry corre até elas e lhes explica a situação em voz baixa até que todos se sentam de novo. Ele explica que são ex-combatentes da guerra do Vietnã, e, toda vez que eles vêm, ele assume a obrigação patriótica de tratá-los muito bem e aturar seus problemas por uma ou duas horas.

Daí em diante o silêncio reina absoluto no restaurante. Les belisca um pouco e os outros devoram tudo, até que a única comida que resta na mesa é a que está no prato de Les.

"Já parou?", pergunta Bobcat. "Não vai querer mais não?" Desta vez ele não consegue nem sequer dizer "pode pegar". Se ele pronunciar essas duas palavras, todo mundo que está enterrado embaixo do assoalho daquele restaurante vai se levantar e tentar se vingar. Basta *uma* palavra, e, se você não estava lá da primeira vez para ver como é que foi, desta vez você vai ver direitinho.

Agora é a hora dos biscoitos da sorte. Normalmente eles adoram. Ler a sorte, rir, tomar chá — quem não gosta? Mas Les grita "folha de chá!" e sai de repente, e Louie diz a Swift: "Sai com ele. Pega ele, Swiftie. Fica de olho nele. Não perde ele de vista. A gente paga a conta".

Na viagem de volta, silêncio: silêncio de Bobcat porque ele está de barriga cheia; silêncio de Chet porque há muitos anos ele aprendeu, tendo sido punido repetidamente por tantas brigas, que para um sujeito pirado como ele o silêncio é a única maneira de parecer simpático; e silêncio de Swift também, um silêncio ressentido e mal-humorado, porque, quando ele se afasta do letreiro de néon, afasta-se também da lembrança do homem que foi outrora, que parece lhe voltar sempre que ele vai ao Palácio da Harmonia. Agora Swift está de novo alimentando sua própria dor.

Les está em silêncio porque está dormindo. Depois de dez dias de insônia absoluta, antes da saída ao restaurante, ele finalmente apagou.

É só depois que todos os outros são deixados em suas casas, quando Les e Louie estão sozinhos na van, que Louie percebe que o outro acorda e lhe diz: "Les? Les? Você se saiu muito bem, Lester. Eu vi que você estava suando e pensei, ih, ele não vai conseguir de jeito nenhum. Você nem imagina a cara que você estava. Eu nem acreditei. Achei que aquele garçom ia morrer". Louie, que passou suas primeiras noites de volta ao país na garagem da casa de sua irmã, preso com algemas à serpentina da calefação, para impedir a si próprio de tentar matar o cunhado que tivera a bondade de recebê-lo apenas quarenta e oito horas depois de ele chegar da selva, Louie, que organiza todas as horas de seu dia em torno da necessidade dos outros para que nenhum impulso demoníaco tenha oportunidade de se manifestar, Louie, que após mais de doze anos sem beber e sem usar drogas, religiosamente seguindo os Doze Passos dos Alcoólicos Anônimos e tomando seus remédios — para a ansiedade, Klonopin; para a depressão, Zoloft; e, para o formigamento nos tornozelos, as pontadas nos joelhos e a dor incessante nas cadeiras, Salsalate, um anti-inflamatório cujo efeito, na maioria das vezes, resume-se a azia, gases e caganeira —, conseguiu emergir dos destroços de sua vida o bastante para poder conversar normalmente com as outras pessoas e sentir-se, ainda que não totalmente à vontade, pelo menos um pouco menos indignado por ter de andar o resto da vida com aquelas pernas doídas, por ter de tentar o tempo todo ficar em pé e ereto em cima de um monte de areia — Louie, esse sujeito despreocupado, ri. "Eu pensei: esse aí não vai conseguir de jeito nenhum. E olha só", diz Louie, "você não só aguentou chegar ao fim da sopa como se segurou até o biscoito da sorte. Sabe quando que eu consegui chegar até o biscoito da sorte? Na quarta vez. Só na quarta vez, Les. A primeira vez eu fui direto pra dentro do banheiro e levaram quinze minutos pra me tirar de lá. Sabe o que eu vou dizer pra minha mulher? Eu vou dizer pra ela: 'O Les se saiu *bem*. O Les foi muito *bem*'."

Mas, quando chegou a hora de voltar ao restaurante, Les se recusou. "Já não bastou eu ir lá e ficar quietinho?" "Quero ver você comendo", disse Louie. "Quero ver você comendo a comida. Tem que aprender a andar, a falar, a comer. Agora temos uma nova meta, Les." "Eu não quero mais saber das suas metas. Eu consegui. Não matei ninguém. Então isso não basta?" Porém, uma semana depois eles voltaram ao Palácio da Harmonia, os mesmos personagens de antes, o mesmo copo d'água, os mesmos menus, até o mesmo cheiro de colônia barata exalado pelas mulheres asiáticas do restaurante, o mesmo cheiro doce e eletrizante chegando até as narinas de Les, o cheiro denunciador graças ao qual ele é capaz de localizar sua presa. Na segunda vez ele come, na terceira ele come e também faz os pedidos — embora ainda não permitam ao garçom chegar perto da mesa — e na quarta vez deixam o garçom servi-los, e Les come feito um maluco, come até quase explodir, come como se não tivesse passado um ano sem ver comida.

À porta do restaurante, todos eles se cumprimentam como jogadores de basquete, batendo as mãos espalmadas. Até mesmo Chet está empolgado. Chet diz, Chet *grita*: "*Semper fi!*".

"Da próxima vez", diz Les, no carro, sentindo-se ressuscitado, "da próxima vez, Louie, você vai exagerar. Da próxima vez você vai querer que eu *goste!*"

Mas da próxima vez ele vai ter é de encarar o Muro. Ele precisa ir lá ver o nome de Kenny. E isso ele não consegue. Já bastou ir até o Departamento de Ex-Combatentes consultar a lista e encontrar o nome de Kenny. Depois disso ele passou mal uma semana. Não conseguia pensar em outra coisa. Aliás, ele não consegue pensar em outra coisa, mesmo. O Kenny ao lado dele, sem cabeça. Dia e noite ele pensa: por que o Kenny, por que o Chip, por que o Buddy, por que eles e não eu? Às vezes pensa que eles é que tiveram sorte. Para eles, tudo já terminou.

Não, de jeito nenhum, nem pensar, ele não vai até o Muro. Aquele Muro. Fora de questão. Não vai conseguir. Não vai. Não se fala mais nisso.

Dança pra mim.

Eles estão juntos há cerca de seis meses, e então uma noite ele diz: "Vamos, dança pra mim", e põe para tocar no quarto um CD, "The man I love" com arranjo de Artie Shaw e com Roy Eldridge no trompete. Dança pra mim, diz ele, relaxando o abraço apertado em que a prende e apontando para o chão ao pé da cama. E assim, imperturbável, ela se levanta da cama, onde estava sentindo aquele cheiro, o cheiro de Coleman sem roupas, cheiro de pele queimada pelo sol — levanta-se da cama, onde estava profundamente aconchegada, o rosto encostado na ilharga nua dele, a língua, os dentes recobertos de porra, a mão, abaixo do ventre dele, espalmada sobre o emaranhado de pelos crespos, melados, e, enquanto ele mantém cravados nela os olhos de águia — os olhos verdes olhando fixamente através da fímbria escura dos longos cílios, não parecendo nem um pouco um velho depauperado prestes a desmaiar, e sim uma pessoa com o rosto encostado numa vidraça —, ela dança, não de modo coquete, não como Steena dançou em 1948, não por ela ser um amor de moça, um amor de menina dançando pelo prazer de lhe dar aquele prazer, um amor de menina que não entende muito bem o que está fazendo, dizendo a si própria: "Eu posso lhe dar isso — ele quer, eu posso fazer, então eu faço". Não, não é aquela cena inocente de botão virando flor, de potranca virando égua. Faunia dança, sim, mas dança sem o toque da maturidade a desabrochar, sem a idealização juvenil, ainda indistinta, de si própria, dele e de todos, vivos ou mortos. Coleman diz: "Vamos, dança pra mim", e ela, com aquele seu riso fácil, responde: "O que é que tem? Nisso eu sei ser generosa", e começa a se mexer, alisando a pele como se fosse um vestido amassado, verificando se está tudo onde devia mesmo estar, tenso, ossudo ou arredondado conforme o caso, um leve aroma dela, o cheiro vegetal tão conhecido desprende-se de seus dedos, que agora correm pescoço acima e passam pelas orelhas quentes e de lá deslizam lentamente pelas bochechas até chegar aos lábios, e os cabelos, os cabelos louros, já grisalhos, úmidos e despenteados depois de todo aquele esforço, ela os joga como se fossem algas marinhas, faz de conta que são algas, que sempre foram algas, uma longa braçada de algas marinhas saturadas de água salgada, o que custa ela fazer isso, hein? O que é que tem? Vai fundo. Dá tudo. Se é isso que ele quer, fisga o sujeito, prende ele na armadilha. Não vai ser o primeiro.

Ela se dá conta da coisa quando começa a acontecer: essa coisa, essa conexão. Ela se mexe, partindo daquele pedaço de chão ao pé da cama que agora é seu palco, deliciosamente desgrenhada e um pouco grudenta por efeito das últimas horas, lambuzada e ungida do espetáculo anterior, cabelos claros, pele muito branca onde não está queimada pelo sol que ela pega na fazenda, meia dúzia de cicatrizes, um joelho ralado como joelho de criança por causa de um tombo que levou no celeiro, cortes finos como fios já quase cicatrizados nos dois braços e nas duas pernas, onde ela encostou na cerca do pasto, as mãos ásperas, vermelhas e machucadas pelas lascas de fibra de vidro que lhe penetram a pele quando ela abre a porteira, quando ela levanta e baixa aquelas estacas todas as semanas, uma marca avermelhada feito ruge, em forma de pétala, adquirida ou no estábulo de ordenha ou na cama com ele precisamente na junção entre a garganta e o torso, uma outra mancha roxa na coxa lisa sem músculos, manchas onde ela foi mordida e picada, um cabelo dele, uma espiral do cabelo dele, como uma discreta pinta, grudada a sua bochecha, a boca entreaberta apenas o bastante para expor a curva dos dentes, e sem nenhuma pressa de chegar a nenhum lugar porque a graça toda está em ir para lá. Ela se mexe, e agora ele a está vendo, vendo aquele corpo alongado a se mexer de modo ritmado, aquele corpo esguio que é muito mais forte do que parece, com seios surpreendentemente pesados a pender, pender, pender, sobre os cabos alongados e retos de suas pernas a curvar-se em direção a ele como uma caneca cheia de seu líquido até a borda. Desarmado, ele está refestelado sobre as ondulações de lençóis, um vórtice sinuoso de travesseiros embolados lhe apoiando a cabeça, à altura dos quadris dela, do ventre dela, que se mexe sem parar, e ele a vê, cada partícula sua, ele a vê e ela sabe que está sendo vista por ele. Os dois estão conectados. Ela sabe que ele quer que ela cobre alguma coisa. Quer que eu dance, pensa ela, e cobre o que é meu. O quê? Ele. Ele. Ele está se oferecendo a mim. OK, esse troço é perigoso, mas vamos lá. E assim, dirigindo a ele um olhar de cima para baixo com um toque de sutileza, ela se mexe, e remexe, e a formalidade de transferência de poder tem início. E é muito legal para ela, rebolando daquele jeito ao som da música, o poder passando de lá para cá, sabendo que ao menor gesto seu, com o movimento de dedo de quem chama um garçom, ele sairia da cama se arrastando para lamber os pés dela. A dança ainda mal começou, e ela já poderia descascá-lo e comê-lo como uma fruta. A coisa não é só levar porrada e fazer faxina e limpar a merda dos outros lá na faculdade e limpar a merda dos outros lá no correio, há uma tenacidade terrível que nasce disso tudo, de limpar a imundície dos outros; pra falar com franqueza, é uma merda, e não venha me dizer que não há empregos melhores, mas é o emprego que eu tenho, é o que eu faço, três empregos, porque esse carro só vai durar mais uns seis dias, preciso comprar um carro barato que funcione, por isso eu preciso de três empregos, e não é a primeira vez na minha vida que isso acontece, e aliás por falar nisso trabalhar naquela fazenda é foda, pra você pode parecer muito legal, Faunia e as vacas, mas esse trabalho depois de todas as outras coisas é de deixar a gente descadeirada... Mas agora estou nua num quarto com um homem, vendo o homem deitado na cama com o pau dele e aquela tatuagem da Marinha, e está tudo tranquilo e ele está tranquilo, mesmo excitado por me ver dançando ele está muito calmo, e olha que ele tomou muita porrada recentemente. Perdeu a mulher, perdeu o emprego, foi publicamente humilhado por ser um professor racista, e o que é um professor racista? Não é virar racista de repente. A ideia é que descobriram que você é uma coisa que você sempre foi, a vida toda. Não é só você cometer um erro uma vez. Se você é racista, você sempre foi racista. De repente a vida toda você foi racista. É um estigma, e nem é verdade, e assim mesmo ele está tranquilo. Eu consigo fazer isso com ele. Eu consigo fazer ele ficar tranquilo assim, ele consegue me fazer ficar tranquila assim. É só eu ficar dançando. Ele diz dança pra mim e eu penso: o que é que tem? Tem nada, só que ele vai ficar achando que eu vou embarcar na dele e fazer de conta que esse lance é outra coisa. Ele vai fazer de conta que o mundo é nosso, e eu vou deixar, e depois eu vou embarcar nessa também. Mas o que é que tem? Dançar, eu danço... mas ele tem que se lembrar. Isso é só isso, apesar de eu estar só de anel de opala no dedo, a única coisa que estou usando é o anel que ele me deu. Estou nua na frente do meu amante, nua com as luzes acesas, e dançando. Está bom, você é homem, você não está mais na flor da juventude, e você tem lá a sua vida que eu não faço parte dela não, mas eu sei o que é isso aqui. Você me procura como homem. Aí eu procuro você. Isso é muita coisa. Mas é só isso. Eu estou dançando nua na sua frente com as luzes acesas, e você está nu também, e essas outras coisas todas não têm importância. É a coisa mais simples que a gente já fez até hoje — é o que é. Não fode com tudo pensando que é mais do que isto. Você não vai, e eu não vou. Não *precisa* ser mais do que isso. Sabe de uma coisa? Eu estou vendo você, Coleman.

Então ela diz em voz alta: "Sabe de uma coisa? Eu estou vendo você, Coleman".

"Está mesmo?", ele responde. "Então agora vai começar o inferno."

"Você está pensando — se você quer mesmo saber — Deus existe? Você quer saber: o que é que eu estou fazendo neste mundo? Qual o sentido de tudo? É isso aqui. O lance é isto: você está aqui, eu faço isso pra você. Não tem nada a ver você ficar pensando que é outra pessoa em outro lugar. Você é uma mulher e está na cama com o marido, e você não está trepando por trepar, não está trepando pra gozar, está trepando porque está na cama com o seu marido e trepar é o que você tem que fazer. Você é um homem e está com a sua mulher e está trepando com ela, mas você está pensando que está com vontade de trepar com a faxineira do correio. Está bem — sabe de uma coisa? Você está com a faxineira."

Ele diz em voz baixa, rindo: "E isso é prova da existência de Deus".

"Se isso não é, então não existe prova nenhuma."

"Dança mais", ele pede.

"Depois que você morre", pergunta ela, "o que é que tem se você não se casou com a pessoa certa?"

"Não tem importância nenhuma. Nem mesmo quando você ainda está vivo. Dança mais."

"O que é que tem importância, hein, Coleman? O quê?"

"Isto", diz ele.

"Isso mesmo, gostei", ela responde. "Agora você está aprendendo."
"É isso que está acontecendo? Você está me ensinando?"
"Alguém já devia ter te ensinado há muito tempo. É, eu estou ensinando você. Mas não fica olhando pra mim como se eu pudesse fazer outra coisa que não isso. Uma coisa maior do que isso. Não faz isso não. Fica aqui comigo. Não vai embora não. Se agarra a isso aqui. Não pensa em mais nada, não. Fica aqui comigo. Eu faço o que você quiser. Quantas vezes você já teve uma mulher que disse isso falando sério, mesmo? Eu faço qualquer coisa que você quiser. Não perde isso, não. Não leva isso pra outro lugar, não, Coleman. A gente está aqui só pra fazer isso mesmo. Não fica achando que o negócio é o amanhã. Fecha as portas todas, antes e depois. Todas as maneiras sociais de pensar, fecha tudo. Tudo isso que a maravilhosa sociedade está pedindo? O nosso lugar na sociedade? 'Eu tenho que fazer isso, eu tenho que fazer aquilo'? Manda tudo à merda. O que você tem que ser, o que você tem que fazer, essas coisas, isso é o que mata tudo. Eu posso ficar dançando, se o barato é esse. O momento secreto — se isso é que é o barato. A fatia que você ganha. Aquela fatia de tempo. É só isso, e espero que você entenda."
"Dança mais."
"Esse negócio é que é importante", diz ela. "Se eu parasse de pensar que..."
"O quê? Pensar o quê?"
"Eu virei puta bem cedo."
"É mesmo?"
"Ele sempre dizia que a culpa não era dele, era minha."
"O padrasto."
"É. Era isso que ele dizia. Vai ver que ele tinha mesmo razão. Mas eu não tinha escolha, com oito, nove, dez anos. A brutalidade dele é que não estava certo."

"Como é que era, quando você tinha dez anos?"

"Era que nem pedir pra eu carregar a casa inteira nas minhas costas."

"Como é que era quando a porta abria no meio da noite e ele entrava no seu quarto?"

"É que nem quando você é criança em tempo de guerra. Já viu essas fotos no jornal de criança depois que bombardeiam a cidade dela? É assim. Igual a uma bomba. Mas, por mais que chovesse bomba, eu continuava em pé. Foi por isso que eu caí: porque eu continuava em pé. Aí eu fiz doze, treze anos, os peitinhos começando a aparecer. Eu estava começando a menstruar. De repente eu era um corpo em volta de uma boceta... Mas o negócio é dançar. Fecha todas as portas, Coleman, antes e depois. Estou vendo você, Coleman. Você não está fechando as portas, não. Você ainda tem essas fantasias de amor. Sabe de uma coisa? Eu precisava mesmo era de um cara mais velho que você. Que já deixou pra trás toda essa bobagem de amor, de tanto que levou porrada. Você é muito jovem pra mim, Coleman. Olha só. Você é que nem o garotinho que se apaixona pela professora de piano dele. Você está se apaixonando por mim, Coleman, e você é muito criança pra um tipo como eu. Eu preciso de um homem bem mais velho. Acho que preciso de um homem com no mínimo cem anos. Você tem algum amigo de cadeira de rodas pra me apresentar? Cadeira de roda não tem problema, não — eu danço e empurro a cadeira. Vai ver que você tem um irmão mais velho. Estou só vendo você, Coleman. Olhando pra mim com esses olhinhos de menino. Por favor, por favor, telefona pro seu amigo mais velho. Eu continuo dançando, mas liga pra ele. Quero falar com ele."

E ela sabe, no momento exato em que está dizendo essas coisas a ele, que são essas coisas e mais a dança que estão fazendo com que ele se apaixone por ela. E é tão fácil. Já atraí muito homem, uma porrada de macho, os machos me descobrem e vêm pra cima de mim, não é qualquer homem que tem pau, não, homem que não entende nada, ou seja, noventa por cento dos homens, mas homem, mesmo garoto, que é macho de verdade, homem que nem o Smoky, que entende mesmo. Vocês podem brigar pelas coisas que vocês não têm, mas que eu tenho, mesmo quando vestida, e tem uns caras que percebem — eles sabem das coisas, e é por isso que eles me descobrem, e é por isso que eles vêm pra cima de mim, mas isso aqui, isso, isso aqui é tirar o pirulito de uma criança. Claro — ele lembra. Como que podia não lembrar? Depois que você prova você não esquece mais. Puxa. Depois de pagar duzentos e sessenta boquetes e dar quatrocentas trepadas convencionais e levar no cu cento e seis vezes, o flerte começa. Mas é assim que a coisa é. Quantas vezes aconteceu no mundo de uma pessoa amar antes de trepar? Quantas vezes eu já amei *depois* de trepar? Ou será que é isso que quebra o gelo?

"Quer saber como é que eu estou me sentindo?", ela pergunta.

"Quero."

"Estou me sentindo bem *demais*."

"E aí", ele pergunta, "como é que a gente sai dessa vivo?"

"Falou e disse, moço. Você tem razão, Coleman. Isso vai acabar mal. Entrar numa dessas aos setenta e um anos? Virar a cabeça aos setenta e um anos? Essa não. Melhor voltar pra coisa em si."

"Dança mais", diz ele, e aperta um botão no som de cabeceira e "The man I love" começa a tocar outra vez.

"Não. Não. Por favor. E a minha carreira de faxineira, onde é que fica?"

"Não para não."

"Não para não", ela repete. "Já ouvi essas palavras em algum lugar." Na verdade, ela ouviu poucas vezes a palavra "para" sem um "não" na frente. Ditas por um homem. Ou mesmo por ela. "Sempre achei que 'não para' era uma palavra só", diz ela. "E é mesmo. Dança mais."
"Então não esquece", diz ela. "Um homem e uma mulher num quarto. Nus. A gente tem tudo que a gente precisa. A gente não precisa de amor, não. Não vá se diminuir — se reduzir a um boboca sentimental. Você está doido pra fazer isso, mas não faz isso, não. Não vamos perder isso. Imagina só, Coleman, conseguir ser sempre assim."
Ele nunca me viu dançar assim, ele nunca me ouviu falar assim. Faz tanto tempo que eu não falo assim que eu pensava que não sabia mais. Tanto tempo me escondendo. *Ninguém* nunca me ouviu falar assim. Os gaviões e os corvos no mato já ouviram às vezes, mas fora eles ninguém. Não é assim que eu costumo falar com os homens. Nunca me expus tanto assim na vida. Imagina só.
"Imagina só", diz ela, "todo dia — isso. A mulher que não quer ter tudo. A mulher que não quer ter *nada*."
Mas ela nunca antes quisera tanto ter uma coisa.
"As mulheres normalmente querem tudo", diz ela. "Querem ler a correspondência do homem delas. Querem o futuro dele. Querem as fantasias dele. 'Onde já se viu você desejar trepar com outra pessoa. *Eu* é que devia estar nas suas fantasias. Por que é que você fica vendo filme de sacanagem se *eu* estou com você?' Elas querem ser donas de você, Coleman. Mas o prazer não é ser dona da pessoa. O prazer é isso. Ter uma concorrente no mesmo quarto com você. Ah, eu estou vendo você, Coleman. Eu podia dar minha vida toda pra você que você ia continuar sendo meu. Era só eu dançar. Não é? Estou enganada? Você está gostando disso, Coleman?"

"Que sorte a minha", diz ele, olhando, assistindo. "Que sorte incrível a minha. A vida estava me devendo isso."
"É mesmo?"
"Não tem ninguém igual a você. Helena de Troia."
"Helena de Lugar Nenhum. Helena de Nada."
"Dança mais."
"Estou vendo você, Coleman. Estou vendo, sim. Sabe o que é que eu estou vendo?"
"Claro."
"Você quer saber se eu estou vendo um velho, não está? Você tem medo que eu veja um velho e fuja. Tem medo que, se eu começar a ver todas as diferenças entre um velho e um moço, a ver as coisas que estão moles e as coisas que não existem mais, você vai me perder. Porque você está velho demais. Mas você sabe o que eu estou vendo?"
"O quê?"
"Estou vendo um menino. Estou vendo você se apaixonando que nem um menino. Não faz isso, não. Sabe o que mais eu estou vendo?"
"Sei."
"É, estou vendo agora — estou vendo um velho, sim. Estou vendo um velho morrendo."
"Me diz."
"Você perdeu tudo."
"Você está vendo isso?"
"Estou. Tudo, menos eu dançando. Quer saber o que eu estou vendo?"
"O quê?"
"Você não merecia essa, Coleman. É o que eu estou vendo. Estou vendo que você está furioso. E é assim que a coisa vai terminar. Você, um velho furioso. E não era pra ser assim. É isso que estou vendo: a sua fúria. Estou vendo a raiva e a

vergonha. Estou vendo que você compreende, como velho que é, que o tempo está passando. Você só compreende isso quando o final está perto. Mas agora você compreende. E isso dá medo. Porque não dá pra voltar atrás. Não dá pra voltar a ter vinte anos. A coisa não vai voltar. E é assim que terminou. E o que é pior ainda que a morte, pior ainda que estar morto, é saber que foram aqueles filhos da puta que fizeram isso com você. Que tiraram tudo de você. Estou vendo isso em você, Coleman. Estou vendo porque isso é uma coisa que eu sei. Os filhos da puta que mudaram tudo num piscar de olhos. Pegaram a sua vida e jogaram fora. Pegaram a *sua* vida e resolveram que iam jogar fora. Você encontrou a dançarina certa. Eles é que decidem o que é lixo, e decidiram que *você* é lixo. Humilharam e destruíram um homem por causa de uma história que todo mundo sabia que era uma bobagem. Uma palavrinha de merda que não queria dizer nada pra eles, absolutamente nada. E isso é de enlouquecer de raiva."

"Eu pensava que você não estava prestando atenção."

Ela ri aquele riso fácil. E dança. Sem idealismo, sem idealização, sem todo o utopismo do amor de mocinha, apesar de saber que a realidade é o que é, apesar da futilidade irreversível que é a vida dela, apesar de todo o caos e toda a dureza, ela dança! E fala como nunca antes falou com homem nenhum. As mulheres que sabem trepar como ela sabe não falam assim — pelo menos é o que pensam os homens que não trepam com mulheres como ela. É o que pensam as *mulheres* que não trepam como ela. É o que todo mundo pensa — a burra da Faunia. Pois que pensem. Eu acho ótimo. "Pois é, a burra da Faunia estava prestando atenção, sim", ela diz. "Como é que você acha que a burra da Faunia aguenta? Bancando a burra — essa é a minha realização, Coleman, é o que eu tenho de melhor e mais sensato. Quer dizer que eu também estava vendo

297

você dançar, Coleman. Como é que eu sei isso? Porque você está comigo. Você não estaria comigo se não estivesse tão puto da vida. E *eu* também não estaria com você se não estivesse tão puta da vida. É por isso que a gente trepa tão bem, Coleman. É a raiva que nivela tudo. Então não perde isso, não."
"Dança mais."
"Até cair?", ela pergunta.
"Até cair", ele responde. "Até o último suspiro."
"O que você quiser."
"Onde foi que eu encontrei você, Voluptas?", ele exclama. "*Como* foi que eu encontrei você? Quem é você?", indaga, apertando o botão que faz com que "The man I love" comece outra vez.
"Eu sou o que você quiser."

Tudo o que Coleman fez foi ler um trecho do jornal de domingo a respeito do presidente e Monica Lewinsky, quando Faunia se levantou e gritou: "Será que você não consegue parar de dar aula? Chega de aula! Eu não consigo aprender! Eu não vou aprender! Eu *não quero* aprender! Para com essa porra de me ensinar — isso não adianta!". E, no meio do café da manhã, saiu correndo.

O erro foi ficar lá. Ela não foi para casa, e agora o odeia. O que é que ela odeia mais? Ele realmente achar que o sofrimento dele é uma coisa séria. Ele realmente pensar que o que todo mundo pensa, que o que todo mundo diz a respeito dele na Faculdade Athena, tem uma importância transcendental. Um bando de babacas que não gosta dele — grandes merdas. Então para ele isso é a coisa mais horrível que já aconteceu? Grandes merdas. Duas crianças morrendo sufocadas — isso sim é que é sério. O seu padrasto enfiar os dedos na sua boceta — isso sim é que é sério. Perder o emprego quando você já está quase se aposentando não é nada sério. É isso nele que ela odeia — uma pessoa tão privilegiada se achar um grande sofredor. Quer dizer que ele acha que nunca teve uma oportunidade? Com tanto sofrimento sério neste mundo, ele acha que *ele* nunca teve oportunidade? Sabe o que é não ter oportunidade? É você acabar de ordenhar as vacas e ele pegar um pedaço de ferro e dar uma porrada na sua cabeça. E eu totalmente desprevenida — pois é, e depois *ele* é que não teve oportunidade! É a *ele* que a vida deve alguma coisa!

É por isso que, na hora do café da manhã, ela não quer ficar assistindo aula. Quer dizer que a coitada da Monica não vai conseguir arranjar um emprego bom em Nova York? Sabe o que eu acho? Estou cagando. Você acha que a Monica está preocupada comigo porque estou com dor nas costas de ter que ordenhar aquelas porras daquelas vacas depois de passar o dia inteiro dando duro na faculdade? Limpando a merda dos outros no correio porque eles não se dão ao trabalho de usar a lata de lixo? Você acha que a Monica está preocupada com isso? Ela fica ligando para a Casa Branca, e deve ser um horror ela não ter retorno. E para você está tudo terminado? Isso também é um horror? Pois para mim a coisa nem *começou*. Terminou *antes* de começar. Você já experimentou levar uma porrada na cabeça com um pedaço de ferro? Ontem à noite? Pois aconteceu. Foi legal. Foi maravilhoso. Eu estava precisando, mesmo. Mas eu ainda tenho três empregos. Não mudou nada. É por isso que você leva na cabeça e toca pra frente, porque não muda nada. Dizer à mãe que o marido dela enfia o dedo em você quando ele chega em casa de noite — isso não muda nada. Quem sabe agora que a mamãe sabe ela vai ajudar você. Mas nada muda nada. Ontem à noite, aquela dança toda. Mas não muda nada. Ele lê para mim essas coisas que acontecem lá em Washington

— mas o que, o que, o que é que muda? Ele lê para mim uma notícia sobre as escapulidas do Bill Clinton em Washington, sobre a moça que paga boquete pra ele. Que diferença isso vai fazer para mim quando meu carro pifar de vez? Você realmente acha que isso é que é importante no mundo? Pois não é tão importante assim. Não é *nem um pouco* importante. Já eu tive dois filhos. Eles morreram. Se não tenho energia agora para me preocupar com a Monica e o Bill, é por causa dos meus dois filhos, está bem? Se isso é uma limitação minha, que seja. Eu não tenho mais condição de me preocupar com os grandes problemas do mundo.

O erro foi ficar lá. O erro foi se deixar dominar completamente pelo fascínio. Até mesmo nas piores tempestades, ela antes sempre voltava para casa. Até mesmo quando morria de medo de que o Farley a estivesse seguindo, e forçasse seu carro a sair da estrada e cair dentro do rio, ela ia para casa. Mas dessa vez ela ficou. Por causa da dança ela ficou, e de manhã está com raiva. Está com raiva dele. É um belo dia, um novo dia, vamos ver o que diz o jornal. Depois daquela noite, ele quer ver o que diz o jornal? Talvez se eles não tivessem conversado, se eles só tomassem o café e depois ela fosse embora, aí ficar não seria problema. Mas aquela aula. Foi a pior coisa que ele poderia ter feito. O que ele *deveria* ter feito? Deveria ter dado alguma coisa para ela comer e depois deixado que ela fosse embora. O problema foi aquela dança. Eu fiquei. Burra, eu fiquei. Sair no meio da noite — isso é a coisa mais importante para uma garota como eu. Tem muita coisa que eu não sei direito, mas uma coisa eu sei: ficar até o dia seguinte tem *algum* significado. A fantasia de Coleman e Faunia. É o início da fantasia do para--sempre, a fantasia mais banal do mundo. Eu tenho um lugar para ir, não tenho? Não é nenhuma maravilha mas é um lugar. Vá pra lá! Pode trepar até altas horas, mas depois vá embora.

Teve aquela tempestade no Memorial Day, com raio e trovão estourando e ecoando nos morros como se fosse uma guerra. Um ataque-surpresa à serra de Berkshire. Pois eu me levantei às três da madrugada, me vesti e fui embora. Os raios caíam, as árvores se partiam, os galhos quebravam, o granizo parecia um tiroteio na minha cabeça, e eu fui embora. Naquela ventania toda, eu fui embora. O morro estourando, e assim mesmo fui embora. Eu podia ter morrido andando da casa ao carro, era só um raio cair em cima de mim, mas eu não fiquei — *eu fui embora*. Agora, ficar na cama com ele a noite toda? Aquela lua grande, a terra toda silenciosa, o luar por toda parte, e eu fiquei. Até um cego podia ter ido para casa enxergando perfeitamente numa noite assim, mas eu não fui. E não dormi. Não consegui. Passei a noite toda em claro. Não queria nem chegar perto dele. Não queria nem encostar naquele homem. Não sabia como, aquele homem que eu estou lambendo o cu dele há meses. Uma leprosa esperando o dia nascer vendo as sombras das árvores dele ir crescendo no gramado. Ele disse: "Você devia ficar", mas ele não queria que eu ficasse, e eu disse: "Olha que eu fico mesmo", e fiquei. Bem que podia pelo menos um de nós ser duro na queda. Mas não. Os dois se entregaram à pior ideia do mundo. O que as putas lhe ensinaram, a grande sabedoria das putas: "Os homens não pagam a gente pra dormir com eles. Eles pagam pra gente ir embora".

Mas ao mesmo tempo que ela sabe tudo aquilo que odeia, ela sabe tudo aquilo de que gosta. A generosidade dele. É tão raro para ela conhecer a generosidade de alguém. E a força que lhe confere o fato de ele ser homem e não lhe acertar a cabeça com um pedaço de ferro. Se ele me encurralasse, eu era até capaz de admitir que sou inteligente. Não foi o que acabei fazendo ontem à noite? Ele me ouviu e eu fui inteligente. Ele me ouve. Ele é leal comigo. Ele não me repreende por nada.

Ele não está tramando nada contra mim. E isso é motivo pra eu ficar tão puta? Ele me leva a sério. Sinceramente. Por isso que ele me deu um anel. Eles tiraram tudo dele, por isso ele veio a mim nu. No momento mais mortal dele. Durante a minha vida não choveu homem como ele, não. Ele me ajudaria a comprar o carro se eu deixasse. Ele me ajudaria a comprar tudo se eu deixasse. Com esse homem não tem dor. Só de ouvir o tom de voz dele, só de *ouvir* a voz dele, eu fico tranquila.

E de uma coisa assim você foge? É por isso que você puxa uma briga, que nem criança? Um acidente total, você conhecer esse cara, o seu primeiro golpe de sorte — o seu *último* golpe de sorte —, e você fica uma fera e foge que nem uma criança? Você realmente está procurando o fim? Quer voltar a ser como era antes dele?

Mas ela correu, correu da casa e pegou o carro dentro do celeiro e foi até o outro lado da montanha para visitar o corvo na sociedade de proteção à natureza. Seguiu oito quilômetros, aí saiu da estrada e tomou o caminho estreito de terra batida, quatrocentos metros de curvas fechadas até que a casa de madeira cinzenta de dois andares surgiu acolhedora no meio das árvores; antigamente era uma residência mas já há muitos anos é a sede da sociedade, bem no começo da trilha que se embrenha no mato. Ela estacionou no cascalho, encostou o carro nos troncos que demarcavam a vaga, bem na frente da bétula onde havia uma placa pregada apontando para o canteiro de ervas. O carro dela era o único ali. Ela havia conseguido. Podia perfeitamente ter saído da estrada e rolado encosta abaixo.

Sinos dos ventos pendurados à entrada tilintavam na brisa, um som vítreo, misterioso, como se, sem palavras, uma ordem religiosa desse as boas-vindas aos visitantes para que meditassem e também olhassem à sua volta — como se alguma coisa pequena, porém comovente, fosse venerada ali —, mas a bandeira ainda não fora hasteada, e uma placa na porta avisava que aos domingos a sociedade só abria às treze horas. No entanto, quando a porta foi empurrada ela se abriu, e Faunia saiu debaixo da sombra dos cornisos sem folhas e entrou no corredor, onde sacos grandes e pesados, cheios de diferentes tipos de alpiste, estavam empilhados no chão, aguardando os fregueses de inverno, e do outro lado dos sacos, empilhadas até a altura da janela na parede em frente, estavam as caixas que continham os comedouros. Na loja de suvenires, onde eram vendidos comedouros e livros sobre a natureza, mapas, fitas cassete com cantos de pássaros e toda uma variedade de quinquilharias relacionadas a animais, as luzes não estavam acesas, mas quando ela se virou para o outro lado e entrou na sala de exposição, um recinto mais espaçoso onde ficava uma pequena coleção de animais empalhados e uns poucos espécimes vivos — tartarugas, cobras, alguns pássaros em gaiolas —, encontrou uma das pessoas que trabalhavam lá, uma garota gorducha de dezoito ou dezenove anos, que a recebeu com um "oi" e não reclamou por ela ter entrado antes do horário. Naquele recanto remoto da serra, depois que as folhas do outono caíam, era bem raro receber visitas no primeiro dia de novembro, e aquela moça não ia despachar uma pessoa que havia chegado às nove e quinze da manhã, mesmo que fosse uma mulher com uma roupa pouco adequada para andar ao ar livre no meio do outono na serra de Berkshire, uma calça de moletom cinza e o que parecia ser um paletó de pijama masculino e chinelos de andar em casa. Além disso o cabelo louro comprido não tinha sido escovado nem penteado. Mas, de modo geral, ela parecia mais descabelada do que desarvorada, e por isso a garota, que estava alimentando uma cobra numa caixa a seus pés, dando-lhe camundongos — segurava o camundongo com uma pinça até que a cobra o agarrasse e tivesse início o processo lentíssimo de ingestão —, disse apenas "oi" e retomou suas tarefas dominicais.

O corvo estava na gaiola do meio, uma gaiola do tamanho de um guarda-roupa, entre a das corujas e a do gavião. Lá estava ele. Faunia já começava a se sentir melhor.

"Príncipe. Oi, grandalhão." E ficou estalando a língua contra o palato, para ele — cli, cli, cli.

Virou-se para a garota, que ainda estava alimentando a cobra. Ela não estava lá nas outras vezes em que Faunia fora ver o corvo, e provavelmente era nova ali. Ou relativamente nova. Havia meses Faunia não ia visitar o corvo, desde que começara a sair com Coleman. Fazia algum tempo ela tinha parado de procurar uma maneira de abandonar a espécie humana. Ela deixara de frequentar o lugar regularmente depois que seus filhos morreram, embora antes disso fosse quatro ou cinco vezes por semana.

"Ele pode sair, não pode? Ele pode sair um pouquinho."

"Claro", disse a garota.

"Eu queria que ele ficasse no meu ombro", disse Faunia, e abaixou-se para soltar o gancho que prendia a porta de vidro da gaiola. "Oi, Príncipe. Ah, Príncipe. Como você está bonito."

Quando a porta se abriu, o corvo saltou de seu poleiro para o alto da porta e encarapitou-se ali, virando a cabeça de um lado para o outro.

Ela riu baixinho. "Que expressão fantástica. Ele está me examinando", disse à garota. "Olha só", disse ao corvo, mostrando-lhe o anel de opala que Coleman lhe dera. O anel que ele lhe dera no carro naquela manhã de sábado, em agosto, quando foram a Tanglewood. "Olha. Vem cá. Vem", sussurrou para a ave, oferecendo-lhe o ombro.

Mas o corvo rejeitou o convite, saltou para dentro da gaiola e retomou sua vida no poleiro.

"O Príncipe não está a fim", disse a garota.

"Meu amor?", insistiu Faunia. "Vem. Vem. É a Faunia. É sua amiga. Seja bonzinho. Vem." Mas o corvo não saía do lugar. "Se ele sabe que você quer pegar, ele não desce", observou a garota, e com a pinça pegou outro camundongo numa bandeja cheia de camundongos mortos e o ofereceu à cobra, que havia por fim conseguido engolir, milímetro por milímetro, o camundongo anterior. "Se ele sabe que você está tentando pegar, ele fica num lugar inacessível, mas se ele acha que você não está prestando atenção nele, aí ele desce."
As duas riram juntas daquele comportamento tão humano.
"Está bem", disse Faunia, "vou deixar ele em paz um pouco." Aproximou-se da garota, que continuava sentada dando comida à cobra. "Eu adoro corvo. Minha ave favorita. E gralha também. Eu morava lá em Seeley Falls, por isso eu sei toda a história do Príncipe. Eu já conhecia o Príncipe no tempo em que ele vivia lá perto da loja do Higginson. Ele roubava os prendedores de cabelo das meninas. Ele vai em cima de qualquer coisa que brilha, qualquer coisa colorida. Ele ficou famoso por isso. Tinha até notícia sobre ele no jornal. Dizendo que as pessoas tinham criado ele depois que o ninho dele foi destruído e ele vivia perto da loja, botando banca. A notícia ficava ali", disse ela, apontando para um quadro de avisos ao lado da porta da sala. "Cadê aqueles recortes?"
"Ele arrancou."
Faunia caiu na gargalhada, dessa vez riu bem mais alto do que antes. "Foi *ele* que arrancou?"
"Com o bico. Rasgou tudo."
"Ele não queria que ninguém soubesse da história dele! Tinha vergonha da história dele! Príncipe!", gritou ela, virando-se para a gaiola ainda escancarada. "Quer dizer que você tem vergonha do seu passado infame? Ah, mas agora você é um bom menino. Você é um bom corvo."

Nesse momento Faunia olhou para um dos diversos animais empalhados que havia na sala. "Aquilo ali é um lince?"

"É", respondeu a garota, esperando pacientemente que a cobra parasse de tocar o novo camundongo com a ponta da língua e o abocanhasse.

"Ele é dessa região?"

"Não sei."

"Eu já vi lince aqui na serra. Igualzinho a esse, o que eu vi. Vai ver que era ele mesmo." E riu de novo. Não estava bêbada — não havia bebido nem metade da sua xícara de café quando saiu correndo da casa, muito menos álcool —, mas riu um riso de quem já tomou umas e outras. Era só felicidade por estar ali com a cobra e o corvo e o lince empalhado e nenhum deles querer ensinar nada a ela. Nenhum deles iria ler para ela nenhuma notícia do *New York Times*. Nenhum deles ia tentar lhe ensinar a história da humanidade nos últimos três mil anos. Ela já sabia tudo o que precisava saber a respeito da história da humanidade: os implacáveis e os indefesos. Não precisava de datas nem de nomes. Os implacáveis e os indefesos: o barato é só esse. Ninguém ali ia querer tentar lhe ensinar a ler, porque ninguém ali sabia ler, com exceção da garota. A cobra é que não sabia. A única coisa que ela sabia fazer era comer camundongo. Bem devagarinho, sem pressa. Tempo era o que não faltava.

"Como é que chama essa cobra?"

"Cobra-rateira."

"Engole inteiro."

"É."

"Digere lá dentro."

"É."

"Quantos ela come?"

"Esse é o sétimo dela. Ela engoliu esse bem devagar, mais até do que o normal. Deve ser o último."

"Sete por dia?"

"Não. Por semana ou por quinzena."

"E deixam ela ir a algum lugar ou ela não sai daí?", perguntou, apontando para a caixa de vidro de onde a cobra tinha sido tirada para ser alimentada dentro de uma caixa de plástico.

"Não. Fica aí."

"Vida boa", disse Faunia, e virou-se para olhar para o corvo do outro lado da sala, ainda empoleirado dentro da gaiola. "Bom, Príncipe, eu estou aqui. E você está aí. Eu não tenho o menor interesse por você. Se você não quer ficar no meu ombro, eu estou me lixando." Apontou para os outros animais empalhados. "Essa aí é o quê?"

"É uma águia-pescadora."

Faunia encarou-a — olhou fixamente para as garras afiadas — e, com outra gargalhada daquelas, comentou: "Não se meta a besta com a águia-pescadora".

A cobra estava considerando a possibilidade de comer o oitavo camundongo. "Se eu conseguisse fazer os meus filhos comer sete camundongos", disse Faunia, "acho que eu seria a mãe mais feliz do mundo."

A garota sorriu e disse: "No domingo passado o Príncipe saiu e ficou voando. As outras aves todas daqui não sabem voar. O Príncipe é o único que voa. Ele voa bem depressa".

"Ah, eu sei", disse Faunia.

"Eu fui despejar uma água lá fora e ele saiu direto pela porta afora e foi pras árvores. Daí a uns minutos tinha três ou quatro corvos com ele. Cercando o Príncipe na árvore. E estavam enlouquecidos. Atormentando o Príncipe. Batendo nas costas dele. Gritando. Pintando o sete com ele. Foi uma questão de minutos. O problema é a voz dele. Ele não fala a língua dos corvos. Os outros não gostam dele. Ele acabou pousando em mim, porque eu estava lá fora. Os outros iam acabar matando o Príncipe."

"Isso é que dá ser criado de mamadeira", disse Faunia. "Isso é que dá passar a vida andando com gente como a gente. A marca humana", disse ela, sem repulsa nem desprezo nem condenação. Nem mesmo tristeza. *É assim que é* — à sua maneira seca, era o que Faunia estava dizendo à moça que dava de comer à cobra: nós deixamos uma marca, uma trilha, um vestígio. Impureza, crueldade, maus-tratos, erros, excrementos, esperma — não tem jeito de não deixar. Não é uma questão de desobediência. Não tem nada a ver com graça nem salvação nem redenção. Está em todo mundo. Por dentro. Inerente. Definidora. A marca que está lá antes do seu sinal. Mesmo sem nenhum sinal ela está lá. A marca é tão intrínseca que não precisa de sinal. A marca que *precede* a desobediência, que *abrange* a desobediência e confunde qualquer explicação e qualquer entendimento. Por isso toda essa purificação é uma piada. E uma piada grotesca ainda por cima. A fantasia da pureza é um horror. É uma loucura. Porque essa busca da purificação não passa de *mais* impureza. Tudo o que Faunia estava dizendo sobre a marca era que ela é inevitável. É claro que é assim que Faunia vê as coisas: criaturas inevitavelmente marcadas pela impureza que somos. Resignadas com a imperfeição horrível e fundamental. Ela é como os gregos, os gregos de Coleman. Como os deuses deles. Eles são mesquinhos. Brigam. Lutam. Odeiam. Matam. Trepam. A única coisa que Zeus quer fazer é trepar — pode ser deusa, mortal, vaca, ursa —, e não só na forma verdadeira dele mas também, o que é mais excitante ainda, em forma de animal. Comer uma mulher na forma de um touro enorme. Penetrar uma mulher do modo mais estranho, na forma de um cisne branco. Para o rei dos deuses, carne nunca é demais, perversão nunca é demais. Toda essa loucura que o desejo traz. A dissipação. A depravação. Os prazeres mais grosseiros. E a fúria da esposa dele, que vê tudo. Não é o Deus dos hebreus, infinitamente solitário, infinitamente obscuro, com sua monomania de ser o único deus que existe, que já existiu e que há de existir, e só se preocupa com os judeus e mais nada. E também não o homem-deus totalmente assexuado dos cristãos, com sua mãe imaculada e toda aquela culpa e vergonha que essa perfeição celestial inspira. Não, o Zeus dos gregos, sempre metido em aventuras, de uma expressividade tão viva, volúvel, sensual, apaixonadamente envolvido em sua existência tão rica, nem um pouco solitário, nem um pouco oculto. Nada disso: a marca *divina*. Seria uma religião bem ligada à realidade para Faunia Farley, se, por meio de Coleman, ela soubesse alguma coisa a respeito. Tal como dita a fantasia orgulhosa, feitos à imagem de Deus, sim, mas não do nosso — do *deles*. Deus depravado. Deus corrompido. Um deus da vida, como nenhum outro. Deus à imagem do *homem*.

"É. Isso é que é a tragédia de um corvo ser criado por gente", respondeu a moça, não entendendo exatamente aonde Faunia queria chegar, porém pescando alguma coisa assim mesmo. "Eles não reconhecem sua própria espécie. *Ele* não reconhece. Mas devia. É o tal do *imprinting*", disse a moça. "O Príncipe é um corvo que não sabe ser corvo."

De repente Príncipe começou a crocitar, não como crocitam os corvos de verdade, mas daquela maneira que ele mesmo tinha inventado e que enlouquecia os outros corvos. Agora ele estava fora da gaiola, pousado na porta, numa verdadeira histeria.

Com um sorriso tentador, Faunia virou-se e disse: "Eu tomo isso como um elogio, Príncipe".

"Ele imita os meninos da escola que vêm aqui e ficam imitando ele", explicou a moça. "Os garotos vêm, uma turma inteira, e ficam imitando corvo. É essa a impressão que ele tem dos meninos. Porque eles ficam fazendo isso. Ele inventou a língua dele. Ouvindo os meninos."

Com uma voz estranha, também só dela, Faunia disse: "Eu adoro essa voz estranha que ele inventou". Enquanto isso, ela se aproximou da gaiola, chegando a poucos centímetros da porta. Levantou a mão, a mão do anel, e disse ao corvo: "Vem cá. Vem cá. Olha o que eu trouxe pra você brincar". Tirou o anel e o exibiu para que a ave pudesse examiná-lo bem de perto. "Ele gostou do meu anel de opala."
"A gente costuma dar chaves pra ele brincar."
"Pois é, ele subiu na vida. Como todo mundo. Tome. Trezentos dólares", disse Faunia. "Vamos, pode brincar. Será que ninguém nunca ofereceu a você um anel caro?"
"Ele pega", disse a garota. "Ele pega e leva pra dentro da gaiola. Ele faz isso com tudo. Pega a comida e esconde nas rachaduras da parede da gaiola, e bate em cima com o bico pra esconder bem."
O corvo agarrara o anel com o bico, e balançava a cabeça de um lado para o outro em movimentos bruscos. Então o anel caiu no chão. O corvo o havia largado.
Faunia abaixou-se, pegou o anel e ofereceu-o à ave outra vez. "Se você largar de novo, eu não dou mais, não. Você sabe disso. Trezentos dólares. Estou lhe dando um anel que vale trezentos dólares — mas você é o que, hein, um gigolô? Se você quer, você tem que pegar. Está bem? Ouviu?"
Com o bico ele novamente retirou o anel dos dedos de Faunia e segurou-o com firmeza.
"Obrigada", disse Faunia. "Leva lá pra dentro", cochichou ela, para que a moça não ouvisse. "Leva pra dentro da sua gaiola. Pode levar. É pra você."
Mas o corvo deixou o anel cair outra vez.
"Ele é muito inteligente", disse a moça do outro lado da sala. "Quando a gente brinca com ele, a gente põe o camundongo dentro de uma caixa e fecha. E ele descobre um jeito de abrir. É incrível."

Mais uma vez Faunia pegou o anel e o ofereceu, e mais uma vez o corvo o pegou e o largou.

"Ah, Príncipe — essa foi *de propósito*. Isso está virando um jogo, é?"

Crás. Crás. Crás. Crás. Bem na cara dela, o corvo soltava seu grito especial.

Então Faunia pôs a mão na ave e começou a acariciar-lhe a cabeça, e depois, bem devagar, o resto do corpo, descendo da cabeça, e o corvo deixou que ela o acariciasse. "Ah, Príncipe. Tão bonito, tão lustroso. Ele está *cantarolando* para mim", disse ela, com uma voz extática, como se finalmente tivesse compreendido o sentido de tudo. "Ele está *cantarolando*." E começou a cantarolar também: "Hmmmmm... hmmmm... hummmmmm", imitando o corvo, que de fato estava emitindo um ruído suave, enquanto sentia a pressão da mão sobre as penas de suas costas. Então, de repente, fez clique, clique, começou a estalar com o bico. "Ah, que *bonito*", cochichou Faunia, e virou a cabeça para a moça, com uma gargalhada das mais gostosas, perguntando: "Ele está à venda? Esse estalinho dele foi demais. Eu vou levar". Enquanto isso, aproximava-se cada vez mais do corvo, seus lábios bem próximos ao bico dele, sussurrando: "É, eu vou levar você, sim, eu vou comprar você...".

"Olha que ele morde, cuidado com os olhos", disse a moça.

"Ah, eu sei que ele morde. Ele já me mordeu algumas vezes. O dia que eu conheci o Príncipe ele me mordeu. Mas ele faz esse estalinho também. Escutem só, crianças."

Ela estava relembrando quantas vezes tentara a sério morrer. Duas vezes. Uma lá no quarto em Seeley Falls. No mês depois da morte das crianças, duas vezes tentei me matar naquele quarto. Para todos os efeitos, a minha primeira tentativa. Sei pelo que a enfermeira me contou. Aquele negócio do monitor que indica o batimento do coração estava totalmente parado.

Isso costuma indicar morte certa, disse ela. Mas tem gente que tem muita sorte. E eu que me esforcei tanto. Lembro que tomei um banho, raspei as pernas, botei minha melhor saia, aquela comprida, de brim. A saia-envelope. E a blusa de Brattleboro daquela vez, aquele verão, a blusa com bordado. Lembro do gim e do Valium, e me lembro vagamente do tal pó. Esqueci como que chama. Uma espécie de mata-rato, amargo, que eu misturei com o pudim de caramelo. Eu liguei o forno? Esqueci de ligar? Fiquei azul? Quanto tempo eu dormi? Quando foi que resolveram arrombar a porta? Até hoje não sei quem foi que fez isso. Para mim foi uma felicidade, me preparar. Tem momentos na vida que a gente tem que comemorar. Momentos de triunfo. Essas horas que a gente tem que caprichar na roupa. Ah, mas eu caprichei mesmo. Fiz trança no cabelo. Pintei os olhos. Minha mãe se visse ia ficar orgulhosa, o que não é pouco. Tinha telefonado pra ela uma semana antes para avisar que as crianças tinham morrido. Primeiro telefonema em vinte anos. "É a Faunia, mãe." "Não conheço ninguém com esse nome. Desculpe." E desligou. Filha da puta. Depois que eu fugi ela disse pra todo mundo: "Meu marido é severo e a Faunia não conseguia obedecer às regras. Nunca obedeceu às regras". A desculpa clássica. Onde já se viu, uma criança privilegiada fugir de casa porque o padrasto é severo? Ela foge, sua filha da puta, não é porque o padrasto é severo — é porque o padrasto é um tarado que não deixa ela em paz. Seja como for, vesti as melhores roupas que eu tinha. Fiz questão. Já da segunda vez não vesti nenhuma roupa especial. E isso só já diz tudo. Aquilo não me empolgava mais, depois que a primeira vez não deu certo. A segunda vez foi uma coisa repentina, impulsiva, e sem graça nenhuma. A primeira vez demorou tanto para o dia chegar, dias e noites, tanta expectativa. As preparações. Comprar o pó. Arranjar receitas. Mas a segunda vez eu estava com pressa. Sem inspiração. Acho que parei porque me sentia tão sufocada que não aguentava mais. Minha garganta estava sufocada, sufocada de verdade, não entrava ar, e eu estava louca pra cortar logo o fio da extensão. Da primeira vez não teve afobação nenhuma. Foi tudo calmo e tranquilo. As crianças já morreram, não tenho ninguém com quem me preocupar, tempo é o que não me falta. Se eu tivesse feito tudo direitinho. O prazer da coisa. Por fim, quando não há mais prazer nenhum, tem aquele último momento de felicidade, quando a morte devia chegar porque você chamou, porque você estava com raiva, mas você não sente mais raiva — só uma felicidade profunda. Não consigo parar de pensar nisso. A semana inteira. Ele lendo a notícia sobre o Clinton no *New York Times* e eu pensando só no dr. Kevorkian e aquela máquina de monóxido de carbono dele. É só respirar fundo. É só chupar até não haver mais nada para tragar.

"'Eram umas crianças tão bonitas', ele disse. 'Você nunca imagina que uma coisa dessas vai acontecer com você ou com os seus amigos. Pelo menos a Faunia tem fé que os filhos dela estão com Deus agora.'"

Foi o que algum babaca disse ao jornal. DUAS CRIANÇAS MORREM SUFOCADAS EM INCÊNDIO DOMÉSTICO. "'Com base na investigação inicial', declarou o sargento Donaldson, 'tudo indica que um aquecedor...' Moradores da mesma estrada rural afirmaram que só perceberam o incêndio quando a mãe das crianças..."

Quando a mãe das crianças conseguiu largar o caralho que estava chupando.

"O pai das crianças, Lester Farley, surgiu, vindo do corredor, instantes depois, segundo os vizinhos."

Pronto para me matar de uma vez por todas. Não matou. E depois eu não consegui. Incrível. Incrível como que ninguém até agora matou a mãe das crianças mortas.

"Não, eu não consegui, Príncipe. Também não consegui dessa vez. E assim", sussurrava ela para a ave, cujo negrume lustroso era quente e liso, mais do que qualquer coisa que ela já tivesse acariciado, "estamos aqui. Um corvo que não sabe ser corvo direito, uma mulher que não sabe ser mulher direito. Nós fomos feitos um pro outro, Príncipe. Casa comigo. Você é o meu destino, seu pássaro ridículo." Então deu um passo para trás e fez uma mesura. "Adeus, meu Príncipe."
 E o corvo respondeu. Com um grito agudo que parecia ser "legal, legal, legal", que mais uma vez a fez cair na gargalhada. Quando se virou para se despedir da garota, ela comentou: "Pois é, os caras que me veem na rua não me dizem isso".
 E havia deixado o anel. O presente de Coleman. Numa hora em que a garota não estava olhando, tinha escondido o anel dentro da gaiola. Noiva de um corvo. O barato é esse.
 "Obrigada", disse Faunia.
 "De nada. Bom dia pra você", exclamou a garota enquanto ela se afastava. E, depois dessa, Faunia pegou o carro e foi para a casa de Coleman para terminar seu café da manhã e ver no que dava. O anel está na gaiola. O anel ficou com ele. Ele agora tem um anel de trezentos dólares.

 A viagem ao Muro Itinerante em Pittsfield foi no Dia do Ex-Combatente, quando a bandeira fica a meio pau e em muitas cidades fazem paradas — e as lojas de departamentos promovem liquidações — e os ex-combatentes que se sentem como Les têm mais raiva de seus compatriotas, do país e do governo do que em qualquer outro dia do ano. *Agora* querem que ele desfile numa paradazinha de merda enquanto a banda toca e todo mundo desfralda bandeira? *Agora* todo mundo vai se sentir bem por um minuto homenageando os ex-combatentes do Vietnã? Por que foi que todo mundo cuspiu nele quando ele voltou para casa na época se agora querem tanto que ele participe da parada? Como é que tinha ex-combatente dormindo na rua enquanto aquele sacana que driblou o serviço militar estava dormindo na Casa Branca? O Bill Boa-Gente, o comandante em chefe. Filho da puta. Apertando os peitos gordos daquela judiazinha enquanto a verba do Departamento de Ex-Combatentes vai por água abaixo. Mentiu sobre a vida sexual dele? Ora porra. Esse governo de merda mente sobre *tudo*. Não, o governo americano já tinha pregado muita peça em Lester Farley; não precisava de um Dia do Ex-Combatente ainda por cima.

E no entanto lá estava ele, justamente naquele dia, na van de Louie rumo a Pittsfield. Estavam indo ver a réplica do Muro, com metade do tamanho do original, que havia quinze anos rodava pelo país; de 10 a 16 de novembro ela ia estar em exposição no estacionamento do Ramada Inn, sob o patrocínio da Associação dos Veteranos de Guerras do Estrangeiro de Pittsfield. Com ele vinha o mesmo pessoal que o ajudara a suportar o suplício do restaurante chinês. Não queriam deixá-lo ir sozinho, e a todo momento lhe diziam: nós vamos estar lá com você, vamos estar do seu lado, vamos ficar com você o tempo todo se for necessário. Louie chegou a dizer que depois Les podia ficar na casa dele, com ele e a mulher, que os dois tomariam conta dele por quanto tempo fosse necessário. "Você não vai ter que voltar pra casa sozinho, Les, se você não quiser. Acho que você não devia nem tentar. Vem ficar comigo e com a Tess. A Tessie já passou por tudo. A Tessie compreende. Não precisa se preocupar com ela. Quando eu voltei, Tessie é que foi a minha motivação. O que eu pensava era: como é que alguém vai querer me dizer o que eu tenho que fazer, eu vou ter um acesso de raiva sem nenhuma provocação. Você sabe. Você sabe disso tudo, Les. Mas graças a Deus a Tessie ficou do meu lado, firme e forte. Se você quiser, ela também fica do seu lado."

Louie era um irmão para ele, o melhor irmão que se pode imaginar, mas como não parava de dizer que ele tinha que ir ver o Muro, porque tinha uma obsessão fanática por aquela porra daquele Muro, Les tinha que se conter para não agarrar o filho da puta pelo pescoço e estrangulá-lo. Seu cucaracha manco filho da puta, me deixa em paz! Para de me falar que você levou dez anos para conseguir ir ao Muro. Para de me falar que isso mudou a sua vida. Para de me falar que você fez as pazes com o Mikey. Para de me falar o que foi que o Mikey disse pra você lá no Muro. Eu não quero saber!

E entretanto lá vão eles, e mais uma vez Louie está lhe dizendo: "'Tudo bem, Louie' — foi isso que o Mikey me disse, e é isso que o Kenny vai dizer a você. O que ele estava me dizendo, Les, é que eu podia tocar em frente com a minha vida".

"Eu não vou aguentar, Lou — dá meia-volta aí."

"Relaxa, meu chapa. A gente está na metade do caminho."

"Para essa porra desse carro e dá meia-volta!"

"Les, você só sabe depois que você vai lá. Você tem que ir", disse Louie, bondoso, "e você tem que descobrir."

"Eu *não quero* descobrir!"

"Por que é que você não toma mais remédio? Um pouco de Ativan. Um pouco de Valium. Um pouquinho mais não vai fazer mal. Dá uma água pra ele, Chet."

Quando chegaram a Pittsfield e Louie estacionou em frente ao Ramada Inn, do outro lado da rua, não foi fácil tirar Les da van. "Não vou", disse ele, e os outros ficaram parados do lado de fora, fumando, dando um tempo para que as doses extras de Ativan e Valium exercessem seu efeito sobre Les. Da rua, Louie ficou de olho nele. Havia muitos carros de polícia e ônibus. Estava ocorrendo alguma cerimônia junto ao Muro, ouvia-se a voz de alguém falando ao microfone, algum político local, talvez o décimo quinto a se pronunciar naquela manhã. "Os nomes inscritos neste muro atrás de mim são de parentes, amigos e vizinhos de vocês. São cristãos, judeus, muçulmanos, negros, brancos, nativos — todos americanos. Essas pessoas juraram defender e proteger, e deram suas vidas por força desse juramento. Não há homenagem, nem cerimônia, que possa exprimir nossa gratidão e admiração de modo adequado. O poema que se segue foi deixado neste Muro há algumas semanas em Ohio, e eu gostaria de lê-lo para vocês. 'Lembramos de vocês, sorridentes, orgulhosos, fortes/ Vocês nos disseram que não devíamos nos preocupar/ Lembramos daqueles últimos abraços e beijos...'"

Findo o discurso, veio outro. "... mas com este muro de nomes atrás de mim, quando olho para esta multidão e vejo rostos de homens de meia-idade como eu, alguns ostentando medalhas, outros com vestígios de suas fardas, e vejo um toque de tristeza em seus olhos — talvez seja o que resta do olhar ávido que todos tínhamos quando éramos irmãos, infantes, artilheiros, a quinze mil quilômetros de nossa terra — quando vejo tudo isso, é como se voltasse a trinta anos atrás. O monumento representado por esta réplica itinerante foi inaugurado em Washington em 13 de novembro de 1982. Levei cerca de dois anos e meio para chegar lá. Olhando para trás, para aquele momento, constato que eu, como tantos outros ex-combatentes do Vietnã, esperei todo esse tempo por não querer enfrentar as lembranças dolorosas que fatalmente seriam evocadas pelo monumento. E assim foi que, numa tarde, quando já escurecia, fui sozinho visitar o Muro em Washington. Deixei mulher e filhos no hotel — estávamos voltando da Disney World — e fui lá sozinho, me coloquei sozinho no ápice, mais ou menos no lugar onde estou agora. E as lembranças voltaram — todo um furacão de emoções. Lembrei de gente que cresceu junto comigo, que jogou bola comigo, gente que está aqui neste Muro, gente aqui de Pittsfield. Lembrei do operador de rádio, o Sal. Nos conhecemos no Vietnã. Jogamos aquele jogo do 'de onde você é'. Massachusetts. Massachusetts. Massachusetts, onde? Ele era de West Springfield. Eu era de Pittsfield. E o Sal morreu um mês depois que eu voltei. Voltei pra casa em abril, e um dia peguei o jornal e vi que o Sal não ia voltar pra se encontrar comigo em Pittsfield nem em Springfield pra tomar umas e outras. E lembrei de outros homens que serviram comigo..."

E aí uma banda — muito provavelmente uma banda da artilharia — começou a tocar o hino dos Boinas Verdes, o que levou Louie a pensar que o melhor a fazer era esperar até o fim da cerimônia para tentar tirar Les de dentro da van. Louie havia calculado que chegariam já depois dos discursos e da música emocionante, mas ao que parecia a programação tinha atrasado, e portanto ainda não havia terminado. Consultando o relógio, porém, viu que era praticamente meio-dia; devia estar quase acabando. Não deu outra: estava acabando, sim. Uma corneta solitária dando o toque de silêncio. Ainda bem. Já não era fácil enfrentar o toque de silêncio no meio da rua, em meio a ônibus vazios e carros de polícia, quanto mais ali, cercado de gente chorando, tendo de enfrentar *também* o Muro. O toque de silêncio se prolongava, torturava, até a última nota terrível; em seguida a banda começou a tocar "God bless America", e Louie ouvia as pessoas que estavam junto ao Muro cantando a letra — "Das montanhas, às planícies, ao oceano" — e então, um instante depois, tudo havia terminado.

Dentro da van, Les ainda estava tremendo, mas pelo visto não estava olhando para trás o tempo todo, e só de vez em quando olhava a sua volta, para ver se não havia nenhuma "coisa"; assim, Louie entrou de novo no veículo, movendo-se com dificuldade, e sentou-se ao lado dele, sabendo que a única coisa que existia para Les agora era o pânico do que estava a ponto de descobrir; o jeito, portanto, era fazer com que ele fosse logo até o Muro para terminar com aquela história de uma vez por todas. "Vamos mandar o Swift na frente, Les, pra ele achar o Kenny pra você. O Muro é bem grande. Pra você não ter que ficar procurando no meio daqueles nomes todos, o Swift e o resto do pessoal vai na frente e acha logo. Os nomes estão em ordem cronológica, do primeiro ao último. A gente sabe a data do Kenny, foi você que deu pra gente, de modo que vai ser fácil encontrar."

"Não vou."

Quando voltou para a van, Swift entreabriu a porta e disse a Louie: "Já achamos o Kenny. Está lá".

"OK, chegou a hora, Lester. Faz uma força. Você vai andar até lá. É atrás do hotel. Vai ter mais gente fazendo a mesma coisa que nós. Teve uma cerimoniazinha oficial, mas já terminou, não se preocupe mais com isso. Não vai ter discurso, nada dessas babaquices. Só crianças com os pais e os avós, e todo mundo vai estar fazendo a mesma coisa. Vão estar botando coroas de flores. Rezando. Mas o que mais se faz lá é procurar nomes. Vão estar conversando, como as pessoas fazem normalmente, Les. Vai ter um ou outro chorando. Só isso. Então você já sabe o que vai encontrar. Se precisar a gente espera, mas você vai com a gente, sim."

Estava excepcionalmente quente para novembro, e ao se aproximarem do Muro viram que muitos dos homens estavam em mangas de camisa e algumas das mulheres usavam bermuda. Gente de óculos escuros em meados de novembro, mas fora isso as flores, as pessoas, as crianças, os avós — tudo era exatamente tal como Louie tinha dito. E o Muro Itinerante não foi nenhuma surpresa: ele já vira reproduções em revistas, em camisetas; uma vez, na televisão, tinha visto sem querer, por um instante, a imagem do Muro verdadeiro, em Washington, antes que tivesse tempo de desligar o aparelho. Estendendo-se por todo o estacionamento de macadame, os painéis interligados, no cemitério perpendicular de retângulos verticais e escuros, diminuindo de tamanho em direção às duas extremidades, ostentavam em letras brancas uma profusão de nomes, em letras apertadas. O nome de cada morto tinha o comprimento de um quarto de um dedo mínimo. Só assim para caberem todos os nomes, 58 209 pessoas que não dão mais caminhadas nem vão ao cinema mas que ainda conseguem existir, ao menos, como inscrição numa parede portátil de alumínio negro, apoiada por trás numa estrutura de madeira, no estacionamento de um Ramada Inn em Massachusetts.

Quando foi ver o Muro pela primeira vez, Swift não conseguiu sair do ônibus, e os outros tiveram de arrancá-lo à força e arrastá-lo até o lugar, e depois ele disse: "Dá pra ouvir o Muro chorando". Quando foi pela primeira vez, Chet começou a esmurrar o Muro e gritar: "Não devia ser o nome do Billy — não, o Billy não! — devia ser o meu nome!". Quando foi pela primeira vez, Bobcat estendeu a mão e tocou o Muro, e depois, como se a mão tivesse ficado congelada, não conseguiu mais retirá-la — teve uma espécie de ataque, segundo o médico do Departamento de Ex-Combatentes. Quando foi pela primeira vez, Louie não demorou para entender o que tinha a fazer, e o fez. "OK, Mikey", ele disse em voz alta, "Estou aqui. Estou aqui", e Mikey, falando com sua própria voz, lhe respondeu: "Tudo bem, Lou. Tudo bem".

Les conhecia todas as histórias sobre as coisas que podiam acontecer na primeira vez, e agora ele está lá pela primeira vez e não sente nada. Nada acontece. Todo mundo lhe dizendo que vai ser bom, você vai conseguir segurar a barra, cada vez que você voltar vai ser um pouco melhor, até que um dia a gente leva você a Washington e você passa um lápis sobre um papel em cima do nome do Kenny, e isso vai ser realmente a cura espiritual — depois de tanta preparação, nada acontece. Nada. Swift ouviu o Muro chorar — Les não ouve nada. Não sente nada, não ouve nada, nem mesmo relembra nada. É como o dia em que ele viu os dois filhos mortos. Tanta expectativa, e nada. Ele, que tinha tanto medo de se emocionar demais, agora não sente nada, e isso é pior. Prova que apesar de tudo, apesar de Louie e das idas ao restaurante chinês, dos médicos, de ele ter largado a bebida, Les tinha razão desde o começo: ele já morreu. No restaurante chinês chegou a sentir alguma coisa, e isso o enganou por algum tempo. Mas agora ele não tem mais dúvida de que está morto, porque não consegue nem mesmo evocar a lembrança de Kenny. Antes essa lembrança o torturava, agora ele não consegue se ligar a ela de jeito nenhum.

Como é a sua primeira vez, os outros estão de olho nele. Um por um eles se afastam por algum tempo, para procurar os nomes de seus amigos, mas sempre tem alguém que fica com ele, tomando conta, e o que se afastou sempre abraça Les ao voltar. Todos acreditam que agora estão mais ligados um ao outro do que jamais estiveram antes, e todos acreditam, porque Les está com a expressão aturdida esperada, que ele está tendo a experiência que todos queriam que ele tivesse. Não fazem ideia de que, quando olha para uma das três bandeiras americanas a meio pau, juntamente com a bandeira negra dos prisioneiros de guerra e desaparecidos em combate, ele não está pensando em Kenny nem no Dia do Ex-Combatente; ele está pensando que todas as bandeiras de Pittsfield estão a meio pau porque finalmente foi decidido que Les Farley está morto. Agora é oficial: ele está morto de verdade, e não apenas por dentro. Ele não diz isso aos outros. Dizer para quê? A verdade é a verdade. "Estou orgulhoso de você", Louie cochicha para ele. "Eu sabia que você ia conseguir. Sabia que isso ia acontecer." Swift está lhe dizendo: "Se algum dia você quiser conversar sobre isso...".

Uma serenidade então tomou conta de Les, uma serenidade que todos os outros interpretam erradamente como uma espécie de realização terapêutica. O Muro que sara as feridas — é o que está escrito na placa na frente do hotel, e é a verdade. Após conferir o nome de Kenny, andam de um lado para o outro com Les, percorrendo toda a extensão do Muro e depois voltando ao ponto de partida, todos olhando para as pessoas que estão procurando nomes, deixando que Lester apreenda toda aquela cena, para que ele compreenda que está onde está, fazendo o que está fazendo. "Esse muro não é para subir, não, meu anjo", diz uma mulher em voz baixa, pegando um menino que estava debruçado sobre um dos painéis mais baixos. "Qual o nome? Qual o sobrenome do Steve?", um homem idoso pergunta a sua mulher enquanto percorre um dos painéis, contando cuidadosamente de cima para baixo com o dedo, fileira por fileira. "Bem aqui", ouvem uma mulher dizer a um menino pequeno que ainda está aprendendo a andar; com um dos dedos ela toca um nome escrito no Muro. "Bem aqui, meu amor. É o tio Johnny." E faz o sinal da cruz. "Tem certeza que é a linha vinte e oito?", pergunta uma mulher ao marido. "Tenho." "Então tem que estar aí. Quarto painel, linha vinte e oito. Eu encontrei lá em Washington." "É, mas eu não estou encontrando. Deixa eu contar outra vez." "É o meu primo", diz uma mulher. "Ele abriu uma garrafa de Coca-Cola lá, e a garrafa explodiu. Era uma armadilha. Dezenove anos de idade. Nem estava na frente de batalha. Agora ele está em paz, queira Deus." Há um ex-combatente com um boné da Legião Americana ajoelhado diante de um dos painéis, ajudando duas senhoras negras endomingadas. "Qual o nome dele?", ele pergunta à mais jovem delas. "Bates. James." "Está aqui", diz o ex-combatente. "Está aqui, mamãe", diz a mulher mais moça. Como o Muro Itinerante tem a metade do tamanho do Muro de Washington, muita gente tem que se ajoelhar para procurar os nomes, e para os mais velhos isso é particularmente difícil. Há flores embrulhadas em celofane encostadas no Muro. Há um poema escrito à mão no pedaço de papel que alguém pregou com fita adesiva na parte de baixo do Muro. Louie se abaixa para ler as palavras: "Estrelinha que eu vejo,/ Realiza o meu desejo...". Há pessoas com os olhos vermelhos de tanto chorar. Há homens com bonés pretos de ex-combatentes do Vietnã iguais ao de Louie, alguns deles ostentando faixas de campanhas políticas. Há um menino gorducho de uns dez anos de idade, teimosamente de costas para o Muro, dizendo a uma mulher: "Eu *não quero* ler". Há um sujeito coberto de tatuagens com uma camiseta da Primeira Divisão de Infantaria — "A Vermelhona", diz a camiseta — que está cambaleando, de olhar esgazeado, pensando coisas terríveis. Louie para, segura o homem e lhe dá um abraço. Todos o abraçam. Conseguem fazer com que até mesmo Les o abrace. "Dois colegas meus do secundário estão aí, um morreu quarenta e oito horas depois do outro", observa um homem a alguns metros deles. "E o velório dos dois foi na mesma funerária. Foi um dia triste lá no Colégio de Kingston." "Ele foi o primeiro a ir pro Vietnã", outra pessoa está dizendo, "e o único de nós que não voltou. E sabe o que ele gostaria que pusessem debaixo do nome dele, ali no Muro? A mesma coisa que ele queria no Vietnã. Vou lhe dizer o que ele queria: uma garrafa de Jack Daniel's, um bom par de botas e um *brownie* com pentelhos de mulher dentro."

Há um grupo de quatro homens conversando, e quando Louie os ouve, trocando reminiscências, ele para e fica escutando, e os outros permanecem à sua espera. Os quatro desconhecidos são todos grisalhos — cabelos lisos ou crespos já ralos, um deles com um rabo de cavalo saindo por trás do boné de ex-combatente do Vietnã.

"Você era da unidade mecanizada, não é?"

"É. A gente andava muito, mas sabendo que mais cedo ou mais tarde a gente voltava pro transporte."

"A gente andava muito. A gente andou por toda aquela porra da serra Central. Aquelas montanhas todas."

"O outro problema da unidade mecanizada é que a gente nunca ficava na retaguarda. Acho que o tempo todo que eu passei lá, quase onze meses, eu só fui na base quando cheguei e tirei licença — e olhe lá."

"Quando eles ouviam o barulho da esteira do transporte, eles já preparavam o B-40. Aí quando você chegava já estava tudo pronto pra acertar você."

De repente Louie se intromete. "Estamos aqui", diz ele de repente para os quatro desconhecidos. "Estamos *aqui*, não é? Estamos todos aqui. Deixa eu anotar os nomes. Nomes e endereços." E tira o caderninho do bolso de trás, apoia-se na bengala e anota todas as informações, para depois lhes enviar o boletim que ele e Tessie publicam, por conta própria, dois números por ano.

Então passam pelas cadeiras vazias. Nem as tinham visto ao entrar, de tão preocupados que estavam em levar Les até o Muro sem que ele desabasse ou tentasse fugir. Na extremidade do estacionamento há quarenta e uma cadeiras de metal dobráveis, cinzentas, velhas, provavelmente tiradas do porão de alguma igreja, dispostas em fileiras formando um arco, como numa formatura ou entrega de prêmios — três fileiras de dez, uma de onze. As cadeiras foram dispostas de modo muito cuidadoso. Preso com fita adesiva nas costas de cada cadeira, o nome de uma pessoa — acima do assento vazio um nome, um nome de homem, impresso num cartão branco. Toda uma seção de cadeiras isolada, e, para garantir que ninguém vai se sentar nelas, um cordão de faixas pretas e roxas entrelaçadas isola a seção pelos quatro lados.

E há uma coroa de flores pendurada ali, uma coroa grande de cravos, e quando Louie, que não deixa nada passar, resolve contá-las, ele constata, tal como imaginara, que são quarenta e um cravos.

"O que é isso?", pergunta Swift.

"São os caras de Pittsfield que morreram. São as cadeiras vazias deles", diz Louie.

"Puta que o pariu", exclama Swift. "Que massacre. É lutar pra ganhar ou então não lutar. Puta que o pariu."

Mas a tarde ainda não terminou para eles. Na calçada, à frente do Ramada Inn, tem um sujeito magricela de óculos, com um casaco pesado demais para aquele dia, que está tendo um problema sério — ele grita para os estranhos que passam, aponta para eles, chega a cuspir de tanto que grita, e os policiais saltam dos carros e vêm correndo tentar acalmá-lo antes que ele ataque alguém, ou até, se tiver uma arma escondida, resolva dar um tiro. Numa das mãos ele segura uma garrafa de uísque — é a única coisa que ele traz consigo, ou pelo menos é o que parece. "Olha só pra mim!", ele grita. "Eu sou um merda e todo mundo que olha pra mim sabe que eu sou um merda. Nixon! Nixon! Foi ele que fez isso comigo. Foi aquilo que fez isso comigo! Foi o Nixon que me mandou pro Vietnã!"

Por mais sérios que estejam ao entrar na van, cada um arcando com o peso de suas lembranças, sentem-se aliviados ao ver Les, que, ao contrário do sujeito pirando no meio da rua, manifesta uma tranquilidade que nunca antes existiu para ele. Embora não estejam acostumados a manifestar sentimentos transcendentes, a presença de Les lhes inspira as emoções que costumam surgir em situações assim. Durante toda a viagem de volta, cada um deles — menos Les — apreende ao grau máximo que lhes é possível o mistério de estar vivo, no meio do fluxo.

 Ele parecia sereno, mas era fingimento. Havia tomado uma decisão. Usar seu veículo. Acabar com todos, inclusive com ele próprio. Perto do rio, partir direto pra cima deles, na mesma pista, na pista deles, ali onde o rio faz a curva.

 Ele tomou a decisão. Não tenho nada a perder e tudo a ganhar. Não tem nada dessa história de que se isso acontecer ou se eu vir aquilo ou se eu pensar nisso eu faço e se não, não faço. Ele está tão decidido que nem está mais pensando. Assumiu uma missão suicida, e por dentro é só agitação. Sem palavras. Sem pensamentos. É só ver, ouvir, sentir o gosto e o cheiro — é raiva, é adrenalina, e é resignação. Não estamos no Vietnã. Estamos além do Vietnã.

 (Mais uma vez levado à força para o hospital de ex-combatentes em Northampton um ano depois, ele tenta colocar em palavras, para a psicóloga, esse estado puro de alguma coisa que não é nada. É tudo confidencial mesmo. Ela é médica. A ética médica. Fica tudo só entre eles dois. "Você estava pensando em quê?" "Não estava pensando." "O senhor tinha que estar pensando em alguma coisa." "Nada." "Quando foi que o senhor entrou no seu caminhão?" "Quando escureceu." "O senhor já tinha jantado?" "Não." "O senhor sabia por que estava entrando no caminhão?" "Sabia." "O senhor sabia aonde ia?" "Pegar ele." "Ele quem?" "O judeu. O professor judeu." "Por que o senhor ia fazer isso?" "Pra pegar ele." "Por que o senhor tinha que fazer isso?" "Porque eu tinha que fazer." "Por que é que o senhor tinha que fazer isso?" "Kenny." "O senhor ia matar o homem."

"Ia, sim. Todos nós." "Então a coisa foi planejada." "Não foi planejada." "O senhor sabia o que estava fazendo." "Sabia." "Mas o senhor não planejou." "Não." "O senhor pensava que estava no Vietnã?" "Não." "O senhor estava tendo um *flashback*?" "Não." "O senhor achava que estava na selva?" "Não." "O senhor achava que ia se sentir melhor?" "Não sentia nada." "O senhor pensava nas crianças? Era uma vingança?" "Não." "O senhor tem certeza?" "Não era vingança, não." "Essa mulher, segundo o senhor me disse, matou os seus filhos, 'foi um boquete', segundo o senhor me disse, 'que matou os meus filhos' — o senhor não estava tentando se vingar dela, se vingar disso?" "Não era vingança." "O senhor estava deprimido?" "Não." "O senhor estava determinado a matar duas pessoas e se suicidar e não estava com raiva?" "Não, não estava mais com raiva." "O senhor entrou no caminhão, sabia onde eles iam estar, e foi direto em cima dos faróis do carro deles. E o senhor está tentando me convencer de que não estava tentando matá-los." "Eu não matei ninguém." "Então quem foi que os matou?" "Foram eles que se mataram.")
    Só dirigindo o caminhão. É só isso que ele está fazendo. Planejando sem planejar. Sabendo sem saber. Os outros faróis vêm na sua direção, e então desaparecem. Não houve colisão? Está bem, não houve colisão. Depois que eles saem da estrada, ele troca de pista e segue em frente. Ele só faz continuar dirigindo. Na manhã seguinte, quando está esperando, com o resto da equipe de reparos da estrada de ferro, a hora de dar início a mais um dia de trabalho, ele ouve a notícia na garagem da cidade. Os outros já sabiam.
    Não houve colisão; assim, embora ele faça uma ideia do que aconteceu, não conhece os detalhes, e quando chega em casa depois daquelas horas dirigindo e sai do caminhão ele não tem certeza do que aconteceu. O grande dia para ele. Onze de novembro. Dia do Ex-Combatente. Naquela manhã ele vai com

Louie — naquela manhã ele vai ao Muro, naquela tarde ele volta para casa depois de ver o Muro, aquela noite ele sai para matar todo mundo. Matou mesmo? Não tem certeza porque não houve colisão, mas mesmo assim é um dia e tanto do ponto de vista terapêutico. Sendo a segunda metade mais terapêutica do que a primeira. Agora ele atinge uma serenidade verdadeira. Agora Kenny pode falar com ele. Disparando ao lado de Kenny, os dois disparando na metralhadora automática sem parar, quando Hector, o comandante da operação, grita sua ordem: "Peguem as suas coisas e vamos embora daqui!", e de repente Kenny está morto. Assim de repente. No alto de um morro lá. Sob fogo cerrado, recuando — e Kenny morre. Não pode ser. O camarada dele, outro garoto da roça, o mesmo tipo de origem que ele, só que do Missouri, os dois tinham resolvido que iam abrir juntos uma fazenda de gado leiteiro, um cara que, quando tinha seis anos de idade, viu o pai dele morrer, e quando tinha nove anos viu a mãe morrer, depois disso foi criado por um tio que ele adorava, estava sempre falando nele, dono de uma fazenda de gado leiteiro de sucesso, bem grande — cento e oitenta vacas leiteiras, doze máquinas ordenhando seis vacas de cada vez em cada estábulo —, e a cabeça do Kenny foi arrancada e ele está morto.

Agora parece que Les está se comunicando com seu colega. Mostrou a Kenny que ele não foi esquecido. Kenny queria que ele fizesse isso e ele fez. Agora Les sabe que o que ele fez, seja lá o que for — mesmo não tendo certeza do que foi que fez —, ele fez pelo Kenny. Mesmo que tenha matado alguém, mesmo que vá para a cadeia, não importa — não importa porque ele já está morto. Essa era a última coisa que faltava fazer pelo Kenny. Agora ele está quite com o Kenny. Agora está tudo bem com o Kenny.

("Eu fui até o Muro e achei o nome dele, e foi o maior silêncio. Esperei, esperei, esperei. Eu olhei pra ele, ele olhou pra mim. Não ouvi nada, não senti nada, e foi assim que percebi que não estava tudo bem com o Kenny. Que havia mais alguma coisa a fazer. Eu não sabia o que era. Mas ele não ia me abandonar assim sem mais nem menos. Foi por isso que não tinha nenhuma mensagem pra mim. Porque eu ainda tinha que fazer mais pelo Kenny. Agora? Agora está tudo bem com ele. Agora ele pode descansar." "E você continua morto?" "Mas será que você é idiota? Ah, não dá pra conversar com você, sua idiota! Eu fiz isso *porque* estou morto!")

No dia seguinte, a primeira coisa que ele ouve na garagem é que ela estava com o judeu num desastre de carro. Todo mundo fica achando que ela estava chupando o cara e aí ele perdeu o controle e eles saíram da estrada e foram cair de bico dentro do rio. O judeu perdeu o controle do carro.

Não, ele não associa isso com o que aconteceu na noite da véspera. Ele estava só dirigindo o caminhão dele, num estado mental completamente diferente.

Ele diz: "É mesmo? O que foi que houve? Quem matou ela?".

"Foi o judeu que matou ela. Saiu pra fora da estrada."
"Ela provavelmente estava chupando o cara."
"É o que estão dizendo."

É isso. Não sente nada com relação a isso também. Continua não sentindo nada. Só o seu sofrimento. Por que ele está sofrendo tanto pelo que aconteceu com ele enquanto ela pode continuar por aí pagando boquete pra um judeu velho? Ele é que sofre, e agora ela vai embora e larga tudo.

Seja como for, enquanto ele toma seu café na garagem da cidade, é assim que ele encara a situação.

Quando todo mundo segue em direção aos caminhões, Les comenta: "Pelo visto não vai mais ter música tocando naquela casa todo sábado à noite".

Embora, como acontece às vezes, ninguém tenha entendido o que ele disse, todos riem assim mesmo, e então tem início mais um dia de trabalho.

Se ela se localizasse no oeste de Massachusetts, seus colegas que eram assinantes da *New York Review of Books* conseguiriam identificá-la por intermédio do anúncio, principalmente se ela descrevesse sua aparência e listasse suas credenciais. Mas, se ela não especificasse sua residência, talvez não recebesse nenhuma resposta de alguém que morasse num raio de cem, duzentos, trezentos, até mesmo quatrocentos quilômetros. E como em todos os anúncios da *New York Review* que ela já examinara a idade dada pelas mulheres era de quinze a trinta anos acima da dela, como poderia ela revelar sua idade verdadeira — descrever-se de modo verdadeiro — sem despertar a suspeita de que havia algo de importante que ela não revelava, algum problema — uma mulher que dizia ser tão jovem, tão atraente, tão talentosa, precisar colocar um anúncio numa revista para encontrar um homem? Se dissesse que era "passional", isso poderia ser interpretado pelos mais lascivos como uma provocação intencional, uma maneira de dizer que era "depravada" ou coisa pior, e à sua caixa postal da *NYRB* chegariam cartas e mais cartas de homens com quem ela não queria nenhuma espécie de contato. Mas, se desse a impressão de ser uma dessas intelectuais para quem o sexo tem bem menos importância do que as atividades acadêmicas, ela certamente ia receber propostas de tipos excessivamente tímidos para uma pessoa como ela, que era capaz de se excitar muito quando encontrava um parceiro erótico que lhe inspirava confiança. Se dissesse que era "bonitinha", estaria se associando a uma categoria vaga de mulheres, e no entanto se dissesse às claras que era "linda", se ousasse dizer a verdade e utilizasse a palavra que jamais parecia extravagante a seus amantes — que a haviam qualificado de *éblouissante* (como em "*Éblouissante! Tu as un visage de chat*"); estonteante, deslumbrante —, ou se, para atingir a precisão num texto de apenas trinta e poucas palavras, mencionasse que, segundo os mais velhos, era parecida com Leslie Caron, de quem seu pai gostava tanto, então apenas os megalomaníacos não se sentiriam intimidados demais para se aproximar dela, nem se recusariam a levá-la a sério como intelectual. Se escrevesse "Favor mandar uma fotografia junto com a carta", ou apenas "Foto, por favor", poderiam concluir, equivocadamente, que ela dava mais importância à beleza do que à inteligência, à erudição e ao refinamento cultural; além disso, podiam muito bem lhe mandar fotos retocadas, antigas ou mesmo espúrias. O pedido de uma foto talvez tivesse o efeito de desanimar precisamente os homens que mais a interessavam. Por outro lado, se não pedisse uma fotografia poderia acontecer de ter de ir até Boston, Nova York ou mesmo a lugares mais distantes para jantar com uma pessoa que fosse de todo imprópria, até mesmo repulsiva. E não apenas por causa de beleza. E se fosse um mentiroso? Um charlatão? Um psicopata? Um aidético? E se fosse violento, mau, casado, inválido? E se fosse um maníaco, e depois ela não conseguisse mais se livrar dele? E se ela desse seu nome e seu lugar de trabalho para uma pessoa que depois a ficaria perseguindo? Por outro lado, no primeiro encontro, como poderia ela *se recusar* a dar seu nome? Se estava buscando uma paixão séria que terminasse em casamento e família, como poderia uma pessoa aberta e honesta começar mentindo a respeito de uma coisa tão fundamental quanto seu próprio nome? E raça? Não seria simpático acrescentar: "A raça é irrelevante"? Mas não era irrelevante; deveria ser, tinha que ser, e poderia até ser, não fosse o fiasco ocorrido em Paris, aos dezessete anos de idade, que a convenceu de que um homem de outra raça era impossível — por ser impossível de conhecer — como companheiro.

Ela era jovem e aventureira, *não queria* ser cautelosa, e ele era um rapaz de boa família de Brazzaville, filho de um juiz do supremo tribunal — pelo menos era o que ele dizia — que estava em Paris cursando um ano de faculdade em Nanterre. Chamava-se Dominique, e ela o considerava um amante da literatura, um irmão espiritual. Conhecera-o numa palestra de Milan Kundera. Ele conquistou-a na palestra, e na saída ainda estavam entusiasmados com as observações de Kundera sobre *Madame Bovary*, ambos infectados com o que Delphine denominou, em seu entusiasmo, "mal de Kundera". O que legitimava Kundera para eles era sua condição de escritor tcheco perseguido, um homem que havia se ferrado na grande luta histórica da Tchecoslováquia pela liberdade. O ludismo de Kundera não lhes parecia nem um pouco frívolo. Amavam *O livro do riso e do esquecimento*. Havia algo de confiável nele. O fato de ser da Europa Oriental. A natureza inquieta do intelectual. As dificuldades tremendas que ele tinha de enfrentar. Ambos foram seduzidos pela modéstia de Kundera, por aquela atitude que era exatamente o oposto da postura de *superstar*, e ambos acreditavam no *ethos* de pensamento e sofrimento por ele proposto. Tantas tribulações intelectuais — e além disso era bonito. Delphine ficou fascinada pelo ar poético de pugilista do escritor, tomando-o por um sinal externo de que por dentro tudo estava em conflito.

Depois do encontro na palestra de Kundera, foi uma experiência inteiramente física com Dominique, algo que ela jamais havia experimentado. O que estava em jogo era apenas seu corpo. Ela estava tão ligada na palestra de Kundera que havia confundido aquela ligação com a que tinha com Dominique, e tudo aconteceu muito depressa. Só existia o seu corpo. Dominique não compreendia que não era só sexo que ela queria. Delphine queria ser algo além do pedaço de carne num espeto, para ficar sendo girada e regada. Foi isso que ele fez com ela — foram até mesmo essas as palavras que ele usou: girá-la e regá-la. Ele não estava interessado em mais nada, e nem um pouco em literatura. O negócio é se soltar e calar a boca — é essa a atitude de Dominique em relação a ela, e de algum modo Delphine acaba se envolvendo, até a noite terrível em que ela chega ao quarto dele e ele está à sua espera com um amigo. Não que tenha preconceito, é só que se dá conta de que não teria feito um juízo tão equivocado de um homem da mesma raça que ela. Foi seu pior fracasso, e ela jamais conseguiu se esquecer dele. A redenção só veio com o professor que lhe deu o anel romano. Sexo, sim, e da melhor qualidade, mas sexo com metafísica. Sexo com metafísica com um homem dotado de *gravitas* que não é vaidoso. Um homem como Kundera. É esse o seu plano.

O problema que tinha à sua frente, sozinha diante do computador já tarde da noite, a única pessoa que restava no Prédio Barton, incapaz de ir embora de sua sala, incapaz de enfrentar mais uma noite no apartamento sem nem sequer a companhia de um gato — o problema era como incluir em seu anúncio, ainda que da maneira mais sutil, palavras que, em última análise, passassem esta mensagem: "Só brancos, por favor". Se viessem a descobrir na Athena que fora ela a autora de uma tal exclusão — não, isso era impensável para uma pessoa que estava galgando tão depressa a hierarquia acadêmica da Athena. No entanto, a única opção que lhe restava era pedir uma foto, muito embora soubesse — por haver se obrigado a pensar em todas as possibilidades, a não ser ingênua a respeito de nada, com base apenas em sua curta experiência de vida como mulher independente, atentando para o comportamento possível dos homens — que nada impediria um sádico ou um espírito de porco de lhe enviar uma foto com o fim de enganá-la *justamente* quanto ao aspecto racial.

Não, era muito arriscado — e também indigno dela — colocar um anúncio para tentar encontrar um homem de calibre muito superior aos que ela conhecera no corpo docente daquela faculdade perdida numa cidadezinha terrivelmente provinciana. Ela não podia nem devia fazer tal coisa, e contudo, ao mesmo tempo que pensava nas incertezas, nos perigos mesmo, de se anunciar para desconhecidos como uma mulher à procura de um companheiro apropriado, que pensava em todos os argumentos que desaconselhavam a ideia de ela, a diretora do Departamento de Línguas e Literatura, correr o risco de revelar a seus colegas outra faceta sua que não a de professora e acadêmica séria — a revelar-se uma pessoa com necessidades e desejos que, por mais humanos que fossem, alguém poderia distorcer com o intuito de trivializá-la —, já estava começando a fazê-lo: tendo acabado de enviar e-mails a todos os professores do departamento esclarecendo sua posição atual em relação às monografias de final de curso, estava tentando redigir um anúncio que seguisse a fórmula linguística banal da seção de classificados pessoais da *New York Review*, mas também deixando claro que ela era uma pessoa de calibre. Já se passara uma hora e ainda não lhe ocorrera nenhuma solução que não parecesse humilhante para enviar à revista pelo correio eletrônico, mesmo utilizando um pseudônimo.

Professora parisiense, *mignon*, passional, 29 anos, oeste de Mass., tão à vontade ensinando Molière quanto

Acadêmica da região de Berkshire, inteligente e bonita, tão à vontade preparando *médaillons de veau* quanto dirigindo um depto. de ciências humanas, procura

Acadêmica séria, solteira, branca, procura

Solteira, branca, ph.D. (Yale), nascida em Paris. Morena, *mignon*, estudiosa, interessada em literatura e em roupas bonitas procura

Acadêmica atraente e séria procura

Solteira, branca, ph.D., francesa, residente em Mass., procura

Procura o quê? *Qualquer coisa*, qualquer coisa que seja diferente desses homens da Athena — os rapazes metidos a engraçadinhos, os senhores afeminados, os esquisitões tímidos e chatos, os papais profissionais, todos eles tão sérios e tão emasculados. Ela fica indignada de ver que eles se orgulham de encarregar-se de metade do trabalho doméstico. Intolerável. "Pois é, eu tenho que ir, tenho que render minha mulher. Nós dividimos a tarefa de trocar fraldas, sabe." Ela sente repugnância ao ouvi-los se vangloriar por serem tão prestativos. Está bem, ajude a sua mulher, mas ficar falando nisso é vulgaridade. Por que apregoar aos quatro ventos que você é um marido que divide o serviço doméstico meio a meio? Faça o que tem de fazer e cale a boca. Quanto a esse ponto, ela é muito diferente de suas colegas, que dão valor a tais homens por serem "sensíveis". Então viver elogiando a esposa é "sensibilidade"? "Ah, a Sara Lee é realmente fabulosa. Já publicou quatro artigos e meio..." O Marido Sensível não perde uma oportunidade de cultivar a glória da esposa. O Marido Sensível não consegue falar sobre uma excelente exposição no Museu Metropolitano se não for com o introito: "A Sara Lee diz que...". Ou eles elogiam as esposas sem parar ou então ficam mudos como peixes. O marido fica mudo e vai mergulhando na maior depressão, e isso é uma coisa que ela nunca viu em nenhum outro país. Se Sara Lee é uma acadêmica que não consegue arranjar um emprego e o marido está se agarrando ao dele com unhas e dentes, ele prefere largar o emprego que tem para que ela não fique pensando que está levando desvantagem. Haveria até um certo orgulho se fosse a situação contrária e ele tivesse de ficar em casa enquanto ela trabalhasse. Uma mulher francesa, até mesmo uma feminista francesa, acharia repugnante um homem assim. A francesa é inteligente, é *sexy*, é independente de verdade, e se ele fala mais do que ela o que é que tem, e daí, qual é o problema? Qual a grande questão em jogo? Sem essa de "Ah, você viu? Ela é dominada por aquele marido grosso e dominador". Não, quanto mais mulher ela é, mais a mulher francesa *quer* que o marido afirme seu poder. Ah, como ela pedia aos céus, logo quando chegou à Athena, cinco anos antes, para conhecer um homem maravilhoso que afirmasse seu poder, e em vez disso a maior parte dos professores mais jovens são esses tipos domésticos, emasculados, intelectualmente desinteressantes, prosaicos, aqueles maridos sempre a elogiar suas Sara Lees, por ela apelidados, para o deleite de seus correspondentes em Paris, de "Os Fraldas".

Existem também "Os Chapéus". Os Chapéus são os "escritores residentes", os incrivelmente pretensiosos escritores residentes dos Estados Unidos. É provável que ali na pequenina Athena ela não tenha conhecido os piores, mas aqueles dois já são bem ruinzinhos. Eles vêm dar aulas uma vez por semana, são casados e dão em cima dela; são impossíveis. Quando é que vamos almoçar juntos, Delphine? Desculpe, pensa ela, mas você não agradou. O que lhe agradava em Kundera, naquelas conferências, era ver que nele havia sempre algo de ligeiramente impreciso, até mesmo um pouco maltrapilho às vezes, um grande escritor *malgré lui*. Pelo menos era assim que ela o via, e era isso nele que a atraía. Mas ela não gosta nem um pouco do tipo americano eu-sou-escritor — não, ela não *suporta* esse tipo que a olha de um jeito que ela sabe que ele está pensando: com a sua autoconfiança francesa e suas roupas francesas e a sua formação elitista francesa, você é muito francesa, sim, mas o fato é que você é acadêmica e eu sou escritor — não somos iguais. Esses escritores residentes, ao que parece, gastam um tempo extraordinário se preocupando com o que usam na cabeça. Isso mesmo: tanto o poeta *como* o prosador têm um verdadeiro apego fetichista aos chapéus, e por esse motivo Delphine refere--se a eles em suas cartas como Os Chapéus. Um deles está sempre fantasiado de Charles Lindbergh, com seu boné antiquado de piloto, e ela não consegue ver uma relação entre o traje de piloto e a condição de escritor, em particular a de escritor residente. Tece especulações a respeito desse ponto em suas cartas bem-humoradas a seus amigos parisienses. O outro tipo é o do chapéu amassado, o que faz o gênero desleixado — naturalmente, trata-se de um desleixo cuidadosamente elaborado — que passa oito horas diante do espelho se vestindo de modo descuidado. Vaidoso, ilegível, já no centésimo octogésimo sexto casamento e incrivelmente presunçoso. Não é exatamente ódio que esse tipo lhe inspira, e sim desprezo. E no entanto, perdida naquela serra, ávida por um romance, ela por vezes sente uma certa ambivalência com relação a Os Chapéus, e chega mesmo a pensar se não deveria levá-los a sério ao menos como candidatos a uma parceria erótica. Não, impossível, depois de tudo o que ela escreveu para seus amigos em Paris. Ela precisa resistir, mesmo que seja apenas porque eles tentam falar com ela utilizando seu vocabulário. Porque um deles, o mais jovem, o que é um pouquinho menos presunçoso que o outro, já leu Bataille, porque julga conhecer um mínimo de Bataille e um mínimo de Hegel, ela já saiu com ele algumas vezes, e nunca viu um homem se esvaziar como objeto erótico tão rapidamente diante de seus olhos; cada palavra que ele dizia — valendo-se da linguagem dela, que ela própria agora já começa a questionar — tinha o efeito de desmanchá-lo mais um pouco aos olhos de Delphine. E os tipos mais velhos, que são caretas e convencionais, "Os Humanistas"... Bem, por mais conciliadora que ela tenha de ser em congressos e publicações, escrevendo e falando tal como exige sua profissão, o humanista representa precisamente aquela parte de si própria que ela às vezes sente estar traindo, e por isso esse tipo a atrai: porque os humanistas são o que são e sempre foram, e porque ela sabe que eles a consideram uma traidora. Os cursos de Delphine são populares, porém os humanistas os veem com desprezo, como um fenômeno de moda. Esses homens mais velhos, Os Humanistas, os tradicionalistas da velha escola, que leram tudo, que são professores com fervor evangélico (é assim que *ela* os vê), por vezes conseguem fazê-la se sentir superficial. Eles riem de sua popularidade e menosprezam sua produção acadêmica. Nas reuniões do corpo docente, não têm medo de dizer o que dizem, mesmo quando era de esperar que eles hesitassem; na sala de aula, não têm medo de dizer o que sentem, embora também fosse de esperar que então hesitassem; é por isso que, diante deles, Delphine desmorona. Como ela própria não tem lá muita convicção a respeito do tal "discurso" que aprendeu em Paris e New Haven, por dentro ela desmorona. Só que aquela linguagem é necessária para ter sucesso. Sozinha nos Estados Unidos, ela precisa tanto do sucesso! Mas tudo o que é necessário para ter sucesso é de certa forma uma concessão, e tem o efeito de fazê-la se sentir cada vez menos autêntica; ver-se a si própria em termos dramáticos, como vítima de um "pacto faustiano", ajuda um pouco, mas só um pouco.

Há momentos em que ela sente até mesmo estar traindo Milan Kundera, e assim, em silêncio, quando está sozinha, mentaliza a figura de Kundera e se dirige a ele, pedido-lhe perdão. Em suas conferências, Kundera pretendia libertar a inteligência da sofisticação francesa, falar do romance como algo que tem a ver com seres humanos e com a *comédie humaine*; sua intenção era libertar seus alunos das armadilhas tentadoras do estruturalismo e do formalismo e da obsessão com a modernidade, purgá-los das teorias francesas que lhes haviam incutido; ouvi-lo havia sido para ela um grande alívio, porque, apesar de todas as suas publicações e de sua reputação acadêmica crescente, para Delphine era sempre difícil lidar com a literatura por meio da teoria literária. Havia um abismo tão imenso entre aquilo de que ela realmente gostava e o que ela se sentia obrigada a admirar — entre o modo como se esperava que ela se exprimisse a respeito das coisas que mereciam sua admiração e o modo como ela falava a si própria a respeito dos escritores que de fato amava — que a sensação de estar traindo Kundera, embora não fosse o problema mais sério de sua vida, às vezes se assemelhava à vergonha de estar traindo um amante bondoso, confiante e ausente.

O único homem com quem ela saiu várias vezes é, curiosamente, o mais conservador da faculdade, um homem divorciado de sessenta e cinco anos, Arthur Sussman, economista da Universidade de Boston que quase foi secretário do Tesouro no segundo governo Ford. É um pouco gordo, um pouco rígido, só anda de terno; detesta a ação afirmativa, odeia Clinton, vem de Boston uma vez por semana, ganha um salário fabuloso e supostamente dá um certo relevo acadêmico à pequenina Athena. As mulheres, em particular, têm certeza de que ela já dormiu com ele, só porque outrora ele foi um homem poderoso. Elas veem os dois almoçando juntos no bandejão de vez em quando. Ele entra no bandejão com um ar mortalmente entediado, até que vê Delphine, e quando lhe pergunta se pode sentar a seu lado ela responde: "Muita generosidade sua nos brindar com a sua presença hoje", ou coisa parecida. Ele acha graça quando ela zomba dele, até certo ponto. Durante o almoço eles têm o que Delphine chama de "uma conversa de verdade". Apesar de haver um superávit de trinta e nove bilhões de dólares no orçamento, diz ele, o governo não está dando nada de volta ao contribuinte. O povo ganhou esse dinheiro e tem o direito de gastá-lo, e não é correto que os burocratas decidam o que fazer com o dinheiro do povo. Durante o almoço, ele explica em detalhe por que o sistema previdenciário deveria ser entregue a analistas de investimentos privados. Todo mundo deve investir em seu próprio futuro, diz ele. Por que é que as pessoas devem acreditar que o governo vai cuidar do futuro delas se o sistema previdenciário está pagando x quando todo mundo que investiu em ações ganhou, no mesmo período de tempo, $2x$, se não mais? O eixo central de sua argumentação é sempre a soberania individual, a liberdade individual, e o que ele jamais compreende, Delphine ousa dizer ao quase ex-secretário do Tesouro, é que para a maioria das pessoas o dinheiro nunca é suficiente para lhes permitir que exerçam seu direito de escolha, e sua instrução não é suficiente para que elas possam fazer escolhas inteligentes — ou seja, elas não dominam o mercado o bastante. O modelo que ele defende, segundo Delphine lhe diz, baseia-se num conceito de liberdade individual radical que, para ele, se reduz a uma soberania radical no mercado. O superávit e o sistema previdenciário — são essas as duas questões que o incomodam, e eles estão sempre conversando a respeito delas. Pelo visto, o principal motivo de seu ódio por Clinton é o fato de que o presidente propõe a versão democrata de tudo aquilo que ele queria propor. "Ainda bem", diz ele, "que aquele idiota do Bob Reich não está mais lá. Por ele, o Clinton estaria gastando bilhões de dólares treinando as pessoas para empregos que elas nunca iam poder ocupar. Ainda bem que ele saiu do gabinete. Pelo menos o Bob Rubin está lá, pelo menos eles têm uma pessoa com a cabeça no lugar, que sabe onde os corpos estão enterrados. Pelo menos ele e o Alan mantêm as taxas de juros como devem estar. Pelo menos ele e o Alan estão mantendo a recuperação da economia..."

A única coisa em Sussman de que Delphine gosta é que, além de conhecer por dentro as questões da economia, ele também conhece Engels e Marx muito bem. O que mais a impressiona é que ele conhece a fundo A *ideologia alemã*, um texto que sempre a fascinou e que ela ama. Quando Sussman a leva para jantar em Great Barrington, a coisa fica ao mesmo tempo mais romântica e mais intelectual do que costuma acontecer no bandejão. Durante o jantar ele resolve falar francês com ela. Uma de suas conquistas anos antes fora uma mulher parisiense, e ele começa a falar incessantemente sobre ela. Porém Delphine não fica de boca aberta como um peixe enquanto ele fala sobre seu romance em Paris, ou sobre seus inúmeros envolvimentos sentimentais antes e depois. Sussman constantemente conta vantagem a respeito de mulheres, de um modo muito sutil que, após algum tempo, Delphine não acha nem um pouco sutil. Parece-lhe insuportável ele pensar que a está impressionando com todas aquelas conquistas, mas ela suporta tudo isso, apenas um pouco entediada, porque lhe dá prazer jantar com um homem vivido, inteligente e culto, que sabe se afirmar. Quando, durante o jantar, ele lhe segura a mão, ela faz um comentário indireto cujo sentido é que, se ele pensa que vai conseguir levá-la para a cama, está completamente maluco. No estacionamento, ele a puxa para si com a mão em seu traseiro e aperta-a contra seu corpo. Diz: "Não posso viver encontrando com você sem sentir uma paixão. É impossível sair com uma mulher bonita como você, conversar e conversar e conversar e a coisa ficar por isso mesmo". "Lá na França", diz ela, "nós temos um ditado..." "Que ditado?", pergunta ele, julgando que ainda vai aprender, de lambuja, um dito espirituoso. Com um sorriso, ela diz: "Não sei. Depois eu lembro", e desse modo consegue delicadamente se desvencilhar dos braços dele, cuja força a surpreende. Delphine é delicada com ele porque funciona, e também porque sabe que ele imagina que o problema seja a idade, quando na verdade a questão, ela explica já no carro, no caminho de volta, é bem mais complexa: trata-se de uma questão de "mentalidade". "É por eu ser quem sou", diz ela, e esse comentário, se nada mais funcionou, tem o efeito de fazê-lo sumir por dois ou três meses, até que ele volta a aparecer no bandejão procurando por ela. Às vezes Sussman lhe telefona tarde da noite, ou de madrugada. De sua cama na Back Bay de Boston ele quer conversar com ela sobre sexo. Ela retruca que prefere falar sobre Marx, e com aquele economista conservador basta isso para que ele mude de assunto. E no entanto as mulheres que não gostam de Delphine têm certeza de que, por Sussman ser poderoso, ela já dormiu com ele. Julgam incompreensível que, levando a vida solitária e vazia que leva, ela não esteja interessada em tornar-se a amante que Arthur Sussman gostaria de exibir. Chegou também aos seus ouvidos que uma delas teria comentado que Delphine era "muito *passé*, uma paródia de Simone de Beauvoir". Com isso ela quer dizer que, na sua opinião, Simone de Beauvoir comprometeu seus princípios por causa de Sartre — uma mulher muito inteligente que terminou sendo escrava dele. Para essas mulheres, que a veem almoçando com Arthur Sussman e tiram conclusões completamente equivocadas, tudo é uma questão política, tudo é um embate ideológico, tudo é uma traição — uma traição aos princípios ideológicos. Simone de Beauvoir é uma traidora, Delphine é uma traidora etc. etc. Há em Delphine alguma coisa que as deixa verde de inveja. Esse é mais um problema de Delphine. Ela não quer ficar mal com essas mulheres. Entretanto, em relação a elas está tão filosoficamente isolada quanto em relação aos homens. Seria uma imprudência sua dizer isso a elas, mas o fato é que essas mulheres são muito mais feministas, no sentido americano da palavra, do que ela. Seria uma imprudência porque elas já não a levam muito a sério e imaginam que sabem muito bem qual é a dela, sempre desconfiam de seus motivos e objetivos: ela é bonita, jovem, magra, naturalmente elegante, subiu tanto tão depressa que sua reputação já começa a transpor os muros da faculdade, e, como suas amigas parisienses, ela não usa nem precisa usar todos aqueles clichês delas (precisamente os clichês com que Os Fraldas são tão entusiasticamente emasculados). Foi só na carta anônima enviada a Coleman Silk que ela adotou a retórica delas, e isso não apenas foi acidental, por estar tão nervosa, como também, em última análise, deliberado, para ocultar sua identidade. Na verdade, ela não é menos emancipada que aquelas feministas da Athena, e talvez seja ainda mais: pois ela saiu de seu país, ousou ir embora da França, e se dedica muito a suas turmas, a seus artigos, e quer ter sucesso; por não ter ninguém por si, *precisa* do sucesso. Está inteiramente sozinha, sem apoio, sem lar, despatriada — *dépaysée*. Em liberdade, mas muitas vezes melancolicamente *dépaysée*. Ambiciosa? Ela é no fundo mais ambiciosa do que todas aquelas feministas duronas juntas, mas porque os homens se sentem atraídos por ela, e porque um desses homens é ninguém menos que Arthur Sussman, e porque só de gozação ela põe uma jaqueta Chanel junto com um jeans bem justo, ou usa um vestido-combinação no verão, e porque ela gosta de *cashmere* e couro, as mulheres não a engolem. Delphine faz questão de não se preocupar com as roupas horríveis que *elas* usam; assim, com que direito elas se metem a criticar as dela por a julgarem uma traição à causa? Ela sabe muito bem tudo o que elas dizem a seu respeito, movidas pela antipatia. Dizem o mesmo que dizem os homens que ela respeita, ainda que contra a vontade — que ela é uma charlatona sem nenhuma autenticidade —, e é por isso que a acusação dói mais. Dizem: "Ela está enrolando os alunos". Dizem: "Como que os alunos caem nessa esparrela?". Dizem: "Será que eles não percebem que ela não passa de um porco chauvinista francês travestido?". Dizem que ela se tornou diretora do departamento *faute de mieux*. E gozam de seu linguajar: "Mas é claro, é o charme intertextual dela que faz com que ela seja tão popular. É a relação dela com a fenomenologia. Ela é tão fenomenológica, ha-ha-ha!". Delphine sabe o que dizem para ridicularizá-la, contudo relembra o tempo em que estudava na França e em Yale e *vivia* para esse vocabulário; acredita que, para ser uma boa crítica literária, ela *precisa* desse vocabulário. Ela *precisa* entender de intertextualidade. Isso quer dizer que ela é uma fraude? Não! Isso quer dizer que ela é inclassificável. Em outros círculos, isso até lhe conferiria uma certa mística! Mas num fim de mundo atrasado como aquele, basta ser um pouco inclassificável para que todo mundo se sinta incomodado. Até mesmo Arthur Sussman. Por que diabo ela não aceita nem ao menos o sexo telefônico? Ser inclassificável aqui, ser alguma coisa que eles não conseguem entender, é condenar-se a um tormento constante. Ser inclassificável faz parte de seu *bildungsroman*, é uma coisa que sempre lhe fez muito bem — isso é o que ninguém na Athena compreende.

Três mulheres — uma professora de filosofia, uma de sociologia e uma de história — formam uma verdadeira cabala que a enlouquece. Elas a odeiam simplesmente porque ela não foi programada para ser exatamente como elas. Como Delphine é chique, acham que ela não conhece bem os periódicos acadêmicos. Como o conceito americano de independência delas não é igual ao conceito francês de Delphine, acham que ela se deixa dominar por homens poderosos. Mas, afinal, o que foi que Delphine fez para merecer toda aquela desconfiança — a não ser, talvez, saber lidar tão bem com os homens do corpo docente? É verdade, ela foi jantar em Great Barrington com Arthur Sussman. Isso quer dizer que ela não se considera à altura dele intelectualmente? Delphine não tem a menor dúvida de que está à altura dele, sim. Ela não sai com Sussman para se valorizar, e sim porque quer ouvir o que ele tem a dizer sobre A *ideologia alemã*. Além disso, até que Delphine tentou almoçar com as mulheres, mas a trataram com muitíssima condescendência. É claro que não se dão ao trabalho de ler os artigos que ela publica. Nenhuma delas jamais leu um trabalho de Delphine. É tudo uma questão de percepção. Só conseguem ver Delphine como uma pessoa que exerce sua "aura de francesinha", como elas dizem com sarcasmo, sobre todos os professores titulares. No entanto, ela se sente fortemente tentada a cortejar a cabala, a dizer às três que não gosta de sua aura francesa — se gostasse, teria ficado na França! Além disso, não é dona dos professores titulares — nem deles nem de ninguém. Senão, não estaria sozinha, a única pessoa ainda em sua sala no Prédio Barton às dez horas da noite. É rara a semana em que ela não tenta, sem sucesso, uma aproximação com as três que a enlouquecem, que mais a deixam perplexa, que ela não consegue seduzir, manipular nem envolver de modo algum. Refere-se a elas nas suas cartas a Paris como "*Les Trois Grâces*", só que, maliciosa, em vez de "*grâces*" escreve "*grasses*". As Três Sebosas. Em certas festas — festas a que Delphine na verdade não tem nenhuma vontade de ir —, *Les Trois Grasses* estão invariavelmente presentes. Quando alguma grande intelectual feminista aparece, Delphine gostaria pelo menos de ser convidada, mas nunca a convidam. Ela pode ir à conferência, mas nunca é chamada para o jantar. Porém o trio infernal que detém o poder está sempre lá.

Rejeitando — mas só até certo ponto — sua condição de francesa (e ao mesmo tempo obcecada por ela), voluntariamente exilada de seu país (senão de si própria), tão preocupada com a rejeição das *Trois Grasses* que passa o tempo todo calculando que tipo de postura sua poderia conquistar-lhes a estima sem confundir ainda mais sua autoimagem e sem deturpar por completo as inclinações da mulher que ela fora outrora de modo espontâneo, por vezes abalada a ponto de se envergonhar com a discrepância entre a abordagem que é obrigada a adotar em relação à literatura a fim de subir em sua profissão e os motivos originais que a levaram a trabalhar com literatura, Delphine constata, atônita, que está praticamente isolada nos Estados Unidos. Despatriada, isolada, distanciada, confusa a respeito de tudo o que é essencial a uma existência, num estado desesperador de anseio cego e por todos os lados cercada de forças antagônicas que a veem como o inimigo. E tudo isso porque ela decidiu com determinação buscar uma vida que fosse só sua. Tudo isso porque teve a coragem de se recusar a aceitar uma visão convencional de si mesma. Ela imagina ter subvertido seu próprio eu num projeto admirável de autoconstrução. A vida é uma coisa um bocado mesquinha, por pregar tamanha peça nela. Bem no fundo, é uma coisa muito mesquinha e vingativa, que impõe destinos que não obedecem às leis da lógica, porém seguem um capricho perverso de antagonismo. Quem ousa se entregar a sua própria vitalidade termina se vendo como se nas mãos de um criminoso implacável. Vou para a América para me tornar autora de minha própria vida, diz ela; vou me construir a mim mesma fora da ortodoxia imposta pela minha família, vou *lutar* contra essa ortodoxia, vou levar ao limite a subjetividade passional, o individualismo no que ele tem de melhor — e eis que ela termina sendo personagem de um drama que foge ao seu controle. Termina autora de nada. Ela sente o impulso de dominar as coisas, e a única coisa que termina sendo dominada é ela mesma.

Por que é tão impossível saber o que fazer?

Delphine estaria completamente isolada se não fosse a secretária do departamento, Margo Luzzi, uma criatura insignificante, trintona, divorciada, igualmente solitária, muitíssimo competente, muitíssimo tímida, que é capaz de fazer qualquer coisa por Delphine e às vezes vai comer seu sanduíche na sala dela; é agora a única amiga adulta da diretora do departamento. E também os escritores residentes. Eles parecem gostar dela exatamente pelos motivos que levam os outros a odiá-la. Só que *ela* é que não os suporta. Como é que Delphine foi parar *no meio* dessa situação? E como sair dela? Se imaginar seu dilema como um pacto faustiano não lhe dá nenhum consolo, também não adianta muito ver sua condição de estar no meio como um "exílio interno kunderiano".

Procura. Está bem, vá lá, *procura*. Como dizem os estudantes: vai fundo! Professora universitária branca, solteira, francesa, criada em Paris, com ph.D. em Yale, jovem, *mignon*, feminina, carreira de sucesso, residente em Massachusetts, procura...? E agora é dizer com todas as letras. Não se esconda da verdade do que você é e não se esconda da verdade do que você procura. Mulher belíssima, brilhante, hiperorgástica procura... procura... procura, especificamente e exclusivamente, *o quê*?

Agora escrevia com sofreguidão.

Homem maduro com dignidade. Descomprometido. Independente. Espirituoso. Animado. Desafiador. Franco. Instruído. Espírito satírico. Charme. Saber e amor aos grandes livros. Que saiba falar bem e direto. Esbelto. Um metro e setenta e três, setenta e quatro. Tez mediterrânea. Olhos verdes, de preferência. Idade: tanto faz. Mas tem de ser intelectual. Cabelo grisalho é aceitável, até desejável...
Então, e só então, o homem mítico sendo convocado com toda a sinceridade na tela do monitor condensou-se, formando o retrato de uma pessoa que ela conhecia. De repente, Delphine parou de escrever. Aquele exercício fora feito só como experimento, para desinibi-la um pouco antes de recomeçar sua tentativa de redigir um anúncio que não fosse excessivamente diluído por seu constrangimento. Não obstante, ficou pasma quando se deu conta do resultado a que chegara, da *pessoa* a que chegara, e em seu desespero a única vontade que sentia era de apagar aquelas quarenta e poucas palavras inúteis o mais depressa possível. Pensando, ao mesmo tempo, nas muitas razões que tinha, inclusive a vergonha, para aceitar a derrota como uma felicidade, e abrir mão de qualquer esperança de resolver sua situação de estar no meio lançando mão de um recurso absolutamente comprometedor como aquele... Pensando que, se tivesse ficado na França, não precisaria daquele anúncio, não precisaria de anúncio nenhum para coisa nenhuma, quanto mais para encontrar um homem... Pensando que vir para a América fora a coisa mais ousada que já havia feito, só que no momento de tomar essa decisão não fazia ideia do tamanho de sua ousadia. Tomara a decisão apenas como o próximo passo exigido por sua ambição, que também não era grosseira, pelo contrário, era bastante digna, a ambição de ser independente, porém agora tinha de arcar com as consequências. Ambição. Aventura. *Glamour*. O *glamour* de ir para a América.

A sensação de superioridade por estar indo embora. Indo embora pensando no prazer de um dia voltar para casa, tendo chegado lá, voltar para casa triunfante. Indo embora porque queria voltar para casa um dia e ouvi-los dizer — o que era mesmo que eu queria ouvi-los dizer? "Ela chegou lá. Ela conseguiu. E, se ela conseguiu isso, ela é capaz de qualquer coisa. Uma garota que pesa quarenta e sete quilos, que tem pouco mais de metro e meio de altura, com vinte e dois anos de idade, sozinha, foi lá, com um nome que nada significava naquela terra, e conseguiu. Sozinha. Ninguém a ajudou. Foi ela que se fez com suas próprias mãos." E quem era que eu queria ouvir dizendo isso? E, se eles realmente dissessem isso, que diferença faria? "Nossa filha na América..." Eu queria que eles dissessem, que eles *tivessem* de dizer: "Ela conseguiu se fazer sozinha na América".

Porque eu não poderia fazer sucesso na França, fazer sucesso de verdade, com minha mãe projetando sua sombra sobre tudo — a sombra de suas realizações e, pior ainda, de sua família, a sombra dos Walincourt, aquela família cujo nome derivava do lugar que lhes foi doado por são Luís, o rei santo, a família que até hoje se conformava aos mesmos ideais que haviam sido estabelecidos no século XIII. Como Delphine odiava todas aquelas famílias, a aristocracia pura e antiga das províncias, todas pensando igual, com a mesma aparência, compartilhando os mesmos valores sufocantes, a mesma obediência religiosa sufocante. Por mais ambição que tenham, por mais que instiguem seus filhos a subir na vida, elas incutem neles a mesma ladainha de caridade, altruísmo, disciplina, fé e respeito — respeito não pelo indivíduo (*abaixo* o indivíduo!), e sim pelas tradições da família. Acima da inteligência, da criatividade, de um desenvolvimento profundo de si mesmo, longe deles, acima de *tudo* estavam as tradições daqueles Walincourt idiotas! Era a mãe de Delphine que encarnava esses valores, que os impunha à família, que teria acorrentado sua única filha a esses valores desde o berço até o túmulo se essa filha desde a adolescência não tivesse força suficiente para fugir dela tanto quanto possível. Os Walincourt de sua geração ou sucumbiam a um conformismo absoluto ou então se rebelavam de um modo tão grotesco que se tornavam incompreensíveis; o sucesso de Delphine consistia em não ter feito nem uma coisa nem outra. Partindo de um meio familiar do qual poucos conseguem se recuperar, só ela havia fugido daquele jeito. Indo para a América, para Yale, para Athena, ela havia na verdade *ultrapassado* sua mãe, a qual jamais nem sequer sonharia em sair da França — sem o pai de Delphine e o dinheiro dele, Catherine de Walincourt não poderia nem sonhar, aos vinte e dois anos, em se mudar da Picardia para Paris. Porque se saísse da Picardia, da fortaleza de sua família, quem seria ela? O que significaria seu *nome*? Eu fui embora porque queria realizar alguma coisa que não tivesse nada a ver com eles, que claramente fosse minha, só minha... Pensando que o motivo pelo qual ela não consegue arranjar um homem americano não é que ela não consiga arranjar um homem americano, e sim que ela não consegue compreender esses homens e nunca vai conseguir compreendê-los, e o motivo pelo qual ela nunca vai conseguir compreendê-los é o fato de que ela não é fluente. Por mais que ela se orgulhe de sua fluência, por mais *fluente* que seja, ela não é fluente! Eu acho que os compreendo, e compreendo, sim; o que eu não compreendo não é o que eles dizem, e sim o que eles não dizem, tudo o que eles *não* estão dizendo. Aqui ela só consegue utilizar cinquenta por cento de sua inteligência, enquanto em Paris ela captava todas as nuanças. O que adianta ser inteligente aqui se, por eu não ser daqui, na prática sou burra... Pensando que em matéria de inglês ela só compreende — não, em matéria de *americano* ela só compreende — o americano acadêmico, que nem é americano direito, e é por isso que ela não consegue se enturmar, jamais vai conseguir se enturmar, e é por isso que nunca vai ter nenhum homem, que esta terra nunca será seu lar, que suas intuições estarão sempre erradas, que nunca mais poderá voltar a ter aquela confortável vida intelectual de estudante que desfrutava em Paris, que por todo o resto de sua vida ela só vai compreender onze por cento desse país e zero por cento desses homens... Pensando que todas as suas vantagens intelectuais foram anuladas pela condição de *dépaysée*... Pensando que perdeu sua visão periférica, que vê as coisas que estão à sua frente mas não vê nada com o rabo do olho, que naquela terra ela não tem a visão de uma mulher inteligente, e sim uma visão achatada, totalmente frontal, uma visão de imigrante, de pessoa deslocada, de alguém que vive no lugar errado... Pensando: Por que fui embora? Por causa da sombra da minha mãe? Foi por isso que abri mão de tudo o que era meu, tudo o que era familiar, tudo o que fazia de mim um ser sutil e não essa confusão de incertezas em que me transformei. Abri mão de tudo aquilo que eu amava. As pessoas fazem isso quando se torna impossível viver no país delas porque os fascistas assumiram o poder, mas não por causa da sombra da mãe... Pensando: Por que fui embora, o que foi que eu fiz, isso é um absurdo. Meus amigos, nossa conversa, minha cidade, os homens, tantos homens inteligentes. Homens confiantes com quem eu podia conversar. Homens maduros que compreendiam. Homens estáveis, passionais, másculos. Homens que eram homens de modo autêntico, sem nenhuma ambiguidade... Pensando: Por que ninguém me *impediu*, por que ninguém me *disse* alguma coisa? Vim para cá há menos de dez anos e já me sinto como se tivesse vivido duas vidas aqui... Pensando que continua sendo a filhinha de Catherine de Walincourt, que não alterou sua condição nem um pouco... Pensando que ser francesa na Athena pode ter o efeito de torná-la exótica para os nativos, porém não a tornou nem um pouco mais extraordinária para sua mãe, nem nunca vai torná-la... Pensando: Sim, foi por isso que ela foi embora, para escapar da sombra esmagadora da mãe, aquela sombra sempre fixa, e é por isso que ela não pode voltar, e agora ela está exatamente em lugar nenhum, no meio, nem lá nem aqui... Pensando que por trás do exotismo de sua condição de francesa ela continua sendo para si própria quem sempre foi, que tudo o que seu exotismo francês na América fez foi transformá-la no protótipo da estrangeira infeliz, que ninguém compreende... Pensando que ela não está no meio, não, e sim numa situação ainda pior: está no *exílio*, um exílio angustiante, emburrecedor; ela própria se exilou da mãe — Delphine não percebe que antes, no início, em vez de endereçar o anúncio à *New York Review of Books*, ela sem pensar o endereçara aos destinatários de sua mensagem anterior, os destinatários da maioria de suas mensagens — os dez membros do corpo docente do Departamento de Línguas e Literatura da Athena. Ela não só não percebe esse erro como também em seguida, em seu estado confuso, turbulento, emocionalmente esgotado, não percebe que, em vez de apertar a tecla de excluir, está cometendo um segundo erro, um errinho tão comum quanto o anterior, e apertando a tecla de enviar. E assim, irreversivelmente, o anúncio em que Delphine procura um duplo ou fac-símile de Coleman Silk é enviado não para a seção de classificados da *New York Review of Books*, e sim para todos os membros de seu departamento.

Passava de uma da madrugada quando o telefone tocou. Ela tinha fugido de sua sala havia horas — pensando apenas em pegar seu passaporte e fugir do país — e sua hora normal de se deitar já se passara fazia muito tempo, quando o telefone tocou com a notícia. De tão angustiada por ter enviado seu anúncio como mensagem eletrônica, ainda estava acordada, andando de um lado para o outro do apartamento, arrancando os cabelos, fazendo caretas para si própria no espelho, sentando-se à mesa da cozinha e baixando a cabeça e chorando com o rosto oculto nas mãos, e, como se despertada de súbito — como se despertada do sono que fora toda sua vida adulta meticulosamente protegida de até então —, levantou-se e deu um salto e gritou em voz alta: "Não aconteceu! Eu não fiz isso!". Mas então quem fizera aquilo? No passado, sempre havia pessoas fazendo o possível para derrubá-la, para livrar-se do obstáculo que ela representava, pessoas duras na queda, que a haviam ensinado, da maneira mais dolorosa, a se proteger. Mas agora não havia ninguém para ela culpar: fora sua própria mão que desferira o golpe fatal.

Frenética, tentava imaginar uma maneira, alguma maneira, de impedir que o pior acontecesse, mas em seu estado de desespero incrédulo ela só conseguia imaginar a trajetória catastrófica e inevitável: as horas passando, o dia nascendo, as portas do Prédio Barton se abrindo, seus colegas entrando cada um em sua sala, ligando o computador e encontrando, para saborear junto com uma xícara de café, aquele anúncio requisitando uma duplicata de Coleman Silk que ela jamais tivera a intenção de enviar. Para ser lido, relido duas, três vezes, por todos os seus colegas do departamento, e depois ser enviado a todos, até o último instrutor, professor, administrador, funcionário e aluno.

Todos os seus alunos leriam aquilo. Sua secretária leria. Até o final do expediente, o presidente da faculdade teria lido, e também os membros do conselho diretor. E mesmo se ela argumentasse que o anúncio era uma brincadeira, apenas uma brincadeira, por que os membros do conselho diretor haveriam de querer manter a autora daquela brincadeira no corpo docente? Especialmente depois que a brincadeira saísse no jornal dos alunos, o que haveria de acontecer. E no jornal da cidade. E nos jornais *franceses*. Sua mãe! Que humilhação para sua mãe! E seu pai! Que decepção para *ele*! Todos os primos Walincourt conformistas — o prazer que não vai lhes dar a sua derrota! Todos aqueles tios ridiculamente conservadores, aquelas tias ridiculamente carolas, todos juntos mantendo intacta a estreiteza do passado — que prazer isso não dará a eles, sentados todos juntos, esnobes, no mesmo banco de igreja! Mas e se ela explicasse que estava apenas fazendo um experimento com o anúncio como forma literária, sozinha em sua sala, trabalhando com o classificado pessoal como... um haicai utilitário. Não vai colar. Ridículo. *Nada* vai colar. Sua mãe, seu pai, seus irmãos, seus amigos, seus professores. Yale. *Yale!* A notícia do escândalo há de chegar a todos aqueles que ela já conheceu na vida, e a vergonha há de acompanhá-la, implacável, para todo o sempre. Para onde ela pode fugir com seu passaporte? Montreal? Martinica? E ganhar a vida como? Não, nem mesmo no cafundó mais remoto do mundo francófono permitirão que ela volte a lecionar depois que ficarem sabendo de seu anúncio. A pureza e o prestígio da vida profissional para a qual ela havia se preparado tanto, tanto trabalho, uma vida intelectual impecável, irreprochável... Pensa em telefonar para Arthur Sussman. Arthur há de achar uma saída para ela. Ele vai pegar o telefone e conversar com todos. Ele é durão, astuto, nas questões práticas é o americano mais inteligente e mais influente que ela conhece. Pessoas poderosas como Arthur, por mais íntegras que sejam, não são limitadas pela necessidade de estar sempre dizendo a verdade. Ele vai achar um jeito de explicar tudo. Ele vai saber exatamente o que deve ser feito. Mas, quando ela contar o que aconteceu, por que ele haverá de querer ajudá-la? Ele só vai é pensar que ela gostava de Coleman Silk mais do que dele. Sua vaidade o fará chegar à conclusão mais idiota possível. Ele vai pensar o que *todos* vão pensar: que ela sonha com Coleman Silk e não com Arthur Sussman, muito menos com Os Fraldas ou com Os Chapéus, mas com Coleman Silk. Ao imaginar que ela está apaixonada por Coleman Silk, Arthur vai bater o telefone e nunca mais falará com ela.

Recapitulemos. Vamos rever o que aconteceu. Vamos tentar encarar a coisa com o distanciamento necessário para tomar medidas racionais. Ela não queria enviar aquele anúncio. Ela o escreveu, sim, porém teve vergonha de enviá-lo, não queria enviá-lo, na verdade *não* o enviou — só que ele *foi*. Igual ao que aconteceu com a carta anônima — ela não queria mandá-la, levou-a para Nova York sem nenhuma intenção de colocá-la no correio, só que *ela* foi. Mas desta vez o que foi por conta própria é muito, muito pior. Dessa vez Delphine está tão desesperada que, à uma e vinte da madrugada, a coisa mais racional a fazer é telefonar para Arthur Sussman, pense ele o que pensar. Arthur precisa ajudá-la. Ele tem de lhe dizer o que deve ser feito para desfazer aquilo tudo. E então, a exatamente uma e vinte, o telefone que ela está segurando para ligar para Arthur Sussman começa a tocar de repente. Arthur ligando para *ela*!

Mas é a secretária dela. "Ele morreu", diz Margo, chorando tanto que Delphine não compreende muito bem o que ela está dizendo. "Margo — você está bem?" "Ele morreu!" "Ele quem?" "Acabei de ficar sabendo, Delphine. Uma coisa horrível. Estou ligando pra você, eu preciso, eu tenho que ligar pra você. E tenho que dizer uma coisa terrível. Ah, Delphine, está tarde, eu sei que está tarde..." "Não! O Arthur, não!", exclama Delphine. "O professor Silk!", diz Margo. "Ele morreu?" "Um desastre horroroso. Uma coisa horrível." "Que desastre? Margo, o que foi que aconteceu? Onde? Fale devagar. Comece outra vez. O que é que você está me dizendo?" "No rio. Com uma mulher. No carro dele. Um desastre." A essa altura Margo já não consegue falar com um mínimo de coerência, e Delphine está tão estupefata que depois nem se lembra de que colocou o fone no gancho, correu chorando para a cama e lá ficou gritando o nome dele.

Ela pôs o fone no gancho e passou as piores horas de sua vida.

Por causa do anúncio vão pensar que ela gostava dele? Vão pensar que ela o *amava* por causa do anúncio? Mas o que pensariam se a vissem agora, gritando como se fosse a própria viúva? Não consegue fechar os olhos, porque quando o faz vê os olhos *dele*, aqueles olhos verdes fixos, explodindo. Vê o carro despencar da estrada, e a cabeça dele sendo jogada para a frente, e no instante do impacto seus olhos explodem. "Não! Não!" Mas, quando abre os olhos para parar de ver os olhos dele, tudo o que ela vê é o ato que cometeu e as gozações que virão. Vê sua própria vergonha com os olhos abertos e vê a desintegração dele com os olhos fechados, e no decorrer da noite o pêndulo do sofrimento a faz oscilar de uma visão à outra.

Ela acorda no mesmo estado de transtorno em que se encontrava ao adormecer. Não consegue se lembrar do motivo pelo qual está tremendo. Pensa que foi porque teve um pesadelo. O pesadelo dos olhos dele explodindo. Mas não, a coisa aconteceu, ele morreu. E o anúncio — *isso* também aconteceu. Tudo aconteceu, e não há nada a fazer. Eu queria que eles dissessem... e agora eles vão dizer: "Nossa filha na América? Não falamos mais nela. Ela não existe mais para nós". Quando tenta se acalmar e elaborar um plano de ação, não consegue pensar: só o desvario é possível, a espiral estúpida do terror. São cinco e pouco da manhã. Ela fecha os olhos e tenta dormir e fazer com que tudo aquilo desapareça, mas assim que fecha os olhos vê os olhos *dele*. Estão olhando para ela, e explodem. Ela está se vestindo. Está gritando. Está saindo de casa e o dia mal nasceu. Sem maquiagem. Sem joias. Só o rosto horrorizado. Coleman Silk morreu.

Quando chega ao campus, não há ninguém por lá. Só corvos. É tão cedo que ainda nem hastearam a bandeira. Todos os dias ela se levanta e olha na direção do Prédio Norte, e todos os dias, ao ver a bandeira, vive um momento de satisfação. Ela saiu de casa, ela ousou — ela está na América! Satisfação com sua própria coragem, e consciência de que não foi fácil. Mas a bandeira americana não está lá, e ela nem percebe que não está. Ela só vê o que tem de fazer.

Com sua chave, abre o Prédio Barton e entra. Vai para sua sala. Até aí conseguiu. Está se aguentando. Agora está pensando. Tudo bem. Mas como entrar na sala deles, como chegar aos computadores deles? Era isso que devia ter feito na véspera, em vez de fugir em pânico. Para recuperar seu autocontrole, para salvar seu nome, para impedir que aquele desastre destrua sua carreira, ela precisa continuar a pensar. Sua vida toda sempre foi isso: pensar. O que mais a ensinaram a fazer desde que entrou para a escola? Sai de sua sala e segue pelo corredor. Agora seu objetivo está claro, seu pensamento está decidido. Ela vai simplesmente entrar e apagar. Ela tem o direito de apagar — foi ela que enviou. E nem chegou a enviar. Não foi de propósito. Não é responsabilidade dela. O anúncio simplesmente seguiu. Mas, quando ela tenta entrar em cada uma das salas, constata que estão todas trancadas. Em seguida, tenta abri-las com suas chaves, primeiro a chave do prédio, depois a chave de sua sala, mas nenhuma das duas serve. Claro que não. Não teriam servido ontem à noite e não servem agora. Quanto ao pensamento, mesmo se ela pudesse pensar como Einstein, nem assim seu pensamento abriria aquelas portas.

Volta a sua sala e abre seu arquivo. Procurando o quê? Seu currículo. Para quê, o currículo? É o fim de seu currículo. O fim de nossa filha na América. E, como é o fim, puxa todas as pastas suspensas para fora da gaveta e as joga no chão. Esvazia toda a gaveta. "Não temos nenhuma filha na América. Não temos filha nenhuma. Só temos filhos homens." Agora ela não tenta pensar o que devia pensar. Em vez disso, começa a jogar coisas. Tudo o que está empilhado na sua mesa, tudo o que enfeita as paredes — que diferença faz o que ela está quebrando? Ela tentou e fracassou. É o fim do currículo impecável e do culto ao currículo. "Nossa filha na América fracassou."

Ela está chorando quando pega o telefone para ligar para Arthur. Ele vai se levantar da cama de um salto, pegar o carro e vir direto lá de Boston. Em menos de três horas ele vai chegar a Athena. Às nove horas Arthur vai estar aqui! Mas o número que ela disca é o número de emergência no decalque colado ao telefone. E ela não tinha nenhuma intenção de discar aquele número, tal como não tinha nenhuma intenção de mandar as duas cartas. Tudo o que a movia era o desejo humano de se salvar.

Ela não consegue falar.

"Alô?", diz o homem que atende o telefone. "Alô? Quem é?"

Ela mal consegue dizê-las. As palavras mais irredutíveis de qualquer idioma. Seu próprio nome. Irredutíveis e insubstituíveis. Tudo o que ela é. Que ela *era*. E agora as duas palavras mais ridículas do mundo.

"Quem? Professora o quê? Não consigo entender, professora."

"Segurança?"

"Fale mais alto, professora. É a segurança do campus, sim."

"Venha cá", ela implora, e mais uma vez começa a chorar. "Imediatamente. Aconteceu uma coisa horrível."

"Professora? Onde a senhora está? Professora, o que foi que aconteceu?"

"Barton." Ela repete o nome para que ele entenda. "Barton 121", diz ela. "Professora Delphine Roux."
"O que foi, professora?"
"Uma coisa horrível."
"A senhora está bem? O que houve? O que foi? Tem alguém aí?"
"*Eu* estou aqui."
"Está tudo bem?"
"Alguém arrombou."
"Arrombou o quê?"
"A minha sala."
"Quando? Quando, professora?"
"Não sei. Durante a noite. Não sei."
"A senhora está bem? Professora? Professora Delphine Roux? A senhora está me ouvindo? Prédio Barton? Tem certeza?"
A hesitação. Tentando pensar. Tenho certeza? Tenho mesmo? "Certeza absoluta", diz ela, soluçando de modo descontrolado agora. "Depressa, por favor! Venha cá imediatamente, *por favor*! Alguém arrombou a minha sala! Está um caos! Uma coisa terrível! Que horror! Minhas coisas! Alguém entrou no meu computador! Depressa!"
"Arrombaram sua sala? A senhora sabe quem foi? A senhora sabe *quem arrombou*? Foi um aluno?"
"Foi o professor Silk", disse ela. "Depressa!"
"Professora — professora, está me ouvindo? Professora, o professor Silk morreu."
"Eu soube", disse ela. "Eu sei, é horrível", e então soltou um grito, um grito de pavor por tudo o que acontecera, um grito ao pensar na derradeira coisa que ele fizera, e com ela, com *ela* — e, a partir daí, o dia de Delphine foi um circo.

A notícia estarrecedora de que o professor Silk, o ex-decano, havia morrido num acidente de carro com uma faxineira da faculdade mal havia chegado à última sala de aula quando começou a se espalhar a notícia de que a sala de Delphine Roux fora arrombada e o professor Silk havia tentando mandar um e-mail falso poucas horas antes do desastre. As pessoas já estavam achando difícil acreditar em tudo isso quando uma outra história, a respeito das circunstâncias do desastre, se espalhou da cidade para a faculdade, deixando todo mundo mais estarrecido ainda. Por mais execráveis que fossem os detalhes, ao que parecia a história tinha uma fonte confiável: o irmão do policial que encontrara os cadáveres. De acordo com ele, o que teria levado o ex-decano a perder o controle do carro teria sido o fato de que a faxineira da faculdade, sentada a seu lado, estava satisfazendo-o sexualmente enquanto ele dirigia. Foi o que a polícia pôde concluir com base nas roupas dele e na posição do corpo dela e sua localização no veículo quando os destroços foram descobertos e retirados do rio.

Quase todos os professores, principalmente os mais velhos, que tinham contatos pessoais com Coleman Silk havia anos, recusaram-se de início a dar crédito a essa história, e ficaram indignados com a credulidade das pessoas que a engoliram como se fosse uma verdade incontestável, horrorizados com a crueldade daquele insulto. No entanto, no decorrer do dia, à medida que mais fatos vinham à tona a respeito do arrombamento, e do caso de Silk com a faxineira — relatos de inúmeras pessoas que os viram juntos, às escondidas —, foi se tornando cada vez mais difícil para os professores mais velhos manter — como observou o jornal da cidade no dia seguinte — "uma atitude tocante de negação da realidade".

E quando as pessoas começaram a lembrar que, dois anos antes, ninguém acreditara que ele se referira a dois alunos negros seus como "*spooks*"; quando lembraram que, após cair em desgraça e pedir demissão, ele se isolara dos ex-colegas, e que nas raras ocasiões em que o viam na cidade ele tratava as pessoas que por acaso o encontravam com uma secura que chegava às raias da grosseria; quando lembraram que o ódio por ele alimentado por tudo e todos que tinham qualquer ligação com a Athena o fizera até mesmo se afastar dos próprios filhos... bem, até mesmo aqueles que de manhã cedo não levavam a sério a ideia de que a vida de Coleman Silk pudesse ter tido um fim tão pavoroso, os professores mais antigos que achavam impensável que um homem de sua estatura intelectual, um professor carismático, um decano dinâmico e influente, um homem encantador e vigoroso, ainda forte e cheio de vida aos setenta anos, pai de quatro filhos maravilhosos, pudesse abrir mão de tudo aquilo a que dava valor para de repente terminar assim, morrendo uma morte escandalosa, como um desconhecido, um homem isolado e incompreensível — até mesmo essas pessoas foram obrigadas a reconhecer que Coleman Silk havia sofrido uma transformação radical a partir do incidente com os alunos negros, que o levara àquele fim inglório e também causara — o mais indesculpável de tudo — a morte terrível de Faunia Farley, uma infeliz analfabeta de trinta e quatro anos que, como todos agora sabiam, Coleman Silk, com mais de setenta anos de idade, havia tomado como amante.

5. O ritual de purificação

Dois enterros. Primeiro o de Faunia, no cemitério do monte Battle, para mim um lugar sinistro sempre que passo por lá de carro, lúgubre mesmo à luz do dia, com seus mistérios de lápides antigas e silenciosas e tempo imobilizado, mais soturno ainda por ser aquela reserva florestal contígua ao que outrora foi um lugar de sepulcro dos indígenas — uma mata extensa, densamente arborizada, cheia de pedras grandes, riscada por riachos cristalinos que saltam em cascatas de um a outro rochedo, habitada por coiotes, linces, até mesmo ursos-negros, e por bandos de veados em busca de pasto que, segundo consta, são tão numerosos agora quanto nos tempos coloniais. As mulheres da fazenda de gado leiteiro compraram um jazigo para Faunia bem junto à borda da mata escura e organizaram uma cerimônia inocente e vazia junto ao túmulo. A mais despachada das duas, que disse se chamar Sally, fez o primeiro discurso, apresentou sua sócia na fazenda e seus filhos, e em seguida afirmou: "Todos nós vivíamos com Faunia na fazenda, e estamos aqui hoje pelo mesmo motivo que vocês: para celebrar uma vida".

Falava com uma voz animada, ressoante, uma mulherzinha vigorosa, de rosto redondo, com um vestido largo, decidida a manter um tom que causasse o mínimo de constrangimento àquelas seis crianças criadas na fazenda, todas trajando suas melhores roupas, cada uma segurando um ramalhete para lançar sobre o caixão antes de ele ser baixado no túmulo. "Quem entre nós", indagou Sally, "algum dia esquecerá a risada larga e cativante de Faunia? Ela nos fazia rir tanto pelo que havia de contagiante no seu riso como pelas coisas que dizia de vez em quando. E ela era também, como vocês sabem, uma pessoa profundamente espiritual. Uma pessoa espiritual", repetiu, "sempre numa busca espiritual — a palavra que capta melhor a natureza de suas crenças é panteísmo. O Deus dela era a natureza, e o seu culto à natureza se estendia ao amor pelo nosso pequeno rebanho de vacas, por todas as vacas, na verdade, por essa criatura tão benévola que é mãe de criação de todos os seres humanos. Faunia tinha um respeito imenso pela instituição da fazenda familiar de gado leiteiro. Com Peg, comigo e com as crianças, ela participou dessa tentativa de manter viva a fazenda familiar como uma instituição viável, como parte do nosso legado cultural da Nova Inglaterra. O Deus dela era tudo o que vemos a nosso redor na nossa fazenda, e tudo o que vemos a nossa volta aqui no monte Battle. Escolhemos este local para o repouso eterno de Faunia porque ele é sagrado desde os tempos em que os povos aborígines vinham aqui se despedir de seus entes queridos. As histórias maravilhosas que Faunia contava a nossos filhos — sobre as andorinhas do celeiro e os corvos dos campos, sobre os gaviões que sobrevoam nossas planícies a grande altitude — talvez fossem semelhantes às histórias que eram contadas aqui, no alto desta montanha, muito antes que o equilíbrio ecológico dos montes Berkshire fosse perturbado pelo advento..."

Pelo advento de vocês-sabem-quem. O tom ambientalista à la Rousseau do resto do discurso quase impediu minha concentração.

O segundo orador for Smoky Hollenbeck, ex-craque de futebol americano da Athena, que trabalhava como supervisor das instalações físicas da faculdade, o patrão de Faunia e — como fiquei sabendo por meio de Coleman, que o contratara — algo mais que isso, por algum tempo. Praticamente desde seu primeiro dia de trabalho, Faunia fora recrutada para atuar no harém de Smoky, e dele fora expulsa de repente quando Les Farley começou a suspeitar do que estava acontecendo.

Smoky, ao contrário de Sally, não discorreu sobre a pureza panteísta de Faunia-ser-natural; como representante da faculdade, limitou-se a falar sobre sua competência profissional, começando com sua influência sobre os alunos de graduação, cujos alojamentos ela limpava.

"O que mudou para os alunos com a presença de Faunia", disse Smoky, "foi que nela eles tinham uma pessoa que, toda vez que eles encontravam, sempre os cumprimentava com um sorriso, um 'oi' e um 'tudo bem?', e 'como vai o resfriado?', e 'como vão as aulas?'. Ela sempre passava alguns momentos conversando e se familiarizando com os alunos antes de começar a trabalhar. Com o tempo, ela foi deixando de ser invisível para eles, não era apenas mais uma faxineira, e sim uma pessoa que aprenderam a respeitar. Por conhecerem Faunia, sempre tomavam cuidado para não deixar muita bagunça para ela arrumar. Certas faxineiras nunca olham os alunos nos olhos, que mantêm distância deles, que realmente não estão interessadas no que eles fazem, nem querem saber. Pois Faunia nunca foi assim. O estado dos alojamentos de alunos, posso constatar, está diretamente ligado à relação entre os alunos e a faxineira. O número de janelas quebradas que temos de consertar, o número de buracos na parede que temos de tapar, resultado de chutes ou socos de alunos que querem descarregar sua frustração... ou lá pelo motivo que seja. Pichações nas paredes. Tudo isso. Pois bem, no prédio onde Faunia trabalhava essas coisas não aconteciam. Pelo contrário, era o tipo de prédio que estimula o aluno a produzir, a aprender e viver e sentir que ele faz parte da comunidade da Athena..."

Um desempenho brilhantíssimo daquele jovem pai de família, alto, bonitão, de cabelo encaracolado, que precedera Coleman como amante de Faunia. O contato sensual com aquela trabalhadora-modelo descrita por Smoky seria algo tão inimaginável, com base no que ele dizia, como com a panteísta e contadora de histórias evocada por Sally. "Na parte da manhã", dizia Smoky, "ela cuidava do Prédio Norte e dos escritórios de administração de lá. Embora sua rotina mudasse um pouco de um dia para o outro, havia atividades básicas que tinham de ser repetidas todos os dias, e ela as realizava com muita competência. As cestas de papel eram esvaziadas, os banheiros — são três só nesse prédio — eram limpos e arrumados. Sempre que era o caso, ela passava um esfregão úmido no chão. Aspirador de pó todos os dias nas áreas muito frequentadas, e uma vez por semana nas outras. Os móveis eram espanados regularmente toda semana. As janelas da frente e dos fundos, Faunia limpava quase todos os dias, conforme o movimento. Faunia era sempre muito eficiente, e era muito detalhista. Há horas em que se pode passar aspirador de pó, e há horas em que isso não é possível — e nunca, nem uma só vez, houve queixas referentes a Faunia Farley por conta disso. Em pouco tempo ela descobriu qual era a melhor hora para realizar cada tarefa causando um mínimo de incômodo às pessoas que trabalhavam em cada lugar."

Das catorze pessoas — fora as crianças — que contei ao redor da sepultura, aparentemente só eram da faculdade Smoky e um pequeno grupo de colegas de trabalho de Faunia, quatro homens da equipe de manutenção, de terno e gravata, que ficaram em silêncio ouvindo aqueles elogios ao trabalho dela. Os demais pareciam ser ou amigos de Peg e Sally ou moradores da região que compravam leite na fazenda e que haviam conhecido Faunia lá. Cyril Foster, chefe dos correios e do corpo de bombeiros voluntários, foi a única pessoa da cidade que reconheci. Cyril conhecia Faunia da pequena agência de correios do interior aonde ela ia duas vezes por semana fazer a limpeza, e onde Coleman a vira pela primeira vez.

E lá estava o pai de Faunia, um homem grande, idoso, cuja presença fora destacada por Sally em seu discurso. Estava sentado numa cadeira de rodas a uns poucos metros do caixão, e havia uma mulher mais jovem, filipina, uma enfermeira ou acompanhante, imediatamente atrás dele, que permaneceu com uma expressão neutra durante toda a cerimônia, embora o velho de vez em quando abaixasse a cabeça, ocultasse o rosto nas mãos e sucumbisse às lágrimas.

Não havia ninguém que me parecesse ser o autor do brevíssimo panegírico de Faunia que eu vira na véspera, na lista de discussão da Athena. A mensagem era a seguinte:

De: clitemnestra@casadosatridas.com
Para: list.discus
Assunto: morte de uma faunia
Data: quinta-feira, 12 de novembro de 1998

Encontrei essa mensagem por acidente, quando, movido pela curiosidade, resolvi examinar o calendário da lista para saber se o enterro do professor Silk fora incluído nos eventos a se realizar em breve. Por que aquela gozação de mau gosto? Seria apenas uma brincadeira? Seria nada mais (ou menos) que uma manifestação de um capricho sádico, ou seria um ato calculado de traição? Seria obra de Delphine Roux? Mais uma de suas acusações anônimas? Achei que não. Ela não tinha nada a ganhar dando mais uma mostra daquela sua inventividade que fora atestada pela história do arrombamento, e muito a perder se viesse à tona que "clitemnestra@casadosatridas.com" era invenção sua. Além disso, com base nos dados existentes, não havia nada de premeditado ou elaborado nas típicas intrigas delphinianas — pelo contrário, elas se caracterizavam pela improvisação afobada, pela mesquinhez histérica, pela superexcitação desprovida de pensamentos do amador que acaba gerando a espécie de ato estapafúrdio que posteriormente parece improvável até mesmo para aquele que o perpetrou: o contra-ataque a que faltam tanto a provocação inicial como o cálculo refinado de um mestre da arte, por mais perniciosas que venham a ser suas consequências.

Não, o mais provável era que aquela diabrura fosse *inspirada* pelas diabruras de Delphine, só que revelava mais arte, mais confiança, muito mais profissionalismo diabólico — um *upgrade* considerável em relação ao veneno original. E o que seria, por sua vez, inspirado por essa nova brincadeira? Quando terminaria aquele apedrejamento público? Até onde iria a credulidade das pessoas? Como pode essa gente ficar repetindo a história contada ao segurança por Delphine Roux — uma história de uma falsidade tão óbvia, uma mentira tão patente —, como eles podem acreditar numa coisa dessas? E como provar o envolvimento de Coleman? Impossível. Mas as pessoas acreditam assim mesmo. Por mais absurda a ideia de que ele arrombou a sala, destroçou os arquivos, entrou no computador, mandou a mensagem eletrônica para os colegas dela — todos acreditam, querem acreditar, não perdem uma oportunidade de contar a história mais uma vez. Uma história sem pé nem cabeça, implausível, e no entanto ninguém — pelo menos em público — faz as perguntas mais simples. Por que Coleman destruiria a sala de Delphine Roux, chamando atenção para o fato de que ela fora arrombada, se seu objetivo era mandar uma mensagem falsa? Por que Coleman redigiria aquele anúncio quando noventa por cento das pessoas que o lessem jamais o associariam a ele? Quem, a não ser Delphine Roux, leria aquele anúncio e pensaria nele? Para fazer o que ela o acusava de ter feito, ele teria de estar louco. Mas que provas havia daquela loucura? Que sinais de loucura havia em sua vida? Coleman Silk, o homem que, sozinho, dera uma reviravolta completa na história da faculdade — aquele homem era maluco? Ressentido, irado, isolado, é verdade — mas louco? As pessoas na Athena sabem muito bem que isso não é verdade, e entretanto, tal como no incidente dos *spooks*, agem voluntariamente como se não soubessem. Basta fazer a acusação que ela está provada. Basta ouvir a alegação para que se dê crédito a ela. Não é preciso encontrar uma motivação para o perpetrador, não é preciso que haja nenhuma lógica nem razão. Basta um rótulo. O rótulo é a motivação. O rótulo é a prova. O rótulo é a lógica. Por que Coleman Silk fez isso? Porque ele é x, porque ele é y, porque ele é as duas coisas. Primeiro racista, depois misógino. A esta altura do século XX, já não se pode dizer que ele é comunista, como se fazia antigamente. Um ato de misoginia cometido por um homem que já se mostrou capaz de fazer um comentário racista venenoso, prejudicando uma aluna vulnerável. Isso explica tudo. Isso, e mais a loucura.

    O Demônio da Aldeia — as fofocas, os ciúmes, a acrimônia, o tédio, as mentiras. Não, os venenos provincianos não ajudam. As pessoas aqui vivem entediadas, e são invejosas, a vida delas é e sempre será assim, e é por isso que, sem questionar a sério a história, elas a repetem — pelo telefone, na rua, no bandejão, na sala de aula. Repetem a história em casa, contando-a para seus cônjuges. Não é só porque, por causa do acidente, não há tempo para provar que se trata de uma mentira ridícula — se não fosse o acidente, ela não poderia ter inventado a mentira. Mas a morte de Coleman é a sorte de Delphine. A morte dele é a salvação dela. A morte intervém para simplificar tudo. Todas as dúvidas, todas as hesitações, todas as incertezas são varridas pelo fator que reduz tudo isso a nada — a morte.

Caminhando sozinho em direção ao carro depois do enterro de Faunia, eu ainda não tinha como saber quem, na faculdade, havia tido a inspiração de pôr na rede a mensagem de Clitemnestra — a mais diabólica das artes, a arte on-line, por ser anônima —, nem tampouco podia imaginar o que alguém, fosse quem fosse, poderia resolver divulgar anonimamente agora. A única coisa que eu sabia, sem sombra de dúvida, era que os germes da maldade estavam soltos, e no que dizia respeito à conduta de Coleman não havia absurdo a que alguém não pudesse tentar dar algum sentido revoltante. Havia uma epidemia na Athena — foi essa a ideia que me ocorreu logo após a morte de Coleman —, e o que se podia fazer para impedir que a epidemia se espalhasse? Nada. Os agentes patogênicos estavam à solta. No éter. No disco rígido universal, eterno e inapagável, o sinal da maldade da criatura humana.

Todo mundo estava escrevendo *Spooks* agora — todo mundo, menos eu, por enquanto.

Vou pedir a vocês que pensem [assim começava a mensagem da lista de discussão] em coisas desagradáveis. Não apenas na morte violenta de uma mulher inocente de trinta e quatro anos, o que já é horrível, mas nas circunstâncias específicas do horror e do homem que, quase como um artista, criou essas circunstâncias para completar seu ciclo de vingança contra a Faculdade Athena e seus ex-colegas.

Alguns de vocês talvez já saibam que, horas antes de perpetrar esse assassinato-suicídio — pois foi isso que Coleman Silk fez quando jogou o carro fora da estrada, quebrando a barra de proteção e caindo dentro do rio —, ele arrombou a sala de uma professora no Prédio Barton, remexeu seus documentos e mandou uma mensagem eletrônica supostamente redigida por uma professora, com a intenção de prejudicá-la. O mal que ele fez a ela e à faculdade foi insignificante. Mas por trás desse ato infantil de arrombamento e falsidade ideológica estava a mesma decisão, o mesmo ódio, que horas mais tarde — monstruosamente intensificado — o impeliram a suicidar-se e assassinar a sangue-frio uma empregada da equipe de manutenção da faculdade que ele havia cinicamente atraído, alguns meses antes, para prestar-lhe serviços sexuais.

Imaginem, se puderem, a situação dessa mulher, que fugiu de casa aos catorze anos, cuja instrução terminara no segundo ano do colegial e que, nos poucos anos de vida que lhe restaram, viveu como analfabeta funcional. Imaginem essa mulher enfrentando a esperteza de um professor universitário aposentado que, nos dezesseis anos em que trabalhou como decano autocrático, teve mais poder em Athena do que o presidente da faculdade. Como poderia ela resistir àquela força superior? E, tendo se entregado a ele, tornando-se escrava daquela força masculina perversa muito maior que a sua, como poderia ela imaginar os propósitos vingativos que aquele homem daria a seu corpo endurecido pelo trabalho, primeiro na vida e depois na morte?

De todos os homens cruéis que a tiranizaram sucessivamente, de todos os homens violentos, irresponsáveis, cruéis e insaciáveis que a atormentaram, espancaram e dominaram, certamente nenhum foi movido por propósitos tão deformados por um ódio implacável quanto o homem que queria se vingar da Faculdade Athena, e que por isso escolheu uma empregada da instituição para nela realizar sua vingança, da maneira mais concreta que pôde imaginar. Na carne dela. Nos membros dela. Na genitália dela. No ventre dela. O aborto que ele a obrigou a fazer alguns meses atrás — e que a levou a tentar o suicídio — foi apenas uma entre sabe-se lá quantas agressões que impôs a esse ser tão torturado. Sabemos agora da terrível cena do assassinato, da postura pornográfica em que ele fez questão que Faunia encontrasse a morte, para registrar melhor, numa única imagem indelével, a condição subserviente de Faunia como escrava (e, por extensão, a condição subserviente de toda a comunidade da Athena como escrava) de seu desprezo enfurecido. Agora sabemos — estamos começando a saber, à medida que os fatos apavorantes vão emergindo da investigação policial — que nem todas as marcas no corpo destroçado de Faunia foram consequências do acidente fatal, por mais terrível que tenha sido. O médico-legista constatou a existência de marcas nas nádegas e coxas que nada tinham a ver com o impacto do desastre, contusões administradas, algum tempo antes do acidente, por algum instrumento muito diferente: ou um objeto contundente ou um punho humano.

Por quê? Duas palavrinhas tão pequenas, e no entanto capazes de nos enlouquecer. Mas não é fácil explorar uma mente tão patologicamente sinistra quanto a do assassino de Faunia. Nas raízes dos desejos que impeliam esse homem há uma treva impenetrável, que jamais poderá ser devassada por aqueles que não são violentos por natureza nem vingativos por opção — aqueles que aceitam as restrições que a civilização impõe ao que há de mais cru e desatinado em nós. O coração da treva humana é inexplicável. Mas que o acidente de carro em que morreram os dois não foi acidente — disso tenho tanta certeza quanto tenho certeza de que estou irmanado na dor com todos aqueles que choram a morte da nossa Faunia Farley, cuja opressão teve início nos seus primeiros dias de inocência e perdurou até o instante de sua morte. Esse acidente não foi acidente: foi algo que Coleman Silk desejou com todas as suas forças. Por quê? Esse porquê eu sei responder, e assim farei. Para aniquilar não apenas eles dois, mas também, junto com eles, todos os vestígios dos tormentos que ele impôs a ela. Foi para impedir que Faunia revelasse ao mundo que espécie de homem ele era que Coleman Silk a arrastou consigo para o fundo do rio.

Ficamos a imaginar como não haveriam de ser hediondos os crimes que ele fez questão de esconder.

No dia seguinte, Coleman foi enterrado ao lado de sua esposa no jardim bem-ordenado de um cemitério situado em frente ao mar verde e plano dos campos de atletismo da Athena, ao pé de um arvoredo de carvalhos atrás do Prédio Norte e da torre hexagonal do relógio que é a marca registrada da faculdade. Eu não havia conseguido dormir a noite toda, e quando me levantei pela manhã ainda estava tão agitado ao ver de que modo o acidente e seu significado estavam sendo sistematicamente distorcidos e divulgados ao mundo que não consegui ficar sentado o tempo suficiente nem mesmo para terminar de tomar meu café. Como é possível desmascarar todas essas mentiras? Num lugar como Athena, mesmo quando se demonstra que uma afirmação é mentirosa, a mentira, uma vez instalada, permanece. Em vez de ficar andando de um lado para o outro dentro de casa até chegar a hora de ir ao cemitério, vesti terno e gravata e fui fazer hora na

Town Street — para lá nutrir a ilusão de que poderia fazer algo a respeito da repulsa que me dominava.

A repulsa e o choque. Eu não estava disposto a imaginar Coleman morto, muito menos a vê-lo ser enterrado. Mesmo sem levar em conta as circunstâncias, a morte de um homem forte e saudável, já na faixa dos setenta, num acidente absurdo, é por si só algo de muitíssimo comovente — haveria ao menos um pouco mais de racionalidade na coisa se ele tivesse sido vitimado por um infarto, ou um câncer, ou um derrame. Mais ainda, a essa altura eu já estava convencido — aliás, me convenci tão logo fiquei sabendo da notícia — de que era impossível o acidente ter ocorrido sem a presença, em algum lugar da vizinhança, de Les Farley e sua picape. É bem verdade que não há nada no mundo tão absurdo que não possa acontecer com uma pessoa; no entanto, com Les Farley no quadro, Farley como *causa* fundamental, não haveria mais do que uma simples hipótese de explicação para o desaparecimento violento, numa única catástrofe bem a propósito, da ex-esposa odiada e do amante abominado, que Farley perseguira tão obsessivamente?

Para mim, essa conclusão não parecia de modo algum motivada pela recusa em admitir o inexplicável — ainda que fosse justamente isso o que pensava a polícia estadual na manhã seguinte ao enterro de Coleman, quando fui conversar com os dois policiais que foram os primeiros a chegar à cena do acidente e que encontraram os corpos. Examinando o veículo, eles não encontraram nada que corroborasse de alguma forma os acontecimentos por mim imaginados. As informações que lhes dei — que Farley perseguia Faunia, espiava Coleman, quase entrara em choque violento com ele, junto à porta da cozinha da casa, quando emergiu da escuridão para atacá-los — foram todas pacientemente anotadas, tal como meu nome, endereço e telefone. Em seguida, agradeceram minha colaboração, garantiram-me que a confidencialidade das informações seria conservada, e disseram-me que, se necessário, entrariam em contato comigo.

O que jamais aconteceu.

Na saída, virei-me: "Posso fazer uma única pergunta? A respeito das posições dos corpos dentro do carro?".

"O que o senhor quer saber?", indagou Balich, o mais velho dos dois jovens policiais, um sujeito de rosto inexpressivo, discretamente intrometido, cuja família croata, eu me lembrava, outrora fora proprietária do Madamaska Inn.

"Como foi que vocês encontraram os dois, exatamente? As posições relativas dos corpos. Em Athena correu um boato..."

"Não, senhor", disse Balich, balançando a cabeça, "nada disso. Isso não é verdade, não."

"O senhor sabe a que estou me referindo?"

"Sim, senhor. Não há dúvida de que ele estava correndo demais. Não se pode fazer aquela curva correndo daquele jeito. Nem o Jeff Gordon ia conseguir fazer aquela curva naquela velocidade. Um senhor de idade, depois de tomar dois copos de vinho, querendo fazer uma curva daquelas como se fosse um piloto de provas..."

"Pelo que sei, Coleman Silk jamais dirigiu como um piloto de provas, meu senhor."

"Bom...", disse Balich, e levantou as mãos, com as palmas viradas para mim, dando a entender que, com todo o respeito, nem eu nem ele podíamos ter certeza quanto a isso. "Era o professor que estava dirigindo, meu senhor."

Chegara o momento em que Balich esperava que eu não me metesse a detetive amador, que eu desistisse daquela história e educadamente me despedisse e fosse embora. Ele me chamara de "senhor" um número de vezes mais do que suficiente para não deixar sombra de dúvida quanto a quem mandava ali, e assim fui embora, e, como já comentei, a coisa ficou por isso mesmo. O dia do enterro de Coleman foi mais um dia anormalmente quente e luminoso de novembro. Como as últimas folhas haviam caído das árvores no decorrer da semana anterior, o duro contorno de pedra da serra estava agora exposto à luz do sol, as juntas e estrias traçadas em hachuras finas, como uma gravura antiga, e, enquanto eu seguia em direção a Athena para o enterro naquela manhã, uma sensação de renascimento, de possibilidades renovadas, foi despertada em mim de modo um tanto inoportuno pelas asperezas iluminadas de uma paisagem distante, que desde a primavera estavam obscurecidas pela folhagem. O pétreo arcabouço da superfície terrestre, que pela primeira vez em muitos meses agora podia ser admirado e respeitado, era uma lembrança da terrível força abrasiva da geleira que, deslizando para o sul, marcara essas montanhas. Passando a apenas alguns quilômetros da casa de Coleman, ela cuspira pedras do tamanho de refrigeradores industriais como uma máquina de treino de beisebol lança bolas para ser rebatidas, e ao passar pela encosta íngreme, coberta de vegetação, conhecida como "jardim de pedra", vi, nuas, livres das manchas móveis de sol e sombra projetadas pelas folhas, aquelas rochas gigantescas jogadas para os lados, como um Stonehenge destruído, esmagadas e no entanto grandiosamente intactas; horrorizei-me mais uma vez ao pensar no momento do impacto que separara Coleman e Faunia de suas vidas no tempo e os lançara no passado do planeta. Agora eles eram tão remotos quanto as geleiras. Quanto a criação do planeta. Quanto a própria criação.

Foi então que resolvi ir à polícia. Se não fui naquele dia, naquela mesma manhã, antes até do enterro, foi em parte porque, ao estacionar meu carro em frente à praça central da cidade, vi, tomando café da manhã no Pauline's Place, o pai de

Faunia — vi-o sentado junto com a mulher que havia empurrado sua cadeira de rodas até o cemitério na véspera. Imediatamente entrei, tomei a mesa desocupada ao lado da deles, fiz um pedido e, fingindo ler o exemplar da *Madamaska Weekly Gazette* que alguém largara ao lado da minha cadeira, ouvi o que pude da conversa dos dois.

Estavam falando sobre um diário. Entre os pertences de Faunia que Sally e Peg haviam entregado ao pai dela estava o diário de Faunia.

"Você não tem nada que ler isso, Harry. Não, mesmo."

"Tenho sim", ele replicou.

"Você não precisa ler", disse a mulher. "Vá por mim, não precisa."

"Não pode ser pior do que essa história toda."

"Você não tem nada que ler."

As pessoas de modo geral se autoenaltecem e mentem a respeito de proezas que apenas sonharam em realizar; já Faunia mentia afirmando que jamais aprendera a fazer uma coisa tão fundamental que, em um ou dois anos, é aprendida, ainda que de modo rudimentar, por quase todas as crianças que vão à escola em todo o mundo.

E isso fiquei sabendo antes mesmo de terminar de tomar meu suco. O analfabetismo fora uma fachada, algo que ela julgara adequado a sua situação. Mas por quê? Uma fonte de poder? Sua única fonte de poder? Mas um poder obtido a que preço? Pensemos nisso. Ela se impõe até mesmo o analfabetismo. Assume esse estigma voluntariamente. Não, entretanto, para se infantilizar, para apresentar-se como uma criança dependente, mas sim com a intenção oposta: para pôr em relevo o eu bárbaro que é apropriado a este mundo. Não rejeitando o saber por ser uma forma sufocante de convencionalismo, mas afirmando um saber mais forte e mais prévio. Ela não tem nada contra a leitura em si — só que fingir não saber ler lhe parece apropriado. Dá um tempo adicional às coisas. Ela tem um gosto insaciável por essas toxinas: por tudo aquilo que as pessoas não devem ser, demonstrar, dizer, pensar, porém são, e demonstram, e dizem, e pensam, querendo ou não.

"Não posso queimar", dizia o pai de Faunia. "É dela. Não posso pegar e jogar no lixo."

"Pois eu posso", disse a mulher.

"Não está certo."

"Você passou a vida inteira caminhando por esse campo minado. Chega."

"É tudo o que resta dela."

"Tem o revólver. Também era dela. E as balas, Harry. Ela deixou as balas também."

"A vida que ela levava", disse ele, e de repente parecia prestes a chorar.

"A vida que ela levava foi a morte que ela teve. Foi por isso que ela morreu."

"Você tem que me dar o diário", disse ele.

"Não. A gente não devia nem ter vindo aqui."

"Se você destruir o diário, se você fizer isso, eu nem sei."

"Só estou fazendo o que é melhor pra você."

"O que é que ela diz?"

"Não é coisa que se repita."

"Ah, meu Deus", ele exclamou.

"Come. Você precisa comer alguma coisa. Essas panquecas estão com boa cara."

"Minha filha", ele disse.

"Você fez o que pôde."

"Eu devia ter ficado com ela quando ela estava com seis anos."

"Você não sabia. Como é que você podia adivinhar o que ia acontecer?"

"Eu não devia ter deixado ela com aquela mulher."
"E a gente não devia ter vindo aqui", retrucou sua companheira. "Só falta agora você passar mal aqui. Era só o que faltava, mesmo."
"Eu quero as cinzas."
"Eles deviam ter enterrado as cinzas. Lá. Com ela. Não sei por que não fizeram isso."
"Eu quero as cinzas, Syl. São os meus netos. Não me resta mais nada."
"Eu já cuidei das cinzas."
"Não!"
"Você não precisava dessas cinzas. Você já sofreu demais. Não vou deixar que aconteça uma coisa com você. Aquelas cinzas não vão pro avião conosco."
"O que foi que você fez?"
"Eu cuidei delas", disse a mulher. "Fui respeitosa. Mas elas não existem mais."
"Ah, meu Deus."
"Isso já acabou", ela insistiu. "Acabou. Você cumpriu o seu dever. Você fez mais que cumprir o seu dever. Não precisa fazer mais nada. Agora você precisa é comer alguma coisa. Eu já fiz as malas. Já paguei. Agora é só levar você pra casa."
"Ah, você é o máximo, Sylvia, o máximo, mesmo."
"Não quero que você sofra mais. Não vou deixar que ninguém faça você sofrer."
"Você é o máximo."
"Tente comer. Elas estão com ótima cara."
"Quer um pouco?"
"Não", respondeu ela. "Quero que *você* coma."
"Eu não posso comer isso tudo."
"Põe um pouco de calda. Espera, deixa que eu ponho."
Fiquei à espera deles do lado de fora, no parque, e então, ao ver a cadeira de rodas saindo do restaurante, atravessei a rua

e, quando a mulher se afastava do Pauline's Place empurrando a cadeira, apresentei-me, falando com ele enquanto caminhava. "Eu moro aqui. Eu conheci sua filha. Por alto, mas estive com ela algumas vezes. Fui ao enterro ontem. Vi o senhor lá. Queria lhe dar meus pêsames."

Era um homem grande, de ossos graúdos, muito maior do que parecera ser, caído na cadeira, durante o enterro. Teria provavelmente bem mais de um metro e oitenta de altura, mas com uma expressão no rosto severo, de ossos fortes (o rosto inexpressivo de Faunia, exatamente o mesmo — os lábios finos, o queixo inclinado, o nariz aquilino afiado, os mesmos olhos azuis fundos, e acima deles, emoldurando os cílios claros, aquele mesmo arco de carne, aquela mesma abundância que me parecera, na fazenda, o único toque de exotismo nela, o único sinal de sedução em seu rosto), com a expressão de um homem condenado não apenas a viver preso naquela cadeira mas também a sofrer alguma outra angústia maior para o resto de sua vida. Por maior que fosse, ou tivesse sido, dele nada restava além do medo. Vi aquele medo no fundo de seu olhar assim que ele levantou a vista para me agradecer. "Muita bondade sua", disse.

Devia ter a minha idade, porém havia na sua fala sinais de uma infância privilegiada na Nova Inglaterra que remontava a um tempo muito anterior ao do seu nascimento e do meu. Eu já identificara aqueles sinais antes no restaurante — aquelas poucas palavras, aquela espécie de fala pseudobritânica, endinheirada, bastavam para associá-lo às convenções decorosas de uma América inteiramente diversa.

"A senhora é a madrasta de Faunia?" Achei que seria uma maneira razoável de atrair a atenção da mulher — e de talvez fazê-la seguir mais devagar. Imaginei que estivessem voltando para o College Arms, que ficava a um quarteirão do parque.

"Esta é a Sylvia", disse ele.

"A senhora poderia parar", pedi-lhe, "pra eu conversar com ele um pouco?"

"Nós vamos pegar um avião", ela me disse.

Como Sylvia estava sem dúvida decidida a não deixar que eu o importunasse, afirmei, ainda acompanhando a velocidade da cadeira de rodas: "Coleman Silk era meu amigo. Ele não jogou o carro no rio. Impossível. De jeito nenhum. Alguém o obrigou a sair da estrada. Eu sei quem é o responsável pela morte da sua filha. Não é o Coleman Silk".

"Para de me empurrar. Sylvia, para um minuto."

"Não", disse ela. "Isso é loucura. Já chega."

"Foi o ex-marido dela", disse eu a ele. "Foi o Farley."

"Não", disse ele, com uma voz débil, como se eu tivesse lhe dado um tiro. "Não... não."

"Meu senhor!" Ela havia parado, sim, mas a mão que não estava segurando com força a cadeira de rodas agora me agarrava pela lapela. Ela era baixa e franzina, uma jovem filipina com um rosto implacável, pequeno, moreno, e a determinação firme de seus olhos impávidos deixava claro que a desordem das questões humanas não tinha permissão de intervir sobre o que quer que estivesse sob sua proteção.

"A senhora não pode parar por um momento?", pedi-lhe. "Será que a gente não podia ir até o parque pra conversar um pouco?"

"Este homem não está bem. O senhor está esgotando as forças de um homem que está muito doente."

"Mas vocês estão com o diário de Faunia."

"Não estamos, não."

"E um revólver que era dela."

"Por favor, meu senhor, vá embora. Deixe este homem em paz, eu estou lhe avisando!" E então me empurrou — a mão que antes estava segurando a lapela me deu um empurrão.

"Ela comprou aquela arma", disse eu, "pra se proteger do Farley."

Ríspida, ela retrucou: "Coitadinha".

Eu não sabia o que fazer; limitei-me a segui-los enquanto viravam a esquina, até chegarem à porta do hotel. O pai de Faunia agora estava chorando abertamente.

Quando a mulher se virou e viu que eu ainda estava ali, disse: "O senhor já fez mal suficiente. Vá embora senão eu chamo a polícia". Havia uma ferocidade enorme naquela criaturinha. Achei compreensível: isso era necessário para mantê-lo vivo.

"Não destrua aquele diário", eu disse a ela. "Ali há provas..."

"De imundície! Provas de imundície!"

"Syl, *Sylvia*..."

"Todos eles — ela, o irmão, a mãe, o padrasto —, esse bando todo, pisoteando este homem a vida inteira. Ele foi roubado. Trapaceado. Humilhado. A filha dele era uma criminosa. Engravidou e teve um filho com dezesseis anos — e depois abandonou a criança num asilo de órfãos. Uma criança que o pai dela teria criado. Era uma prostituta. Armas, homens, drogas, imundície, sexo. O dinheiro que ele deu a ela — o que foi que ela fez com o dinheiro?"

"Não sei. Não sei nada sobre nenhum asilo de órfãos. Não sei nada sobre dinheiro nenhum."

"Drogas! Ela roubou pra comprar drogas!"

"Não sei de nada disso."

"Essa família toda — imundície! Tenha piedade, *por favor!*"

Virei-me para ele. "Quero que a pessoa responsável por essas mortes seja legalmente responsabilizada. Coleman Silk não fez nenhum mal a ela. Ele não matou Faunia. Peço-lhe para falar com o senhor só por um minuto."

"Deixa, Sylvia..."

"*Não!* Não deixo mais ninguém! Você deixou eles fazerem coisas demais!"

Agora havia gente reunida na varanda do hotel olhando para nós, e gente olhando das janelas dos andares superiores. Talvez fossem os últimos que tinham ido lá para ver as folhas, o que restava da folhagem vermelha do outono. Talvez fossem ex-alunos da Athena. Sempre há um punhado de ex-alunos visitando a cidade, de meia-idade ou velhos, vendo o que desapareceu e o que permanece, encarando sob o melhor ângulo, o melhor ângulo possível, tudo o que lhes ocorreu naquelas ruas em mil novecentos e sei lá quando. Talvez desejassem ver as casas coloniais reformadas, um trecho de mais de um quilômetro de ambos os lados da Ward Street, que a Sociedade Histórica de Athena considerava, ainda que não tão importante quanto o casario de Salem, o mais importante que havia no estado a oeste da Casa das Sete Cumeeiras. Essas pessoas não tinham ido dormir nos quartos coloniais cuidadosamente decorados do College Arms para ser acordadas de manhã por uma gritaria junto às suas janelas. Num lugar pitoresco como South Ward Street, num dia bonito como aquele, a irrupção de um conflito assim — um aleijado chorando, uma mulherzinha asiática gritando, um homem com jeito de professor universitário aparentemente apavorando os dois com o que estava dizendo — não podia senão parecer algo mais surpreendente e revoltante do que seria se acontecesse numa esquina de alguma cidade grande.

"Se eu pudesse ver o diário..."

"*Não tem diário nenhum*", disse ela, e não havia mais nada a fazer senão vê-la empurrar a cadeira pela rampa que havia ao lado da escada e entrar no hotel.

Voltei ao Pauline's, pedi um café e, numa folha de papel que a garçonete encontrou para mim numa gaveta sob a caixa registradora, escrevi a seguinte carta:

Sou o homem que o abordou perto do restaurante na Town Street em Athena, no dia seguinte ao enterro de Faunia. Moro numa estrada rural perto de Athena, a alguns quilômetros da casa do falecido Coleman Silk, o qual, conforme lhe expliquei, era meu amigo. Por causa dele, estive algumas vezes com sua filha. Coleman falava-me a respeito dela. Os dois tinham um caso passional, mas que não envolvia nenhuma crueldade. Para ela, Coleman era acima de tudo amante, mas ele também soube ser seu amigo e professor. Se ela requereu seus cuidados, estou certo de que foi atendida. A influência que Coleman teve sobre ela não foi, sem sombra de dúvida, nada que tivesse o efeito de envenenar sua existência.

Não sei se chegaram a seus ouvidos aqui em Athena os boatos maliciosos referentes a eles dois e ao acidente. Espero que o senhor nada tenha ouvido. Há, porém, uma questão de justiça a ser resolvida que paira acima de toda essa estupidez. Duas pessoas foram assassinadas. Eu sei quem as assassinou. Não testemunhei o crime, mas sei que ele ocorreu. Tenho certeza absoluta disso. Porém preciso de provas para que eu possa ser levado a sério pela polícia ou por um advogado. Se o senhor tiver em sua posse qualquer coisa que revele o estado de espírito de Faunia nos últimos meses, ou mesmo no tempo em que ela estava casada com Farley, peço-lhe que não destrua tais provas. Talvez o senhor tenha recebido cartas dela ao longo da sua vida, e o senhor deve estar também com os pertences de Faunia encontrados no quarto dela que lhe foram entregues por Sally e Peg.

Meu telefone e endereço são: ...

Foi tudo o que fiz. Era minha intenção esperar até que eles fossem embora, ligar para o College Arms para dar um jeito de fazer com que o recepcionista me passasse o nome e o endereço do homem e mandar-lhe minha carta como correspondência expressa. Se o hotel não me desse o endereço, eu recorreria a Sally e Peg. Mas acabei não fazendo nem uma coisa nem outra. O que quer que Faunia tivesse deixado em seu quarto já teria sido jogado fora ou destruído por Sylvia — tal como minha carta seria destruída tão logo chegasse a seu destino. Aquela criaturinha, cujo único objetivo na vida era impedir que o passado continuasse a torturar aquele homem, jamais permitiria que ocorresse na casa dele o que ela não permitira quando os encontrei na rua. Além do mais, eu não reprovava a atitude de Sylvia. Se naquela família o sofrimento se espalhava como uma doença, a única coisa a fazer era colocar uma placa como aquelas que se viam nas portas das casas onde havia portadores de doenças contagiosas no tempo em que eu era menino, uma placa com a palavra QUARENTENA, ou que exibia aos olhos dos sãos apenas um Q maiúsculo, grande e negro. A pequena Sylvia era aquele Q ameaçador, e eu jamais conseguiria passar por ele.

Rasguei o que havia escrito e fui caminhando em direção ao lugar onde se realizaria o funeral.

A cerimônia funerária de Coleman fora programada pelos filhos dele, e todos os quatro estavam à porta da capela Rishanger para receber as pessoas que chegavam. A ideia de utilizar a capela da faculdade foi uma decisão da família, um elemento--chave numa manobra bem planejada, percebi eu, cujo objetivo era desfazer o banimento que Coleman impusera a si próprio e reintegrá-lo, ainda que postumamente, à comunidade em que ele tivera uma carreira de distinção.

Quando me apresentei, na mesma hora a filha de Coleman, Lisa, abraçou-me e sussurrou, chorosa: "O senhor era amigo dele. O senhor foi o único amigo que lhe restou. Provavelmente foi a última pessoa que o viu".

"Fomos amigos por uns tempos", concordei, mas não expliquei que o vira pela última vez alguns meses antes, em agosto, naquela manhã de sábado em Tanglewood, e que àquela altura ele já havia deixado que nossa breve amizade morresse.

"Nós o perdemos", disse ela.

"Eu sei."

"Nós o perdemos", ela repetiu, e passou a chorar sem tentar dizer nada.

Depois de algum tempo comentei: "Eu gostava dele e o admirava. Lamento ter convivido com ele por tão pouco tempo".

"Por que foi que isso aconteceu?"

"Não sei."

"Ele enlouqueceu? Estava louco?"

"Absolutamente. De jeito nenhum."

"Então como foi que tudo isso aconteceu?"

Como eu não respondesse (e como poderia fazê-lo senão começando a escrever este livro?), os braços dela foram gradualmente se desprendendo de mim, e nos poucos instantes que ainda permanecemos juntos percebi como era grande sua semelhança com o pai — tão grande quanto a que havia entre Faunia e o pai dela. As mesmas feições esculpidas de marionete, os mesmos olhos verdes, a mesma pele parda, até mesmo o porte um pouco atlético de Coleman, só que com ombros menos largos. O único legado genético da mãe, Iris Silk, parecia ser o cabelo escuro e crespo, de uma abundância prodigiosa. Em todas as fotos de Iris — fotos que eu vira nos álbuns que Coleman havia me mostrado — as feições não tinham quase nenhum peso, de tal modo sua importância como pessoa, se não todo seu significado, parecia estar concentrada naquela teatral exorbitância capilar. Já Lisa dava a impressão de que o cabelo contrastava com seu caráter, e não — como no caso de sua mãe — derivava dele.

Os poucos momentos que passei com Lisa bastaram para me passar a forte impressão de que o elo, agora rompido, entre ela e seu pai não lhe sairia da consciência por um único dia pelo resto da vida. De uma maneira ou de outra, a lembrança de seu pai estaria associada a cada coisa em que ela pensasse, que fizesse ou deixasse de fazer. As consequências de tê-lo amado integralmente quando menina e de estar rompida com ele no momento de sua morte jamais deixariam em paz aquela mulher.

Os três filhos homens — o irmão gêmeo de Lisa, Mark, e os dois mais velhos, Jeffrey e Michael — não foram tão emotivos comigo. Não vi em Mark nenhum sinal de sua raiva intensa de filho revoltado, e quando, cerca de uma hora depois, não conseguiu manter sua circunspeção diante da sepultura, a dor que ele manifestou tinha a violência de uma perda sem esperança. Jeff e Michael eram claramente os filhos mais robustos, e neles viam-se com clareza as marcas da solidez da mãe: embora não o cabelo (ambos já estavam calvos), a altura, a confiança firme, a autoridade franca dela. Não eram pessoas que deixassem nada por menos. Enfrentar Jeff e Michael, ainda mais os dois juntos, era enfrentar adversários de peso. No tempo em que eu ainda não conhecia Coleman — no tempo em que ele estava no auge, antes de começar a se descontrolar na prisão cada vez mais estreita de sua raiva, antes de as realizações que outrora o singularizavam, que faziam dele quem ele era, desaparecerem de sua vida —, ele sem dúvida teria sido também um adversário de peso, o que provavelmente explica por que não demorou para que se manifestasse uma vontade generalizada de culpá-lo tão logo ele foi acusado de fazer um pronunciamento racista.

Apesar de todos os boatos que circulavam na cidade, o enterro de Coleman foi muito mais concorrido do que eu esperava — certamente mais do que o próprio Coleman poderia ter imaginado. As seis ou sete primeiras fileiras já estavam cheias, e continuava a chegar gente atrás de mim quando divisei um lugar vazio mais ou menos no meio da capela, ao lado de um homem que reconheci — eu o vira pela primeira vez no dia anterior — como Smoky Hollenbeck. Teria Smoky consciência do risco que correra, apenas um ano antes, de também ser velado na capela Rishanger? Talvez estivesse ali mais para dar graças pela sorte que tivera do que por consideração ao homem que fora seu sucessor erótico.

Sentada ao lado de Smoky estava uma mulher que concluí ser sua esposa, uma loura bonita, de seus quarenta anos; se eu estava bem lembrado, era uma ex-colega da Athena com quem Smoky se casara nos anos 70 e com quem tivera cinco filhos. Os Hollenbeck estavam entre as pessoas mais jovens, fora os filhos de Coleman, que eu via a meu redor. Em sua maioria, as pessoas presentes eram membros mais antigos da comunidade acadêmica, professores e funcionários que Coleman já conhecia fazia quarenta anos quando Iris morreu e ele pediu demissão. O que pensaria ele daqueles velhos conhecidos, presentes na capela para se despedir dele, se pudesse vê-los sentados diante de seu caixão? Provavelmente algo assim: "Que oportunidade maravilhosa para a autocelebração. Devem estar se sentindo muito virtuosos por não guardarem rancor de mim apesar do desprezo que sempre manifestei por eles".

Era estranho pensar, ali no meio de todos os colegas de Coleman, que pessoas tão instruídas, tão imbuídas de uma civilidade profissional, houvessem embarcado com tanto entusiasmo no venerável sonho humano de uma situação em que um único homem se torna a própria encarnação do mal. No entanto, essa necessidade existe, é eterna e profunda. Quando a porta exterior se fechou e os Silk assumiram seus lugares na primeira fileira, vi que quase dois terços dos lugares estavam ocupados, umas trezentas pessoas, talvez mais, à espera de que aquele evento humano antigo e natural absorvesse o terror que lhes inspirava a ideia da finitude da vida. Vi também que Mark Silk era o único dos irmãos que estava usando quipá.

Como praticamente todo mundo, eu esperava que um dos filhos de Coleman subisse ao púlpito e fizesse o primeiro discurso. Mas naquela manhã haveria um único orador: Herb Keble, o cientista político que Silk contratara, o primeiro professor negro a trabalhar na Athena. Estava claro que a família escolhera Keble pelo mesmo motivo que escolhera a capela da faculdade: para reabilitar o nome do pai, para voltar ao tempo em que Coleman tinha poder e prestígio. Quando relembrei a severidade com que Jeff e Michael haviam apertado minha mão, chamando-me pelo nome e dizendo "Obrigado — sua presença aqui é da maior importância para a família", e quando me ocorreu que eles teriam repetido algo do gênero para cada indivíduo ali presente, entre os quais havia muitas pessoas que eles conheciam desde a infância, pensei: eles não vão desistir até que o prédio da administração passe a se chamar Prédio Coleman Silk.

Provavelmente não era por acaso que a capela estava quase cheia. Desde o acidente eles deviam estar dando telefonemas, recrutando pessoas para vir ao funeral, tal como se arrebanhavam eleitores antigamente nos tempos em que Daley era prefeito de Chicago. E sem dúvida teriam pressionado muito Keble, por quem Coleman sentia um desprezo todo especial, até conseguir que ele se oferecesse para atuar como bode expiatório dos pecados da faculdade. Quanto mais eu pensava nos filhos de Silk encurralando Keble, intimidando-o, gritando com ele, acusando-o, talvez até ameaçando-o por ter traído o pai deles dois anos antes, mais eu gostava deles — e também de Coleman, por ter tido aqueles dois filhos grandalhões, firmes e inteligentes, que não hesitavam em fazer o necessário para restaurar a reputação do pai. Aqueles dois iriam ajudar a colocar Les Farley na prisão perpétua.

Pelo menos foi o que pensei até a tarde do dia seguinte, pouco antes de eles irem embora, quando — com a mesma franqueza direta que lhes atribuí em minha imaginação nas conversações com Keble — eles deixaram claro que não queriam conversa: que eu tinha mais era de desistir daquela história de Les Farley e das circunstâncias do acidente e da necessidade de exigir que a polícia abrisse uma investigação. Deixaram muito claro que eu contaria com sua total reprovação se o caso de seu pai com Faunia Farley viesse a se tornar a questão central de um julgamento provocado pela minha intromissão. Eles nunca mais queriam ouvir falar em Faunia Farley, muito menos no contexto de um caso escandaloso que seria fartamente divulgado pela imprensa sensacionalista da cidade e que haveria de se tornar uma história que seria sempre lembrada e impediria que um dia viesse a existir um Prédio Coleman Silk.

"Ela não é a mulher ideal para ficar associada ao legado do nosso pai", disse-me Jeffrey. "A nossa mãe é que é", disse Michael. "Essa piranha não tem nada a ver. Nada", reiterou Jeffrey. Era difícil acreditar, diante daquela veemência e determinação, que lá na Califórnia aqueles dois eram professores de ciência. Mais pareciam executivos da Twentieth Century Fox.

Herb Keble era um homem esguio, de pele muito escura, já idoso, que caminhava com um pouco de dificuldade, embora não estivesse curvo nem aparentasse doença; tinha algo da veemência do pregador negro tanto no porte altivo como na voz cavernosa e ameaçadora. Bastou ele dizer "Meu nome é Herbert Keble" para que seu fascínio se exercesse; bastou ele se colocar atrás do atril, olhar em silêncio para o caixão de Coleman, depois virar para a congregação e se identificar, para que se criasse aquele clima emocional associado à recitação dos salmos. Havia nele aquela austeridade que há no gume de uma lâmina — uma coisa ameaçadora para quem não sabe manejá-la com o cuidado necessário. Sob todos os aspectos, era um homem que causava impressão, tanto por sua postura como por sua aparência, e parecia claro que Coleman o havia contratado para romper a barreira da cor na Athena por motivos semelhantes aos que levaram Branch Rickey a contratar pela primeira vez um jogador negro, Jackie Robinson, para atuar num time de beisebol da primeira divisão. Era difícil imaginar os filhos de Silk coagindo Herb Keble a lhes fazer a vontade, mas era preciso levar em conta o atrativo daquela situação dramática para uma personalidade tão claramente marcada pela vaidade dos que são autorizados a administrar os sacramentos. Keble exibia toda a autoridade do que está sentado à direita do soberano.

"Meu nome é Herbert Keble", disse ele. "Sou diretor do Departamento de Ciência Política. Em 1996, fui um daqueles que não julgaram apropriado defender Coleman quando ele foi acusado de racismo — eu, que havia entrado na Athena dezesseis anos antes, o mesmo ano em que Coleman Silk foi nomeado decano; eu, que fui o primeiro professor a ser contratado por ele. Tarde demais, estou aqui diante de vocês para me penitenciar por ter faltado a meu amigo e protetor, e fazer o que for possível — mais uma vez, ainda que tarde demais — para tentar corrigir a injustiça, a injustiça terrível e lamentável, que a Faculdade Athena cometeu contra ele.

"Na ocasião do suposto incidente racista, eu disse a Coleman: 'Não posso ficar do seu lado nesse caso'. Disse isso a ele conscientemente, ainda que talvez não apenas pelos motivos oportunistas, carreiristas ou covardes que ele de imediato me atribuiu. Naquele momento, julguei que seria possível fazer mais pela causa de Coleman atuando nos bastidores, esvaziando a oposição, do que me aliando pública e abertamente a ele, o que me levaria, disso não tenho dúvida, a ser neutralizado por aquela pecha infamante, aplicada a torto e a direito, de 'preto de alma branca'. Julgava eu que seria melhor atuar como a voz da razão junto àqueles cuja indignação com o comentário supostamente racista de Coleman os levou a responsabilizar injustamente ele e a faculdade pelo fracasso de dois alunos. Julgava eu que, com astúcia e paciência, conseguiria esfriar as paixões não dos adversários mais radicais de Coleman, mas ao menos dos membros mais razoáveis e equilibrados da nossa comunidade afro-americana e de seus simpatizantes brancos, cujo antagonismo na verdade era apenas de natureza reflexiva e efêmera. Julgava eu que com o tempo — e pouco tempo, eu esperava — seria possível dar início a um diálogo entre Coleman e seus acusadores que levaria à formulação de uma declaração identificando a natureza do mal-entendido que dera origem ao conflito, e com isso dando ao lamentável incidente algo que se assemelhava a uma conclusão justa.

"Eu estava enganado. Jamais deveria ter dito a meu amigo: 'Não posso ficar do seu lado nesse caso'. O que eu deveria ter dito era: 'Eu *tenho* que ficar do seu lado'. Eu deveria ter tentado combater seus inimigos não de modo ardiloso e insidioso, junto a eles, porém lhes fazendo oposição às claras e honestamente — para que desse modo Coleman se fortalecesse ao ver que tinha apoio, e não sucumbisse à sensação esmagadora de abandono, a qual se transformou num ressentimento que o levou a se afastar de todos os colegas, a se demitir da faculdade e a mergulhar num isolamento autodestrutivo que, disso não tenho dúvida — por mais que a ideia me horrorize —, o levou, de modo nada indireto, a uma morte trágica, absurda e desnecessária. Eu devia ter dito o que quero dizer agora na presença de seus ex-colegas e funcionários, dizer, especialmente na presença de seus filhos, Jeff e Mike, que vieram aqui da Califórnia, e Mark e Lisa, que vieram de Nova York — dizer, como membro afro-americano mais velho do corpo docente da Athena:

"Coleman Silk jamais deixou de agir de forma totalmente correta em todas as suas relações com todos os seus alunos durante todos os anos em que trabalhou na Faculdade Athena. Jamais.

"O deslize de que o acusam jamais aconteceu. Jamais.

"O que ele foi obrigado a sofrer — as acusações, os depoimentos, a investigação — continua a ser uma mácula na história desta instituição, até hoje, principalmente hoje, mais do que nunca. Aqui, na Nova Inglaterra, nesta terra tão identificada historicamente com a resistência do individualismo americano às coações de uma comunidade reprovadora — Hawthorne, Melville e Thoreau nos vêm à mente —, um individualista americano para quem as regras não eram a coisa mais importante da vida, um individualista americano que se recusava a respeitar cegamente as ortodoxias das verdades costumeiras e estabelecidas, um individualista americano que nem sempre se conformava aos padrões majoritários do decoro e do bom gosto — um individualista americano *par excellence* foi mais uma vez de tal modo traído por seus amigos e colegas que passou a viver afastado deles até a morte, tendo sido sua autoridade moral roubada pela estupidez moral deles. Sim, somos nós, esta comunidade reprovadora moralmente estúpida, que nos degradamos ao macularmos de modo tão vergonhoso o bom nome de Coleman Silk. Falo em particular daqueles que, como eu, conhecíamos de perto a seriedade de seu compromisso com Athena e a pureza de sua dedicação como educador, e que, por este ou aquele motivo equivocado, o traímos assim mesmo. Digo e repito: nós o traímos. Nós traímos Coleman e traímos Iris.

"A morte de Iris, a morte de Iris Silk, ocorrendo em pleno..." Perto de mim, a esposa de Smoky Hollenbeck chorava, tal como choravam algumas outras mulheres a minha volta. Smoky estava inclinado para a frente, a testa apoiada de leve nas mãos entrelaçadas sobre o encosto do banco a nossa frente, numa postura vagamente eclesiástica. Creio que sua intenção era fazer com que eu, ou sua esposa, ou quem mais estivesse olhando, julgássemos que a injustiça cometida contra Coleman Silk era uma ideia insuportável. Creio que queria dar a impressão de estar dominado pela compaixão, mas eu, sabendo que aquele pai de família modelo ocultava toda uma dimensão dionisíaca de sua vida, não consegui engolir essa imagem.

Mas, Smoky à parte, a atenção, a concentração, a *intensidade* da concentração focalizada em cada palavra pronunciada por Herb Keble me parecia genuína, a ponto de me fazer pensar que muitos dos presentes estariam agora lamentando a injustiça que Coleman Silk tivera de suportar. Naturalmente, eu me perguntava se a racionalização apresentada por Keble para justificar sua falta de apoio a Coleman durante o episódio dos fantasmas teria sido elaborada por ele próprio ou se um dos filhos de Coleman a teria sugerido como uma solução, para que ele pudesse fazer o que lhe era exigido e ao mesmo tempo preservar sua dignidade. Eu me perguntava se aquela racionalização corresponderia mesmo aos reais motivos que o levaram a dizer a Coleman aquelas palavras que ele me repetira tantas vezes com azedume: "Não posso ficar do seu lado nesse caso".

Por que eu não conseguia acreditar naquele homem? Porque, a uma certa altura da vida, nossa desconfiança se torna tão refinada que já não conseguimos acreditar em ninguém? Sem dúvida, se dois anos antes ele permanecera calado em vez de se levantar em defesa de Coleman, fora pelo motivo que sempre leva as pessoas a se calar: porque é de seu interesse se calar. O interesse pessoal não é uma motivação tão obscura assim. Herb Keble era apenas mais um que tentava limpar o próprio nome, ainda que de uma maneira ousada e interessante, assumindo a culpa, porém o fato era que, no momento em que agir teria sido importante, ele não fizera nada; assim, em nome de Coleman, pensei: vá se foder.

Quando Keble desceu do pódio e, antes de voltar a seu lugar, parou para apertar a mão de cada um dos filhos de Coleman, esse gesto simples teve o efeito de intensificar ainda mais a paixão quase violenta provocada por seu discurso. O que aconteceria agora? Por um momento, nada. Apenas o silêncio, o caixão, o inebriamento emocional da multidão. Então Lisa se levantou, subiu os degraus do pódio e, colocando-se no atril, disse: "O último movimento da *Sinfonia número 3* de Mahler". Era isso. Eles resolveram apelar. Tocaram Mahler.

Bem, tem vezes que não dá para ouvir Mahler. Quando ele pega você para lhe dar uma boa sacudida, ele não para mais. Quando terminou, todos nós estávamos chorando.

Quanto a mim, creio que nada me arrasaria tanto quanto ouvir Steena Palsson cantar "The man I love" tal como havia cantado ao pé da cama de Coleman, na Sullivan Street, em 1948.

O mais memorável a respeito da caminhada de três quarteirões até o cemitério foi a sensação de que ela não existiu. Estávamos imobilizados pela infinita vulnerabilidade do adágio de Mahler, por aquela simplicidade que não é artifício, que não é estratégia, que se desdobra, é quase a impressão que se tem, com o ritmo acumulado da vida e com toda a relutância de chegar ao fim que caracteriza a vida... estávamos imobilizados por aquela delicada justaposição de grandiosidade e intimidade que começa com a melodia sutil, cantável, das cordas, de uma paixão contida, que vai então subindo em ondas, passando pelo imenso final falso que leva ao final verdadeiro, prolongado, monumental... estávamos imobilizados pelo movimento de ascensão, de clímax, de esmorecimento de uma orgia elegíaca que se alonga infinitamente, num ritmo decidido que jamais muda, cedendo, depois voltando como uma dor ou saudade que não vai embora... estávamos todos, premidos pela insistência crescente de Mahler, dentro do caixão com Coleman, atentos a todo o terror da infinitude e ao desejo passional de escapar da morte, e de repente, sabe-se lá como, lá estávamos nós, sessenta ou setenta pessoas, no cemitério, assistindo ao enterro de Coleman, um ritual bem simples, uma solução perfeitamente sensata para o problema, e no entanto uma solução que nunca é de todo compreensível. A cada vez precisamos ver de novo para acreditar.

Ocorreu-me que a maioria das pessoas na capela provavelmente não tinha a intenção de acompanhar o féretro até a sepultura. Mas os filhos de Coleman possuíam o dom de provocar e sustentar o *páthos*, e era por isso, pensei, que estávamos tantos amontoados ali, o mais perto possível do buraco que se tornaria o lar eterno de Coleman, quase como se estivéssemos ansiosos para entrar naquele buraco no lugar dele, oferecendo-nos como substitutos, como oferendas sacrificiais, se desse modo fosse possível restaurar, por um toque de mágica, a vida exemplar que, como o próprio Herb Keble admitira, fora praticamente roubada de Coleman dois anos antes.

Coleman seria enterrado ao lado de Iris. As datas na lápide dela eram 1932-1996. As dele seriam 1926-1998. Tão objetivos, esses números. E não dizem quase nada do que se passou.

Ouvi o *kadish* antes mesmo de me dar conta de que alguém o estava entoando. Por um momento imaginei que o som estivesse vindo de uma outra parte do cemitério, quando na verdade vinha do outro lado da cova, onde Mark Silk — o filho mais novo, o filho zangado, o filho que, tal como sua irmã gêmea, era o mais parecido com o pai — estava isolado, livro na mão e quipá na cabeça, recitando com uma voz suave e chorosa a conhecida oração em hebraico.

Yisgadal, v'yiskadash...

A maioria das pessoas nos Estados Unidos, inclusive eu e, provavelmente, os irmãos de Mark, não sabe o que essas palavras querem dizer, mas quase todos reconhecem a mensagem severa por elas expressa: morreu um judeu. Morreu mais um judeu. Como se a morte não fosse consequência da vida, e sim consequência de ser judeu.

Quando terminou, Mark fechou o livro; em seguida, tendo induzido uma serenidade grave em todos os presentes, sucumbiu a um acesso de histeria. Foi assim que terminou o enterro de Coleman — todos nós imobilizados, agora pelo espetáculo de Mark se descontrolando, agitando os braços de impotência, e, com a boca escancarada, uivando de dor. Aquele lamento enlouquecido, um som ainda mais antigo que a prece recitada, foi ganhando intensidade até que, vendo a irmã correr em sua direção com os braços abertos, Mark virou para ela o rosto distorcido, com os traços de Silk, e exclamou, numa atitude infantil de espanto: "Nós nunca mais vamos vê-lo!".

O pensamento que tive então não foi dos mais generosos. Naquele dia, estava difícil ter pensamentos generosos. O que me ocorreu foi: Qual o problema? Quando ele estava aqui, você não fazia muita questão de vê-lo. Pelo visto, Mark Silk achava que ia ter o pai para odiar por todo o sempre. Para odiar, odiar, odiar, odiar, e então, talvez, quando ele achasse que era a hora, depois que as cenas de acusação tivessem se intensificado num crescendo até ele quase matar Coleman com seu flagelo de ressentimento filial, perdoar. Ele pensava que Coleman estaria presente até que toda a peça terminasse de ser representada, como se ele e Coleman estivessem não no meio da vida, e sim na escarpa sul da acrópole de Atenas, num teatro ao ar livre dedicado a Dioniso, onde, diante dos olhos de dez mil espectadores, as unidades dramáticas eram rigorosamente observadas e o grande ciclo catártico era encenado todos os anos. O desejo humano de começo, meio e fim — e de um fim apropriado em magnitude ao início e ao meio — se realiza à perfeição nas tragédias que Coleman ensinava na Faculdade Athena. Mas fora da tragédia clássica do século V a.C., a expectativa de que tudo se complete, quanto mais de que chegue a uma consumação justa e perfeita, é uma ilusão ingênua indigna de um adulto.

As pessoas já começavam a se dispersar. Vi os Hollenback seguindo pela alameda entre as lápides em direção à rua, o braço do marido sobre o ombro da mulher, num gesto protetor. Vi o jovem advogado, Nelson Primus, que havia representado Coleman durante o incidente dos *spooks*, e com ele uma mulher jovem grávida, chorando, que devia ser sua esposa. Vi Mark com a irmã, ainda sendo consolado por ela, e vi Jeff e Michael, que haviam administrado toda a operação com tanta competência, conversando à meia-voz com Herb Keble a uns poucos metros de onde eu estava. Eu não podia ir embora, por causa de Les Farley. Em algum lugar fora do cemitério, Farley seguia em frente, imperturbável, livre de qualquer acusação, fabricando aquela realidade grotesca que era só sua, um ser embrutecido entrando em choque com quem ele queria, do modo como ele queria, movido pelas razões interiores que justificavam o que quer que ele desejasse fazer.

Claro, sei que não existe uma conclusão, uma consumação justa e perfeita, mas assim mesmo, a apenas uns poucos metros da cova recém-cavada onde o caixão fora colocado, eu pensava obstinadamente que aquele final, ainda que fosse entendido como a restauração permanente do lugar de Coleman como figura admirável na história da instituição, não era satisfatório. Ainda havia muitas verdades a ser reveladas.

Eu estava pensando na verdade referente à morte de Coleman, e não na verdade que viria à tona no instante seguinte. Há verdades e verdades. Embora o mundo esteja cheio de pessoas que andam por aí achando que sabem perfeitamente tudo a respeito de nós, o fato é que nunca se chega ao fundo daquilo que se desconhece. A verdade a nosso respeito é infinita. Tal como as mentiras. Preso entre uma coisa e outra, pensei. Denunciado pelos pretensiosos, escorraçado pelos santarrões — e por fim exterminado por um louco furioso. Excomungado pelos salvos, pelos eleitos, pelos eternos evangelistas dos costumes do momento, e por fim eliminado por um demônio implacável. As duas exigências humanas encontravam seu ponto de encontro nele. O puro e o impuro, com toda a sua veemência, em ação, tendo em comum a mesma necessidade do inimigo. Cortado ao meio, pensei. Cortado ao meio pelos dentes hostis deste mundo. Pelo antagonismo que *é* o mundo.

Uma mulher, sozinha, permanecia tão perto do túmulo quanto eu. Estava em silêncio, e não parecia chorar. Aliás, nem parecia estar de todo presente — isto é, num cemitério, num

enterro. Poderia muito bem estar numa esquina, aguardando com paciência a chegada do ônibus. Era mais o modo como ela segurava a bolsa que me fazia pensar numa pessoa preparada para pagar a passagem e ser levada para onde quer que estivesse indo. Os únicos indícios de que ela não era branca eram o queixo proeminente e a forma da boca — alguma coisa sugestiva e saliente na metade inferior do rosto — e também a textura rígida de seu cabelo. Sua tez não era mais escura que a de um grego ou marroquino, e talvez eu não tivesse juntado todas essas pistas e concluído que ela era negra se Herb Keble não fosse uma das poucas pessoas que ainda não haviam ido embora. Com base em sua idade — ela teria sessenta e cinco, setenta anos — imaginei que fosse a mulher de Keble. Não admirava, portanto, que estivesse petrificada daquele jeito. Certamente não teria sido fácil para ela ouvir seu marido proclamar-se em público (impelido por qualquer motivo que fosse) o bode expiatório da Athena. Eu imaginava que ela teria muito em que pensar, e que a duração do enterro não seria tempo suficiente para assimilar tudo aquilo. Ela ainda estaria pensando no que ele dissera na capela. Era lá que ela ainda estava.
  Eu estava enganado.
  Quando me virei para ir embora ela se virou também, e assim, a apenas um metro um do outro, nos vimos frente a frente.
  "Eu sou Nathan Zuckerman", disse. "Fui amigo de Coleman nos seus últimos anos de vida."
  "Muito prazer", disse ela.
  "Creio que seu marido mudou tudo hoje."
  Ela não me olhou como se eu houvesse dito uma coisa equivocada, embora eu o tivesse feito. Tampouco me ignorou ou tentou se livrar de mim e seguir em frente. Também não parecia não saber o que fazer, ainda que sem dúvida estivesse

numa situação difícil. Um amigo de Coleman nos seus últimos anos de vida? Dada sua verdadeira identidade, como poderia ela dizer apenas "Eu não sou a mulher de Keble" e ir embora? Porém ela se limitou a ficar parada a minha frente sem nenhuma expressão no rosto, tão profundamente estarrecida pelos acontecimentos do dia e por suas revelações que naquele momento teria sido impossível *não* compreender o que ela era de Coleman. Não foi a semelhança com Coleman que se fez sentir, e se fez sentir depressa, em rápidos desenvolvimentos, como uma estrela longínqua que vemos cada vez melhor à medida que aumentamos a potência da lente. O que vi — quando, por fim, vi até o fundo o segredo de Coleman — foi a semelhança entre ela e Lisa, que era ainda mais parecida com a tia do que com o pai.

Foi por Ernestine — na minha casa, horas após o enterro — que fiquei sabendo a maior parte do que sei a respeito da infância e adolescência de Coleman em East Orange: a tentativa do dr. Fensterman de convencer Coleman a tirar uma nota baixa nas provas finais para que Bert Fensterman passasse a sua frente e se tornasse o orador da turma; a compra da casa de East Orange em 1926, a pequena casa de madeira onde Ernestine ainda morava, vendida a seu pai "por um casal", segundo ela me contou, "que estava com raiva dos vizinhos e por isso resolveu vendê-la a uma família de cor". ("O senhor já vê a que geração eu pertenço", disse-me ela depois. "Eu digo 'gente de cor'.") Ernestine contou-me que o pai perdeu a óptica durante a Depressão, e levou muito tempo para recuperar-se da perda — "se é que conseguiu mesmo se recuperar", comentou —; depois foi trabalhar como garçom num vagão-restaurante, até morrer. Contou-me que o sr. Silk se referia ao inglês como "o idioma de Chaucer, Shakespeare e Dickens", e fazia questão de que as crianças aprendessem não apenas a falar corretamente mas também a pensar em termos lógicos, a classificar, analisar, descrever, enumerar, que aprendessem, além do inglês, latim e grego; que os levava aos museus de Nova York e aos teatros da Broadway; que, ao ficar sabendo da carreira secreta de Coleman como lutador de boxe amador no Clube dos Rapazes de Newark, dissera a ele, com aquela voz que irradiava autoridade sem jamais subir de tom: "Se eu fosse seu pai eu diria: 'Você ganhou ontem à noite? Bom. Agora você pode se aposentar invicto'". Ernestine contou-me que Doc Chizner, com quem eu próprio tivera aulas de boxe após o horário das aulas em Newark, já havia, em East Orange, reconhecido o talento de Coleman quando ele saiu do Clube dos Rapazes, e queria que ele fosse lutar pela Universidade de Pittsburgh, que poderia ter obtido uma bolsa para ele como aluno branco, porém Coleman matriculou-se na Howard para fazer a vontade do pai. Contou que o pai morreu de repente, servindo o jantar no trem, e Coleman imediatamente saiu da Howard e entrou para a Marinha, alistando-se como branco. Que depois da Marinha ele mudou para Greenwich Village e foi estudar na NYU. Que levou aquela moça branca em casa um domingo, uma moça bonita de Minnesota. Que os biscoitos queimaram naquele dia, tamanho o medo que todos tinham de dizer alguma coisa imprópria. Que, por sorte, Walt, que havia começado a dar aulas em Asbury Park, não pôde estar presente naquele domingo, e tudo correu tão bem que Coleman não teve nenhum motivo para se queixar. Ernestine disse-me que sua mãe tratara muito bem a tal moça. Steena. Que todos haviam tratado bem Steena — e Steena a eles. Sua mãe sempre fora muito trabalhadeira, e, com a morte do pai, graças exclusivamente a seus méritos, foi a primeira negra a se tornar enfermeira-chefe da seção de cirurgia de um hospital em Newark. Ela adorava Coleman, e nada que Coleman fizesse poderia destruir aquele amor de mãe. Nem mesmo depois que Coleman resolveu passar o resto da vida fingindo que sua mãe fora outra pessoa, uma pessoa que nunca existira, nem mesmo assim a sra. Silk conseguiu se livrar dele. E depois que Coleman veio dizer à mãe que ia se casar com Iris Gittelman e que ela nunca seria sogra de sua nora nem avó de seus netos, Walt, depois de proibir Coleman de voltar a ter qualquer contato com a família, deixou claro — usando a mesma autoridade férrea com que antes seu pai governara a família — que sua mãe também estava proibida de entrar em contato com Coleman.

"Sei que a intenção dele era a melhor possível", disse Ernestine. "O Walt achava que era a única maneira de proteger a mamãe, para que ela não sofresse. Não sofresse por causa do Coleman cada vez que fosse aniversário de alguém, cada vez que chegasse um feriado, o Natal. Ele achava que, se a linha de comunicação permanecesse aberta, o Coleman ia partir o coração da mamãe milhares de vezes, tal como tinha acontecido naquele dia. O Walt ficou indignado com o Coleman por ele ir a East Orange sem nenhuma preparação, sem avisar nenhum de nós, e anunciar como iam ser as coisas dali em diante para uma senhora de idade, uma viúva. O Fletcher, meu marido, sempre dava uma explicação psicológica pro que o Walt fez. Mas não concordo com o Fletcher, não. Não acho que o Walt sentisse ciúme do amor que a mamãe tinha pelo Coleman. Não aceito essa explicação. Acho que ele se sentiu insultado e reagiu — não só pela mamãe, mas por todos nós. Walt era o político da família; claro que ele ficou indignado. Já eu não fiquei zangada como ele, não, nunca fiquei, mas entendo como o Walter se sentia. Todos os anos, no aniversário de Coleman, eu ligava para a Athena e conversava com ele. Até três dias atrás.

No aniversário dele. Quando ele fez setenta e dois anos. Imagino que quando morreu ele devia estar voltando pra casa depois do jantar de aniversário. Eu liguei pra desejar a ele um feliz aniversário. Ninguém atendeu, e por isso liguei no dia seguinte. E foi assim que fiquei sabendo que ele tinha morrido. Alguém que estava na casa atendeu e me deu a notícia. Imagino agora que tenha sido um de meus sobrinhos. Só comecei a telefonar pra casa do Coleman depois que a mulher dele morreu e ele pediu demissão e passou a morar sozinho. Antes disso, eu ligava pra sala dele na faculdade. Nunca contei isso a ninguém. Achei que não tinha por que contar. Ligava pra ele no aniversário dele. Liguei quando mamãe morreu. Liguei quando me casei. Liguei quando nasceu meu filho. Liguei quando meu marido morreu. A gente sempre tinha uma conversa muito boa. Ele sempre queria saber das notícias, até mesmo sobre o Walter e a carreira dele. E depois, cada vez que Iris tinha um filho, primeiro o Jeffrey, depois o Michael, depois os gêmeos, o Coleman me telefonava. Ele ligava pra minha escola. Era sempre um suplício pra ele. Ele estava testando o destino, tendo tanto filho assim. Como os filhos tinham uma ligação genética com o passado que ele havia renegado, era sempre possível, o senhor sabe, que eles nascessem com alguma marca muito evidente. Ele se preocupava muito com isso. Poderia ter acontecido — às vezes acontece. Mas ele resolveu ter filhos assim mesmo. Isso também fazia parte do plano. O plano de levar uma vida intensa, normal, produtiva. Assim mesmo, acho que principalmente nos primeiros anos, ainda mais quando nascia um filho, o Coleman sofria muito com a decisão que tinha tomado. Nada escapava da atenção dele, inclusive os sentimentos dele mesmo. Ele conseguiu se desvincular de nós, mas não dos seus próprios sentimentos. E isso se aplicava em particular aos filhos. Acho que ele terminou concluindo que era horrível ocultar uma coisa tão crucial, tão ligada à identidade da pessoa, que todo mundo tem o direito de conhecer sua genealogia. E havia também um lado perigoso. Imagino só a confusão que seria se os filhos nascessem com traços negroides muito visíveis. Até agora ele teve sorte, e estou levando em conta inclusive os dois netos lá da Califórnia. Mas e a filha dele, que ainda não casou? Imagine se um dia ela arranja um marido branco, o que é o mais provável, e nasce um filho de cor, como pode perfeitamente acontecer. Como ela vai explicar isso? E o que o marido dela vai pensar? Ele vai pensar que o pai da criança é outro homem. E um negro ainda por cima. Senhor Zuckerman, foi uma crueldade terrível do Coleman não contar nada pros filhos. Isso não é o Walter quem está dizendo, não, sou eu mesma. Se o Coleman queria manter em segredo a raça dele, então o preço que ele teria que pagar era não ter filhos. E ele sabia disso. Não tinha como não saber. E no entanto ele deixou no mundo uma bomba que ainda não explodiu. E eu sempre tinha a impressão de que essa bomba estava por perto quando ele falava sobre os filhos. Especialmente quando falava não na moça, mas no irmão gêmeo dela, o Mark, o menino que deu tanto problema. Ele me disse que o Markie provavelmente tinha ódio dele por outros motivos, mas que era como se ele tivesse descoberto a verdade. 'Eu acabei colhendo o que plantei', disse ele, 'ainda que pelo motivo errado. O Markie não tem nem mesmo o gostinho de odiar o pai pelo motivo certo. Eu roubei até mesmo esse direito dele', disse o Coleman. Aí eu disse: 'Mas quem sabe ele não ia odiar você se soubesse, Coleman'. E ele respondeu: 'Você não me entendeu. Eu não estou dizendo que ele me odiaria por eu ser negro. Não é isso que eu chamo de motivo certo. Eu quero dizer que ele me odiaria por nunca ter dito a verdade a ele, porque ele tem o direito de saber'. E então, como aquele assunto podia dar margem a muitos mal-entendidos, não falamos mais nisso. Mas ficou claro que ele jamais conseguia esquecer que a relação dele com os filhos se fundava numa mentira, uma mentira terrível, e que o Markie havia intuído isso, de algum modo ele havia percebido que os filhos, que traziam nos genes deles a identidade do pai e que iam passá-la adiante para os filhos deles, pelo menos geneticamente, e talvez até fisicamente, nunca tiveram um conhecimento completo de quem eles eram. Isso é um pouco especulação minha, mas às vezes fico pensando que o Coleman via o Markie como um castigo pelo que ele fez com a mãe. Se bem que", acrescentou Ernestine, escrupulosa, "isso *ele* nunca disse. Quanto ao Walter, o que eu estou querendo dizer a respeito do Walter é que ele estava só tentando desempenhar o papel do papai, não deixando que mamãe sofresse tanto."

"E ele conseguiu isso?", perguntei.

"Senhor Zuckerman, isso aí não tinha remédio — nunca teve. Quando ela morreu no hospital, quando ela começou a delirar, sabe o que ela ficava dizendo? Ficava chamando a enfermeira, tal como os pacientes dela antigamente faziam com ela. E ela dizia: 'Ah, enfermeira, me leve até o trem. Eu tenho um bebê doente em casa'. Dizia isso sem parar: 'Eu tenho um bebê doente em casa'. E eu, sentada ao lado dela, segurando a mão dela, vendo ela morrer, eu sabia quem era aquele bebê doente. E o Walter também sabia. Era o Coleman. Agora, se teria sido melhor o Walt não tomar aquela decisão e não banir o Coleman pra sempre... bem, isso até hoje eu não sei. Mas o principal talento do Walt como homem é ser decidido. O do Coleman também era. Os homens da nossa família são todos decididos. O papai era assim, e o pai dele também, que era pastor metodista lá na Geórgia. Esses homens tomam uma decisão e pronto. Bem, isso de ser decidido assim também tem seu preço. Agora, uma coisa está clara. E disso eu me dei conta hoje. E é uma pena meus pais terem morrido sem saber. Nós somos uma família de educadores. Desde a minha avó paterna. Ela era escrava quando menina, e aprendeu a ler com a senhora dela; depois da abolição foi estudar na Escola Normal e Industrial para Pessoas de Cor do Estado da Geórgia. Foi assim que começou, e todos nós seguimos esse caminho. E foi isso que eu compreendi quando vi os filhos do Coleman. Todos, menos um, são professores. E todos nós — o Walt, o Coleman, eu — somos todos professores também. Já o meu filho é outra história. Ele não terminou a faculdade. A gente teve uns desentendimentos, e agora ele tem um 'outro significativo', como se diz agora, e a gente também não se entende sobre isso. O senhor sabe, não havia professores de cor na rede escolar branca de Asbury Park quando o Walter foi pra lá em 1947. Ele foi o primeiro, veja lá. E depois foi o primeiro diretor negro. E depois o primeiro chefe de distrito negro. Pro senhor ver como é o Walt. Já havia uma comunidade de cor estabelecida, mas foi só quando o Walter chegou lá em 47 que as coisas começaram a mudar. E ele ser uma pessoa tão decidida foi um fator importante. O senhor é de Newark também, mas não sei se o senhor sabia que até 1947 em Nova Jersey a instrução segregada para as raças era legal e constitucional. Na maioria das comunidades havia escolas pra crianças de cor e escolas pra crianças brancas. Havia uma separação completa das raças no ensino elementar no sul do estado. De Trenton, New Brunswick pro sul, as escolas eram separadas. E em Princeton. E em Asbury Park. Em Asbury Park, quando o Walter foi pra lá, havia uma escola chamada Bangs Avenue, Leste e Oeste — uma pras crianças de cor que moravam na região de Bangs Avenue e outra pras crianças brancas do mesmo bairro. Era um prédio só, mas dividido em duas partes. Havia uma cerca separando os dois lados do prédio, e um era pra crianças de cor e outro pra crianças brancas. Com os professores era a mesma coisa, brancos de um lado e de cor do outro. O diretor era branco. Em Trenton, em Princeton — e Princeton não é considerada sul do estado —, havia escolas separadas até 1948. Mas não em East Orange nem em Newark, se bem que antes até mesmo em Newark tinha uma escola primária pra crianças de cor. Isso foi no início do século. Mas em 1947 — e eu quero falar sobre o lugar de Walter nisso tudo porque quero que o senhor entenda o meu irmão Walter, quero que o senhor entenda como era a relação dele com o Coleman no contexto maior do que estava acontecendo na época. Isso foi anos antes do movimento pelos direitos civis. Até mesmo o que o Coleman fez, a decisão que ele tomou, de apesar de ser de origem negra viver como se fizesse parte de um outro grupo racial — isso não era tão raro assim, não, antes do movimento pelos direitos civis. Tinha até filmes sobre isso. O senhor se lembra? Um desses filmes se chamava *O que a carne herda*, e tinha um outro, com o Mel Ferrer, desse eu não lembro mais o nome, mas fez sucesso também. Mudar de grupo racial — como não havia direitos civis, não havia igualdade, essa ideia andava na cabeça das pessoas, não só as de cor mas as brancas também. Talvez a ideia fosse mais comum que a realidade, mas, enfim, era uma coisa que fascinava as pessoas, como um conto de fadas. Mas aí, em 1947, o governador convocou uma constituinte pra emendar a Constituição do estado de Nova Jersey. E foi então que a coisa começou a mudar. Uma das emendas constitucionais era que não ia mais ter unidades separadas nem segregadas da Guarda Nacional em Nova Jersey. A segunda parte, a segunda mudança na nova constituição, dizia que nenhuma criança seria obrigada a passar por uma escola para chegar a outra no mesmo bairro. A redação da cláusula era mais ou menos assim. O Walter saberia lhe dizer o texto *ipsis litteris*. Essas emendas eliminaram a segregação nas escolas públicas e na Guarda Nacional. O governador e os conselhos de educação tinham que implementar a reforma. O conselho estadual recomendou a todos os conselhos locais que pusessem em prática planos de integração entre as escolas. Sugeriram que começassem integrando o corpo docente e depois aos poucos isso se estendesse aos alunos. Pois bem, mesmo antes de ir pra Asbury Park, quando ainda estudava na Faculdade Estadual de Montclair depois que voltou da guerra, o Walt já era uma pessoa politizada — era um desses ex-combatentes que lutavam pela integração das escolas de Nova Jersey. Mesmo antes da reforma constitucional, e depois da reforma mais ainda, o Walter era uma das pessoas mais ativas na luta pela integração das escolas."

Aonde ela queria chegar era que Coleman *não* era um dos ex-combatentes que lutavam por integração, igualdade e direitos civis; na opinião de Walt, ele só lutava em causa própria. Silky Silk. Era assim que ele lutava, era por isso que ele lutava, e era por isso que Walt jamais suportou Coleman, nem mesmo quando o irmão era menino. Ele só cuida do que é dele, dizia Walt. Só do que dizia respeito a Coleman. Só queria pular fora.

Já havíamos terminado o almoço na minha casa havia várias horas, mas a energia de Ernestine não dava sinal de se esgotar. Havia um turbilhão dentro de sua cabeça — e não apenas em consequência da morte de Coleman, mas também de todo o mistério de seu irmão que fazia cinquenta anos ela tentava entender — que a levava a falar aos borbotões, de um modo que talvez não fosse característico daquela professora séria que ela fora a vida toda. Era uma mulher de aspecto bastante respeitável, aparentemente saudável, embora de rosto um tanto chupado, que dava a impressão de não ter nenhum apetite excessivo; seu modo de se vestir, a maneira meticulosa como ela comia, até mesmo sua postura na cadeira indicavam que ela era o tipo de personalidade que não tinha nenhuma dificuldade em amoldar-se às convenções sociais, e que seu reflexo mais profundo em qualquer conflito seria agir automaticamente como mediadora — senhora absoluta da reação sensata, mais dada a ouvir com atenção do que a fazer discursos, e no entanto a aura de sensacionalismo em torno da morte de seu irmão supostamente branco, o significado especial do final de uma vida que, para a família, sempre parecera uma fuga prolongada, perversa e arrogante, dificilmente poderia ser abordada de modo corriqueiro.

"Mamãe morreu tentando entender por que o Coleman fez o que fez. 'Ele se perdeu da gente dele.' Era o que ela dizia. Ele não foi o primeiro na família da mamãe. Já tinha havido outros casos. Mas eram *outros*. Não eram o Coleman. Em toda a vida dele, o Coleman jamais sofreu por ser negro. Pelo menos não durante o tempo em que convivemos com ele. Isso é verdade. Pra ele, ser negro nunca foi um problema. A gente via a mamãe sentada na cadeira de balanço dela à noite, totalmente imóvel, e sabia o que ela estava pensando: será que foi por isso? por aquilo? Teria sido pra fugir do papai? Mas papai já tinha morrido na época. Mamãe propunha razões, mas nenhuma delas explicava. Seria por ele achar que os brancos eram melhores do que nós? Eles tinham mais dinheiro do que nós, sem dúvida, mas seriam melhores? Será que ele achava isso? Ele nunca deu nenhum sinal de que pensava assim. Muitas pessoas depois que crescem vão embora e cortam todos os vínculos com a família, e não é preciso ser de cor pra fazer isso. Acontece o tempo todo, no mundo inteiro. Elas odeiam tudo de uma tal forma, com uma tal intensidade, que desaparecem. Mas o Coleman quando menino não era uma pessoa cheia de ódio. Era a criança mais alegre, mais otimista que se pode imaginar. *Eu* era mais infeliz que o Coleman. O *Walt* era mais infeliz que o Coleman. Com todo o sucesso que ele tinha, com toda a atenção que as pessoas lhe davam... A mamãe nunca conseguiu entender. Sua mágoa nunca tinha trégua. As fotos dele. Os boletins dele. As medalhas de atletismo. Os álbuns de turma. O diploma de orador. Ela guardava até alguns dos brinquedos dele, os brinquedos prediletos dele quando pequeno, e ela pegava essas coisas e ficava olhando pra elas como se fosse uma adivinha olhando pra uma bola de cristal, como se esses objetos pudessem explicar tudo. Será que ele contou a alguém o que fez? O que o senhor acha, senhor Zuckerman? Será que ele contou pelo menos à mulher dele? Aos filhos?"

"Acho que não", respondi. "Não, tenho certeza de que não contou."

"Isso é bem do Coleman. Ele resolvia fazer uma coisa e fazia mesmo. Era o que ele tinha de extraordinário desde o tempo de menino — quando tinha um plano, ele levava às últimas consequências. Cada decisão que tomava, ele cumpria à risca. Por conta da grande mentira que era a vida dele, era preciso mentir o tempo todo, pra família, pros colegas de trabalho; e ele agüentou até o fim. Até ser enterrado como judeu. Ah, Coleman", disse ela com tristeza, "*tão* determinado. Determinação era com ele." Nesse momento, ela estava mais perto de rir que de chorar.

Enterrado como judeu, pensei eu; e, se minhas especulações estavam corretas, assassinado como judeu. Mais um dos problemas do fingimento.

"Se ele contou pra alguém", comentei, "talvez tenha sido pra mulher com quem ele morreu. A Faunia Farley."

Ela claramente não queria ouvir falar naquela mulher. Mas, sensata como era, foi obrigada a perguntar: "Como é que o senhor sabe isso?".

"Saber, não sei, não. Não sei nada. É uma ideia que eu tenho", disse. "Tem a ver com a minha impressão de que havia um certo pacto entre eles — por isso ele teria contado." O

410

"pacto entre eles" referia-se à convicção que ambos tinham de que era impossível sair daquela situação de modo limpo, mas resolvi não explicar, não para Ernestine. "Olhe, depois do que a senhora me contou hoje, vou ter que repensar tudo o que eu sei sobre o Coleman. Nem sei mais o que pensar sobre coisa nenhuma."
"Então o senhor agora é membro honorário da família Silk. Tirando o Walter, no que diz respeito ao Coleman ninguém jamais soube o que pensar. Por que ele fez o que fez, por que insistiu, por que a mamãe teve que morrer daquele jeito. Se o Walt não tivesse radicalizado", disse ela, "sabe-se lá o que poderia ter acontecido? Quem sabe o Coleman não teria contado à mulher à medida que os anos passassem e a decisão dele fosse ficando uma coisa mais distante? Talvez até chegasse a contar aos filhos. A todo mundo. Mas o Walt congelou aquela situação no tempo. O que nunca é uma boa ideia. O Coleman tomou a decisão dele quando estava na faixa dos vinte. Um jovem estourado de vinte e sete anos. Mas ele não ia ficar com vinte e sete anos a vida toda. O ano de 1953 não ia durar pra sempre. As pessoas envelhecem. Os países envelhecem. *Os problemas* envelhecem. Às vezes envelhecem tanto que morrem de velhos. Mas o Walt congelou tudo. É claro que, se você encarar a coisa de um ponto de vista restrito, do ponto de vista só da vantagem social, é claro que era vantajoso para um negro bem-falante de classe média fazer o que o Coleman fez, como hoje em dia é vantajoso não fazer uma coisa dessas. Hoje, se você é um negro inteligente de classe média e quer que os seus filhos estudem nos melhores colégios, e com uma bolsa integral se precisar, nem passa pela sua cabeça negar que você é de cor. Você nem pensa em fazer uma coisa dessas. Por mais clara que seja a sua pele, a vantagem está em *não* fazer isso, tal como naquele tempo era vantajoso fazer. Quer dizer, qual

a diferença? Mas será que eu posso dizer isso ao Walter? Será que eu posso chegar pra ele e dizer: 'Qual a diferença?'. Primeiro pelo que o Coleman fez com a mamãe, e também porque pro Walter havia uma luta que todo mundo devia enfrentar, e o Coleman se omitiu dessa luta — por esses dois motivos eu realmente não posso dizer isso a ele. Se bem que ao longo desses anos todos bem que eu tentei. Porque o Walter, na verdade, não é uma pessoa radical. Quer que eu fale sobre o meu irmão Walter? Em 1944, aos vinte e um anos, ele estava numa companhia de infantaria só pra homens de cor. Ele estava com um outro soldado da mesma companhia. Os dois estavam numa ponte na Bélgica de onde se via um vale atravessado por uma estrada de ferro. Eles viram um soldado alemão caminhando em direção ao leste pelos trilhos. Ele levava um saco no ombro e assobiava. O outro soldado que estava com Walter fez pontaria. 'Que diabos você está fazendo?', perguntou o Walter. 'Eu vou matar esse cara.' '*Por quê?* Para com isso! O que é que ele está fazendo? Está andando. Provavelmente está indo pra casa.' Walter teve que arrancar a arma do outro à força. Um garoto da Carolina do Sul. Eles desceram o vale, fizeram o alemão parar e o prenderam. Acabou que ele estava mesmo indo pra casa. Estava de licença, e a única maneira pela qual sabia voltar pra Alemanha era seguir a linha do trem. E foi o Walter que salvou a vida dele. Quantos soldados agiram assim? Meu irmão Walter é um homem decidido que é duro quando tem que ser duro, mas é também um ser humano. É justamente porque ele é um ser humano que ele acha que o que você faz, faz pelo progresso da espécie. E é o que tento fazer com ele, o que eu já tentei fazer algumas vezes, dizendo a ele coisas em que eu nem acreditava completamente. O Coleman era um homem da época dele, eu digo. Ele não podia esperar até que o movimento dos direitos civis garantisse os direitos dele, e por isso ele queimou uma etapa. 'Você tem que encarar o Coleman historicamente', eu digo ao Walt. 'Você é professor de história — tem que ver seu irmão como parte de uma coisa maior.' Uma vez eu disse a ele: 'Nem você nem ele se submeteram à situação que vocês encontraram. *Vocês dois* são lutadores, e *vocês dois* lutaram. Você lutou à sua maneira, e ele, à dele'. Mas essa linha de raciocínio nunca funciona com o Walter. Nada funciona com ele. Eu digo que o Coleman fez o que fez para poder se tornar homem — mas ele também não aceita esse argumento. Para o Walt, foi uma maneira que o Coleman encontrou de *não* se tornar homem. Diz ele: 'Está bem. O seu irmão é mais ou menos o que teria sido, só que ele teria sido negro. Só isso? *Só isso?* Isso muda tudo'. O Walt só consegue ver o Coleman da maneira como ele sempre viu. E o que é que eu posso fazer, senhor Zuckerman? Odiar o meu irmão Walt pelo que ele fez com o Coleman, congelando a nossa família no tempo? Odiar o meu irmão Coleman pelo que ele fez com a mamãe, pelo sofrimento que ele impôs à coitada até o último dia da vida dela? Porque, se eu for odiar meus irmãos, quando é que a coisa vai parar? Por que não odiar meu pai por tudo o que ele fez errado? Por que não odiar meu falecido marido? Não me casei com um santo, eu lhe garanto. Eu amava meu marido, mas não sou cega. E o meu filho? Está aí um menino que não seria nada difícil odiar. Ele faz tudo pra facilitar. Mas o perigo do ódio é que, depois que começa, você acaba chegando a uma coisa cem vezes maior do que você queria. Depois que você começa, não tem como parar. Não conheço nada mais difícil de parar que o ódio. É mais fácil parar de beber que dominar o ódio. O que não é pouca coisa, não."

"A senhora já sabia, antes de hoje, por que o Coleman pediu demissão?", perguntei.

"Não. Achei que ele tinha chegado à idade de se aposentar."

"Ele nunca contou pra senhora."

"Não."

"Então a senhora não entendeu direito a fala do Keble."

"Não muito bem." Assim, falei-lhe sobre o caso dos *spooks*, contei toda a história; quando terminei, ela balançou a cabeça e disse de saída: "Nunca ouvi falar de uma bobagem maior cometida por uma instituição de ensino superior. De ignorância e não de ensino. Perseguir um professor universitário, seja ele quem for, qualquer que seja a cor dele, insultar um professor, atacar a honra, a autoridade, a dignidade, o prestígio dele por causa de uma bobagem como essa! Eu sou filha do meu pai, senhor Zuckerman, sou filha de um homem que levava a sério as palavras, e a cada dia que passa as palavras que eu ouço as pessoas dizendo me parecem ter menos a ver com as coisas que elas representam. Pelo que o senhor me conta, hoje em dia qualquer coisa é possível numa faculdade. Parece que as pessoas não sabem mais o que é ensinar. Parece que o que eles fazem é uma palhaçada. Toda época tem suas autoridades reacionárias, e aqui na Athena pelo visto elas estão com toda a força. Será que agora a gente tem que ficar em pânico antes de pronunciar cada palavra? O que aconteceu com a Primeira Emenda da Constituição Federal? Quando eu era menina, quando o senhor era menino, recomendava-se que todo aluno que concluía o secundário em Nova Jersey adquirisse duas coisas: um diploma e um exemplar da Constituição. O senhor se lembra disso? A gente tinha que estudar um ano de história dos Estados Unidos e um semestre de economia — coisa que hoje em dia, o senhor sabe, não é mais necessário: aliás ninguém 'tem que' estudar mais nada. Naquele tempo, em muitas escolas havia uma tradição: o diretor entregava o diploma ao formando e uma outra pessoa entregava um exemplar da Constituição. Hoje em dia já quase ninguém compreende bem a Constituição. Mas em todo o país, pelo visto, o nível de estupidez está aumentando. Está assim de faculdade com programa de recuperação pra ensinar aos alunos o que eles deviam ter aprendido no colegial. No Colégio Secundário de East Orange já há muito tempo ninguém lê mais os clássicos. Nunca ninguém nem ouviu falar de *Moby Dick*, quanto mais leu. No ano em que me aposentei, vinha aluno dizer pra mim que no Mês da História Negra eles só iam ler uma biografia de um negro que fosse escrita por um negro. Que diferença faz, eu perguntava a eles, se o autor do livro é preto ou branco? Eu já implico até com essa história de Mês da História Negra. Pra mim, Mês da História Negra em fevereiro e concentrar o estudo no assunto é como leite que está quase azedando. Dá pra beber, mas o gosto não está bom. Se você quer estudar sobre o Matthew Henson, você devia fazer isso quando estivesse estudando outros exploradores, e não só o Matthew Henson."

"Não sei quem foi Matthew Henson", disse eu a Ernestine, e me perguntei se Coleman sabia, se Coleman queria saber, se a vontade de não saber não teria sido uma das razões que o levaram a tomar sua decisão.

"Senhor Zuckerman...", disse ela, num tom simpático, mas claramente com a intenção de me fazer sentir vergonha de minha ignorância.

"O senhor Zuckerman não passou por nenhum Mês da História Negra quando menino", repliquei.

"Quem descobriu o polo norte?", ela perguntou.

De repente senti que eu gostava muito dela, e que gostava mais dela quanto mais professoral e pedante ela se tornava. Ainda que por motivos diferentes, eu estava começando a gostar dela tanto quanto gostara de seu irmão. E percebi que, se colocassem os dois lado a lado, não seria nem um pouco difícil descobrir o segredo de Coleman. *Todo mundo sabe...* Ah, Delphine Roux, sua besta quadrada. A verdade de cada um é coisa

415

que ninguém sabe, e muitas vezes — como no caso da própria Delphine — quem menos sabe é a própria pessoa. "Já não sei se foi Peary ou Cook", disse eu. "Não sei quem foi o primeiro a chegar ao polo norte."
"Pois bem, o Henson chegou *antes* dele. Quando a notícia saiu no *New York Times*, todos reconheceram. Mas agora nos livros de história só falam no Peary. Seria mais ou menos a mesma coisa se dissessem que *sir* Edmund Hillary foi o primeiro a chegar ao cume do Everest e ninguém falasse em Tenzing Norkay. Mas o que eu estou querendo dizer", prosseguiu Ernestine, agora à vontade, muito professoral e instrutiva — e, ao contrário de Coleman, exatamente como seu pai queria que ela fosse —, "o que eu estou querendo dizer é que, se você está fazendo um curso sobre saúde, então você estuda o doutor Charles Drew. Já ouviu falar nele?"
"Não."
"Que vergonha, senhor Zuckerman. Eu lhe digo já quem foi. Mas a gente estuda o doutor Drew se está estudando saúde. Não tem sentido estudá-lo em fevereiro. O senhor entende o que eu quero dizer?"
"Entendo."
"A gente aprende sobre essas pessoas quando está estudando sobre exploradores e médicos ou lá o que sejam. Mas agora é isso negro e aquilo negro, é tudo assim. Eu tentava deixar passar, mas não era fácil. Há alguns anos o Colégio Secundário de East Orange era uma excelente escola. A garotada que se formava lá, principalmente os alunos do programa especial de excelência, podiam escolher em que universidade eles iam estudar. Ah, se eu começo a falar sobre isso eu não paro mais. O que aconteceu com o Coleman por causa da palavra '*spooks*' faz parte de um grande fracasso geral. No tempo do meu pai, e ainda no meu e no seu, quem fracassava era o indivíduo. Agora é a disciplina.

Ler os clássicos é muito difícil, por isso a culpa é dos clássicos. Hoje o aluno afirma sua incapacidade como um privilégio. Eu não consigo aprender essa matéria, então essa matéria deve ter algum problema. E deve ter algum problema também o professor que resolve ensiná-la. Não há mais critérios, senhor Zuckerman, só opiniões. Eu vivo pensando nessa questão, de como as coisas eram antigamente. Como era o ensino antigamente. Como era o Colégio Secundário de East Orange. Como era East Orange. A reforma urbana destruiu East Orange, disso eu não tenho dúvida. As autoridades municipais diziam que grandes coisas iam acontecer com essa reforma. Os comerciantes ficaram apavorados e foram embora, e quanto mais comerciantes iam embora, menos comércio de bairro tinha. Depois a 280 e a via expressa dividiram nossa cidadezinha em bairros estanques. A via expressa eliminou a Jones Street — o centro da comunidade da gente de cor foi inteiramente eliminado. Depois veio a 280. Uma intrusão devastadora. O mal que essa estrada fez à comunidade! Por causa da construção da estrada, aquelas casas bonitas da Oraton Parkway, da Elmwood Avenue, da Maple Avenue, foram todas compradas pelo governo estadual e desapareceram da noite pro dia. Antigamente eu fazia todas as minhas compras de Natal na Main Street. Na Main Street e na Central Avenue, vá lá. Naquele tempo a Central Avenue era considerada a Fifth Avenue das Oranges. E sabe o que tem lá agora? Temos uma ShopRite. E uma Dunkin' Donuts. Tinha também uma Domino's Pizza, mas fechou. Agora tem outra lanchonete. E uma lavanderia. Mas em termos de qualidade não dá pra comparar. Não é a mesma coisa. Falando sério, hoje eu tenho que pegar o carro e subir a ladeira e ir até West Orange pra fazer as compras. Mas antigamente eu não precisava. Não havia necessidade. Toda noite a gente saía pra dar uma volta com o cachorro, eu ia sempre com meu marido, só não ia se o tempo estivesse muito ruim — a gente caminhava até a Central Avenue, a dois quarteirões lá de casa, depois descia quatro quarteirões na Central Avenue, atravessava a avenida, dava uma olhada nas vitrines e voltava pra casa. Tinha uma B. Altman. Uma Russke's. Uma Black, Starr and Gorham. Tinha uma Bachrach, de fotografia. Uma loja muito boa de moda masculina, Minks, os donos eram judeus, na Central Avenue. E tinha cinema, tinha o Palace Theater na Main Street. Tinha tudo lá em East Orange..."

Tinha tudo lá em East Orange. E tinha quando? Antes. Antes da reforma urbana. Antes do abandono dos clássicos. Antes de pararem de dar exemplares da Constituição para os formandos. Antes de criarem cursos de recuperação nas faculdades para ensinar o que os alunos não aprenderam no colegial. Antes de inventarem o Mês da História Negra. Antes de construírem a via expressa e a 280. Antes de perseguirem um professor universitário por usar a palavra "*spooks*" em sala de aula. Antes de Ernestine ter de pegar o carro e ir até West Orange para fazer as compras. Antes de tudo mudar, inclusive Coleman Silk. E, lamentava Ernestine, nada voltará a ser como era, nem em East Orange nem em lugar nenhum nos Estados Unidos.

Às quatro, quando pegamos o carro e saímos em direção ao College Arms, onde ela estava hospedada, a luz da tarde já descia a encosta da serra muito depressa, e o dia, então cheio de vento e nuvens assustadoras, tinha se transformado num dia de novembro. Naquela manhã Coleman tinha sido enterrado — tal como Faunia na véspera — num clima de primavera, mas agora o inverno fazia questão de se anunciar. E inverno a quatrocentos metros de altitude. Sai de baixo.

O impulso que senti naquele momento, de falar a Ernestine sobre aquele dia de verão, apenas quatro meses antes, em que Coleman me levou até a fazenda para ver Faunia ordenhar as vacas no calor das cinco da tarde — ou melhor, para ver Coleman vendo Faunia ordenhar as vacas —, foi facilmente contido com um pouco de bom senso. Claramente, Ernestine não estava muito interessada em preencher as lacunas em seu conhecimento acerca da vida de Coleman. Embora fosse uma pessoa inteligente, não havia feito uma única pergunta a respeito dos últimos meses de vida do irmão, muito menos sobre as circunstâncias de sua morte; criatura boa e virtuosa que era, preferia não conhecer os detalhes específicos de seu fim. Tampouco lhe interessava investigar as possíveis ligações biográficas entre o impulso rebelde que o levara a romper com a família quando jovem e a determinação furiosa que, cerca de quarenta anos depois, o fizera dissociar-se da Athena, transformando-o em pária e renegado. Não que eu tivesse certeza de haver uma ligação, algum circuito que conectasse uma decisão à outra; mas bem que a gente podia tentar descobrir, certo? Como é que um Coleman surgia no mundo? O que era ele? A ideia que ele fazia de si próprio teria menos ou mais validade do que o que os outros julgavam que ele devia ser? Será mesmo possível descobrir tais coisas? Porém a ideia de que a vida é algo cujo objetivo permanece oculto, de que os costumes às vezes impedem o pensamento, de que a sociedade pinta uma imagem de si própria que pode ser bastante defeituosa, de que o indivíduo real é algo que transcende as determinações sociais que o definem, que por vezes podem ser consideradas por ele totalmente *irreais* — em suma, todas as perplexidades que alimentam a imaginação humana pareciam alheias a uma pessoa que se mantinha de todo fiel a um cânone de regras consagradas pela tradição.

"Nunca li nenhum dos seus livros", disse-me ela no carro. "Hoje em dia o que eu mais leio são romances policiais, no mais das vezes ingleses. Mas, quando chegar em casa, pretendo ler alguma coisa sua."

"A senhora ainda não me disse quem foi o doutor Charles Drew."

"O doutor Charles Drew", ela explicou, "descobriu um método de impedir que o sangue coagulasse, para ser guardado em bancos. Um dia ele sofreu um acidente de carro, e o hospital mais próximo não aceitava pessoas de cor, e ele morreu de hemorragia."

Foi essa toda a conversa que tivemos nos vinte minutos que levei para descer a serra e chegar à cidade. A torrente de revelações havia cessado. Ernestine já dissera tudo o que havia a dizer. O resultado é que o destino terrivelmente irônico do dr. Drew acabou assumindo toda uma significação — uma relevância aparentemente especial para a história de Coleman, cujo destino também fora terrivelmente irônico — que não era menos perturbadora por ser imponderável.

Nada poderia ter tornado Coleman mais misterioso para mim do que esse desmascaramento. Agora que sabia tudo, era como se eu nada soubesse, e o que eu ficara sabendo graças a Ernestine não unificou a ideia que tinha dele; pelo contrário, fez com que ele se tornasse não apenas uma pessoa desconhecida como também incoerente. Até que ponto seu segredo havia determinado sua vida cotidiana e infiltrado seu modo de pensar? Teria se modificado ao longo dos anos, um segredo quente que esfriara até se transformar num segredo esquecido sem importância, algo ligado a um desafio que ele enfrentara, uma aposta que fizera consigo mesmo muitos anos antes? Sua decisão lhe proporcionara a aventura que ele buscava, ou teria sido a decisão em si a própria aventura? Seria a trapaça que lhe dava prazer, o golpe bem aplicado o que mais o agradava, toda uma vida vivida incógnita, ou teria ele simplesmente fechado a porta para um passado, uma gente, toda uma raça com que não queria manter nenhuma relação íntima ou oficial? Seria seu objetivo burlar as restrições sociais? Estaria apenas agindo como qualquer americano e, na grande tradição da fronteira, aceitando o convite democrático para se desvencilhar de suas origens se isso facilitasse sua busca pela felicidade? Ou seria algo mais do que isso? Ou menos? O que haveria de mesquinho em suas motivações? Ou de patológico? E se fossem as duas coisas — e daí? E se *não* fossem? Quando o conheci, teria seu segredo se reduzido a uma leve camada de tinta a colorir a totalidade de seu ser, ou seria toda a sua existência nada mais que uma camada de tinta boiando no oceano imenso de um segredo conservado por toda uma vida? Teria havido momentos em que ele baixara a guarda, ou teria ele vivido todo o tempo como um fugitivo? Teria ele algum dia se acostumado com o fato de que estava sempre tentando esquecer o fato de que estava realizando uma proeza — de que era capaz de enfrentar o mundo com suas forças intactas após ter feito o que fizera, que podia mostrar-se a todos tão à vontade com sua própria pele? Digamos que a certa altura o ponto de equilíbrio se deslocou para a nova vida, e a antiga foi deixada para trás; mesmo assim, teria ele escapado completamente do medo de ser desmascarado, da ideia de que alguém ia descobrir seu segredo? Na primeira vez em que ele me procurou, fragilizado pela súbita perda de sua mulher, pelo *assassinato* de sua mulher, que era como ele encarava o ocorrido, aquela mulher fortíssima contra quem sempre havia lutado mas a quem voltou a ser totalmente dedicado no momento em que a perdeu, quando entrou furioso pela minha porta adentro possuído pela ideia alucinada de que, porque sua esposa morrera, eu teria de escrever o livro que ele não conseguira escrever, sua própria loucura não seria uma espécie de confissão em código? *Spooks!* Cair em desgraça por causa de uma gíria que ninguém usa mais. Ser crucificado por causa disso foi, para Coleman, uma banalização de tudo — do mecanismo delicado de sua mentira, sua trapaça lindamente calibrada, *tudo. Spooks!* A trivialização ridícula daquela representação magnífica que fora toda sua vida, aparentemente convencional mas de uma sutileza singular — uma vida com quase nada de excessivo na superfície, porque nela tudo o que era excessivo estava investido no segredo. Não admira que a acusação de racismo o enfurecesse daquele modo. Como se todas as suas realizações se fundassem apenas na vergonha. Não admira que todas as acusações o enfurecessem. Seu crime era muito maior do que qualquer coisa de que o pudessem acusar. Ele usou a palavra "*spooks*", ele tinha uma namorada que podia ser sua filha — tudo isso era bobagem. Transgressões patéticas, mesquinhas, ridículas, tanto lero-lero ginasiano para um homem que, em sua trajetória rumo ao sucesso, fizera, entre outras coisas, o que tivera de fazer com sua mãe — que em nome da concepção heroica que tinha de sua própria vida dissera a ela: "Acabou. Esse amor acabou. A senhora não é mais minha mãe, e nunca foi". Um homem que é capaz de tal audácia não quer simplesmente ser branco. Ele quer ser capaz de fazer isso. É muito mais do que o desejo de ser livre e despreocupado. É como as barbaridades da *Ilíada*, o livro favorito de Coleman sobre a rapacidade humana. Nele, cada assassinato tem sua qualidade própria, cada matança é mais brutal do que a anterior.

 E no entanto, depois disso, ele conseguiu derrotar o sistema. Depois disso, ele conseguiu: nunca mais viveu fora da proteção da cidade murada que é a convenção. Ou melhor, vivia ao mesmo tempo totalmente dentro dela e, em segredo, totalmente fora, isolado — essa foi a plenitude daquela vida específica, do eu que ele havia criado para si próprio. Sim, ele havia derrotado o sistema por tanto tempo, conseguira até mesmo ter filhos brancos — para por fim ser derrotado. Golpeado de surpresa por uma força incontrolável, totalmente diversa. O homem que decide forjar um destino histórico só para si próprio, que decide romper os grilhões da história, e que consegue fazê-lo, que consegue de modo brilhante alterar o destino que lhe fora reservado, para por fim cair na armadilha da história que ele não havia levado em conta, da história que ainda não é história, da história que está transcorrendo agora no relógio em cada tique-taque, da história que está proliferando enquanto escrevo, ganhando um minuto de cada vez, e que será apreendida melhor pelo futuro do que jamais o será por nós. O nós que é inescapável: o momento presente, o destino comum, a mentalidade atual, a mentalidade do país em que se vive, a pressão da história que é o tempo em que se vive. Golpeado de surpresa pela natureza terrivelmente provisória de tudo.

Quando chegamos à South Ward Street e estacionei o carro diante do College Arms, comentei: "Eu gostaria de conhecer o Walter. Gostaria de conversar com ele sobre o Coleman".

"O Walter não menciona o nome do Coleman desde 1956. Ele se recusa a falar sobre o Coleman. A faculdade mais branca da Nova Inglaterra — e foi aqui que o Coleman fez sua carreira. A matéria mais branca de todo o currículo — e foi ela que o Coleman resolveu ensinar. Para o Walter, o Coleman é mais branco do que os brancos. Ele não vai ter mais nada a dizer do que isso."

"A senhora vai contar a ele que Coleman morreu? Vai dizer a ele onde a senhora esteve?"

"Não. Só se ele perguntar."

"A senhora vai entrar em contato com os filhos do Coleman?"

"Pra quê?", perguntou ela. "Quem devia ter contado a eles era o Coleman. Não eu."

"Então por que a senhora me contou?"

"Eu não contei ao senhor. Foi o senhor que se apresentou a mim no cemitério. Dizendo: 'A senhora é irmã do Coleman'. E

eu respondi que era. Simplesmente disse a verdade. Não sou eu quem tem alguma coisa a esconder." Foi o único momento em que ela foi severa comigo em toda aquela tarde — comigo e com Coleman. Até aquele momento ela havia mantido um equilíbrio escrupuloso entre o sofrimento da mãe e a crueldade do irmão.
Então, ela tirou uma carteira da bolsa. Abriu-a e mostrou-me uma das fotos que guardava num compartimento de plástico. "Meus pais", disse ela. "Depois da Primeira Guerra Mundial. Ele tinha acabado de voltar da França."
Dois jovens à frente da entrada de um prédio de tijolo, uma mulher *mignon* com um chapéu grande e um vestido de verão comprido, um jovem alto com uniforme de gala do Exército, quepe, boldrié de couro, luvas de couro, botas compridas de couro luzidio. Embora não fossem muito escuros, eram negros. Como se sabia que eram negros? Apenas porque não tinham nada a esconder.
"Rapaz bonitão. Principalmente com esse uniforme", observei. "Parece uniforme de cavalaria."
"Infantaria", disse ela.
"Já sua mãe não dá pra ver direito. O chapéu meio que tapa o rosto."
"Só se pode controlar a vida até certo ponto", disse Ernestine, e com esse comentário resumido, mas filosoficamente poderoso, recolocou a carteira na bolsa, agradeceu-me pelo almoço e, retomando quase visivelmente aquela sua existência disciplinada e comum que se distanciava de modo rigoroso de qualquer ilusão, branca ou negra ou o que quer que fosse, saltou do carro. Em vez de voltar para casa, fui até o cemitério e, depois de estacionar o carro na rua, entrei pelo portão, e sem saber exatamente o que estava acontecendo, parado na penumbra ao lado do monte de terra jogado sobre o caixão de Coleman, dei por mim totalmente possuído por sua histó-

ria, pelo final e pelo começo, e ali mesmo, naquele momento, comecei a escrever este livro.

Comecei me perguntando como teria sido quando Coleman contou a Faunia a verdade sobre aquele início — partindo do pressuposto de que ele contou a ela, de que ele *teve* de contar. Partindo do pressuposto de que o que ele não pôde me dizer diretamente no dia em que entrou na minha casa praticamente gritando "Escreve a minha história, porra!", e de que o que não pôde dizer quando ele próprio foi obrigado a desistir do projeto de escrever a história (*por causa* do segredo, eu percebia agora), ele terminara sentindo necessidade de contar a ela, à faxineira da faculdade que havia se tornado sua companheira de batalha, a primeira e última pessoa desde Ellie Magee diante de quem ele podia se despir por completo e mostrar, saindo de suas costas nuas, a chave mecânica graças à qual ele dera corda a si mesmo para embarcar naquela enorme aventura. Ellie, antes dela Steena, e por fim Faunia. A única mulher que jamais ficou sabendo de seu segredo foi aquela com quem ele viveu toda a sua vida — sua esposa. Por que Faunia? Como é humano ter um segredo, também é humano, mais cedo ou mais tarde, revelá-lo. Até mesmo, como ocorreu no caso, para uma mulher que não faz perguntas, que aparentemente seria a mulher perfeita para um homem que tem um segredo como esse. Mas mesmo para ela — principalmente para ela. Porque ela não faz perguntas não por ser burra ou por não querer encarar as coisas; se ela não é de perguntar nada, pensa Coleman, é por uma questão de dignidade devastada.

"Admito que pode não ser exatamente assim", disse eu a meu amigo totalmente transformado, "admito que talvez eu esteja enganado do começo ao fim. Mas, seja lá como for, lá vai: quando você estava tentando descobrir se ela havia sido prostituta... quando você estava tentando descobrir o segredo *dela...*" Ali, junto ao túmulo dele, onde tudo o que Coleman jamais fora pareceria ter sido cancelado pelo peso e pela massa de toda aquela terra, senão por outras coisas, esperei e esperei que ele falasse, até que por fim o ouvi perguntando a Faunia qual fora o pior emprego de sua vida. Então esperei de novo, esperei mais algum tempo, até que aos poucos comecei a ouvir as vibrações sapecas daquela voz desinibida que era a dela. E foi assim que tudo começou: eu, sozinho num cemitério ao entardecer, entrando numa competição profissional com a morte.

"Depois das crianças, depois do incêndio", ouvi-a dizer a ele, "eu estava topando qualquer emprego que pintasse. Eu não sabia o que estava fazendo nessa época. Eu vivia num nevoeiro. Pois bem, teve um suicídio", disse Faunia. "Isso foi na floresta, perto de Blackwell. Com uma arma. Chumbo de caça. O cadáver acabou. Uma mulher que eu conhecia, uma bebum, a Sissie, veio me pedir ajuda. Ela ia lá limpar o lugar. 'Eu sei que você vai achar esse pedido estranho', diz a Sissie, 'mas eu sei que você tem estômago forte, você consegue enfrentar as coisas. Será que você me ajuda a fazer isso?' Tinha um homem e uma mulher morando lá, e mais os filhos, e os dois tiveram uma discussão, aí o homem foi pro outro cômodo e estourou os miolos. 'Eu vou lá limpar', disse a Sissie, e aí eu fui com ela. Eu estava precisando da grana, e estava mesmo sem saber o que fazer, aí eu fui. O cheiro de morte. É disso que mais me lembro. Metálico. Sangue. O cheiro. O cheiro subiu só quando a gente começou a limpeza. Ficou forte quando a água quente bateu no sangue. Era uma cabana de tronco de madeira. Sangue pelas paredes, pra tudo quanto é lado. Pof, e pronto, o cara se esborrachou todo e grudou na parede, em tudo. Quando a água quente e o desinfetante bateram... cruzes. Eu estava com luva de borracha, e tive que colocar uma máscara, porque nem *eu* conseguia aguentar aquilo. Tinha também uns pedaços de osso na parede,

colados com sangue. O carinha tinha enfiado a arma dentro da boca. Pou. Uma tendência a encontrar osso e dente ali também. E eu vendo aquilo. Só isso. Me lembro que olhei pra Sissie. Olhei pra ela e ela estava balançando a cabeça. 'Mas por que cargas-d'água a gente está fazendo uma porra dessas? Não tem dinheiro que pague.' Fizemos o serviço da melhor maneira possível. Cem dólares por hora. E até hoje eu acho que foi pouco."
"O que seria um pagamento razoável?", ouvi Coleman perguntando a Faunia.
"Mil. Tocar fogo naquela porra toda. Não tinha pagamento razoável, não. A Sissie saiu de repente. Não aguentou mais. Mas eu, meus dois filhos estavam mortos, o maluco do Lester me perseguia pra todo lado, dia e noite, eu não estava nem aí. Comecei a investigar. Porque às vezes sou assim. Eu queria saber por que o carinha tinha feito aquilo. Uma coisa que sempre me fascinou. O que leva uma pessoa a se suicidar. Por que é que existe assassino serial. A morte em geral. É fascinante. Dei uma olhada nas fotos. Queria saber se tinha alguma felicidade ali. Examinei a casa toda. Até que cheguei no armário dos remédios. As caixas. Os frascos. *Ali* não tinha felicidade nenhuma. O homem tinha uma verdadeira farmácia. Remédio psiquiátrico, eu acho. Coisas que ele deveria estar tomando mas não estava. Pelo visto, ele tentava buscar ajuda, mas não conseguia. Não conseguia tomar os remédios."
"Como é que você sabe isso?", perguntou Coleman.
"Estou imaginando. Não sei. É a minha história. Essa é a minha história."
"Vai ver que ele tomava os remédios mas acabou se matando assim mesmo."
"Pode ser", disse ela. "O sangue. Sangue gruda. Não tinha como tirar o sangue do chão. Eram toalhas e mais toalhas. Continuava com a mesma cor. No final era mais uma espécie de cor

de salmão, mas assim mesmo não dava pra tirar. Era como se fosse uma coisa que ainda estava viva. Desinfetante barra-pesada — não adiantava. Metálico. Adocicado. Dava náuseas. Mas não fiquei com ânsia de vômito, não. Elevei meu pensamento. Mas foi quase."
"Quanto tempo levou?", ele perguntou.
"A gente ficou lá umas cinco horas. Eu bancando detetive amador. O homem tinha uns trinta e tantos anos. Não sei o que ele fazia. Vendedor, sei lá. Tipo de cara que mora no mato. Na serra. Barbudo. Cabelo grande. Já ela era pequenina. Carinha bonita. Pele clara. Cabelo escuro. Olhos escuros. Muito tímida. Intimidada. Tudo isso com base nas fotos. Ele, aquele cara grandão, forte, e ela aquela coisinha assim toda miúda e tímida. Não sei. Mas quero saber. Eu fui menor emancipada. Abandonei a escola. Eu não conseguia ir à aula. Entre outras coisas, porque era um saco. Tanta coisa verdadeira acontecendo na casa das pessoas. Na *minha* casa também, com certeza. Como é que eu podia ir pra escola pra saber qual a capital do Nebraska? Eu queria *saber*. Eu queria pular fora e ver o que estava acontecendo. Por isso que eu fui pra Flórida, por isso que eu acabei indo pra tudo quanto era lugar, e por isso eu fiquei bancando o detetive naquela casa. Examinando tudo. Eu queria saber o pior. O que é o pior? Você sabe? Ela estava lá quando o homem fez aquilo. Mas quando a gente foi fazer a limpeza ela já estava entregue aos psiquiatras."
"Essa foi a pior coisa que você já fez? O pior trabalho que você já teve que fazer?"
"Grotesco. É. Eu já vi muita coisa. Mas isso — isso não era só grotesco. Por outro lado também era fascinante. Eu queria saber por quê."
Ela queria saber o pior. Não o melhor, o pior. Ou seja, a verdade. O que é a verdade? Então ele contou a ela. A pri-

meira mulher a ficar sabendo desde Ellie. A primeira pessoa desde Ellie. Porque a amava naquele momento, ao imaginá-la limpando o sangue. Nunca se sentiu tão próximo dela quanto naquele momento. Era possível? Coleman nunca se sentira tão próximo de uma pessoa na vida! Ele a amava. Porque é nessa hora que você ama uma pessoa — quando você a imagina decidida a suportar o pior. Não corajosa. Não heroica. Só decidida. Coleman não tinha nenhuma reserva quanto a ela. Nenhuma. Era algo além do pensamento e do cálculo. Era instintivo. Algumas horas depois aquilo poderia parecer uma péssima ideia, mas não naquele momento. Ele confia nela — é isso. Ele confia nela: ela raspou o sangue do chão. Ela não é religiosa, não é uma santarrona, não é deformada pelo conto da carochinha da pureza, por mais que tenha sido desfigurada por outras perversões. Não está interessada em julgar — depois de tudo o que ela viu, não cai numa babaquice dessas. Eu posso falar qualquer coisa que ela não vai fugir como a Steena. "O que você pensaria", ele perguntou, "se eu lhe dissesse que não sou branco?"

De início ela se limitou a olhar para ele; se ficou estupefata, foi só por uma fração de segundo, nada mais. Então começou a rir, soltou aquela gargalhada que era sua marca registrada. "O que eu pensaria? Eu pensaria que você está me dizendo uma coisa que eu já descobri há muito tempo."

"Não é verdade."

"Ah, não é não? Eu sei o que você é. Eu já morei no sul. Já vi gente de todo tipo. Claro que eu sei. Por que é que você acha que eu gosto tanto de você? Porque você é professor universitário? Se você fosse isso eu enlouquecia."

"Não acredito em você, Faunia."

"Problema seu", disse ela. "Terminou o interrogatório?"

"Que interrogatório?"

"Sobre o pior emprego que eu já tive."

"Claro", disse ele. E ficou esperando que ela começasse a interrogá-lo sobre aquela história de ele não ser branco. Mas não houve interrogatório nenhum. Ela realmente parecia não estar interessada. E não fugiu. Quando ele lhe contou toda a história, ela o ouviu, mas não por achar que a história era inacreditável ou mesmo estranha — certamente repreensível é que não era. Não. Para ela, a vida era assim mesmo.

Em fevereiro, Ernestine me telefonou, talvez por ser o Mês da História Negra e por ela se lembrar que tivera de me dizer quem eram Matthew Henson e o dr. Charles Drew. Talvez julgasse que já era hora de voltar a me instruir a respeito das realizações de sua raça, enfatizando tudo aquilo de que Coleman havia se desligado, aquele mundo de East Orange, cheio a ponto de transbordar, dez quilômetros quadrados ricos no que há de mais vivo na criação, o fundamento sólido e lírico de uma infância sadia, todas as salvaguardas, as lealdades, as batalhas, a autenticidade, tudo simplesmente dado como certo, sem nada de teórico, de falso ou ilusório — toda a matéria-prima de uma vida feliz, palpitando de entusiasmo e senso comum, que seu irmão Coleman havia apagado.

Para minha surpresa, depois de me dizer que Walter Silk e sua mulher viriam de Asbury Park no domingo, ela me disse que, se eu não me incomodava de ir até Nova Jersey, gostaria que eu fosse almoçar com eles. "O senhor queria conhecer o Walt. E imaginei que talvez o senhor gostasse de ver a casa. Álbuns de fotografias, o quarto de Coleman, onde o Coleman e o Walter dormiam. As camas continuam lá. Depois foi o quarto do meu filho, mas os mesmos estrados continuam no lugar."

Eu estava sendo convidado para ver a abundância da família Silk que Coleman rejeitara, como se fosse uma forma de escravidão, para viver numa esfera que correspondesse à sua visão de grandeza — a fim de se tornar uma outra pessoa, uma pessoa que ele julgava adequada, e fazer seu próprio destino subjugando-se a uma outra coisa. Coleman rejeitara aquilo tudo, a coisa negra com todas as suas ramificações, achando que não poderia se livrar dela de nenhuma outra maneira. Tanta ânsia, tantos planos, tanta paixão, sutileza e falsidade, tudo isso alimentando a fome de abandonar a casa e se transformar. Tornar-se um ser novo. Bifurcar-se. O drama que está por trás da história dos Estados Unidos, o grande drama da partida e do abandono — e a energia e a crueldade exigidas por esse impulso irresistível.

"Eu gostaria de ir", respondi.

"Não posso garantir nada", disse ela. "Mas o senhor é um homem crescido. O senhor sabe se cuidar."

Eu ri. "O que a senhora quer dizer com isso?"

"O Walter já está com quase oitenta anos, mas ele continua um homenzarrão e uma fornalha acesa. O que ele vai dizer o senhor não vai gostar."

"Sobre os brancos?"

"Sobre o Coleman. O mentiroso calculista. O filho desalmado. O traidor da raça."

"A senhora contou a ele que o Coleman morreu."

"Resolvi contar. Contei, sim. Somos irmãos. Contei tudo a ele."

Alguns dias depois, recebi pelo correio uma foto, acompanhada de um bilhete de Ernestine. "Encontrei esta foto e pensei na visita que fiz a sua casa. Pode ficar com ela, como lembrança do seu amigo Coleman Silk." Era uma fotografia preto e branco esmaecida, dez por doze centímetros, um instantâneo ampliado, provavelmente tirado num quintal com uma câmara-caixão, mostrando Coleman como a máquina de lutar que o adversário terá de enfrentar quando tocar a sineta. Teria no máximo quinze anos, embora aquelas feições pequenas e nítidas que no homem pareciam juvenis parecessem másculas e adultas no menino. Ele exibe, como um profissional, o olhar agressivo e fixo do carnívoro ameaçador, um olhar do qual só não se eliminaram a fome de vitória e a arte de destruir. É um olhar franco, que parte diretamente dele como se fosse uma ordem, embora o queixo pequeno e afilado esteja cravado no ombro magro. Suas luvas estão a postos na posição clássica — como se contivessem não apenas um par de punhos mas também todo o ímpeto de uma década e meia de vida — e são maiores do que a circunferência de seu rosto. Tem-se a impressão subliminar de um menino com três cabeças. *Eu sou lutador de boxe,* proclama a pose ameaçadora e arrogante, *eu derrubo qualquer um — eu arraso. Eu mando porrada até pararem a luta.* Determinação era com ele, Ernestine havia comentado; e de fato, no verso da foto, com o que certamente era a letra de Ernestine quando menina, estava escrito "Determinação é com ele", em tinta azul de caneta-tinteiro, desbotada.

    Ela também não é fácil, pensei; encontrei uma moldura de plástico transparente e coloquei sobre minha escrivaninha a foto do boxeador-mirim. A audácia daquela família não começava nem terminava com Coleman. Um presente ousado, pensei, dado por uma mulher que à primeira vista não parecia ousada. O que a teria levado a me convidar? O que teria me levado a aceitar o convite? Era estranho, eu e a irmã de Coleman simpatizarmos tanto um com o outro — mas só era estranho levando-se em conta que tudo o que dizia respeito a Coleman era dez, vinte, cem mil vezes mais estranho.

    O convite de Ernestine, a foto de Coleman — foi assim que parti em direção a East Orange no primeiro domingo de fevereiro depois que o Senado decidiu não remover Clinton da presidência, e foi assim que me vi tomando uma estrada remota por onde normalmente nunca passo no meu dia a dia, mas que serve como atalho para ir da minha casa à Route 7. E foi assim que percebi, estacionado junto a um campo pelo qual eu normalmente teria passado sem olhar para o lado, uma picape cinza caindo aos pedaços, com o adesivo POW/MIA* no para-choques, que — disso eu não tinha dúvida — pertencia a Les Farley. Vi a picape, de algum modo concluí que era dele e, incapaz de seguir em frente, incapaz de registrar a presença da picape e seguir em frente, pisei no freio. Dei ré até colocar meu carro à frente da picape, e estacionei na beira da estrada.

Imagino que não cheguei a me convencer de todo que estava realmente fazendo aquilo — senão como conseguiria fazê-lo? —, mas àquela altura já fazia quase três meses que eu me sentia mais ligado à vida de Coleman Silk do que à minha própria existência, e assim era impensável eu estar em outro lugar que não ali, naquele frio, no alto daquela montanha, com a mão enluvada pousada no capô do veículo que havia descido a ladeira na contramão e empurrado Coleman para fora da estrada, atravessando o guardrail, jogando-o, juntamente com Faunia, dentro do rio na véspera do dia em que ele completaria setenta e dois anos. Se aquela era a arma do crime, o criminoso deveria estar por perto.

Quando me dei conta do lugar para onde eu estava indo — e pensei de novo como era surpreendente receber aquele bilhete de Ernestine, ser convidado a conhecer Walter, estar pensando o dia inteiro e por vezes boa parte da noite sobre uma pessoa com quem eu convivera por menos de um ano e que jamais chegara a ser um amigo íntimo —, a sequência de

---

* "*Prisoner of war/ Missing in action*" ("Prisioneiro de guerra/ Desaparecido em combate"). (N. T.)

acontecimentos pareceu perfeitamente lógica. É o que acontece com quem escreve livros. Não é só porque temos um impulso que nos leva a descobrir tudo — é também porque alguma coisa começa a colocar tudo à nossa frente. De repente, basta entrar numa estrada secundária na serra para darmos de cara com o que mais nos obceca.

E aí a gente acaba fazendo o que eu estava fazendo. Coleman, Coleman, Coleman, você que agora não é mais ninguém domina minha existência. É claro que você não podia escrever o livro. Você já tinha escrito o livro — o livro era a sua vida. Escrever sobre si próprio é expor-se e se ocultar ao mesmo tempo, mas no seu caso você teria de ocultar-se a cada instante, e portanto seria impossível. Seu livro era a sua vida — e a sua arte? Depois que você tomou sua decisão, sua arte era ser branco. Era ser, como diz o seu irmão, "mais branco que os brancos". Foi esse o seu singular ato de invenção: a cada dia você despertava para ser aquilo em que tratara de se transformar.

Já quase não havia neve no chão, apenas uma ou outra mancha formando uma espécie de teia de aranha branca estendida sobre o campo; não havia uma trilha que se pudesse seguir, e por isso resolvi atravessar o campo, e do outro lado havia uma fina barreira de árvores; atrás delas eu divisava um outro campo; assim, segui em frente até chegar ao segundo campo, que atravessei também, e depois dele havia outro, uma barreira mais densa de árvores, cheia de coníferas altas, e do outro lado vi o olho luzidio de uma lagoa congelada, uma oval com duas extremidades pontudas, cercada de encostas pardas salpicadas de neve, e as montanhas se estendendo ao longe, em curvas que pareciam pedir carícias. Tendo caminhado cerca de quinhentos metros a partir da estrada, eu havia adentrado — não, *invadido*; eu tinha quase a sensação de estar cometendo um ato ilegal... de estar invadindo uma paisagem que me parecia

434

das mais virginais, invioladas, serenas e intactas que podiam ser encontradas em torno de um lago na Nova Inglaterra. Era um desses lugares que — e é por isso mesmo que são valorizados — nos proporcionam uma visão do mundo tal como era antes do advento do homem. O poder da natureza é por vezes muito tranquilizador, e aquele lugar tranquilizava, fazia cessarem os pensamentos triviais sem chegar a causar algum temor, a nos fazer pensar na insignificância da duração de uma existência humana e na infinitude da morte. A escala daquela paisagem ficava aquém do sublime. Era possível absorver a beleza que havia lá sem se sentir apequenado ou tomado pelo medo.

Quase no meio da superfície gelada havia um vulto solitário, de macacão marrom e gorro preto, sentado num balde amarelo baixo, debruçado sobre um buraco aberto no gelo, segurando um caniço curto com as mãos enluvadas. Só pisei no gelo quando vi que ele levantou a vista e percebeu minha presença. Não queria pegá-lo desprevenido, nem queria que ele pensasse que eu tinha essa intenção, se aquele pescador era de fato Les Farley. Se aquele era mesmo Les Farley, não era uma boa ideia pegá-lo de surpresa.

Claro que pensei em voltar atrás. Pensei em retornar à estrada, entrar no carro, seguir rumo à Route 7 Sul e atravessar Connecticut até tomar a 684 e de lá pegar a Garden State Parkway. Pensei em ver o quarto de Coleman. Pensei em ver o irmão de Coleman, que não conseguia deixar de odiar Coleman pelo que ele fizera, mesmo depois de sua morte. Eu pensava precisamente nessas coisas, só nelas, enquanto atravessava o gelo para ver o assassino de Coleman. No momento em que me dirigia a ele — "Oi. Como está aí?" — eu pensava: tanto faz pegá-lo de surpresa ou não. Eu sou o inimigo de qualquer maneira. Naquele palco vazio, embranquecido de gelo, eu era o *único* inimigo.

"Como vai a pescaria?", insisti.

"Ah, nem muito bem nem muito mal." Limitou-se a me olhar de relance e voltou a focalizar a atenção no buraco, um dos doze ou quinze buracos que haviam sido cortados naquele gelo duro como pedra, distribuídos ao acaso por uma superfície de cerca de quatro metros quadrados. Muito provavelmente os buracos tinham sido feitos com o instrumento que estava a alguns passos do balde amarelo, que na verdade era um recipiente de detergente com capacidade de vinte e cinco litros. O instrumento consistia numa haste de metal com cerca de um metro e vinte de comprimento, que terminava com uma lâmina em forma de saca-rolha, uma ferramenta forte e séria, cuja broca imponente — que rodava quando se girava a manivela no alto — brilhava ao sol como se fosse nova. Um trado.

"Dá pro gasto", murmurou ele. "Dá pra passar o tempo."

Era como se eu não fosse a primeira e sim a quinquagésima pessoa a passar por acaso por aquela lagoa gelada, a quinhentos metros de uma estrada secundária naquela serra remota, para lhe perguntar como estava a pescaria. Ele usava um gorro preto de lã enfiado na testa de modo a cobrir as orelhas, e tinha uma barba preta, já grisalha, e um bigode espesso, de modo que de seu rosto só se podia ver uma faixa estreita. Se havia alguma coisa notável naquele rosto era sua largura — estendia-se no eixo horizontal, um rosto que era uma verdadeira planície retangular. As sobrancelhas eram escuras, longas e espessas; os olhos, azuis e bem espaçados; e acima do bigode via-se um nariz achatado, raquítico, de criança. Naquela única faixa de rosto que Farley expunha, entre o bigodão e o gorro, havia toda uma série de princípios em atuação, tanto geométricos como psicológicos, todos eles incompatíveis entre si.

"Bonito lugar", comentei.

"Por isso que eu venho."
"Tranquilo."
"Perto de Deus", disse ele.
"É mesmo? O senhor sente isso?"
Então ele se despiu da camada mais externa que recobria sua interioridade, livrou-se um pouco do estado de espírito em que eu o surpreendera e deu a impressão de que estava pronto para me encarar como algo mais que um irrelevante fator de distração. Sua postura não mudou — estava claramente pescando e não conversando —, mas ao menos um pouco de sua aura antissocial foi dissipada pela voz, que era mais cheia, mais pensativa do que eu imaginava. Até mesmo compreensiva, ainda que de um modo drasticamente impessoal.
"Bem no alto do morro", disse ele. "Não tem casa por aqui. Nenhuma moradia. Nenhuma à margem da lagoa." Após cada afirmação, uma pausa meditativa — observação declarativa seguida de silêncio carregado. Depois que terminava cada frase, não ficava claro se ele dava a conversa por encerrada. "Aqui não tem muita atividade, não. Quase não tem barulho. Doze hectares de lagoa. Ninguém com trado mecanizado. Fazendo barulho e cheirando a gasolina. Doze hectares de terra boa e floresta. É um lugar bonito, só isso. Tranquilo. E limpo. Um lugar limpo. Longe de toda essa confusão e loucura." Por fim olhou para cima, para me ver. Para me avaliar. Uma olhadela rápida, noventa por cento opaca e incompreensível e dez por cento de uma transparência assustadora. Não consegui ver nenhum humor naquele homem.
"Enquanto eu conseguir manter o segredo", disse ele, "o lugar vai ficar como está."
"É verdade", concordei.
"Eles moram na cidade. Moram na confusão e na loucura da rotina de trabalho. A loucura de ir pro trabalho. A loucura do

trabalho. A loucura de voltar pra casa. O trânsito. Os engarrafamentos. Eles estão presos nessa vida. Eu estou fora."
Eu não precisava perguntar quem eram "eles". Eu morava bem longe da cidade, eu não tinha nenhum trado mecanizado, mas eu era eles, todos nós éramos eles, todo mundo menos aquele homem debruçado sobre o caniço e falando sem tirar os olhos do buraco aberto no gelo, por opção própria dirigindo-se menos a mim — ou seja, a eles — do que à água gelada debaixo de nossos pés.

"Às vezes passa alguém que está fazendo uma caminhada, ou esquiando, ou uma pessoa como o senhor. Vê o meu caminhão, me descobre aqui e vem, e parece que quando eu estou aqui no gelo — gente como o senhor, que não pesca..." E nesse ponto levantou a vista de novo, para me ver, para adivinhar, de modo gnóstico, minha imperdoável condição de *eles*. "Imagino que o senhor não pesca."

"Não pesco, não. Vi o seu caminhão. Estava só passeando neste dia tão bonito."

"Pois é, são como o senhor", disse ele, como se não tivesse a menor dúvida a meu respeito desde o momento em que eu aparecera na margem. "Eles sempre se aproximam quando veem alguém pescando, e são curiosos, perguntam o que foi que ele pescou, essas coisas. Aí o que eu faço..." Porém aqui seu raciocínio pareceu se deter de repente, contido pelo pensamento: *Que diabo eu estou fazendo? Mas que diabo eu estou dizendo?* Quando voltou a falar, meu coração disparou de medo. Agora que ele não podia mais pescar, pensei, ele resolveu se divertir um pouco comigo. Agora ele está representando. Deixou de ser um pescador e voltou a ser Les, a ser tudo o que Les é e não é.

"Aí o que eu faço", repetiu, "se eu tenho algum peixe largado no gelo, foi o que eu fiz quando vi o senhor. Eu pego na mesma hora os peixes todos que eu já pesquei e enfio num saco plástico e guardo dentro do balde, esse balde aqui que eu estou sentado em cima. Aí os peixes ficam escondidos. E quando a pessoa chega e me pergunta — 'Como vai a pescaria?' — eu respondo: 'Mal. Acho que não tem nada aqui, não'. Hoje eu já peguei uns trinta peixes. Um dia excelente. Mas o que digo pra eles é: 'Não, já estou até indo embora. Fiquei aqui umas duas horas e não peguei nada até agora'. Eles sempre viram as costas e vão embora. Vão pra outro lugar. E aí espalham que esta lagoa não é boa pra pescar. Por isso que é segredo. Eu acabo sendo um pouco desonesto. Mas este lugar é o segredo mais bem guardado no mundo inteiro."

"E agora eu sei", retruquei. Vi que era absolutamente impossível fazê-lo rir comigo, de cumplicidade, rir da peça que ele pregava em intrometidos como eu, impossível tentar fazê-lo relaxar sorrindo do que tinha dito, por isso nem tentei. Percebi que, embora nada tivesse se passado entre nós que fosse de natureza pessoal, por opção dele, se não por opção minha, o hiato que nos separava era tão grande que sorrir não teria nenhum efeito. Aquela conversa, naquele lugar remoto, isolado e congelado, de repente parecia ser da maior importância. "Sei também que o senhor está sentado em cima de uma boa quantidade de peixe", prossegui. "Dentro desse balde. Quantos o senhor pegou hoje?"

"Bem, o senhor tem cara de quem sabe guardar um segredo. Uns trinta, trinta e cinco peixes. É, o senhor tem cara de ser um homem honesto. Acho que eu sei quem o senhor é. O senhor não é o escritor?"

"Sou, sim."

"Claro. Eu sei onde o senhor mora. Em frente ao pântano da garça. A casa do Dumouchel. É lá que fica a cabana do Dumouchel."

"Foi do Dumouchel que eu comprei a cabana. Então me diga, já que eu sei guardar um segredo, por que é que o senhor está sentado aqui e não ali. Essa lagoa inteira está congelada. Por que é que o senhor escolhe exatamente este lugar pra pescar?" Embora ele não estivesse fazendo tudo o que podia para me manter ali, eu parecia estar fazendo por minha conta tudo o que podia para não ir embora.

"Bom, nunca se sabe", disse ele. "Você começa no lugar onde pegou peixe da última vez. Se você pegou peixe da última vez, você começa sempre naquele lugar."

"Então é assim. Eu sempre quis saber." Vá embora agora, pensei. De conversa isso já basta. É até demais. Mas, quando pensava em quem ele era, me vinha a vontade de insistir. A presença física dele me fazia insistir. Não era especulação. Não era meditação. Não era essa maneira de pensar que é o ato de escrever uma obra de ficção. Era a coisa em si. As leis da cautela, que, fora de meu trabalho, governavam minha vida de modo tão rigoroso havia cinco anos, de repente foram suspensas. Eu não podia dar as costas para ele e ir embora, nem tampouco me virar e sair correndo. Não era uma questão de coragem. Não era uma questão de razão nem de lógica. Eis o homem. Era só isso. Isso e mais o meu medo. Com aquele macacão marrom pesado, aquele gorro preto de lã, aquelas botas pretas de solas grossas, aquelas mãos grandes enfiadas em luvas de camuflagem de caçador (ou soldado) que deixam as pontas dos dedos de fora, eis o homem que assassinou Coleman e Faunia. Disso tenho certeza. O carro não saiu da estrada e caiu no rio sem motivo. Eis o assassino. É ele. Como posso ir embora?

"O senhor sempre pesca lá?", perguntei-lhe. "Quando o senhor volta ao lugar onde pescou da última vez?"

"Não, senhor. Os peixes andam em cardumes. Debaixo do gelo. Um dia eles estão na extremidade norte da lagoa, no dia seguinte podem estar na extremidade sul. Às vezes acontece de duas vezes seguidas eles estarem no mesmo lugar. Eles

continuam lá. O que eles costumam fazer, os peixes, é ficar todos juntos, e não se mexer muito, porque a água está muito fria. Eles conseguem se adaptar à temperatura da água, e quando a água está muito fria eles não se mexem muito e aí não precisam de muita comida. Mas se você pega uma área onde os peixes estão reunidos, você pega um bocado de peixe. Mas tem vezes que você vai na mesma lagoa — nunca dá pra cobrir a extensão inteira — e você tenta cinco ou seis lugares diferentes, fura um monte de buraco, e não consegue pegar nada. Nem um peixinho. Porque você não pegou o cardume. E aí você fica sentado à toa."
"Perto de Deus", comentei.
"É isso aí."
A fluência dele — por ser a última coisa que eu esperava encontrar — me fascinava, tal como sua disposição de explicar em detalhe como se comportavam os habitantes da lagoa quando a água está fria. Como ele sabia que eu era "o escritor"? Saberia também que eu era amigo de Coleman? E que eu tinha ido ao enterro de Faunia? Eu imaginava que ele agora estava tão curioso a meu respeito — e da minha missão ali — quanto eu em relação a ele. Aquele espaço amplo e claro sob uma abóbada fria e aberta, no alto de uma montanha onde havia uma lagoa oval de tamanho razoável com água congelada, dura como rocha, a atividade antiquíssima que é a vida de uma lagoa, e a formação do gelo, e o metabolismo dos peixes, todas essas forças silenciosas, atemporais, atuando de modo implacável — é como se tivéssemos nos encontrado no teto do mundo, dois cérebros ocultos desconfiados; o ódio mútuo e a paranoia são a única introspecção que existe neste mundo.

"E o senhor fica pensando no quê", perguntei, "se os peixes não mordem a isca? No que é que o senhor pensa nessas horas?"

"Vou lhe dizer no que eu estava pensando. Eu estava pensando num monte de coisas. Estava pensando no Bill Bom de Papo. Estava pensando no nosso presidente — esse sortudo. Eu estava pensando nesse cara que sempre se dá bem, e nos caras que não conseguiram se dar bem. Que não escaparam do serviço militar e não se deram bem. Isso não é direito."
"O Vietnã", disse eu.
"É. A gente pegava aquelas porras daqueles helicópteros — na minha segunda ida eu ficava metralhando da porta do helicóptero —, e eu estava pensando numa vez que penetramos o Vietnã do Norte pra pegar dois pilotos. Eu estava sentado aqui pensando nisso. O Bill Bom de Papo. Aquele filho da puta. Pensando nesse filho da puta escroto, que fica lá no Salão Oval com uma mulher pagando boquete pra ele à custa do dinheiro do contribuinte, e depois pensando nesses dois pilotos, eles tinham ido numa missão pra bombardear o porto de Hanói, e foram derrubados, e a gente captou o sinal deles no rádio. Nosso helicóptero nem era de resgate, mas a gente estava ali perto, e eles estavam dando sinal de socorro, iam ter que pular de para-quedas, porque estavam naquela altitude que se não pulassem de para-quedas iam morrer quando o avião caísse. O nosso helicóptero nem era de resgate, era de combate, a gente ia só tentar salvar duas vidas. A gente nem pediu permissão pra ir e entrou numa de ir. Nessas horas você age por instinto. Todo mundo concordou, os dois atiradores, o piloto, o copiloto, se bem que a gente não tinha muita chance, porque não tinha cobertura. Mas a gente foi assim mesmo — pra tentar pegar os caras."
Ele está me contando uma história de guerra, pensei. E sabe que está. Essa história tem alguma moral. Uma moral que ele quer que eu leve comigo, até a margem, até o carro, até a casa que ele sabe onde fica, e que ele quer que eu saiba que ele sabe onde fica. Uma moral para "o escritor"? Ou para outra pes-

soa — uma pessoa que conhece um segredo dele que é maior ainda que o segredo desta lagoa. Ele quer que eu saiba que poucas pessoas viram o que ele viu, estiveram onde ele esteve, fizeram o que ele fez e, se for o caso, pode fazer de novo. Ele matou gente no Vietnã e trouxe o assassino com ele para a serra de Berkshire, veio com ele do país em guerra, o país dos horrores, para este outro lugar, que não faz a menor ideia de nada.
O trado no gelo. A franqueza do trado. Não poderia haver uma concretização mais sólida do nosso ódio do que a aparência metálica e implacável daquele trado ali, perdido no meio do nada.
"A gente pensa assim: tudo bem, nós vamos morrer, nós vamos morrer. Mas fomos atrás dos sinais que eles estavam mandando, e vimos um para-quedas, e pousamos na clareira e pegamos o cara sem o menor problema. Ele veio pro helicóptero, a gente puxou ele pra dentro, nenhuma oposição. Aí perguntamos pra ele: 'Você faz alguma ideia?', e ele disse: 'Ele foi sendo levado pra aquele lado'. Aí decolamos outra vez, mas a essa altura eles já sabiam que a gente estava ali. Avançamos mais um pouco, tentando encontrar o outro cara, e aí de repente o mundo desabou em cima de nós. Vou te contar, foi um negócio incrível. Não deu pra pegar o outro cara. O helicóptero começou a ser atingido de tudo quanto era lado. Pof, tec, pum. Metralhadora. Tiro vindo do chão. O jeito foi dar meia-volta e cair fora dali o mais depressa possível. E lembro que o cara que a gente tinha pegado começou a chorar. É nisso que eu quero chegar. Ele era piloto da Marinha. Eles tinham saído do 'Forrestal'. E ele sabia que o outro cara estava morto ou preso, e começou a botar a boca no mundo. Era horrível pra ele. Era o amigo dele. Mas a gente não podia voltar atrás. Não dava pra arriscar o helicóptero e cinco caras. Já foi muita sorte a gente salvar um. Aí voltamos pra base e saltamos e olhamos pro heli-

cóptero, e tinha cento e cinquenta e um furos de bala nele. Não acertaram nenhum encanamento, nenhum tubo de combustível, mas os rotores estavam todos furados, um monte de bala acertou os rotores. Entortou eles um pouco. Quando acertam na hélice da cauda você cai direto, mas eles não acertaram, não. Sabe que eles derrubaram cinco mil helicópteros nessa guerra? Dois mil e oitocentos caças a jato que a gente perdeu. Eles perderam duzentos e cinquenta B-52 em bombardeios de altitude no Vietnã do Norte. Mas isso o governo nunca diz a você. Não diz mesmo. Eles só dizem o que querem que você ouça. Não é nunca o Bill Bom de Papo que é pego. É o cara que serviu que é pego. É sempre assim. Não, isso não é direito, não. Sabe o que eu estava pensando? Eu estava pensando que se eu tivesse um filho ele estaria comigo aqui agora. Pescando. Era isso que eu estava pensando quando o senhor apareceu aqui. Eu levantei a vista e vi uma pessoa vindo, e meio que sonhando acordado eu pensei: podia ser o meu filho. Não o senhor, um homem como o senhor, mas meu filho."
"O senhor não tem filho?"
"Não."
"Nunca se casou?", perguntei.
Dessa vez ele não respondeu de imediato. Olhou para mim, fixou-se em mim como se eu fosse um sinal emitido por dois pilotos que iam saltar de para-quedas, mas não respondeu. Porque ele sabe, pensei. Ele sabe que eu fui ao enterro de Faunia. Alguém lhe contou que "o escritor" estava lá. Que espécie de escritor ele imagina que eu seja? Um escritor que escreve livros sobre crimes como esse? Um escritor que escreve livros sobre assassinos e assassinatos?
"Condenado", disse ele, olhando para o buraco e remexendo o caniço, sacudindo-o com um movimento súbito do pulso mais de dez vezes. "O casamento estava condenado ao fracasso.

Voltei do Vietnã cheio de raiva e ressentimento. Estava com PTSD. O que eles chamam de distúrbio de estresse pós-traumático. Foi o que me disseram. Quando voltei, eu não queria conhecer ninguém. Eu voltei e não conseguia me relacionar com nada que eu via aqui, quer dizer, vida civilizada. É como se eu tivesse ficado muito tempo lá, uma loucura completa. Usar roupa limpa, gente me cumprimentando, gente sorrindo, gente indo a festa, gente dirigindo carro — eu não conseguia mais me ligar nessas coisas. Eu não sabia mais falar com ninguém, não sabia cumprimentar ninguém. Passei muito tempo recolhido. Eu pegava o carro, saía por aí, ia pro meio do mato, ficava caminhando no meio do mato — um negócio muito louco. Eu me recolhi *de mim mesmo*. Eu não fazia ideia do que estava acontecendo comigo. Os meus amigos me telefonavam, eu não retornava. Eles tinham medo que eu morresse num desastre de carro, tinham medo que..."

Interrompi. "Por que é que eles tinham medo de que o senhor morresse num desastre de carro?"

"Eu estava bebendo. Eu dirigia e bebia."

"O senhor já teve algum acidente de carro?"

Ele sorriu. Não fez nenhuma pausa nem ficou me encarando. Não me dirigiu um olhar particularmente ameaçador. Não se levantou de um salto e me agarrou pelo pescoço. Limitou-se a sorrir um pouco, e havia mais bom humor naquele sorriso do que eu o imaginava capaz de manifestar. Num tom deliberadamente descontraído, ele deu de ombros e disse: "Taí, me pegou. Eu nem sabia o que estava acontecendo comigo, entende? Acidente? Se eu tive um acidente? Se tive, eu nem fiquei sabendo. Acho que não tive, não. Quando você está sofrendo de distúrbio de estresse pós-traumático, as coisas voltam pro seu subconsciente e você se convence que voltou pro Vietnã, que você está no Exército de novo. Eu não sou um cara instruído, não. Eu não sabia nem disso. Nego ficava puto comigo por causa disso e por causa daquilo, e ninguém sabia que eu estava naquela, e nem *eu* sabia, entende? Eu não tenho nenhum amigo instruído que sabe dessas coisas. Meus amigos são todos uns babacas. Babaca mesmo, sabe, cem por cento babaca, garantido, comprovado, com firma reconhecida e tudo." De novo deu de ombros. Comicidade? Tentativa de fazer graça? Não, era mais uma espécie de despreocupação sinistra. "Quer dizer, o que é que eu posso fazer?", perguntou, impotente.

Me enrolando. Brincando comigo. Porque sabe que eu sei. Estamos aqui, sozinhos os dois, neste lugar, e eu sei, e ele sabe que eu sei. E o trado sabe. Tudo o que sabeis, e precisais saber, tudo inscrito na espiral daquela lâmina de aço.

"Como que o senhor ficou sabendo que estava com PTSD?"

"Uma moça de cor lá do Departamento de Ex-Combatentes. Perdão. Uma afro-americana. Uma afro-americana muito inteligente. Ela tem até mestrado. O senhor tem mestrado?"

"Não", respondi.

"Pois ela tem, e foi assim que eu fiquei sabendo o que eu tinha. Senão até hoje eu não sabia. Foi assim que eu comecei a me entender melhor, a entender o que eu estava sofrendo. Eles me explicaram. E não era só eu, não. Não vá pensar que era só eu, não. Milhares e milhares de caras estavam passando pela mesma coisa. Milhares e milhares de caras que acordam no meio da noite e estão de volta no Vietnã. Milhares e milhares de caras que as pessoas ligam pra eles e eles não retornam. Milhares e milhares de caras tendo pesadelos horrorosos. E aí eu contei pra essa afro-americana e ela entendeu o que era. Porque ela tinha o tal do mestrado, ela me explicou o que estava acontecendo no meu subconsciente, e que era a mesma coisa que estava acontecendo no subconsciente de milhares e milhares de caras. O subconsciente. Não tem como você controlar. É que nem o governo. Ele *é* o governo. É igualzinho ao governo. Ele obriga você a fazer o que você não quer fazer. Milhares e milhares de caras se casando e o casamento deles está condenado ao fracasso, porque eles estão cheios de raiva e ressentimento no subconsciente por causa do Vietnã. Ela me explicou isso tudo. Eles me tiraram do Vietnã, me jogaram dentro de um jato C-41 da Aeronáutica e me levaram pras Filipinas, depois me puseram num jato da World Airways que me levou até a base da Força Aérea de Travis, e aí me deram duzentos dólares pra eu voltar pra casa. Quer dizer que entre eu sair do Vietnã e chegar em casa, levei uns três dias. Aí você volta pra civilização. E você está condenado. E a sua mulher, mesmo dez anos depois, está condenada. Ela está condenada, e o que foi que ela fez? Nada."

"Continua com PTSD?"

"Bom, eu ainda tendo a me isolar, não é? O que o senhor acha que eu estou fazendo aqui?"

"Mas não bebe e dirige mais", dei por mim dizendo. "Não se envolve mais em acidentes."

"Nunca me envolvi em acidente nenhum. O senhor não ouve o que eu digo? Eu já falei. Que eu saiba, nenhum."

"E o casamento estava condenado ao fracasso."

"Ah, estava, sim. Culpa minha. Toda minha. Ela era linda. Totalmente inocente. Culpa só minha. Sempre eu. Ela merecia coisa muito melhor que eu."

"O que aconteceu com ela?", indaguei.

Ele balançou a cabeça. Deu de ombros, um gesto triste, um suspiro — enrolação total, uma enrolação calculadamente *transparente*. "Não faço ideia. Fugiu, de tanto que eu meti medo nela. Quase matei ela de medo. Morro de pena dela, nem sei onde ela está agora. Uma pessoa totalmente inocente."

"Não tem filhos."

"Não. Não tenho filhos. E o senhor?", ele me perguntou.

"Não."
"Casado?"
"Já fui, mas agora não", respondi.
"Então eu e o senhor estamos no mesmo barco. Livres como o vento. Que espécie de livro o senhor escreve? Livro policial?"
"Não exatamente."
"Histórias verdadeiras?"
"Às vezes."
"O quê? Histórias de amor?", ele perguntou, sorrindo. "Espero que não sejam de pornografia." Fez de conta que aquela era uma ideia indesejável que o incomodava até mesmo como possibilidade. "Espero que nosso escritor não esteja na cabana do Mike Domouchel escrevendo e publicando livros pornográficos."
"Escrevo sobre pessoas como o senhor", disse eu.
"É mesmo?"
"É. Pessoas como o senhor. Os problemas delas."
"Diz o nome de um dos seus livros."
"*A marca humana.*"
"É? Está à venda?"
"Ainda não. Ainda não terminei."
"Eu vou comprar."
"Eu lhe mando um. Qual o seu nome?"
"Les Farley. Manda, sim. Quando terminar, manda pra garagem municipal. Garagem Municipal. Route 6. Les Farley." Me provocando de novo, meio que provocando a todos outra vez — a si próprio, seus amigos, "nosso escritor local" — ele disse, já rindo da ideia: "Eu e o pessoal de lá vamos ler". Não foi exatamente uma risada franca; era como se mordiscasse a isca de uma risada, contornasse e farejasse a risada sem chegar a cravar os dentes nela. Perto do gancho de uma hilaridade perigosa, mas não tão perto que a engolisse.
"Espero que vocês leiam, sim."

Eu não podia simplesmente me virar e ir embora agora. Logo agora que ele estava abrindo uma ligeira brecha na sua máscara emocional, agora que despontava a possibilidade de enxergar um pouco mais o que se passava dentro de sua cabeça.

"Como é que o senhor era antes do serviço militar?", perguntei.

"Isso é pro seu livro?"

"É. É." Dessa vez fui eu que ri, uma risada de verdade. Sem ter intenção de dizer aquilo, numa explosão desafiadora, ridícula e robusta, acrescentei: "É *tudo* pro meu livro".

E agora ele ria de modo mais desinibido também. Naquela lagoa transformada em hospício.

"Você era um sujeito gregário, Les?"

"Era", respondeu ele. "Era, sim."

"Andava com as pessoas?"

"É."

"Gostava de se divertir com elas?"

"Gostava. Tinha amigo que não acabava mais. Gostava de pegar o carro e sair por aí a toda. O senhor sabe, esse tipo de coisa. Quer dizer, eu trabalhava muito. Mas quando não estava trabalhando, era assim."

"E todos vocês que estiveram no Vietnã pescam no gelo?"

"Sei lá." De novo aquele riso que só mordiscava a isca. Pensei: para ele, é mais fácil matar uma pessoa que se soltar e rir de verdade.

"Não faz muito tempo que eu comecei a pescar no gelo", disse ele. "Foi só depois que a minha mulher fugiu. Eu aluguei uma cabanazinha, no meio do mato, na lagoa Dragonfly. Lá no meio do mato, bem à margem da lagoa Dragonfly, e eu sempre pesquei no verão, minha vida toda, mas nunca me interessei muito por pesca no gelo. Sempre fico achando que vai fazer muito frio, sabe? De modo que no primeiro inverno que eu passei naquela lagoa, e naquele inverno eu estava meio fora de órbita — a porra do PTSD —, eu vi um sujeito entrando no lago congelado e começar a pescar. Vi esse cara umas duas vezes, aí um dia me agasalhei e fui entrando na lagoa e o tal cara estava pegando uma porrada de peixe, perca, truta, o diabo. Aí eu pensei: pescar agora é tão bom quanto pescar no verão, se não for melhor ainda. É só você se agasalhar bem e comprar o equipamento adequado. Foi o que eu fiz. Comprei um trado, um trado bom, mesmo" — apontando — "um caniço, umas iscas artificiais. Tem centenas de iscas artificiais diferentes que você pode comprar. Centenas de fabricantes e marcas. De tudo quanto é tamanho. Você faz um furo no gelo, aí joga a sua isca artificial favorita lá dentro, junto com a isca natural — é só fazer assim com a mão pro anzol ficar subindo e descendo, sabe? Porque lá embaixo do gelo é escuro. É muito escuro, sim", disse ele, e pela primeira vez naquela conversa me encarou de maneira não tão sombria, muito pouco sombria, muito pouco dissimulada. Havia uma ressonância sinistra em sua voz quando ele acrescentou: "É escuro *mesmo*". Uma ressonância sinistra e surpreendente, que deixou bem claro o que havia acontecido com o carro de Coleman. "De modo que qualquer coisa colorida se mexendo lá embaixo", acrescentou, "os peixes são atraídos. Acho que eles sabem se adaptar a esse ambiente escuro."

Não, ele não é burro, não. É um assassino brutal, mas não é burro como eu pensava, não. O que faz falta a ele não é inteligência. Por trás de qualquer disfarce, inteligência raramente é o que falta.

"Porque eles têm que comer", ele me explica, cientificamente. "Eles encontram comida lá embaixo. E o corpo deles tem que se adaptar àquela água geladíssima, e os olhos se adaptam à escuridão. Eles percebem qualquer movimento. Se eles veem qualquer coisa brilhando, ou então sentem as vibrações da isca artificial, eles são atraídos. Eles sabem que é uma coisa viva, e talvez seja comestível. Mas se você não sacode você não pega peixe nenhum. Se eu tivesse um filho, sabe, era o que eu estava pensando, eu agora estava ensinando ele a sacudir a isca. Eu estava ensinando ele a sacudir a isca. Ensinando ele a espetar a isca. Tem vários tipos de isca natural, sabe, a maioria delas é larva de mosca ou de abelha que eles criam pra pesca no gelo. E a gente ia na loja, eu e o Les Júnior, pra comprar isca, lá na loja de equipamento pra pesca no gelo. E elas vêm num copo de plástico, sabe? Se eu tivesse um Leszinho agora, um filho meu, sabe, se eu não estivesse condenado por causa dessa porra desse PTSD, eu estava aqui com ele agora, ensinando todo esse negócio pra ele. Eu ensinava ele a usar o trado." Apontou para a ferramenta atrás dele, largada no gelo, ainda fora de seu alcance. "Eu uso um trado de cinco polegadas. Tem de quatro até oito polegadas. Eu prefiro um buraco de cinco polegadas. É perfeito. Nunca tive até hoje nenhum problema tirando o peixe por um furo de cinco polegadas. Seis é um pouco grande demais. Seis é grande demais porque as lâminas têm mais uma polegada de largura, o que parece pouca coisa, mas se você olha pro trado de cinco polegadas... peraí, eu te mostro." Levantou-se e foi pegar o trado. Apesar do macacão forrado e das botas que acrescentavam volume àquele homem pequeno e atarracado, ele se movimentava com agilidade sobre o gelo, pegando o trado com uma das mãos como um jogador de beisebol pega o taco quando volta correndo para o banco depois de correr atrás de uma bola alta. Ele se aproximou de mim e levantou a broca comprida e reluzente do trado até quase encostá-la na minha cara. "Olha aqui."

Aqui. Aqui era a origem. Aqui era a essência. Aqui.

"Se você olha pro trado de cinco polegadas e compara com o de seis", dizia ele, "você vê que faz muita diferença. Quando você está furando manualmente, atravessando uma camada de gelo de mais de dez centímetros, de até meio metro, o esforço é muito maior com um trado de seis polegadas que com um de cinco. Com esse aqui eu furo meio metro de gelo em cerca de vinte segundos. Se estiver bem afiado. O mais importante é as lâminas estarem bem afiadas. Tem que manter as lâminas sempre bem afiadas."

Concordei com a cabeça. "É frio aqui no gelo."

"Põe frio nisso."

"Eu só reparei agora. Estou ficando gelado. O rosto. Está começando a incomodar. Melhor eu ir embora." E dei meu primeiro passo para trás, me afastando da camada fina de raspa de gelo entre ele o buraco.

"Tudo bem. E agora o senhor já sabe como é que se pesca no gelo, não é? Quem sabe agora o senhor não vai querer escrever um livro sobre pesca no gelo em vez de romance policial."

Caminhando para trás, meio passo de cada vez, eu já havia recuado um metro e meio, mas ele continuava com o trado na mão, a lâmina em espiral levantada à altura dos meus olhos. Totalmente derrotado, eu estava recuando. "E agora você conhece meu lugar secreto. Mais essa. Você sabe tudo", disse ele. "Mas não vai contar pra ninguém, não, vai? É bom ter um lugar secreto. O senhor não vai contar pra ninguém. A gente aprende a não contar nada."

"Comigo o segredo está seguro", disse eu.

"Tem um riacho que vem descendo a serra, descendo de um rochedo pro outro, e deságua na lagoa. Eu já te falei?", disse ele. "Nunca consegui descobrir a nascente. É um fluxo contínuo de água que entra na lagoa. E tem um desaguadouro no lado sul da lagoa, que é por onde a água sai." Apontou, ainda com o trado. Segurava-o bem firme com uma das mãos grandes, enfiadas nas luvas sem pontas. "E tem muitas fontes

debaixo da lagoa. A água vem de baixo, de modo que está sempre revolvendo. A lagoa está sempre se limpando. E o peixe precisa de água limpa pra crescer e ficar saudável. E este lugar tem todos os ingredientes. E tudo isso é criado por Deus. O homem não tem nada a ver com isso. Por isso que o lugar é limpo, e por isso que eu venho aqui. Se o homem entra na história, cai fora. Meu lema é esse. O lema de um cara com o subconsciente cheio de PTSD. Longe do homem, perto de Deus. Por isso não esquece de manter esse meu lugar em segredo. Um segredo só deixa de ser segredo, senhor Zuckerman, quando a gente conta ele."
"Sei."
"Ah, senhor Zuckerman — o livro."
"Que livro?"
"O seu livro. Me manda o livro."
"Pode deixar", disse eu, "já estou mandando", e comecei a caminhar em direção à margem. Ele estava atrás de mim, ainda segurando aquele trado, quando comecei a me afastar com passos lentos. Era uma longa caminhada. Mesmo se eu conseguisse escapar, eu sabia que meus cinco anos de solidão naquela casa haviam acabado. Eu sabia que o dia em que eu terminasse o livro, se eu chegasse mesmo a terminá-lo, seria necessário procurar outro lugar para morar.

Chegando são e salvo à margem, virei-me e olhei para trás, para ver se ele ia me seguir pelo meio do mato e acabar comigo antes que eu tivesse oportunidade de entrar na casa em que Coleman Silk passara a infância e, tal como Steena Palsson tantos anos antes, almoçar com a família dele em East Orange, o convidado branco daquele domingo. Só de olhar para ele senti o terror do trado — mesmo vendo que ele voltara a se sentar no balde: o branco gelado da lagoa circundando uma manchinha minúscula que era um homem, o único sinal humano em toda a natureza, como o X de um analfabeto numa folha de papel. Ali estava, se não a história completa, a imagem completa. É muito raro, neste nosso final de século, a vida nos oferecer uma visão pura e tranquila como esta: um homem solitário sentado num balde, pescando através de um buraco aberto numa camada de gelo com meio metro de espessura, numa lagoa cuja água está constantemente se renovando, no alto de uma montanha bucólica na América.

1ª EDIÇÃO [2002] 6 reimpressões

ESTA OBRA FOI COMPOSTA PELO ACQUA ESTÚDIO EM ELECTRA
E IMPRESSA PELA LIS GRÁFICA EM OFSETE SOBRE PAPEL PÓLEN SOFT
DA SUZANO S.A. PARA A EDITORA SCHWARCZ EM JUNHO DE 2021

A marca FSC® é a garantia de que a madeira utilizada na fabricação do papel deste livro provém de florestas que foram gerenciadas de maneira ambientalmente correta, socialmente justa e economicamente viável, além de outras fontes de origem controlada.